CUISINE DU QUÉBEC

Institut de tourisme et d'hôtellerie du Québec

Ce recueil de recettes québécoises a été réalisé par le Centre de recherches technologiques de l'Institut de tourisme et d'hôtellerie du Québec.

Anecdotes historiques
Hélène-Andrée Bizier
Jacques Lacoursière

Couverture et photographies
Centre des ressources didactiques de l'Institut de tourisme et d'hôtellerie du Québec.

Réalisation
Direction générale : Yves Moquin
Direction marketing : Pierre-Louis Labelle
Coordination : Ginette Landreville
Révision : Diane Martin
Direction artistique : Raymond Laguë
Assistante à la direction artistique : Fabienne Léveillé
Graphisme : Lan Lephan
Monique Jutras
Félicia Cavalieri

publication exclusive
Les Éditions La Presse Inc.
44, Saint Antoine ouest
Montréal, H2Y 1J5

Dépôts légaux, Bibliothèque nationale du Québec,
Bibliothèque nationale du Canada. ISBN-2-89205-272-6

L'éloge de la contribution de l'Institut de tourisme et d'hôtellerie du Québec au développement de l'industrie touristique québécoise n'est plus à faire. Centre spécialisé de la formation touristique hôtelière et de la restauration, lieu de consultation, de recherche et d'animation industrielle et pédagogique, l'école hôtelière du Québec travaille depuis près de dix-sept ans à la formation et au perfectionnement du personnel de l'industrie touristique, une industrie parmi les plus importantes au pays.

Avec **Cuisine du Québec**, l'Institut rend aujourd'hui publique une partie de la très importante collecte de recettes régionales effectuée par ses soins, ajoutant ainsi une contribution remarquable au développement d'un des secteurs les plus importants du tourisme : la restauration.

En proposant une table faite de produits locaux et des plats où se retrouvent nos origines et nos goûts, la restauration pourra désormais, grâce à **Cuisine du Québec**, enrichir son répertoire et offrir aux visiteurs quelque chose qui ne s'invente pas : l'authenticité d'une culture qui fait le lien entre deux continents et le charme, attachant, d'un peuple dont l'hospitalité et la joie de vivre sont une manière d'être.

Le Ministre du Tourisme

Marcel Léger

Marcel Léger

La restauration est sans conteste un des secteurs clés du développement touristique. De la qualité de sa contribution, de sa créativité et de son dynamisme dépendent en partie la santé et la rentabilité de l'industrie. C'est dire l'importance de la restauration et l'attention que le ministère apporte, entre autres, aux initiatives qui favorisent l'établissement d'une cuisine régionale authentique et de qualité.

Parmi ces initiatives, celles de l'Institut de tourisme et d'hôtellerie du Québec mérite une mention spéciale pour son ampleur et sa pertinence. Grâce à elle, 3 000 recettes régionales classées, expérimentées et standardisées sont désormais à la disposition de tous ceux qui s'intéressent à la cuisine régionale du Québec. Pour eux, **Cuisine du Québec** constituera un outil de travail précieux et un instrument de développement des plus intéressants.

Le Sous-ministre adjoint au développement

Michel Carpentier

Préface

Comme on le sait, le patrimoine d'un peuple se compose de tout ce qui appartient à cette communauté humaine, et cela dans quelque domaine que ce soit. Les habitudes alimentaires, les mille et une façons d'apprêter la nourriture de tous les jours y occupent, pour leur part, une place de tout premier plan. En effet, les aliments typiques tout comme les multiples façons de les accommoder, propres à un pays, ne sont-ils pas, à leur façon, aussi révélateurs de l'âme et du caractère populaire que le sont ses expressions artistiques et ludiques, ses habitudes vestimentaires, son fonctionnement social ou son folklore ? Comme toutes ces manifestations, les pratiques culinaires, leur variété de même que la créativité qu'elles reflètent, sont une des expressions privilégiées de l'originalité et de la vitalité d'une communauté humaine.

Au Québec, cette expression témoigne en outre de la capacité d'adaptation de ses habitants qui ont su, dans ce rude et beau pays, composer avec la nature, tirer profit de l'expérience des premiers occupants et constituer, à partir des produits locaux et d'importation, une cuisine locale qui est le reflet de la souplesse et de l'esprit d'invention qui les caractérisent.

En entreprenant de recueillir, en vue d'en arriver à l'identification de cuisines régionales au Québec, les recettes familiales à travers toute la province, l'Institut de tourisme et d'hôtellerie a voulu contribuer à faire connaître à tous ce patrimoine commun dans une publication de recettes régionales identifiées aux dix-huit régions touristiques du Québec.

Dans sa démarche, l'Institut s'est attaché à recueillir, auprès de la population tout entière, les recettes avant tout familiales, celles de tous les jours comme celles des jours de fête, merveilles humbles ou fastueuses, dont la simple évocation suffit à réveiller les souvenirs du temps passé.

Plus de 30 000 recettes ont ainsi été recueillies dans tout le Québec et classées, dans un premier temps, en régions, selon leur provenance*. Une deuxième sélection a permis le regroupement par catégories des recettes à la fois les plus caractéristiques dans leur genre et les plus accessibles du point de vue de leur réalisation.

Toutes ces recettes furent alors expérimentées, puis soumises à des comités régionaux composés de représentants de l'association touristique régionale, des associations féminines, des associations locales des hôteliers et des restaurateurs, des fédérations d'histoire, des artisans, des médias, auxquels se joignaient, le cas échéant, des chefs connus. Les comités régionaux étaient chargés d'examiner les recettes et de déterminer si elles étaient bien représentatives de la région. Ils avaient également le mandat d'ajouter des recettes régionales qui n'avaient pas été recensées au cours de la collecte.

Le concours des comités régionaux a été un élément très important dans la collecte, du fait notamment, de la rigueur supplémentaire que sa contribution donnait au classement final des recettes, de même que des compléments d'information qu'il apportait au regroupement régional.

De retour à l'Institut, les recettes ont alors été soumises à une deuxième expérimentation ; il s'agissait, en effet, de les rendre utilisables aussi bien pour les particuliers que pour la restauration ou l'industrie. Elles sont toutes établies pour 6 et 24 personnes, convenant ainsi à un petit comme à un plus grand nombre de convives. Elles constituent une précieuse ressource pour tous ceux qui, pour leur plaisir ou pour le plaisir de leurs clients, voudront remettre à l'honneur les plats régionaux de notre cuisine. Pour l'industrie, elles seront sans conteste un élément important de valorisation du tourisme régional.

Les anecdotes historiques et les photos qui accompagnent les recettes ont été choisies pour créer à celles-ci un contexte inédit et, nous l'espérons, un climat qui rehausse encore leur intérêt.

Avec cette publication de recettes régionales du Québec, l'Institut continue à faire connaître les recettes locales telles qu'elles se pratiquent encore dans nos régions.

Par ce travail de collecte et de publication, l'Institut de tourisme et d'hôtellerie du Québec a voulu contribuer à la préservation et à la mise en valeur d'un aspect particulier d'un bien, commun à tous. Si ce travail a pu contribuer à rendre accessible un domaine jusque-là difficilement abordable, toutes les personnes qui y auront contribué, en envoyant des recettes ou en travaillant à leur mise au point, se sentiront pleinement récompensées.

Le Directeur général de l'Institut
de tourisme et d'hôtellerie du Québec

Antoine Samuelli, Ph.D.

---

* *Les recettes font partie d'une banque de recettes constituée au Centre de recherches technologiques de l'ITHQ, au 401, rue de Rigaud, Montréal.*

Remerciements

Nous tenons à remercier vivement les nombreux collaborateurs et organismes régionaux qui ont participé à la réalisation de ce recueil.

Région des Îles-de-la-Madeleine

Comité régional
Présidé par la Municipalité régionale de comté des Îles-de-la-Madeleine.
Madame Diane Cormier, agent culturel
Madame Raymonde Gaudet et
Madame Colette Garneau, responsables du comité des recettes à la Fédération « 21 » du Cercle des fermières du Québec
Monsieur Achile Hubert, directeur du journal **Le Radar**
Monsieur François Turbide, collaborateur
Texte historique
Collaboration de la Commission de développement culturel.

Région de la Gaspésie

Comité régional
Présidé par l'Association touristique régionale de la Gaspésie.
Madame Michèle Allard, directrice générale de l'A.T.R.
Madame Normande Godbout, secrétaire de l'A.T.R.
Madame Thérèse Michaud, recherchiste documentaliste de l'A.T.R.
Texte historique
Collaboration de Messieurs Donald Deschênes et Mario Mimeault de la Fédération des sociétés d'histoire du Québec et de Monsieur Jean-Marie Fallu, directeur général du Musée régional d'histoire et de la tradition populaire de Gaspé.

Région du Bas Saint-Laurent

Comité régional
Présidé par l'Association touristique régionale du Bas Saint-Laurent : Madame Dolorès Lévesque et Madame Jacqueline Rioux, agents de projet.
Composé de :
Madame Christiane Guilbert, Confrérie gastronomique de Rivière-du-Loup
Madame Georgette Soucy, Cercle des fermières de Rivière-du-Loup
Madame Camille Pelletier, Cercle des fermières de la Pocatière
Madame Michaud, Cercle des fermières de Saint-Eleuthère
Madame Camille Michaud, Cercle des fermières de Saint-Eleuthère
Monsieur Choinière, Auberge Saint-Simon
Texte historique
Collaboration de Monsieur Marc-André Leclerc de la Fédération des sociétés d'histoire du Québec.

Région de Québec

L'Association touristique régionale de Québec :
Madame France Marquis, agent responsable.
Texte historique
Collaboration de Monsieur Georges-Henri Dagneau de la Fédération des sociétés d'histoire du Québec.

Région de Charlevoix

Comité régional
Présidé par l'Association touristique régionale de Charlevoix composé de :
Monsieur Pierre Tremblay, directeur général de l'A.T.R.;
Monsieur Ferdinand Tremblay, propriétaire de l'auberge Les Peupliers à Cap-à-l'Aigle;
Madame Lucie Bergeron, géographe à Cap-à-l'Aigle;
Monsieur François Tremblay, directeur général du Musée régional Laure Conan.
Texte historique
Collaboration de Monsieur Roger Lemoine de la Fédération des sociétés d'histoire du Québec.

Région du Pays de l'Érable

Comité régional
Présidé par l'Association touristique régionale du Pays de l'Érable
Monsieur André Marquis, coordonnateur.
Composé de :
Madame Rose-Hélène Coulombe, Ministère de l'Agriculture du Québec
Madame Jeanne-d'Arc Nadeau, Restauration région du Pays de l'Érable
Madame Francis Gagnon, Restauration région du Pays de l'Érable
Monsieur Renaud Cyr, Auberge Manoir des Érables
Texte historique
Collaboration de l'Association touristique régionale du Pays de l'Érable

Région de la Mauricie — Bois-Francs — Centre du Québec

Comité régional
Présidé par l'Association touristique régionale de Mauricie — Bois-Francs — Centre du Québec :
Monsieur Yvon Caron, directeur général
Composé de :
Madame Georgette Doucet, AFÉAS
Mademoiselle Terry Turcot, Association des hôteliers du Québec
Monsieur Claude Tessier, Amicale des cuisiniers de la Mauricie
Monsieur Jean-Yves Milot, Association des restaurateurs du Québec
Monsieur Jean-Marc Beaudoin, Médias d'information
Monsieur Claude Lessard, Société d'histoire régionale de Trois-Rivières
Texte historique
Collaboration de Madame Marguerite Moisan et Monsieur Claude Lessard de la Fédération des sociétés d'histoire du Québec.

Région de l'Estrie

Comité régional
Présidé par l'Association touristique régionale de l'Estrie :
Monsieur Réjean Beaudoin, directeur général
Composé de :
Madame Bernice McAdams, AFÉAS
Madame Marie-Jeanne Daigneault, Fédération des sociétés d'histoire du Québec
Madame Ruet, Cercle régional des fermières
Monsieur Jacques Latulippe, Fédération canadienne des chefs de cuisine
Monsieur Michel Genest, Association culinaire des Cantons de l'Est
Monsieur Jean-Pierre Plumet, Restaurant Chez Plumet
Texte historique
Collaboration de Madame Marie-Jeanne Daigneault de la Fédération des sociétés d'histoire du Québec.

Région du Richelieu — Rive-Sud

Comité régional
Présidé par l'Association touristique régionale du Richelieu — Rive-Sud :
Monsieur Daniel Racine, directeur
Composé de :
Madame Lucille Nadeau, AFÉAS
Madame Nicole Novak, Médias d'information
Monsieur Yves Duclos, Association des restaurateurs du Québec
Monsieur Robert Lévesque, Association des hôteliers du Québec
Monsieur André Carpentier, Société des chefs de cuisine et pâtisserie de la province de Québec.
Texte historique
Collaboration de Madame Annette Laramée de la Fédération des sociétés d'histoire du Québec.

Région de Lanaudière

Comité régional
Présidé par l'Association touristique régionale de Lanaudière :
Monsieur Charles Boulanger, directeur général
Composé de :
Madame Louise Durand, présidente de l'AFÉAS de Saint-Jean-de-Matha
Monsieur John Redmond, président de l'A.T.R. de Lanaudière
Monsieur Réal Barrette, professeur de cuisine
Monsieur Serge Robert, directeur de l'Auberge des gouverneurs de Joliette
L'abbé François Lanoue, collaborateur.
Texte historique
Collaboration de Madame Michelle Bourdeau-Picard de la Fédération des sociétés d'histoire du Québec.

Région des Laurentides

Comité régional
Présidé par l'Association touristique régionale des Laurentides :
Monsieur André Goyer, directeur général
Monsieur Serge Vaugeois, agent de développement
Composé de :
Monsieur Pierre Séguin, chef, station touristique du Mont-Tremblant
Monsieur Léopold Handfield, restaurateur, Table Enchantée de Saint-Jovite
Monsieur Louis Gravel et Madame Louise Duhamel, restaurateurs, Loup-Garou de Val-David
Monsieur Rolland Desjardins, chef cuisinier, Marie-Bourgoyne de Sainte-Adèle
Texte historique
Collaboration de Monsieur Michel Hébert de la Fédération des sociétés d'histoire du Québec.

Région de Montréal

Comité régional
Présidé par la Chambre de commerce de Montréal :
Madame Hélène St-Pierre
Composé de :
Madame Jeannine Beauchemin, AFÉAS
Monsieur Jean-Claude Blondeau, Association des restaurateurs du Québec
Monsieur Marcel Beaulieu, Association des chefs de cuisine du Québec
Monsieur Marcel Cadotte Dr., Fédération des sociétés d'histoire du Québec
Monsieur Alain Roberge, Auberge Handfield
Texte historique
Collaboration de Monsieur Marcel Cadotte Dr. de la Fédération des sociétés d'histoire du Québec.

Région de l'Outaouais

Comité régional
Présidé par l'Association touristique de l'Outaouais
Monsieur Michel Noreau, directeur général de l'A.T.R. de l'Outaouais
Monsieur Jean-Guy Noël, directeur du développement touristique pour la Société d'aménagement de l'Outaouais
Madame Micheline Préseault de la Société d'aménagement de l'Outaouais
Monsieur Guy Hotte de la Société d'aménagement de l'Outaouais
Texte historique
Collaboration de Monsieur Pierre-Louis Lapointe de la Fédération des sociétés d'histoire du Québec.

Région Abitibi — Témiscamingue

Comité régional
Présidé par l'Association touristique régionale de l'Abitibi — Témiscamingue :
Madame Carmen Cantin, directrice
Monsieur Marcel Jolin, président
Composé de :
Madame Rose Vaillant, AFÉAS
Madame Thérèse Désy Beaulieu, Médias d'information
Monsieur André Pelchat, professeur de cuisine professionnelle à La Sarre
Monsieur Paul Giroux, Association des restaurateurs du Québec
Madame Rollande Charlebois, représentante du Conseil de la culture
Texte historique
Collaboration de l'Association touristique régionale de l'Abitibi-Témiscamingue.

Région du Saguenay — Lac-Saint-Jean — Chibougamau

Comité régional
Présidé par l'Association touristique régionale du Saguenay — Lac-Saint-Jean — Chibougamau :
Monsieur Denis L. Girard, directeur général
Composé de :
Madame Rita Tremblay, La Presse
Madame Boucher, AFÉAS
Monsieur Marcel Bouchard, Association des restaurateurs du Québec
Texte historique
Collaboration de Monsieur Léonidas Bélanger de la Fédération des sociétés d'histoire du Québec.

Région de Manicouagan

Comité régional
Présidé par l'Association touristique régionale de Manicouagan
Monsieur John Danis, directeur général
Monsieur André Blais, agent de développement
Madame Thérèse Paré Gagnon de la Société historique de la Côte-Nord
Texte historique
Collaboration de Monsieur Pierre Frenette de la Fédération des sociétés d'histoire du Québec et de l'Association touristique régionale de Manicouagan Inc.

Région de Duplessis

Comité régional
Présidé par l'Association touristique régionale de Duplessis :
Monsieur Jean-Yves Fournier, directeur général
Madame Michèle Cadoret, agent de projet
Collaboration :
Madame Lily Tanguay-Desrochers
Madame Laure Porlier-Bourdages
Madame Lucille Boudreau
Madame Yvonne Lejeune
Madame Marguerite Tanguay
Madame Carmelle Bourque
Madame Sylvie Lebrun
Madame Anne Bergeron
Madame Marthe Langlois
Madame Lucille Dignard
Monsieur Jean-Yves Racette
Texte historique
Collaboration de Mesdames Lily Tanguay-Desroches et Laure Porlier-Bourdages de la Société historique du Golfe.

Région du Nouveau-Québec

Monsieur Henri Jamet, responsable du développement touristique à la Baie James — Nouveau-Québec.
Collaborateurs
Madame Ida Watt de Kuujjuak
Madame Daisy Watt de Kuujjuak
Madame Michèle Forgues Létourneau de Kuujjuak
Monsieur Claude Grenier de Kuujjuak
Monsieur Marc-Alain Côté de Radisson
Monsieur Jean-Guy Létourneau de Kuujjuak
Monsieur Michel Tétreau de Val-d'Or
Monsieur Réjean Pelletier de Québec
Monsieur Louis-Jacques Dorais de l'Université Laval de Sainte-Foy
Texte historique
Collaboration de Monsieur Henri Jamet du Ministère du Tourisme du Québec.

Note au lecteur

Avant que vous n'entrepreniez la lecture de ce livre, nous aimerions attirer votre attention sur certains points qui sont importants pour comprendre certains textes.

Dans l'utilisation des recettes, vous devez considérer les lois et règlements qui régissent différents produits tels que le gibier ou le saumon, par exemple, la Loi de la conservation de la faune, la Loi sur les pêcheries et la Loi sur la convention des oiseaux migrateurs.

Pour ce qui est de la réalisation même des recettes, il faut noter que le temps de cuisson, le choix des liaisons et la nature du liquide peuvent changer la qualité d'une préparation. Il est donc fortement recommandé de vérifier l'assaisonnement et la consistance des mets en fin de cuisson. De plus, les temps de préparation et de cuisson prévus ne s'appliquent qu'aux portions restreintes (4, 6 ou 8). Il faut préciser aussi que le temps de cuisson des aliments indiqué constitue une approximation, puisque différents éléments peuvent le faire varier, Ainsi, il dépend de la forme, de l'épaisseur et de la qualité de la matière à cuire ; de la grandeur et de la forme du récipient de cuisson ; de l'intensité de la source de chaleur.

Les quantités sont indiquées selon le système métrique. Ainsi, la virgule sépare le nombre entier de la décimale. Par exemple, 1,400 litre doit se lire 1 litre 400 millièmes de litre, et non 1 400 litres. Le principe est le même pour les kilogrammes.

Une évaluation monétaire ($, $$ ou $$$) accompagne chaque recette. Le symbole $ équivaut à un coût économique, $$ à un coût moyen et $$$ à un coût plus élevé. Cette valeur est toutefois relative aux possibilités d'approvisionnement des produits dans votre région.

Les mots imprimés en *italique* renvoient au lexique où sont définis certains termes culinaires, alors que la note *(voir recettes complémentaires)* reporte le lecteur en fin de recueil où apparaissent des recettes de base communes à la préparation de divers plats.

Nous tenons également à vous aviser que toutes les recettes publiées ne sont pas nécessairement inédites ; elles peuvent avoir été publiées dans d'autres recueils, sous d'autres titres ou conditions. Nous avons dû en outre modifier les recettes recueillies, afin d'en faciliter l'édition et les rendre accessibles au plus grand nombre de personnes possible.

Îles-de-la-Madeleine

L'arrivée des petits bateaux de pêche au port, le déchargement des quatre ou cinq caisses remplies de harengs ou de homards, l'étiquetage, la pesée, le transport à la conserverie ou au fumoir sont autant de spectacles attrayants pour les touristes des Îles.

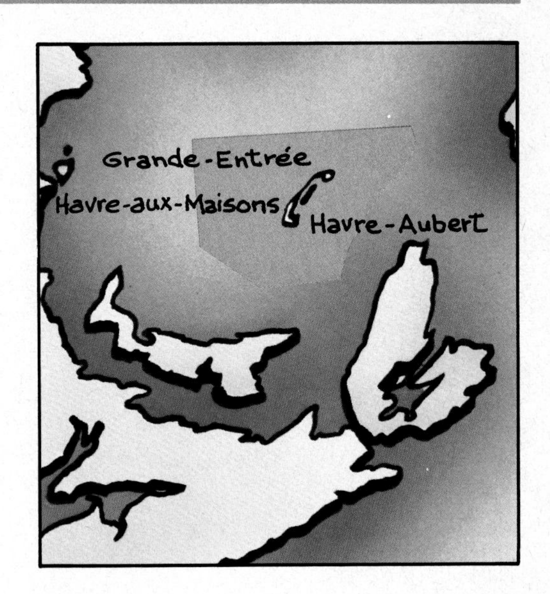

L'économie traditionnelle de cet archipel gravite depuis toujours autour de la pêche. Les méthodes ont bien évolué. Les harengs qui viennent frayer près des côtes, en avril de chaque année, étaient autrefois considérés comme le poisson du pauvre. Ils arrivaient en si grand nombre qu'ils se ruaient par millions sur la grève pour y mourir. Les cultivateurs les ramassaient à la tonne pour les utiliser comme engrais sur la ferme. Les usines de harengs fumés des Îles furent pendant un certain temps les plus importantes au monde, mais une surexploitation par les nombreux pays pêcheurs et l'utilisation d'engins modernes ont réussi à les faire disparaître presque complètement. Entre temps, on avait découvert au hareng de grandes propriétés nutritives et gastronomiques. Il constitue maintenant un produit de luxe dont la cueillette, plus restreinte, se vend à prix d'or.

Pendant l'hiver, saison morte pour les travailleurs de la mer, les Madelinots s'occupent à la préparation des filets, des bateaux et des engins de pêche, ainsi qu'à la fabrication d'objets d'artisanat divers. Mais mars ne tarde pas à revenir, amenant avec la chasse aux phoques la reprise des activités. C'est alors le temps des « croquignoles » au petit lard, pâtisseries du genre beigne, cuites en pleine friture dans l'huile de loup-marin. Cette spécialité savoureuse fait le délice des gourmets et sa popularité grandit avec les années et l'affluence touristique. La chair du phoque est excellente lorsqu'elle est bien apprêtée.

Tomates au crabe

Préparation : 25 minutes $$$

Portions 24	*Ingrédients*	Portions 6
24	**Tomate ronde et ferme**	6
	Sel (au goût)	
1 kg	**Crabe**	250 g
16	**Oeuf dur**	4
10 mL	**Pâte d'anchois**	2 mL
125 mL	**Huile d'olive**	30 mL
20 mL	**Vinaigre**	5 mL
	Poivre (au goût)	
60 mL	**Échalote hachée**	15 mL
	Branche de persil (au goût)	

Méthode

1 Bien évider les tomates; les *épépiner* et les *émonder*.
2 Saler légèrement l'intérieur afin de les faire *dégorger*.
3 Les laisser égoutter pendant 20 minutes.
4 Pendant ce temps, couper le crabe en dés et le réserver.
5 Piler les jaunes d'oeufs avec la pâte d'anchois.
6 Verser l'huile d'olive, le vinaigre et le poivre sur cette pâte.
7 Ajouter l'échalote.
8 Mélanger cette pâte avec le crabe et en garnir les tomates dégorgées.
9 Hacher les blancs d'oeufs, en recouvrir le dessus des tomates et décorer le plat de quelques branches de persil.

Soupe au maquereau

Préparation : 20 minutes $
Cuisson : 25 à 30 minutes

Portion 6 litres	*Ingrédients*	Portion 1,5 litre
300 g	**Oignon haché**	125 mL
60 g	**Beurre**	15 mL
1 kg	**Pomme de terre en dés**	500 mL
4 L	**Eau ou fumet de poisson** ***(voir recettes complémentaires)***	1 L
20 mL	**Sel**	5 mL
10 mL	**Poivre**	2 mL
500 g	**Maquereau en conserve**	125 g
100 g	**Beurre**	25 mL
60 mL	**Farine**	15 mL
325 g	**Farine**	125 mL
20 mL	**Poudre à pâte**	5 mL
2 mL	**Sel**	1 pin.
250 mL	**Eau**	60 mL

Méthode

1 *Faire suer* les oignons dans le beurre.
2 Ajouter les pommes de terre.
3 *Mouiller* avec l'eau ou le fumet de poisson.
4 Assaisonner de sel et de poivre et faire cuire pendant 10 minutes.
5 Ajouter le maquereau.
6 Faire fondre le beurre et y ajouter la farine.
7 Incorporer à la soupe.
8 Mélanger la farine, la poudre à pâte et le sel.
9 Ajouter l'eau.
10 Former des boules de pâte de 5 mL et les mettre dans la soupe.
11 Faire cuire pendant encore 15 minutes.

Bouchées aux coques

Préparation : 15 minutes $
Cuisson : friture

Portions 24	*Ingrédients*	Portions 6
550 g	**Coque**	140 g
125 mL	**Jus de coques**	30 mL
350 mL	**Lait**	90 mL
4	**Oeuf battu**	1
325 g	**Farine**	125 mL
2 mL	**Sel**	1 pin.
2 mL	**Poivre**	1 pin.
	Huile (q.s.)*	
	Quartier de citron (au goût)	

Méthode

1 Égoutter les coques et les réserver.
2 Mélanger la proportion de jus de coques indiqué avec le lait.
3 Ajouter les oeufs battus.
4 Incorporer la farine.
5 Assaisonner de sel et de poivre.
6 Passer les coques dans la pâte de façon à bien les enrober de pâte.
7 Cuire à grande friture dans l'huile chaude.
8 Servir chaud et accompagner de citron.
* quantité suffisante

Centre des ressources didactiques / Institut de tourisme et d'hôtellerie du Québec

Bigorneaux des Îles

Musée de la mer aux Îles-de-la-Madeleine *(Baleine échouée, 1930).* Objets d'artisanat : Jean Aubry, Saint-André-Avellin *(vase et coupe);* Les Ateliers du manoir des Îles-de-la-Madeleine *(assiette).*

Bigorneaux des Îles

Préparation : 15 minutes $$
Cuisson : 7 à 8 minutes

Portions 24	*Ingrédients*	Portions 6
125 g	**Beurre**	30 mL
150 g	**Oignon ciselé**	60 mL
150 g	**Poivron vert en petits dés**	60 mL
3	**Gousse d'ail écrasée**	1
125 mL	**Jus de citron**	30 mL
500 g	**Bigorneau en conserve**	125 g
	Sel (au goût)	
	Poivre (au goût)	
24	**Croûton de pain grillé**	6
	Persil haché (au goût)	

Méthode
1 *Faire suer* au beurre les oignons et les poivrons.
2 Ajouter l'ail et faire cuire pendant encore 1 à 2 minutes.
3 Ajouter le jus de citron, les bigorneaux et leur jus.
4 Cuire pendant 4 à 5 minutes.
5 Assaisonner.
6 Disposer sur des croûtons de pain.
7 Poudrer de persil haché.
8 Servir chaud.

Palourdes au four

Préparation : 45 minutes $$
Cuisson : 10 minutes

Portions 24	*Ingrédients*	Portions 6
12 dz.	**Palourde**	3 dz.
500 g	**Beurre**	125 mL
60 mL	**Cognac**	15 mL
	Sel (au goût)	
	Poivre (au goût)	
125 g	**Biscuit « Ritz » émietté**	125 mL

Méthode
1 Laver les palourdes à grande eau et les ouvrir.
2 Dégager les mollusques de leurs coquilles.
3 Bien essuyer le tour avec un torchon.
4 Mélanger le beurre, le cognac, le sel et le poivre.
5 Garnir chaque palourde avec un peu de beurre.
6 Poudrer de biscuits « Ritz » émiettés.
7 Cuire au four à 200°C pendant 10 minutes.
8 Servir chaud.

Soupe « De Luxe » aux poissons

Comment éclairait-on sa maison, dans les Îles-de-la-Madeleine avant que n'y soit installée l'électricité ? Nos insulaires savaient fort bien se tirer d'affaire. S'ils utilisaient le filet de la morue pour préparer une excellente soupe de poisson, ils mettaient de côté le foie pour en tirer de l'huile. Un navet, creusé en son centre, faisait office de lampe : on y versait l'huile, on la surmontait d'un couvercle perforé et on y introduisait la mèche, un brin de laine ou d'étoffe.

Préparation : 20 minutes $$$
Cuisson : 15 à 20 minutes

Portion 6 litres	*Ingrédients*	Portion 1,5 litre
175 g	**Beurre**	45 mL
150 g	**Poivron vert en dés**	60 mL
125 g	**Céleri en dés**	60 mL
160 g	**Oignon ciselé**	60 mL
1,6 L	**Tomate concassée**	400 mL
250 mL	**Pâte de homard**	60 mL
3 L	**Eau**	750 mL
	Sel (au goût)	
	Poivre (au goût)	
400 g	**Chair de morue en dés**	100 g
400 g	**Filet de sole en dés**	100 g
400 g	**Pétoncle**	100 g

400 g	Chair de homard en dés	100 g
	Sel (au goût)	
	Poivre (au goût)	
40 mL	Persil haché	10 mL
60 mL	Ciboulette hachée	15 mL

Méthode
1 *Faire suer* au beurre le poivron, le céleri et l'oignon.
2 Ajouter la tomate et la pâte de homard.
3 Laisser mijoter pendant 7 à 8 minutes.
4 *Mouiller* avec l'eau.
5 Assaisonner.
6 Ajouter la chair des poissons, les pétoncles et le homard.
7 Laisser mijoter pendant encore 7 à 8 minutes.
8 Vérifier l'assaisonnement.
9 Ajouter les fines herbes.
10 Servir chaud.

Potée de maquereau aux tomates

Préparation : 25 minutes $
Cuisson : 40 minutes

Portions 24	*Ingrédients*	Portions 6
100 g	Beurre	25 mL
600 g	Oignon haché	250 mL
325 g	Champignon émincé	250 mL
24	Maquereau de 250 à 300 g	6
500 g	Petite carotte émincée	250 mL
3 L	Tomate concassée	750 mL
20 mL	Sel	5 mL
8 mL	Poivre	2 mL
12 mL	Sarriette	3 mL
20 mL	Sucre	5 mL
25 g	Persil haché	25 mL

Méthode
1 *Faire suer* au beurre l'oignon et les champignons et les déposer dans un plat allant au four.
2 Disposer au-dessus les maquereaux évidés et nettoyés avec ou sans têtes.
3 Faire *blanchir* les carottes.
4 Mélanger avec les carottes la tomate concassée, le sel, le poivre, la sarriette et le sucre.
5 Verser ce mélange sur les maquereaux.
6 Couvrir le plat de papier d'aluminium et cuire au four à 180°C pendant 30 à 40 minutes.
7 Poudrer de persil avant de servir.

Pot-en-pot aux pétoncles

Préparation : 30 minutes $$$
Cuisson : 45 à 50 minutes

Portions 24	*Ingrédients*	Portions 6
1,3 kg	Farine	500 mL
40 mL	Poudre à pâte	10 mL
20 mL	Sel	5 mL
500 g	Graisse	165 mL
500 mL	Eau	125 mL
1,8 kg	Pomme de terre émincée	800 mL
3,6 kg	Pétoncle en morceaux	900 g
300 g	Oignon haché	125 mL
125 g	Graisse	45 mL
	Sel (au goût)	
	Poivre (au goût)	
500 mL	Eau	125 mL
1 L	Eau	250 mL
100 g	Beurre	25 mL

Méthode
1 Tamiser les ingrédients secs ensemble.
2 *Sabler* avec la graisse.
3 Incorporer l'eau.
4 *Fraiser* pour former une pâte.
5 Laisser reposer pendant 1 heure au réfrigérateur.
6 Partager la pâte en deux parties et préparer deux *abaisses* ; les découper en carrés de 4 cm.
7 Les disposer dans le fond du plat de cuisson.
8 Disposer les pommes de terre et les pétoncles sur la pâte.
9 Faire mijoter l'oignon dans la graisse; ajouter sur les pétoncles.
10 Assaisonner et ajouter l'eau.
11 Couvrir de pâte et cuire au four à 170°C.
12 Lorsque la pâte est dorée, ajouter l'eau à laquelle on a ajouté le beurre.
13 Laisser mijoter au four, à couvert, pendant environ 45 minutes.

Vol-au-vent aux fruits de mer

Bien des gens ne s'offrent que rarement le plaisir de déguster des fruits de mer. Pour ceux qui vivent loin de l'océan, il s'agit de produits de luxe qu'on ne consomme qu'en de rares occasions, vu leur prix élevé. À ce titre, personne ne protesterait en les voyant figurer au menu d'un repas de noces. Il en est autrement pour les Madelinots qui, vivant essentiellement des produits de la mer et ne possédant que peu de bétail, auraient trouvé trop « ordinaire » un plat de fruits de mer pour un déjeuner de mariage. Frédéric Landry rapporte en effet qu'il « n'arrivait que très rarement que l'on serve du poisson ou de la volaille à un repas de noces. Pourquoi ? Peut-être n'était-ce pas assez digne pour les nouveaux mariés ? » On servait de la viande.

Préparation : 20 minutes $$$
Cuisson : 20 minutes

Portions 24	*Ingrédients*	Portions 6
450 g	Beurre	110 mL
300 g	Poivron vert en dés	125 mL
350 g	Céleri en dés	175 mL
250 g	Oignon en dés	125 mL
325 g	Champignon tranché	250 mL
325 g	Farine	125 mL
3 L à 4 L	Lait	750 mL à 1 L
1,6 kg	Homard décongelé en morceaux	400 g
1,2 kg	Pétoncle bouilli	300 g
1 kg	Grosse crevette (congelée)	250 g
12	Oeuf dur haché	3
	Sel (au goût)	
	Poivre (au goût)	
	Ciboulette hachée (au goût)	
	Persil haché (au goût)	
24	Vol-au-vent	6

Méthode
1 Faire fondre le beurre dans une casserole et y *faire revenir* le poivron, le céleri, les oignons et les champignons.
2 Lorsque ces légumes sont à moitié cuits, ajouter la farine; puis ajouter graduellement le lait en brassant continuellement jusqu'à consistance légèrement épaisse.
3 Laisser mijoter pendant environ 10 minutes.
4 Ajouter ensuite le homard, les pétoncles, les crevettes et les oeufs.
5 Assaisonner et poudrer de ciboulette et de persil.
6 Laisser mijoter pendant quelques minutes en remuant constamment.
7 Garnir des vol-au-vent avec ce mélange.
8 Servir chaud.

Pétoncles au four

Il ne se trouvait pas de maison aux Îles-de-la-Madeleine qui ne posséda sa « maçoune », c'est-à-dire se cheminée, dans l'âtre de laquelle on faisait cuire les aliments, et qui servait également à chauffer la maison. C'est donc là que mijotaient les poissons et mollusques frais.

Préparation : 35 à 40 minutes $$$
Cuisson : 20 à 25 minutes

Portions 24	*Ingrédients*	Portions 6
	Béchamel :	
160 g	beurre	40 mL
160 g	farine	60 mL
2 L	lait	500 mL
300 g	Oignon haché	125 mL
500 g	Céleri en dés	250 mL
350 g	Champignon émincé	250 mL
175 g	Beurre	45 mL
3,6 kg	Pétoncle	900 g
	Sel (au goût)	
	Poivre (au goût)	
80 g	Mie de pain en dés	250 mL
550 g	Mozzarella râpé	250 mL

Méthode
1 Préparer une sauce béchamel avec le beurre, la farine et le lait.
2 Faire revenir les légumes dans le beurre.
3 Ajouter les légumes et les pétoncles à la béchamel.
4 Assaisonner.
5 Déposer le tout dans un plat allant au four.
6 Disposer la mie de pain par dessus et recouvrir de mozzarella.
7 Cuire au four à 190°C pendant 20 à 25 minutes.
8 Servir chaud.

Boulettes de flétan

Préparation : 30 minutes $
Cuisson : environ 35 minutes

Portions 24	*Ingrédients*	Portions 6
400 g	**Oignon haché**	165 mL
	Beurre (q.s.)*	
1,3 kg	**Flétan cuit émietté**	325 mL
1,7 kg	**Pomme de terre en purée**	500 mL
	Sel (au goût)	
	Poivre (au goût)	
	Béchamel *(voir recettes complémentaires)*	
	Farine (q.s.)*	
	Huile (q.s.)*	

Méthode
1 *Faire suer* les oignons dans le beurre.
2 Mélanger tous les ingrédients ensemble, sauf l'huile et la farine.
3 Former des boulettes, les passer dans la farine et les faire frire des deux côtés dans l'huile.
Note : On peut remplacer le flétan par de la morue, du saumon ou tout autre poisson.
* quantité suffisante

Ragoût de loup-marin

Préparation : 20 minutes $
Cuisson : 40 minutes

Portions 24	*Ingrédients*	Portions 6
3,6 kg	**Loup-marin (phoque)**	900 g
	Beurre (q.s.)*	
650 g	**Oignon émincé**	250 mL
725 g	**Navet en cubes**	375 mL
1 kg	**Carotte émincée**	500 mL
	Sel (au goût)	
	Poivre (au goût)	
1,7 kg	**Pomme de terre en cubes**	850 mL
300 g	**Farine grillée**	125 mL
	Eau froide (q.s.)*	
125 mL	**Persil haché**	30 mL

Méthode
1 *Bien dégraisser* le loup-marin et le couper en morceaux.
2 Faire fondre le beurre dans une marmite et y *faire revenir* les oignons, les navets et les carottes.
3 Ajouter les morceaux de loup-marin et *faire revenir* pendant 2 à 3 minutes.
4 Ajouter une quantité d'eau suffisante pour couvrir.
5 Assaisonner de sel et de poivre.
6 Faire mijoter jusqu'à ce que les navets soient presque cuits.
7 Ajouter alors les pommes de terre et laisser mijoter pendant encore 20 minutes.
8 Délayer la farine grillée dans un peu d'eau froide et l'ajouter au ragoût; bien mélanger.
9 Poudrer de persil et servir chaud.
* quantité suffisante

Tourte madelinienne

Mais à qui doit-on ce nom de « madelinienne » ? On s'entend pour attribuer à Madeleine Fontaine, épouse du sieur François Doublet, l'origine du toponyme des Îles.

Préparation : 1 heure $$$
Cuisson : 25 à 30 minutes

Portions 24	*Ingrédients*	Portions 6
	PÂTE À PIZZA :	
20 mL	**Levure sèche**	5 mL
250 mL	**Eau tiède**	60 mL
10 mL	**Sucre**	2 mL
350 mL	**Lait**	85 mL
10 mL	**Sel**	2 mL
110 g	**Sucre**	30 mL
85 g	**Graisse**	30 mL
1,3 kg	**Farine tout usage**	500 mL
	SAUCE AUX TOMATES :	
125 mL	**Huile d'olive**	30 mL
600 g	**Oignon haché**	250 mL
1,6 L	**Tomate concassée**	400 mL
200 mL	**Pâte de tomate**	50 mL
	Sel (au goût)	
	Poivre (au goût)	
	Garniture :	
75 g	**poivron vert en cubes**	30 mL
165 g	**champignon émincé**	125 mL
125 mL	**huile d'olive**	30 mL
900 g	**pétoncle**	225 g
350 g	**homard en conserve**	85 g
350 g	**crabe en conserve rincé et égoutté**	85 g
350 g	**crevette en conserve**	85 g
600 g	**Fromage mozzarella râpé**	250 mL

Méthode

PÂTE À PIZZA :

1 Faire tremper la levure dans l'eau tiède sucrée.
2 Réserver pendant 10 minutes.
3 Faire chauffer le lait avec le sel, le sucre et la graisse jusqu'à ce que la graisse soit fondue (ne pas faire bouillir).
4 Laisser tiédir.
5 Mélanger le lait et la levure dans un bol.
6 Incorporer graduellement la farine jusqu'à ce que la pâte se détache des bords du bol.
7 Pétrir et fariner.
8 Couvrir et laisser lever pendant environ 2 heures ou jusqu'à ce que la pâte double de volume.
9 Rompre la pâte et laisser lever de nouveau jusqu'à ce que la pâte double de volume.

SAUCE AUX TOMATES :

1 *Étuver* à l'huile les oignons et les tomates.
2 Ajouter la pâte de tomate, le sel et le poivre. Laisser réduire de moitié.

FINITION :

1 Étendre la pâte sur une grande tôle à pizza préalablement farinée.
2 *Badigeonner* la pâte de sauce aux tomates.
3 Disposer la garniture sur le dessus et poudrer de fromage.
4 Faire cuire au four à 220°C pendant environ 15 minutes ou jusqu'à ce que la tourte soit bien dorée.

Homard en sauce

Mets délectable et prestigieux dont on ne saurait possiblement se lasser, le homard, ce crustacé à la chair exquise, fut toujours à la portée des Madelinots. Ceux-ci ne se soucièrent pas d'en pratiquer la pêche commerciale jusqu'à ce que des techniques appropriées de conservation fassent leur apparition, au cours du dernier quart du siècle dernier. Auparavant, on ne pêchait le homard que pour satisfaire les besoins — et la gourmandise — de la famille.

Préparation : 25 minutes $$$
Cuisson : 30 minutes

Portions 24	*Ingrédients*	Portions 6
300 g	**Oignon haché**	125 mL
300 g	**Beurre**	75 mL
75 g	**Farine**	30 mL
1,5 L	**Lait chaud**	375 mL
3,6 kg	**Chair de homard**	900 g
	Sel (au goût)	
	Poivre (au goût)	

Méthode
1 *Faire suer* l'oignon dans le beurre.
2 *Singer* et laisser cuire pendant 2 à 3 minutes.
3 Laisser refroidir.
4 Ajouter le lait en remuant constamment sur le feu.
5 Laisser mijoter pendant 15 minutes.
6 Incorporer la chair de homard.
7 Assaisonner.
8 Servir accompagné de pain de ménage.

Blé d'Inde lessivé et sauce d'accompagnement

Préparation : 10 minutes $
Cuisson : 10 heures

Portions 24	*Ingrédients*	Portions 6
750 g	**Blé d'Inde sec (à vache)**	250 mL
2 L	**Eau froide**	500 mL
50 g	**Bicarbonate de soude**	15 mL
	Sauce d'accompagnement :	
200 mL	**mélasse**	50 mL
125 g	**cassonade**	30 mL
1 mL	**sel**	1 pin.

125 mL	eau bouillante	30 mL
20 mL	Fécule de maïs	5 mL
60 mL	Eau froide	15 mL

Méthode
1 Faire tremper le blé d'Inde dans l'eau froide additionnée de bicarbonate de soude pendant au moins 12 heures.
2 Faire bouillir pendant 3 heures, à trois (3) reprises, en changeant l'eau chaque fois.
3 Égoutter et rincer plusieurs fois à l'eau froide de façon à enlever les enveloppes des grains de maïs.
4 Sauce d'accompagnement : amener à ébullition la mélasse, la cassonade, le sel et l'eau.
5 Délayer la fécule de maïs dans l'eau froide et l'ajouter à la première préparation.
6 Servir avec le blé d'Inde lessivé.

Morue à la soupe aux tomates

Préparation : 15 minutes $
Cuisson : 20 minutes

Portions 24	*Ingrédients*	Portions 6
600 g	Oignon haché	250 mL
175 g	Beurre	45 mL
60 mL	Farine	15 mL
3,6 kg	Morue	900 g
	Sel (au goût)	
	Poivre (au goût)	
1,15 L	Soupe aux tomates	285 mL
1 L	Eau	250 mL

Méthode
1 Faire dorer les oignons dans le beurre.
2 Ajouter la farine pour épaissir.
3 Disposer la morue sur les oignons dans une poêle allant au four.
4 Saler et poivrer.
5 Couvrir le tout avec la soupe aux tomates diluée dans l'eau.
6 Cuire au four à 200°C.
7 Servir chaud.

Fromage maison

Préparation : 30 minutes $
Cuisson : 1 heure

Portions 24	*Ingrédients*	Portions 6
4 L	Lait de beurre	1 L
	Sel (au goût)	

Méthode
1 Faire chauffer le lait de beurre à feu très doux jusqu'à ce que le lait soit entièrement caillé, soit pendant environ 1 heure.
2 Saler.
3 Laisser égoutter pendant au moins 12 heures.
Note : Ce fromage (lait caillé) peut se manger sucré comme dessert : ajouter du sucre ou de la cassonade au goût. Il peut se manger salé en y ajoutant des fines herbes, du poivre, etc.

Centre des ressources didactiques / Institut de tourisme et d'hôtellerie du Québec

Salade de homard

Les habitants des Îles-de-la-Madeleine, habitués à la présence du homard sur leurs tables, sont devenus experts dans l'exécution du dépeçage, si l'on en croit l'historien Robert Rumilly, qui ne semble pas se reconnaître les mêmes talents : « Je ne pourrai pas batailler ainsi sans confusion, au souvenir de la dextérité avec laquelle les jeunes Madelinots et les jeunes Madeliniennes, en quelques coups secs, dépècent un homard sans perdre le plus infime fragment. »

Préparation : 15 minutes $$$

Salade de homard

Musée de la mer aux Îles-de-la-Madeleine *(Bateau naufragé tiré à terre, Étang du Nord, 1950).* Objet d'artisanat : Les Ateliers du manoir des Îles-de-la-Madeleine *(assiette).*

Portions 24	*Ingrédients*	Portions 6
2,4 kg	Homard cuit	500 mL
125 mL	Jus de citron	30 mL
60 g	Échalote verte émincée	45 mL
700 g	Céleri haché	375 mL
	Sel (au goût)	
	Poivre (au goût)	
60 mL	Persil frais haché	15 mL
300 mL	Mayonnaise	75 mL
	Feuilles de laitue (q.s.)*	

Méthode
1 Mélanger le homard avec le jus de citron, les légumes et les assaisonnements.
2 Ajouter la mayonnaise et rectifier l'assaisonnement, si nécessaire.
3 Servir sur des feuilles de laitue.
* quantité suffisante

Salade de pétoncles

Un marin irlandais du nom de Walton voyageant avec trois hommes dans une barque chargée de moutons, fit naufrage dans la baie d'Aiguillon, en 1235. Seul survivant de cette catastrophe, le marin s'installa dans cette région et s'adonna à la chasse. Or, des oiseaux y volaient très bas, la nuit ; pour les capturer, le naufragé tendit un vaste filet relié à des piquets plantés dans la vase. Peu de temps après, Walton aperçut des essaims de moules fixés sur les piquets ...

Préparation : 20 minutes $$$
Cuisson : 5 minutes

Portions 24	*Ingrédients*	Portions 6
1,8 kg	**Pétoncle**	**450 g**
	Eau (q.s.)*	
	Sel (q.s.)*	
75 g	**Oignon finement haché**	**30 mL**
2	**Gousse d'ail finement hachée**	**½**
250 mL	**Sauce vinaigrette**	**60 mL**
750 g	**Céleri en dés**	**375 mL**
250 g	**Cornichon sucré en dés**	**85 mL**
	Sel (au goût)	
	Poivre (au goût)	
24	**Feuilles de laitue**	**6**
	Persil (q.s.)*	
25 g	**Ciboulette hachée**	**30 mL**

Méthode
1 Couvrir les pétoncles d'eau salée et cuire à petits bouillons pendant 3 à 4 minutes.
2 Égoutter, laisser refroidir et détailler en dés.
3 Mélanger l'oignon, l'ail et la sauce vinaigrette et verser le tout sur les pétoncles.
4 Laisser reposer pendant 1 heure au réfrigérateur avant de servir.
5 Au moment de servir, ajouter le céleri et les cornichons, mélanger légèrement.
6 Rectifier l'assaisonnement, si nécessaire.
7 Disposer de la laitue dans des coupes et y répartir la salade de pétoncles.
8 Garnir d'un bouquet de persil et poudrer de ciboulette hachée.
* quantité suffisante

Pouding au riz

Préparation : 30 minutes $
Cuisson : 20 à 25 minutes

Portions 24	*Ingrédients*	Portions 6
875 g	**Riz**	**250 mL**
3 L	**Eau**	**750 mL**
325 g	**Beurre**	**85 mL**
12	**Oeuf**	**3**
1,15 kg	**Sucre**	**300 mL**
15 mL	**Essence de vanille**	**5 mL**
3 L	**Lait**	**750 mL**
8 mL	**Sel**	**2 mL**
775 g	**Raisin sec**	**250 mL**

Méthode
1 Faire cuire le riz dans l'eau pendant 12 à 15 minutes. Égoutter.
2 Faire fondre le beurre dans un plat allant au four.
3 Mélanger dans un bol les oeufs, le sucre, l'essence de vanille, le lait, le sel et les raisins.
4 Ajouter cette préparation au riz et bien mélanger.
5 Verser le mélange dans le plat beurré.
6 Faire cuire au four à 200°C pendant environ 20 à 25 minutes.
7 Garnir de meringue, si désiré.

Gâteau à la farine de maïs

Une coutume ancienne voulait qu'au matin de Noël, toutes les marraines fissent cadeau d'une poupée en gâteau à leurs filleuls. Cette petite gourmandise était ornée de raisins à la place des yeux, du nez, de la bouche et des boutons.

Préparation : 15 minutes $
Cuisson : 40 à 45 minutes

Portions 24	*Ingrédients*	Portions 6
350 g	**Beurre**	**85 mL**
300 g	**Sucre**	**85 mL**
3 uni.	**Oeuf**	**1 uni.**
350 mL	**Mélasse**	**85 mL**
825 g	**Farine**	**325 mL**
50 mL	**Poudre à pâte**	**13 mL**
5 mL	**Sel**	**1,5 mL**
5 mL	**Bicarbonate de soude**	**1,5 mL**
700 mL	**Lait**	**175 mL**
525 g	**Farine de maïs**	**175 mL**

Méthode
1 Ramollir le beurre avec le sucre.
2 Ajouter les oeufs et la mélasse.
3 Tamiser les ingrédients secs ensemble.
4 Ajouter les ingrédients secs tamisés ainsi que la farine de maïs au mélange en alternant avec le lait.
5 Verser dans un moule de 1 litre graissé et fariné.
6 Cuire au four à 180°C pendant 40 à 45 minutes.

Pouding au pain, sauce au caramel

Préparation : 15 minutes $$
Cuisson : 30 minutes

Portion 4 poudings	*Ingrédients*	Portion 1 pouding
400 g	**Pain en dés**	**1,25 L**
1,3 L	**Lait chaud**	**325 mL**
450 g	**Sucre**	**125 mL**
250 g	**Raisin sec**	**85 mL**
950 g	**Pomme tranchée (avec la pelure)**	**500 mL**
8	**Oeuf battu**	**2**
10 mL	**Essence de vanille**	**3 mL**
10 mL	**Cannelle**	**3 mL**
150 g	**Beurre**	**35 mL**
	Sauce au caramel :	
650 g	**cassonade**	**165 mL**
90 g	**fécule de maïs**	**40 mL**
2 mL	**sel**	**0,5 mL**
1,6 L	**jus de pomme**	**400 mL**
125 g	**beurre doux**	**30 mL**
6 mL	**essence de vanille**	**2 mL**

Méthode
1 Faire tremper les dés de pain dans le lait chaud.
2 Ajouter tous les autres ingrédients et bien mélanger.
3 Cuire au four au bain-marie à 160°C pendant 30 minutes.
4 Servir accompagné de sauce au caramel.

Sauce au caramel :
5 Mélanger la cassonade, la fécule de maïs et le sel.
6 Incorporer le jus de pomme et bien mélanger.
7 Cuire jusqu'à épaississement.
8 Retirer du feu.
9 Ajouter le beurre et l'essence de vanille et bien mélanger.
10 Servir avec le pouding au pain.

Croquignoles

Préparation : 35 à 40 minutes $
Réfrigération : 12 heures
Cuisson : 3 à 4 minutes

Portion 8 douzaines	*Ingrédients*	Portion 2 douzaines
13	**Oeuf**	**3**
600 g	**Sucre**	**165 mL**
125 g	**Beurre**	**30 mL**
13 mL	**Essence de vanille**	**3 mL**
2,1 kg	**Farine**	**825 mL**
13 mL	**Poudre à pâte**	**3 mL**
2 mL	**Sel**	**1 pin.**
500 mL	**Lait**	**125 mL**

Méthode
1 Battre les oeufs avec le sucre.
2 Ajouter le beurre et l'essence de vanille.
3 Tamiser la farine avec la poudre à pâte et le sel et l'ajouter au mélange en alternant avec le lait.
4 Former une pâte de la consistance de celle des beignes.
5 Réserver pendant 12 heures au réfrigérateur.
6 *Abaisser* la pâte et la découper en rectangles de 3,5 cm de largeur et de 8 cm de longueur.
7 Découper les rectangles en lanières sans les séparer à l'extrémité supérieure.
8 Tresser les lanières.
9 Souder ensemble les extrémités inférieures tressées.
10 Frire à grande friture dans la graisse ou dans l'huile à 190°C.

Carrés Yum Yum

Préparation : 20 minutes $$
Cuisson : 20 à 25 minutes

Centre des ressources didactiques / Institut de tourisme et d'hôtellerie du Québec

Croquignoles

Musée de la mer aux Îles-de-la-Madeleine *(Préparation des maquereaux au retour de la pêche).* Objet d'artisanat : Les Ateliers du manoir des Îles-de-la-Madeleine *(vaisselle).*

Portion 8 douzaines	*Ingrédients*	Portion 2 douzaines
	1re préparation :	
1 kg	**Beurre**	**250 mL**
1 kg	**Cassonade**	**250 mL**
16	**Jaune d'oeuf**	**4**
1,3 kg	**Farine**	**500 mL**
40 mL	**Poudre à pâte**	**10 mL**
5 mL	**Sel**	**1 mL**
	2e préparation :	
16	**Blanc d'oeuf**	**4**
2 kg	**Cassonade**	**500 mL**
900 g	**Cerise glacée hachée**	**250 mL**
550 g	**Noix de Grenoble hachée**	**250 mL**

Méthode

1 Ramollir le beurre.
2 Ajouter la cassonade et bien mélanger.
3 Ajouter les jaunes d'oeufs battus et les ingrédients secs.
4 Presser le mélange dans deux moules carrés de 20 cm x 20 cm.
5 Battre les blancs d'oeufs.
6 Ajouter la cassonade, les cerises et les noix.
7 Étendre sur la 1re préparation.
8 Cuire au four à 150°C pendant 25 minutes.

Tire à la mélasse

Préparation : 10 minutes $$
Cuisson : 20 minutes
Finition : 35 à 40 minutes

Portion 6 kilogrammes	*Ingrédients*	Portion 1,5 kilogramme
5,15 kg	**Sucre**	**1,4 L**
1,9 L	**Mélasse**	**475 mL**
1,9 L	**Eau**	**475 mL**
7 mL	**Bicarbonate de soude**	**2 mL**
225 g	**Beurre**	**60 mL**
35 mL	**Essence de vanille**	**10 mL**

Méthode

1 Placer le sucre, la mélasse et l'eau dans une casserole.
2 Ajouter le bicarbonate de soude.
3 Cuire à feu doux jusqu'à ce que le sucre soit complètement fondu.
4 Ajouter le beurre en graissant le contour supérieur de la casserole ce qui empêche la tire de renverser.
5 Laisser bouillir sans brasser jusqu'à ce qu'une goutte du mélange forme une boule dure dans l'eau froidec c'est-à-dire à 260°C au thermomètre à bonbon.
6 Ajouter l'essence de vanille.
7 Verser dans un moule carré beurré.
8 Laisser refroidir.
9 Étirer avec les mains beurrées ou farinées jusqu'à ce que la préparation blanchisse.
10 Couper en portions de 2 cm et envelopper chaque portion dans un papier ciré.

Gâteau aux dattes

Préparation : 20 minutes $$$
Cuisson : environ 10 minutes

Portion 4 gâteaux	*Ingrédients*	Portion 1 gâteau
1 L	**Eau bouillante**	**250 mL**
500 g	**Cassonade**	**125 mL**
60 mL	**Fécule de maïs**	**15 mL**
1,5 kg	**Datte**	**500 mL**
5 mL	**Essence de citron**	**1 mL**
48	**Biscuit Graham**	**12**
	Glace moka :	
500 mL	**beurre**	**125 mL**
40 mL	**café instantané moulu**	**10 mL**
5 mL	**sel**	**1 mL**
20 mL	**essence de vanille**	**5 mL**
2,5 kg	**sucre à glacer**	**1 L**
4	**oeuf**	**1**
325 mL	**lait**	**85 mL**
175 g	**cacao**	**125 mL**

Méthode

1 Faire bouillir l'eau avec la cassonade.
2 Ajouter la fécule de maïs, les dattes et l'essence de citron.
3 Cuire pendant quelques minutes en brassant constamment.
4 Laisser refroidir et étendre sur des biscuits « Graham » une rangée de dattes en alternant avec une rangée de biscuits « Graham ». Terminer par les biscuits.
5 Mélanger tous les ingrédients de la glace et l'étendre sur le gâteau.

Galettes à la cassonade

La pêche aux Îles-de-la-Madeleine, comme partout ailleurs, était entourée de superstitions. Ainsi, le pêcheur devait-il éviter de jeter à la mer les restes de son repas, ni même sur le chemin du retour car, si le vent prenait, si brusquement s'élevait une tempête, ces miettes pourraient lui sauver la vie.

Préparation : 20 minutes $
Cuisson : 12 à 15 minutes

Portion 8 douzaines	Ingrédients	Portion 2 douzaines
500 g	Cassonade	125 mL
4	Oeuf	1
175 mL	Sirop de maïs	45 mL
500 g	Beurre	125 mL
10 mL	Vanille	2 mL
950 g	Farine	375 mL
20 mL	Bicarbonate de soude	5 mL

Méthode
1 Mélanger la cassonade, les oeufs et le sirop de maïs.
2 Battre jusqu'à ce que le mélange soit mousseux.
3 Incorporer le beurre et la vanille.
4 Ajouter la farine préalablement tamisée avec le bicarbonate de soude.
5 Déposer en portions de 15 mL sur une plaque beurrée et farinée.
6 Cuire au four à 180°C pendant environ 12 à 15 minutes.

Bagosse

Préparation : 30 minutes $
Repos : 10 jours

Ingrédients	25 bouteilles de 750 mL
Eau	10 L
Cassonade	3 kg
Sirop de malt	1 L
Eau froide	10 L
Levure sèche	50 g

Méthode
1 Faire bouillir l'eau.
2 Dissoudre la cassonade et le sirop de malt dans l'eau.
3 Ajouter l'eau froide et poudrer la levure sèche sur le liquide.
4 Laisser reposer pendant 15 minutes. Remuer et verser dans un contenant (ex. : jarre en grès, en bois, etc.).
5 Laisser reposer à couvert, dans un endroit chaud pendant 10 jours.
6 *Siphonner* le liquide en ayant soin de ne pas recueillir le dépôt qui s'est formé dans le fond du contenant.
7 Laisser vieillir pendant un mois, à couvert, à l'abri de l'air dans un endroit chaud.
8 Pour cette deuxième fermentation, choisir un contenant de capacité telle qu'on pourra le remplir jusqu'à 8 cm du bord. Le contenant idéal est muni d'un bouchon comportant une bande hydraulique; il importe de le fermer hermétiquement.
9 *Siphonner* de nouveau et mettre dans une bouteille stérilisée.

Fripette

Qu'est-ce que cette fripette ? Une tartinade madelinienne qui se révèle délicieuse sur une tranche de pain frais. En goûtant cette friandise on aura l'impression de mettre les pieds aux Îles et d'entendre les vieux mots d'Acadie du langage savoureux des Madelinots.

Préparation : 5 minutes $
Cuisson : 7 minutes

Portion 4 litres	Ingrédients	Portion 1 litre
5 kg	Mélasse	1 L
16	Oeuf	4

Méthode
1 Faire bouillir la mélasse pendant 5 minutes.
2 Laisser refroidir.
3 Battre les oeufs dans un bol et les ajouter à la mélasse refroidie.
4 Cuire de nouveau pendant 2 minutes, tout en remuant constamment.
Suggestion d'utilisation : utiliser pour tartiner du pain frais ou grillé.

Macarons blancs

Préparation : 20 minutes $$$
Cuisson : 12 à 15 minutes

Portion 8 douzaines	Ingrédients	Portion 2 douzaines
12	Blanc d'oeuf	3
1,4 kg	Sucre	375 mL
65 g	Fécule de maïs	30 mL
1,6 kg	Noix de coco râpée	1,3 L
	Facultatif : cerise rouge ou verte en morceaux (au goût)	

Méthode
1 Battre les blancs d'oeufs en neige.
2 Ajouter graduellement le sucre en battant avec le batteur électrique.
3 Chauffer ce mélange dans un bain-marie et y ajouter la fécule de maïs.
4 Bien mélanger et ajouter la noix de coco râpée.
5 Graisser une plaque à biscuits et y déposer la préparation en petites portions.
6 Si désiré, placer des petits morceaux de cerises rouges ou vertes sur les macarons en guise de décoration.
7 Faire dorer légèrement au four à 180°C.

Macédoine de légumes en conserve

Préparation : 30 minutes $$
Cuisson : 3 heures

Portion 6 litres	Ingrédients	Portion 1,5 litre
650 g	Carotte en dés	300 mL
825 g	Fève jaune en dés	300 mL
825 g	Fève verte en dés	300 mL
950 g	Maïs en grains	300 mL
	Pois écossé	
60 mL	Sel*	15 mL

Méthode
1 Bien mélanger les légumes et les mettre dans des bocaux stérilisés.
2 Ajouter le sel.
3 Recouvrir d'eau.
4 Fermer les bocaux et faire mijoter dans l'eau pendant 3 heures.
* calculer 5 mL par 500 mL

Gaufres

Préparation : 20 minutes $
Cuisson : 2 à 3 minutes
Repos : 1 heure

Portion 8 douzaines	Ingrédients	Portion 2 douzaines
8	Oeuf	2
1,5 L	Lait	375 mL
250 mL	Beurre fondu	60 mL
950 g	Farine	375 mL
60 mL	Sucre	15 mL
40 mL	Poudre à pâte	10 mL
2 mL	Sel	1 pin.

Méthode
1 Battre les oeufs.
2 Ajouter le lait et le beurre.
3 Incorporer les ingrédients secs tamisés.
4 Laisser reposer pendant 1 heure au réfrigérateur.
5 Cuire pendant 2 à 3 minutes dans un gaufrier beurré.

Concombres marinés

Préparation : 35 minutes $
Cuisson : 30 minutes

Portion 6 litres	Ingrédients	Portion 1,5 litre
3,5 kg	Concombre en morceaux	1,7 L
500 g	Oignon émincé	175 mL
300 g	Sel	45 mL
1,1 L	Vinaigre blanc	300 mL
2,1 kg	Sucre	550 mL
8 mL	Céleri séché	2 mL
8 mL	Moutarde sèche	2 mL
8 mL	Curcuma (épice)	2 mL

Méthode
1 Faire *dégorger* les concombres et l'oignon avec le sel pendant 4 heures.
2 Laver à grande eau pour enlever le surplus de sel.
3 Bien égoutter.
4 Dans un chaudron, amener à ébullition le vinaigre, le sucre et les épices.
5 Ajouter les concombres et les oignons égouttés et laisser cuire jusqu'à ce que les concombres soient transparents.
6 Verser dans des bocaux préalablement stérilisés et fermer hermétiquement lorsque les marinades sont chaudes.

Gaspésie

La Gaspésie, pays plein de richesses et de possibilités, a connu une vie dure qui a façonné le caractère de ses habitants. Région éloignée, elle a su se créer des habitudes alimentaires simples, fondées sur la possibilité de trouver des produits frais, notamment gibier et poisson.

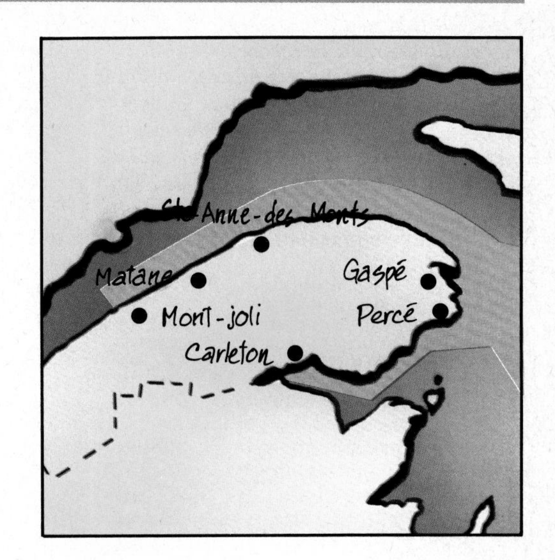

Pour le vieillard qui se souvient du temps où, parti dans une petite barque à la pointe du jour, il fallait pêcher au large pendant toute la journée pour ne rentrer qu'à la tombée du jour, n'ayant eu qu'une bouteille d'eau et un quart de pain comme nourriture, c'est à ne pas y croire, lorsqu'il voit comment la pêche s'effectue actuellement. De cette période, il reste aux Gaspésiens une recette, entre plusieurs, que l'on a baptisée du nom de « cambuse » : dans un chaudron, on étend un rang de lard salé, sur lequel on place un rang de patates et des morues, tête comprise ; on ajoute un oignon ou deux ; on assaisonne de sel et de poivre et on laisse bouillir le tout pendant plusieurs heures. Ce plat est si bon qu'on en mange encore par goût et non plus par nécessité, le soir sur la grève, pendant la saison de la pêche à la lueur de grands feux.

L'intérêt touristique n'aurait pas atteint l'ampleur qu'il connaît s'il avait exigé des premiers visiteurs des expériences inusitées en matière d'alimentation. Au début, ce n'était pas le touriste de la Californie ou de la Floride qui visitait la Gaspésie, mais bien le Québécois. Son intérêt premier n'était pas de goûter des sauces rares ou des plats longuement cuisinés, mais d'admirer d'abord le paysage, de manger ensuite une nourriture faite à base de poisson frais. La Gaspésie lui a offert et lui offre encore les deux. Il y vient peut-être davantage de gourmets qui seraient en mesure d'apprécier tel apprêt plutôt que tel autre ? C'est possible. Mais la grande et l'irremplaçable qualité et la fraîcheur des mets demeurent les atouts majeurs de la région.

Oeufs farcis aux crevettes

Préparation : 30 minutes $
Cuisson : 12 minutes

Portions 24	*Ingrédients*	Portions 6
16	Oeuf	4
	Eau (q.s.)*	
60 mL	Vinaigre	15 mL
150 g	Crevette cuite hachée	60 mL
60 mL	Céleri haché	15 mL
	Poivron vert haché (au goût)	
125 mL	Mayonnaise	30 mL
	Sel (au goût)	
	Poivre (au goût)	
2 mL	Moutarde sèche	1 pincée
	Poivron vert en lanières (q.s.)*	
24	Feuille de laitue	6

Méthode

1 Faire cuire les oeufs dans l'eau bouillante vinaigrée.
2 Les laisser refroidir et enlever la coquille.
3 Couper les oeufs en trois quartiers dans le sens de la longueur.
4 Écraser les jaunes et réserver les blancs.
5 Mélanger tous les ingrédients ensemble, sauf les blancs d'oeufs.
6 Farcir les blancs d'oeufs avec le mélange.
7 Décorer chaque portion d'une lanière de poivron vert.
8 Les déposer sur une feuille de laitue.
9 Servir froid.
* quantité suffisante

Galettes à la morue

Préparation : 20 minutes $
Cuisson : 4 à 6 minutes

Portions 24	*Ingrédients*	Portions 6
1,8 kg	Filet de morue tranché fin	450 g
12	Oeuf battu	3
75 g	Farine tout usage	30 mL
125 g	Oignon haché	50 mL
20 mL	Persil haché	5 mL
20 mL	Sel	5 mL
5 mL	Poivre	1 mL
1,5 kg	Pomme de terre râpée	500 mL

Méthode

1 Bien mélanger tous les ingrédients ensemble.
2 Faire cuire comme une crêpe à raison de 50 mL par portion pendant environ 2 à 3 minutes de chaque côté jusqu'à ce qu'elles soient dorées.

Tomate verte rôtie

Préparation : 15 minutes $
Cuisson : 5 à 7 minutes

Portions 24	*Ingrédients*	Portions 6
3 L	Jeune feuille de betterave	750 mL
175 g	Beurre	45 mL
	Sel (au goût)	
	Poive (au goût)	
24 ou 2,5 kg	Tomate verte en tranches	6
175 g	Beurre	45 mL
	Sel (au goût)	
	Poivre (au goût)	
2 mL	Thym	1 pincée
2 mL	Marjolaine	1 pincée
250 mL	Fane de carotte ciselée	60 mL

Méthode

1 *Faire suer* les feuilles de betterave dans le beurre.
2 Assaisonner et réserver au chaud.
3 Faire cuire les tranches de tomates dans le beurre.
4 Assaisonner.
5 Disposer les tranches de tomates sur un lit de feuilles de betterave.
6 Décorer avec les fanes de carottes.
7 Servir chaud.

Soupe aux poissons

Dans ses écrits, l'abbé Nérée Gingras nous a dépeint quelques scènes de la vie des pêcheurs gaspésiens, au milieu du XIXe siècle. Tout à la joie de s'adonner à un métier qu'ils adorent, les pêcheurs oublient, tout au cours de l'été, les misères de l'hiver. Dès le mois de mai, lorsque le temps est beau, très tôt le matin ils s'embarquent, parfois pour deux longs jours ; et gare à celui qui emporte autre chose que de l'eau et du pain ! Il se verra cruellement raillé par tous ses compagnons...

Préparation : 15 minutes $$
Cuisson : 20 minutes

Portion 6 litres	*Ingrédients*	Portion 1,5 litre
150 g	**Lard salé (entrelardé) en petits dés**	**50 mL**
65 g	**Farine tout-usage**	**25 mL**
1 kg	**Maquereau en dés**	**250 mL**
1 kg	**Morue en dés**	**250 mL**
650 g	**Petite crevette**	**250 mL**
750 g	**Pomme de terre en dés**	**375 mL**
200 g	**Poireau en dés**	**125 mL**
250 g	**Oignon en dés**	**125 mL**
2,8 L	**Eau**	**700 mL**
10 mL	**Sel**	**2 mL**
5 mL	**Poivre blanc**	**1 mL**
1 L	**Lait chaud**	**250 mL**
60 mL	**Persil haché**	**15 mL**

Méthode

1 Faire fondre le lard salé dans une poêle.
2 *Singer.*
3 Ajouter le maquereau, la morue, les crevettes, les pommes de terre, l'oignon, le poireau, l'eau, le sel et le poivre.
4 Faire mijoter à couvert pendant 20 minutes.
5 Ajouter le lait et amener à ébullition.
6 Poudrer de persil et servir chaud.

Potage aux betteraves

Préparation : 45 minutes $
Cuisson : 10 minutes

Portion 6 litres	*Ingrédients*	Portion 1,5 litre
1,2 kg	**Betterave râpée**	**500 mL**
7 L	**Consommé de boeuf**	**1,7 L**
40 mL	**Beurre**	**10 mL**
20 mL	**Sucre**	**5 mL**
200 mL	**Vinaigre**	**50 mL**
	Sel (au goût)	
	Poivre (au goût)	
350 mL	**Crème sure**	**90 mL**
125 mL	**Ciboulette hachée**	**30 mL**

Méthode

1 Faire cuire les betteraves dans le consommé de boeuf pendant 20 minutes.
2 Ajouter le beurre, le sucre, le vinaigre et cuire pendant encore 25 minutes.
3 Vérifier l'assaisonnement.
4 Verser 15 mL de crème sure dans chaque portion de potage et les poudrer de 5 mL de ciboulette.

Maquereau cidré au four

Préparation : 25 minutes $
Cuisson : 30 minutes

Portions 24	*Ingrédients*	Portions 6
600 g	**Lard salé**	**150 g**
100 mL	**Huile**	**25 mL**
650 g	**Oignon émincé**	**250 mL**
250 g	**Carotte émincée**	**125 mL**
250 g	**Céleri émincé**	**125 mL**
24	**Filet de maquereau de 150 g ou**	**6**
24	**maquereau de 250 à 300 g**	**6**
1 L	**Eau**	**250 mL**
1 L	**Cidre sec**	**250 mL**
20 mL	**Sel**	**5 mL**
10 mL	**Poivre**	**2 mL**
10 mL	**Sarriette**	**2 mL**
100 mL	**Ciboulette hachée**	**25 mL**

Méthode

1 Couper le lard salé en six (6) tranches (24 pour 24 portions) et les *faire colorer* à l'huile.
2 Ajouter les oignons, les carottes et le céleri.
3 Couvrir la casserole et laisser cuire doucement pendant 10 minutes.

Archives nationales du Québec, collection du ministère des Communications *(Dépeçage de la morue à Gaspé)*. Objet d'artisanat : Katrine Scott, Gaspé *(bol)*.

La chaudrée gaspésienne

Centre des ressources didactiques / Institut de tourisme et d'hôtellerie du Québec

4 Ajouter le maquereau bien nettoyé.
5 *Mouiller* avec l'eau et le cidre.
6 Assaisonner de sel et de poivre et ajouter la sarriette.
7 Couvrir la casserole et cuire au four à 200°C pendant 30 minutes.
8 Poudrer de ciboulette et servir.

La chaudrée gaspésienne

On sait que la valeur marchande de la morue sèche, — de la merluche, comme disent les Gaspésiens — dépend directement de la rapidité avec laquelle elle a séché. Comme la traversée de l'Atlantique durait à l'époque, une quarantaine de jours, il fallait absolument protéger la précieuse cargaison contre l'humidité dans la cale du navire. Aussi tapisse-t-on le fond du vaisseau d'écorces de bouleau avant d'y empiler la morue.

Préparation : 30 à 35 minutes $
Cuisson : environ 45 minutes

Portions 24	*Ingrédients*	Portions 6
500 g	**Lard salé**	**125 g**
800 g	**Langue de morue**	**200 g**
800 g	**Bajoue de morue**	**200 g**
1 kg	**Pomme de terre en dés**	**500 mL**
300 g	**Oignon haché**	**125 mL**
	Sel (au goût)	
	Poivre (au goût)	
	Eau (q.s.)*	

Méthode
1 Couper le lard en tranches minces.
2 Faire cuire ces tranches dans une casserole à feu doux jusqu'à ce qu'elles soient légèrement dorées.
3 Déposer dans la casserole par couches successives sur le lard, les langues, les bajoues, les pommes de terre et l'oignon. Recommencer l'opération jusqu'à épuisement des ingrédients.
4 Assaisonner.
5 Couvrir d'eau et faire mijoter pendant environ 45 minutes.
6 Servir chaud.
* quantité suffisante

Cipaille au saumon

Préparation : 20 minutes $$
Cuisson : 4 heures 30

Portions 24	*Ingrédients*	Portions 6
	Pâte :	
1,3 kg	**Farine**	**500 mL**
40 mL	**Poudre à pâte**	**10 mL**
350 g	**Graisse**	**125 mL**
600 mL	**Eau**	**150 mL**
	Garniture :	
1,3 kg	**Lard salé en cubes**	**325 g**
2,6 kg	**Saumon cru désossé en boîte**	**650 g**
375 g	**Oignon haché**	**150 mL**
1,1 kg	**Pomme de terre tranchée**	**500 mL**
40 mL	**Sel**	**10 mL**
10 mL	**Poivre**	**2 mL**
1,6 L	**Eau**	**400 mL**

Méthode
1 Tamiser les ingrédients secs ensemble.
2 *Sabler* avec la graisse.
3 Ajouter l'eau et faire la *détrempe.*
4 Déposer par rangée successive dans un chaudron de 2 litres : le lard salé, le saumon, l'oignon et les pommes de terre.
5 Assaisonner de sel et de poivre.
6 Couvrir d'une *abaisse* de pâte.
7 Répéter l'opération et terminer par une abaisse de pâte.
8 Faire une incision dans la pâte.
9 Verser l'eau par cette incision jusqu'à égalité de la pâte.
10 Couvrir et cuire au four à 100°C pendant 3 heures 30.
11 Découvrir et remettre au four pendant 1 heure ou jusqu'à ce que la pâte soit dorée.

Chaudrée de morue et de légumes

Préparation : 15 minutes $
Cuisson : environ 30 minutes

Portions 24	*Ingrédients*	Portions 6
125 g	**Céleri en dés**	**60 mL**
150 g	**Poivron vert en dés**	**60 mL**
150 g	**Oignon haché**	**60 mL**
4	**Gousse d'ail hachées**	**1**
200 mL	**Huile végétale**	**50 mL**
200 mL	**Pâte de tomate**	**50 mL**
2 L	**Tomate concassée**	**500 mL**
10 mL	**Estragon**	**2 mL**
10 mL	**Paprika**	**2 mL**
10 mL	**Sel**	**2 mL**
3,2 kg	**Morue cuite en morceaux**	**800 mL**

Méthode
1 *Faire suer* le céleri, le poivron vert, les oignons et l'ail dans l'huile.
2 Ajouter la pâte de tomate et les tomates concassées.
3 Assaisonner d'estragon, de paprika et de sel.
4 Faire mijoter cette sauce pendant 15 minutes.
5 Ajouter les morceaux de morue.
6 Servir chaud.

Saumon à la crème

Préparation : 5 minutes $$$
Cuisson : 45 minutes

Portions 24	*Ingrédients*	Portions 6
125 g	**Beurre**	**30 mL**
24	**Tranche de saumon de 150 g**	**6**
600 mL	**Crème à 35 %**	**150 mL**
60 mL	**Ciboulette hachée**	**15 mL**
15 mL	**Sel**	**4 mL**
5 mL	**Poivre**	**1 mL**

Méthode
1 Faire fondre le beurre et y *faire revenir* les tranches de saumon.
2 Ajouter la crème, la ciboulette, le sel et le poivre.
3 Couvrir et cuire au four à 180°C pendant 45 minutes.

Turbot, sauce « Aurore »

Monseigneur Joseph-Octave Plessis, nota, au cours de ses visites dans la Gaspésie au début du XIXe siècle, l'extrême pauvreté de certains pêcheurs : « On ne désire ni épices, ni assaisonnement, ni pain, ni dessert, ni liqueurs spiritueuses, parce qu'on n'en connaît pas l'usage. Et ces pauvres gens vivent heureux ! »

Préparation : 20 à 25 minutes $$
Cuisson : 25 à 30 minutes

Portions 24	*Ingrédients*	Portions 6
90 g	**Farine**	**35 mL**
175 g	**Beurre**	**45 mL**
125 mL	**Concentré de tomate**	**30 mL**
60 mL	**Beurre**	**15 mL**
	Sel (au goût)	
	Poivre (au goût)	
2 mL	**Thym**	**1 pincée**
60 g	**Échalote sèche hachée**	**30 mL**
24	**Turbot en filet (de 150 g)**	**6**
1,5 L	**Vin blanc sec**	**375 mL**
	Eau (q.s.)*	
500 mL	**Crème à 35 %**	**125 mL**
	Sel (au goût)	
	Poivre (au goût)	

Méthode
1 Faire un *roux* blanc avec la farine et le beurre.
2 Ajouter le concentré de tomate et cuire pendant 2 à 3 minutes.
3 Laisser refroidir.
4 Beurrer une plaque.
5 Assaisonner le fond de la plaque de sel et de poivre et parsemer de thym et d'échalote.
6 Ranger les filets de turbot dans la plaque.
7 *Mouiller* avec le vin blanc et couvrir d'eau à égalité.
8 Recouvrir d'un papier beurré.
9 Amener à ébullition et laisser *pocher* pendant 4 à 5 minutes.
10 Retirer les morceaux de turbot et les réserver au chaud.
11 Chauffer le fond de cuisson des turbots et le laisser réduire de moitié.
12 *Mouiller* le concentré de tomate refroidi avec le fond de cuisson chaud en remuant constamment avec un fouet.
13 Laisser mijoter pendant 15 à 20 minutes.
14 Ajouter la crème et amener à consistance désirée.
15 Vérifier l'assaisonnement et passer au chinois fin.
16 Napper les filets de turbot de sauce.
17 Servir chaud.
* quantité suffisante

Centre des ressources didactiques / Institut de tourisme et d'hôtellerie du Québec

Morue à la bonne fermière

La morue provenant de la pêche hauturière est généralement plus grosse que celle qui se tient près des côtes. Autrefois, les pêcheurs se voyaient souvent contraints de rejeter ces morues à la mer, faute de pouvoir les faire sécher, comme les petites.

Préparation : 20 minutes $
Cuisson : 3 à 4 minutes
Repos : 2 heures

Portions 24	*Ingrédients*	Portions 6
825 g	**Farine**	**325 mL**
30 mL	**Sel**	**7 mL**
30 mL	**Poudre à pâte**	**7 mL**
1,6 L	**Lait**	**400 mL**
3,6 kg	**Filet de morue**	**900 g**
	Sel (au goût)	
	Poivre (au goût)	
	Assaisonnement à poisson (au goût)	
	Farine (q.s.)*	
	Huile (q.s.)*	
	Paprika (au goût)	
24	**Quartier de citron**	**6**
	Persil (q.s.)*	

Morue à la bonne fermière

Archives nationales du Québec, collection École Normale *(Préparation de la morue, Percé).* Objets d'artisanat : Katrine Scott, Gaspé *(assiette);* Marion et Verge, l'Islet *(salière et poivrière).*

Méthode

1 Tamiser ensemble la farine, le sel et la poudre à pâte.
2 Incorporer le lait et mélanger délicatement de façon à obtenir une pâte bien lisse et homogène.
3 Laisser reposer pendant 2 heures au réfrigérateur.
4 Découper la morue en morceaux de 50 grammes.
5 Éponger et assaisonner les morceaux de morue.
6 Les passer dans la farine, puis dans la pâte.
7 Les faire frire dans l'huile à 190°C pendant environ 3 à 4 minutes.
8 Déposer sur un papier absorbant.
9 Poudrer de paprika.
10 Servir avec des quartiers de citron.
11 Décorer de persil.
12 Servir chaud.
* quantité suffisante

Farce pour le poisson

À l'époque dévonienne, de curieux poissons, Cheirolepis, Eusthenoptérons, Bothriolepis s'ébattaient dans les eaux du Miguasha. Ces poissons étaient les premiers, croit-on, à être dotés d'une colonne vertébrale, ce qui n'est certes pas négligeable ! Il va sans dire que les fossiles de Miguasha passionnent les paléontologues de tous les pays. Un musée y a été fondé en 1979, de sorte que le grand public peut maintenant examiner des plantes et des poissons âgés de quelque trois cent soixante-cinq millions d'années ! Non, la Gaspésie n'est pas jeune.

Préparation : 10 minutes $

Portions 24	*Ingrédients*	Portions 6
600 g	**Biscuit soda émietté**	**650 mL**
150 g	**Oignon haché**	**60 mL**
600 mL	**Beurre fondu**	**150 mL**
600 mL	**Eau bouillante**	**150 mL**
10 mL	**Fines herbes**	**2 mL**
60 mL	**Persil haché**	**15 mL**

Méthode

1 Mélanger tous les ingrédients ensemble.
2 Utiliser pour farcir un poisson.

Coeur de boeuf farci

Préparation : 30 minutes $
Cuisson : environ 2 heures

Portions 24	*Ingrédients*	Portions 6
4	**Coeur de boeuf de 1,5 kg**	**1**
10	**Tranche de pain**	**2½**
500 mL	**Lait**	**125 mL**
300 g	**Oignon haché**	**125 mL**
125 g	**Beurre**	**30 mL**
3	**Oeuf**	**1**
60 mL	**Persil haché**	**15 mL**
	Sel (au goût)	
	Poivre (au goût)	
300 mL	**Huile**	**75 mL**

Méthode
1 Faire *dégorger* le coeur de boeuf sous l'eau froide courante afin de le nettoyer du sang coagulé à l'intérieur.
2 *Dégraisser* l'extérieur.
3 Faire tremper le pain dans le lait.
4 Réserver.
5 *Faire revenir* les oignons dans le beurre.
6 Essorer le pain et le mélanger aux oignons.
7 Incorporer l'oeuf et le persil.
8 Assaisonner.
9 Farcir le coeur de boeuf avec cet *appareil*.
10 Disposer dans une plaque allant au four. Badigeonner d'huile et cuire à couvert au four à 180°C pendant environ 2 heures.
11 Retirer du four et couper en tranches.
12 Servir chaud ou froid.

Poireau aux patates

Les poireaux et les pommes de terre ne réclament pas autant de soins, pour croître et se multiplier, qu'une céréale capricieuse. Mais que faire avec un sol sablonneux ? C'est le problème qui préoccupait la plupart des agriculteurs gaspésiens. Aussi, avant de se convertir à l'usage des engrais chimiques, se servirent-ils de ceux que la mer rejetait à profusion sur ses rives. Ainsi, le varech constituait un excellent engrais qu'il suffisait de cueillir et d'étendre en couche épaisse sur les terres labourées; on l'utilisait à l'automne, et parfois encore au printemps, après les semences, surtout pour les champs de pommes de terre. Les déchets de poisson se révélaient de très bons fertilisants, mais très souvent on préférait répandre sur les champs des poissons complets tels les harengs que l'on récoltait à l'aide d'une épuisette ou d'une simple pelle de bois, le soir, sur les plages, à la période de frai.

Préparation : 15 minutes $$
Cuisson : 30 minutes

Portions 24	*Ingrédients*	Portions 6
750 g	**Pomme de terre en petits dés**	**375 mL**
850 g	**Poireau émincé**	**500 mL**
1 L	**Fond de volaille** ***(voir recettes complémentaires)***	**250 mL**
20 mL	**Sel**	**5 mL**
10 mL	**Poivre**	**2 mL**
300 g	**Fromage cheddar doux râpé**	**125 mL**

Méthode
1 Déposer les dés de pomme de terre dans le fond d'un moule de 1 litre.
2 Couvrir avec les poireaux émincés.
3 *Mouiller* avec le fond de volaille.
4 Assaisonner de sel et de poivre.
5 Amener à ébullition sur le feu et continuer la cuisson au four à 180°C pendant 30 minutes.
6 Parsemer de fromage râpé.
7 Gratiner au four.
8 Servir.

Bouillotte de lièvre

Préparation : 25 à 30 minutes $$
Cuisson : 2 à 2 heures 30

Portions 24	*Ingrédients*	Portions 6
	Bouillotte :	
2,4 kg	**Lièvre en morceaux**	**600 g**
1,8 kg	**Boeuf en cubes**	**450 g**
250 g	**Lard salé en cubes**	**80 mL**
300 g	**Oignon haché**	**125 mL**
	Sel (au goût)	
	Poivre (au goût)	
	Eau (q.s.)*	
	Pâte :	
650 g	**Farine**	**250 mL**
20 mL	**Poudre à pâte**	**5 mL**
350 g	**Graisse**	**125 mL**
2 mL	**Sel**	**1 pincée**
250 mL	**Eau**	**60 mL**
	Farine (q.s.)*	

Méthode
1 Mettre tous les ingrédients de la bouillotte dans une casserole. Couvrir avec de l'eau.
2 Faire mijoter pendant 2 heures à 2 heures 30.
3 Tamiser ensemble la farine et la poudre à pâte.
4 *Sabler* avec la graisse.
5 Dissoudre le sel dans l'eau; ajouter l'eau et faire la *détrempe*.
6 Former une boule de pâte, l'enfariner et l'*abaisser* sur une épaisseur de 2,5 mm.
7 Découper en carrés de 2,5 cm de côté.
8 Couvrir avec les carrés de pâte la surface de la bouillotte 30 minutes avant la fin de la cuisson.
9 Vérifier l'assaisonnement.
10 Servir chaud.
* quantité suffisante

Salade de poisson

Préparation : 20 à 25 minutes $$

Portions 24	*Ingrédients*	Portions 6
4 pommes	**Laitue Iceberg**	**1 pomme**
900 g	**Épinard**	**225 g**
1,5 kg	**Chair de poisson effilochée**	**375 mL**
12	**Oeuf dur en quartiers**	**3**
	Persil haché (au goût)	
	Vinaigrette* :	
	Sel (au goût)	
125 mL	**Jus de citron**	**30 mL**
250 mL	**Huile**	**60 mL**
	Poivre (au goût)	

Méthode
1 Laver, déchiqueter et égoutter la laitue.
2 Trier, équeuter, déchiqueter, laver et égoutter les épinards.
3 Mettre dans un saladier la laitue, les épinards et le poisson.
4 Mélanger le tout.
5 Décorer avec les quartiers d'oeuf.
6 Arroser de vinaigrette.
7 Décorer de persil haché.
8 Vinaigrette : dissoudre le sel dans le jus de citron.
9 Incorporer l'huile au jus de citron.
10 Poivrer.
11 Bien remuer avant de l'utiliser.

Betteraves à la crème sure

Si nous adorons la crème sure et aimons en garnir nombre de plats, les fermiers, autrefois, faisaient tout pour éviter que la crème surisse avant qu'ils confectionnent leur beurre. L'emplacement, toujours sensiblement le même, était choisi dans le voisinage d'une source d'eau fraîche. Pour préserver la fraîcheur à l'intérieur, on n'hésitait pas à faire courir du lierre sur les murs extérieurs, ou à couvrir la laiterie de branches de sapin.

Préparation : 10 minutes $

Portions 24	*Ingrédients*	Portions 6
	Sel (au goût)	
	Poivre (au goût)	
2 kg	**Betterave cuite en bâtonnets**	**600 mL**
2 mL	**Muscade**	**1 pincée**
500 mL	**Crème sure**	**125 mL**
60 mL	**Persil haché**	**15 mL**
24	**Feuille de laitue**	**6**
60 g	**Échalote verte émincée**	**45 mL**

Méthode
1 Assaisonner les betteraves et les poudrer de muscade.
2 Bien les mélanger avec la crème sure et le persil haché.
3 Disposer sur une feuille de laitue.
4 Parsemer d'échalotes.
5 Servir froid.

Gâteau à la citrouille

Préparation : 15 minutes $
Cuisson : 40 minutes

Portion 4 gâteaux	*Ingrédients*	Portion 1 gâteau
350 g	**Graisse**	**125 mL**
450 g	**Sucre**	**125 mL**
350 mL	**Mélasse**	**85 mL**
8	**Oeuf**	**2**
1 L	**Purée de citrouille**	**250 mL**
1 kg	**Farine à pâtisserie**	**500 mL**
40 mL	**Poudre à pâte**	**10 mL**
10 mL	**Bicarbonate de soude**	**2,5 mL**
10 mL	**Sel**	**2,5 mL**
20 mL	**Muscade**	**5 mL**
10 mL	**Clou de girofle moulu**	**2,5 mL**
5 mL	**Gingembre**	**1 mL**
350 mL	**Lait**	**85 mL**

Méthode
1 Ramollir la graisse avec le sucre et la mélasse.
2 Ajouter les oeufs.
3 Incorporer la purée de citrouille.
4 Tamiser les ingrédients secs ensemble et les ajouter au mélange en alternant avec le lait.
5 Bien battre.
6 Verser dans un moule graissé et fariné de 21 cm.
7 Cuire au four à 190°C pendant 40 minutes.

Biscuits au gruau et aux carottes

Préparation : 15 minutes $
Cuisson : 12 à 15 minutes

Portion 8 douzaines	Ingrédients	Portion 2 douzaines
250 g	Graisse	90 mL
325 g	Sucre	90 mL
4	Oeuf	1
500 mL	Mélasse	125 mL
650 g	Farine tout-usage	250 mL
10 mL	Épices mélangées	2,5 mL
8 mL	Sel	2 mL
5 mL	Muscade	1 mL
5 mL	Clou de girofle	1 mL
5 mL	Bicarbonate de soude	1 mL
20 mL	Poudre à pâte	5 mL
525 g	Farine d'avoine	375 mL
450 g	Carotte râpée	250 mL
20 mL	Zeste d'orange	5 mL
400 g	Raisin sec (Sultana)	125 mL

Méthode
1 Ramollir la graisse avec le sucre.
2 Incorporer l'oeuf, puis la mélasse.
3 Tamiser les ingrédients secs ensemble et les ajouter à la farine d'avoine.
4 Ajouter au premier mélange les carottes râpées, le zeste d'orange et les raisins.
5 Incorporer les ingrédients secs tamisés.
6 Laisser tomber par portions de 25 mL sur une plaque légèrement graissée et cuire au four à 180°C pendant 12 à 15 minutes.

Pouding aux canneberges à la vapeur

Penouille fut trois fois détruite par les Anglais. Le 5 septembre 1758, Wolfe et son régiment débarquèrent à leur tour et pillèrent l'établissement. Entre temps, on chercha les Français qui s'étaient enfuis dans les bois; on leur promit qu'ils seraient bien traités s'ils se rendaient. En attendant le retour des fuyards et la poursuite des pillages, que faire ? Les soldats anglais cueillirent des canneberges et des atocas... !

Préparation : 15 minutes $$
Cuisson : 1 heure 30

Portions 24	Ingrédients	Portions 6
825 g	Farine tout-usage	325 mL
10 mL	Sel	2,5 mL
5 mL	Épices mélangées	1 mL
40 mL	Bicarbonate de soude	10 mL
2 L	Canneberge	500 mL
4	Zeste d'orange	1
500 mL	Miel	125 mL
350 mL	Eau chaude	90 mL
60 mL	Graisse fondue	15 mL
	Sauce caramel :	
1,5 kg	Cassonade	375 mL
1,5 L	Eau	375 mL
110 g	Fécule de maïs	50 mL
500 mL	Lait	125 mL
100 g	Beurre	25 mL

Méthode
1 Tamiser les ingrédients secs ensemble.
2 Ajouter les canneberges et le zeste d'orange.
3 Mélanger le miel avec l'eau chaude et la graisse fondue.
4 Incorporer au premier mélange.
5 Verser dans un moule de 1,5 litre graissé et fariné.
6 Cuire à la vapeur au four à 180°C pendant 1 heure 30.
7 Servir avec une sauce caramel.
8 Ajouter la cassonade à l'eau et amener à ébullition.
9 Diluer la fécule de maïs dans le lait et l'ajouter au sirop afin de l'épaissir.
10 Ajouter le beurre.
11 Servir tiède.

Beurre de chez nous

Rien de tel qu'un bon beurre maison pour rissoler les volatiles. Auguste Béchard nous a fourni, en 1890, un récit dans lequel on apprend de quelle façon s'effectuait, à cette époque, la chasse au goéland. Au début d'août, à peine âgés de quinze jours, les oisillons se préparaient pour leur premier plongeon, sachant à peine voler. Profitant de leur maladresse, les chasseurs se livraient à un terrible carnage, abattant les petits goélands à coups de rames et de bâtons.

Préparation : 25 minutes $$$

Portion 2 kilogrammes	Ingrédients	Portion 500 grammes
4,4 L	Crème à 35 %	1,1 L
20 mL	Sel	5 mL

Méthode
1 Battre la crème au batteur électrique pendant 20 minutes.
2 La verser dans un chinois et laisser égoutter pendant environ 10 minutes.
3 Saler et bien mélanger.
4 Verser dans des moules et conserver au réfrigérateur.

Galettes blanches

Préparation : 45 minutes $
Cuisson : 10 minutes

Portion 8 douzaines	Ingrédients	Portion 2 douzaines
250 g	Graisse	85 mL
300 g	Sucre	85 mL
325 g	Cassonade	85 mL
3	Oeuf	1
850 g	Farine	325 mL
12 mL	Poudre à pâte	3 mL
6 mL	Bicarbonate de soude	2 mL
1,5 mL	Sel	0,5 mL
325 mL	Lait	85 mL
6 mL	Essence de vanille	2 mL
165 mL	Gelée de fruits	45 mL

Méthode
1 Ramollir la graisse avec le sucre et la cassonade.
2 Incorporer l'oeuf.
3 Ajouter les ingrédients secs préalablement tamisés ensemble en alternant avec le lait et la vanille.
4 Pétrir légèrement la pâte.
5 *Abaisser* sur une épaisseur de 0,5 cm. Détailler avec un *emporte-pièce* rond. Cuire au four à 200°C pendant environ 10 minutes ou *abaisser* sur une épaisseur de 0,25 cm. Détailler avec un *emporte-pièce* rond. Cuire au four à 200°C pendant environ 8 minutes.
6 *Badigeonner* de gelée de fruits et coller deux galettes ensemble du côté de la gelée.

Biscuits du vieux temps

Préparation : 20 minutes $
Cuisson : 5 à 10 minutes

Portion 8 douzaines	Ingrédients	Portion 2 douzaines
250 g	Graisse	85 mL
675 g	Cassonade	165 mL
3	Oeuf	1
	Lait (q.s.)*	
850 g	Farine	325 mL
7 mL	Crème de tartre	1,5 mL
13 mL	Bicarbonate de soude	3 mL
3 mL	Sel	0,5 mL
	Raisin sec (au goût)	

Méthode
1 Battre la graisse et la cassonade jusqu'à blanchissement du mélange.
2 Battre l'oeuf et ajouter du lait pour obtenir un volume de 85 mL (2 douzaines) ou de 350 mL (8 douzaines).
3 Incorporer ce mélange (oeuf-lait) au mélange de graisse et de sucre en alternant avec les ingrédients secs préalablement tamisés.
4 *Abaisser* sur une épaisseur de 0,5 cm.
5 Détailler avec un *emporte-pièce* rond.
6 Décorer le centre de chaque biscuit d'un raisin sec.
7 Cuire au four à 190°C pendant environ 7 à 10 minutes ou jusqu'à ce que les biscuits soient légèrement dorés.
* quantité suffisante

Gabine aux groseilles

Préparation : 15 minutes $$$
Cuisson : 20 minutes

Portions 24	Ingrédients	Portions 6
1,2 kg	Pâte brisée *(voir recettes complémentaires)*	300 g
3	Oeuf battu	1
2 L	Groseille en conserve	500 mL
1,4 kg	Sucre	375 mL
250 mL	Crème à 35 %	60 mL

Méthode
1 *Abaisser* la pâte et former un rectangle.
2 Déposer la pâte sur une plaque à pâtisserie.
3 *Badigeonner* d'oeuf battu le pourtour du rectangle de pâte sur 1 cm de largeur. Réserver le reste de l'oeuf battu.

Centre des ressources didactiques / Institut de tourisme et d'hôtellerie du Québec

Gabine aux groseilles

Archives publiques du Canada *(Four à pain canadien français, Gaspé, Québec, 1928).* Objet d'artisanat : Denise Dufresne, Matane *(assiette).*

4 Disposer les groseilles sur une moitié du rectangle.
5 Poudrer de sucre.
6 Verser la crème.
7 Rabattre l'autre moitié de pâte et bien sceller la bordure.
8 À l'aide de la pointe d'un couteau, pratiquer de petites incisions afin de laisser échapper la vapeur.
9 *Badigeonner* la surface d'oeuf battu.
10 Cuire dans le bas du four à 200°C pendant environ 10 minutes, puis à 170°C pendant encore 10 minutes.
11 Servir chaud ou froid avec de la crème à 35 % si désiré.

Tarte aux petites fraises des champs

Préparation : 20 minutes $$$
Cuisson : 25 minutes

Portion 4 tartes	*Ingrédients*	Portion 1 tarte
1 kg	**Pâte brisée** ***(voir recettes complémentaires)***	**250 g**
2,2 kg	**Fraise fraîche équeutée**	**875 mL**
650 g	**Sucre**	**175 mL**
100 g	**Fécule de maïs**	**45 mL**
2 mL	**Sel**	**1 pincée**
1 L	**Eau**	**250 mL**
700 mL	**Crème à 35 %**	**175 mL**
275 g	**Sucre**	**75 mL**

Méthode
1 *Foncer* un moule à tarte d'une abaisse de pâte brisée.
2 Piquer l'*abaisse* et la cuire au four à 220°C pendant environ 15 minutes.
3 Remplir la croûte cuite de fraises, en réserver quelques-unes pour la garniture.
4 Mélanger le sucre, la fécule de maïs, le sel et l'eau.
5 Faire mijoter.
6 Cuire lentement en remuant, sur feu doux, jusqu'à l'obtention d'un sirop épais et uniforme (pendant environ 10 à 15 minutes).
7 Verser ce sirop tiédi sur les fraises.
8 Laisser refroidir.
9 Fouetter la crème et l'incorporer au sucre.
10 Au moment de servir, couvrir de crème fouettée et de fraises entières réservées à cet effet.
11 Servir la tarte froide.

Délices aux framboises

« Et c'est un grand charme, car les voyageurs ont la faculté de descendre du "train de quêteux" pour manger des framboises pendant qu'on attend sur une voie de garage la rencontre d'un train de marchandises. »

Préparation : 45 à 50 minutes $$
Cuisson : 15 à 20 minutes

Portion 48 tartelettes	*Ingrédients*	Portion 12 tartelettes
750 g	**Beurre**	**185 mL**
500 g	**Cassonade**	**125 mL**
4	**Oeuf**	**1**
15 mL	**Essence de vanille**	**5 mL**
950 g	**Farine**	**375 mL**
250 mL	**Confiture de framboises**	**60 mL**
350 g	**Beurre**	**85 mL**
225 g	**Sucre**	**60 mL**
4	**Oeuf**	**1**
40 mL	**Jus de citron**	**10 mL**
10 mL	**Zeste de citron râpé**	**2 mL**
325 g	**Farine**	**125 mL**
12 mL	**Poudre à pâte**	**3 mL**

Méthode
1 Ramollir le beurre avec la cassonade.
2 Incorporer l'oeuf.
3 Parfumer à la vanille.
4 Ajouter la farine et bien mélanger.
5 Diviser la pâte en 12 parties égales.
6 *Foncer* 12 moules à tartelettes avec la pâte en la pressant avec les doigts.
7 Répartir la confiture dans le fond des tartelettes.
8 Réserver.
9 Battre le beurre avec le sucre jusqu'à blanchissement du mélange.
10 Incorporer l'oeuf.
11 Ajouter le jus et le zeste de citron.
12 Ajouter la farine et la poudre à pâte préalablement tamisées ensemble.
13 Répartir cet *appareil* dans les tartelettes.
14 Cuire au four à 180°C pendant 15 à 20 minutes.
15 Servir ces tartelettes tièdes ou froides.

Gâteau blanc aux noisettes

Préparation : 10 minutes $$
Cuisson : 1 heure 10

Portion 4 gâteaux	*Ingrédients*	Portion 1 gâteau
400 g	**Noisette en poudre**	**250 mL**
800 mL	**Lait**	**200 mL**
500 g	**Beurre doux**	**125 mL**
1,2 kg	**Sucre**	**325 mL**
8	**Oeuf**	**2**
1 kg	**Farine**	**400 mL**
15 mL	**Sel**	**5 mL**
40 mL	**Poudre à pâte**	**10 mL**
15 mL	**Essence de vanille**	**5 mL**

Méthode
1 Faire tremper les noisettes en poudre dans le lait pendant au moins 12 heures.
2 Battre ensemble le beurre, le sucre et les oeufs.
3 Ajouter la farine préalablement tamisée avec le sel et la poudre à pâte en alternant avec le liquide.
4 Ajouter la vanille à la fin.
5 Cuire au four à 180°C pendant 70 minutes.

Délice aux pommes

Voici une petite boisson bien sage qui ne risque ni d'échauffer les esprits, ni de réveiller les passions endormies. L'abus des boissons alcoolisées constituait en Gaspésie un grave problème au temps où les services d'ordre éprouvaient de sérieuses difficultés à se faire respecter. Le docteur Anthony Von Iffland nous a laissé des notes à cet effet dans un récit du voyage qu'il effectua dans la région de Gaspé en 1821, alors que le gouvernement l'avait chargé de vacciner les Gaspésiens. « Comme les pêcheurs regardent les liqueurs fortes comme une des choses les plus nécessaires à la vie, écrit-il, je crois que proportions gardées, il ne s'en dépense nulle part plus que dans le district de Gaspé. » Ces abus sont à l'origine de scènes de violence difficilement réprimées. La présence de trafiquants envenime les choses : installés sous des tentes, ils vendent leur alcool à des prix excessifs, en échange de poissons.

Préparation : 5 minutes $$

Portion 6 litres	*Ingrédients*	Portion 1,5 litre
16	**Oeuf**	**4**
125 mL	**Miel**	**30 mL**
5 mL	**Sel**	**1 mL**
20 mL	**Vanille**	**5 mL**
5 mL	**Muscade**	**1 mL**
5,6 L	**Jus de pommes**	**1,4 L**

Méthode
1 Battre les oeufs pour les faire mousser.
2 Ajouter le miel, le sel, la vanille et la muscade.
3 Incorporer le jus de pommes tout en fouettant.
4 Bien refroidir avant de servir.

Tarte à la rhubarbe et à la mélasse

Préparation : 20 minutes $$
Cuisson : 10 à 20 minutes

Portion 4 tartes	*Ingrédients*	Portion 1 tarte
1,5 kg	**Rhubarbe en cubes**	**750 mL**
1,5 kg	**Cassonade**	**375 mL**
500 mL	**Mélasse**	**125 mL**
20 mL	**Jus de citron**	**5 mL**
20 mL	**Bicarbonate de soude**	**5 mL**
125 g	**Farine**	**45 mL**
1 kg	**Pâte feuilletée *(voir recettes complémentaires)***	**250 g**

Méthode
1 Laisser reposer pendant 3 heures la rhubarbe mélangée avec la cassonade, la mélasse et le citron.
2 Ajouter le bicarbonate de soude et la farine.
3 Mélanger le tout et mettre le mélange dans une *abaisse* de pâte feuilletée de 0,5 cm d'épaisseur.
4 Cuire au four à 200°C pendant environ 10 minutes ou cuire au four à 170°C pendant environ 20 minutes jusqu'à ce que la croûte soit bien dorée.

Brioches à la crème sure

Il y a quelques années, on n'aurait pas songé à manger autre chose que des brioches, le jour du Vendredi saint. Certaines entreprises spécialisées dans la pâtisserie en avaient même commercialisé une humble variété, sous le nom de « brioches du Vendredi saint ». Mais gare à celui qui, le dimanche de la Résurrection, n'avait pas fait ses pâques ! Il risquait de « courir le loup-garou » : condamné par le diable à courir monts et vallées sous l'aspect d'une bête horrible aux yeux flamboyants !

Préparation : 3 heures $$
Cuisson : 15 minutes

Portion 8 douzaines	*Ingrédients*	Portion 2 douzaines
1 L	**Lait**	**250 mL**
325 g	**Sucre**	**85 mL**
25 mL	**Sel**	**6 mL**
150 g	**Beurre**	**40 mL**
350 mL	**Eau tiède**	**85 mL**
20 mL	**Sucre**	**5 mL**
25 mL	**Levure sèche**	**6 mL**
275 g	**Pomme de terre pilée**	**85 mL**
8	**Jaune d'oeuf**	**2**
350 mL	**Crème sure**	**85 mL**
1,55 kg	**Farine**	**600 mL**
1,3 kg	**Farine**	**500 mL**
40 mL	**Graisse**	**10 mL**
40 mL	**Graisse**	**10 mL**
400 g	**Beurre mou**	**100 mL**
450 g	**Sucre**	**125 mL**
20 mL	**Cannelle**	**5 mL**
400 g	**Raisin sec (Sultana)**	**125 mL**
3	**Oeuf battu**	**1**
60 mL	**Lait**	**15 mL**

Méthode
1 Amener à ébullition le lait, le sucre, le sel et le beurre. Laisser tiédir.
2 Mélanger ensemble l'eau tiède, le sucre et la levure sèche. Laisser gonfler pendant 10 minutes.
3 *Passer* au tamis les pommes de terre pilées froides. Ajouter les jaunes d'oeufs, puis la crème sure.
4 Ajouter ce mélange à la levure, puis incorporer le mélange de lait.
5 Incorporer la farine tamisée et battre pour obtenir une pâte lisse.
6 Incorporer de nouveau de la farine tamisée et pétrir la pâte.
7 Placer la pâte dans un bol et *badigeonner* le dessus de graisse.
8 Laisser gonfler jusqu'à ce que le volume double.
9 Rabattre la pâte et la pétrir légèrement. *Badigeonner* de graisse et laisser gonfler de nouveau jusqu'à ce que le volume double.
10 Rabattre la pâte et l'*abaisser* en un rectangle de 30 x 50 cm.
11 Étendre le beurre sur la pâte et poudrer avec le sucre et la cannelle mélangée ensemble.
12 Parsemer de raisins.
13 Rouler la pâte et couper les brioches sur une épaisseur de 2 cm.
14 Déposer sur une plaque graissée.
15 *Badigeonner* de dorure (oeuf et lait).
16 Cuire au four à 175°C pendant 15 minutes.

Herbes salées des fermières

Préparation : 30 minutes $
Macération : 2 semaines

Portion 4 litres	*Ingrédients*	Portion 1 litre
1,5 kg	**Poireau finement haché**	**750 mL**
900 g	**Échalote verte finement hachée**	**500 mL**
250 g	**Persil finement haché**	**250 mL**
125 g	**Sarriette fraîche finement hachée**	**60 mL**
	Gros sel (q.s.)*	

Méthode
1 Bien mélanger ensemble tous les ingrédients, sauf le gros sel.
2 Déposer successivement dans une jarre des rangées du mélange en alternant avec un peu de gros sel.
3 Terminer par du gros sel.
4 Laisser *dégorger* au frais pendant 2 semaines.
5 Égoutter. Mettre les herbes dans des pots.
Note : On peut ajouter au mélange de l'oignon, du céleri, du cerfeuil et de la ciboulette hachés.
* quantité suffisante

Bas Saint-Laurent

Le patrimoine culinaire du Bas Saint-Laurent se constitue d'un héritage laissé à la fois par la nature et par la culture des Anciens. Il est le bien collectif de toute la population qui se reconnaît dans son histoire commune.

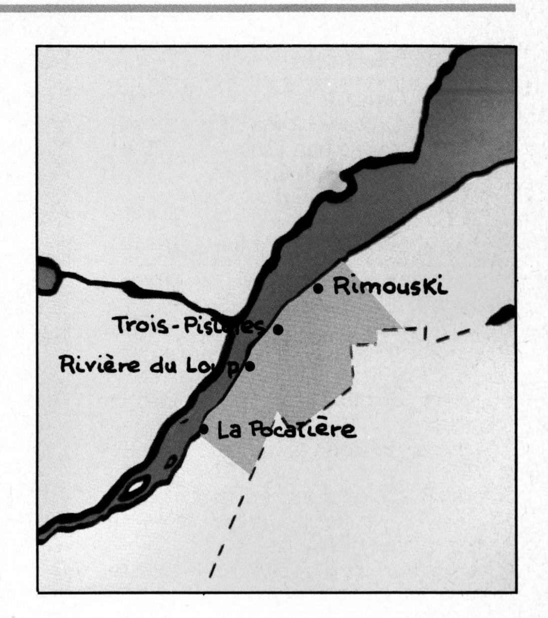

Au XVIIe siècle, la colonisation du territoire commença avec l'arrivée des Français. La région fut divisée et concédée à plusieurs seigneurs. Les nouveaux arrivants défrichèrent leur lopin de terre en essayant d'y faire pousser quelques légumes et céréales dont le « blé d'Inde », nommé ainsi par Christophe Colomb qui croyait avoir accosté aux Indes. Ne pouvant survivre de leurs récoltes à cause de ces redevances coûteuses aux seigneurs et de la pauvreté du sol, les colons français durent apprendre les techniques des premiers occupants de la région, les Micmacs et les Malécites, pour trapper, chasser et pêcher, et ainsi garnir le garde-manger.

La conquête vint bouleverser la vie des habitants du Bas Saint-Laurent. En occupant la région, les Britanniques s'emparaient d'un territoire stratégique extrêmement important : la route de Halifax.

Par cette même route, les Baslaurentiens ont emprunté certains mets à la cuisine acadienne, comme les crêpes, les « plogues » — galettes de sarrasin — et les « beans » — fèves au lard —, servies avec de grosses tranches de lard salé, du sirop ou du sucre d'érable. Plusieurs produits de la forêt, comme les crosses de fougères — jeunes fougères des bois — les bolets comestibles et les racines de différents arbustes et plantes, sont très recherchés pour leur bon goût, mais aussi pour leur valeur médicale lorsqu'ils sont consommés sous forme de tisanes.

Quant aux boissons, la population de la région a toujours aimé les mixtures de toutes sortes. On fabriquait du vin de pissenlit et de cormier, mais on en faisait aussi avec de la salsepareille, et on n'a presque jamais cessé de fabriquer de la « bagosse » — whisky frelaté de fabrication domestique. L'époque de la prohibition fut une période marquante dans le Bas Saint-Laurent, puisqu'elle permit la contrebande de l'alcool, commerce florissant.

Oreilles de « crisse »

Préparation : 10 minutes $

Cuisson : 1 heure 30

Portions 24	*Ingrédients*	Portions 6
2,4 kg	**Lard salé**	**600 g**
4 L	**Eau**	**1 L**

Méthode

1 Couper le lard salé en tranches de 1,5 cm d'épaisseur et de 8 cm de longueur.
2 Le faire *blanchir* dans l'eau pendant 5 minutes.
3 Égoutter.
4 Mettre dans une poêle et faire cuire au four, à 180°C, jusqu'à ce que les tranches de lard soient rôties et croustillantes.
5 Retourner fréquemment les grillades durant la cuisson.
6 Les grillades sont prêtes quand elles sont bien dorées.
7 Égoutter.
8 Éponger sur un papier absorbant.

Note : Servir en accompagnement avec un oeuf, des fèves au lard, de la fricassée, etc.

Cretons à l'ancienne

Préparation : 20 minutes $$

Cuisson : 2 heures 30

Portion 6 kilogrammes	*Ingrédients*	Portion 1,5 kilogramme
4 kg	**Porc maigre haché**	**1 kg**
2 kg	**Veau haché**	**500 g**
300 g	**Oignon haché**	**125 mL**
1,5 L	**Eau**	**375 mL**
1,8 kg	**Panne de porc hachée**	**450 g**
	Sel (au goût)	
	Poivre (au goût)	
12 mL	**Gingembre**	**3 mL**
4 mL	**Clou de girofle**	**1 mL**
4 mL	**Cannelle**	**1 mL**

Méthode

1 Mélanger le porc, le veau, les oignons et l'eau.
2 Cuire à feu moyen jusqu'à réduction complète du liquide, environ 2 heures 30.
3 Faire fondre la panne séparément et l'ajouter à la viande avec les assaisonnements.
4 Laisser refroidir quelques minutes dans l'eau froide.
5 Verser dans des plats et laisser refroidir avant de mettre au réfrigérateur.

Soupe d'hiver

Préparation : 15 minutes $

Cuisson : 30 minutes

Portion 6 litres	*Ingrédients*	Portion 1,5 litre
250 g	**Céleri haché fin**	**125 mL**
250 g	**Navet haché fin**	**125 mL**
275 g	**Carotte hachée fin**	**125 mL**
250 g	**Chou haché fin**	**125 mL**
300 g	**Oignon haché fin**	**125 mL**
3 L	**Eau**	**750 mL**
	Sel (au goût)	
	Poivre (au goût)	
4 L	**Bouillon de poulet**	**1 L**

Méthode

1 Mettre tous les ingrédients (sauf le bouillon de poulet) dans une casserole et faire mijoter jusqu'à ce que les légumes soient cuits, mais fermes.
2 Ajouter le bouillon de poulet chaud et laisser mijoter pendant encore 10 minutes.

Crêpes au lard salé

Préparation : 10 minutes $$
Cuisson : 3 minutes

Portions 24	*Ingrédients*	Portions 6
375 g	Lard salé	100 g
	Appareil à crêpes :	
950 g	farine tout usage	375 mL
30 mL	poudre à pâte	8 mL
	sel (au goût)	
2,3 L	lait	575 mL
1 kg	Sucre d'érable râpé	200 mL

Méthode
1 Mettre le morceau de lard dans un peu d'eau, amener à ébullition et faire mijoter pendant 5 minutes.
2 Laisser refroidir et couper le lard en petits dés.
3 Mélanger la farine, la poudre à pâte et le sel.
4 Ajouter le lait tout en brassant.
5 Chauffer une poêle à crêpes et y *faire revenir* quelques lardons.
6 Verser un peu d'*appareil* à crêpes (la crêpe doit être bien mince).
7 Cuire des deux côtés.
8 Retirer la crêpe de la poêle, la saupoudrer de sucre d'érable râpé et la rouler.

Langue de boeuf braisée

Préparation : 20 minutes $
Cuisson : 4 heures

Portions 24	*Ingrédients*	Portions 6
8 kg	Langue de boeuf	2 kg
	Eau bouillante	
400 g	Beurre	100 mL
520 g	Lard salé en dés	130 g
250 g	Carotte émincée	125 mL
250 g	Céleri émincé	125 mL
340 g	Oignon émincé	125 mL
225 g	Farine	100 mL
8 L	Bouillon de cuisson	2 L
	Sel (au goût)	
	Poivre (au goût)	

Méthode
1 Plonger la langue dans l'eau bouillante et faire mijoter pendant 1 heure.
2 Retirer la langue et lui enlever la peau.
3 Mettre le bouillon de cuisson de côté.
4 Chauffer le beurre et y saisir la langue.
5 Retirer la langue et faire suer le lard salé et les légumes dans le beurre.
6 Ajouter la farine. Bien brasser et faire brunir.
7 *Mouiller* avec le bouillon de cuisson et brasser.
8 Remettre la langue dans la casserole.
9 Assaisonner.
10 Cuire au four à 150°C pendant 3 heures. Retourner la langue toutes les heures.

N.B. : Faire dégorger préalablement la langue à l'eau courante pendant au moins 3 heures.

Centre des ressources didactiques / Institut de tourisme et d'hôtellerie du Québec

Crêpes au lard salé : saupoudrées de sucre d'érable

Archives nationales du Québec, collection Conrad Poirier *(Hommes au travail sur la rue, 1939)*. Objets d'artisanat : Léonard Marquis, Rimouski *(flûtes à champagne)*; Bernard Chaudron, Val-David *(assiette)*.

Soupe aux tomates et au lait

Préparation : 20 minutes $
Cuisson : environ 7 minutes

Portion 6 litres	*Ingrédients*	Portion 1,5 litre
175 g	Céleri haché	90 mL
225 g	Oignon haché	90 mL
175 g	Beurre	45 mL
60 mL	Farine	15 mL
1,5 L	Tomate concassée	375 mL
	Sel (au goût)	
	Poivre (au goût)	
4 mL	Sucre	1 mL
4 L	Lait	1 L
60 mL	Persil haché	15 mL

Méthode
1 Faire suer les légumes dans le beurre.
2 Ajouter la farine, remuer et faire cuire pendant 2 à 3 minutes.
3 Ajouter les tomates, les assaisonnements et le sucre.
4 Laisser mijoter pendant 3 à 4 minutes.
5 Chauffer le lait (ne pas le faire bouillir).
6 Garnir de persil haché.
7 Servir bien chaud.
Note : Cette soupe doit être préparée juste avant de la servir.

Ragoût d'esturgeons

Ce n'est pas sans raison que les premiers colons venus s'établir dans la région du Bas Saint-Laurent, sur des terres ayant « front sur le fleuve », se faisaient garantir un droit de pêche que le seigneur partageait bien souvent avec eux. Ce n'est pas sans raison non plus, que certaines rentes seigneuriales se payaient en barils de poisson frais ou salé. Le fleuve, au XVIIe siècle, regorgeait de poissons. L'anguille et l'esturgeon mouraient d'envie de se faire prendre aux filets des pêcheurs; ceux-là qui, d'un autre côté, trouvaient le temps de défricher leur terre. La pêche était alors facile et l'eau claire. Aux poissons les plus fréquents s'ajoutait un mammifère dont l'huile valait qu'on s'y intéresse : le marsouin.

Préparation : 25 minutes $$
Cuisson : 30 minutes

Portions 24	*Ingrédients*	Portions 6
3,6 kg	**Esturgeon**	**900 g**
225 g	**Oignon haché**	**100 mL**
250 g	**Lard salé**	**60 g**
2	**Feuille de laurier**	**½**
15 mL	**Sarriette**	**4 mL**
60 mL	**Ciboulette**	**15 mL**
	Sel (au goût)	
	Poivre (au goût)	
500 g	**Pomme de terre en dés**	**250 mL**
300 g	**Carotte en dés**	**125 mL**
100 g	**Céleri haché**	**40 mL**
2,4 L	**Eau**	**600 mL**
90 g	**Farine tout usage**	**35 mL**
500 mL	**Lait**	**125 mL**

Méthode

1 Mettre dans une casserole l'esturgeon coupé en morceaux avec les oignons et le lard coupé en dés.
2 Ajouter les assaisonnements, les pommes de terre, les carottes et le céleri.
3 Couvrir d'eau froide, amener à ébullition et cuire à feu doux.
4 Retirer l'esturgeon de la casserole.
5 Incorporer au bouillon la farine délayée dans le lait.
6 Faire mijoter pendant 10 minutes.
7 Remettre l'esturgeon dans la sauce.

Touladi farcie

Préparation : 40 minutes $$
Cuisson : 2 heures

Portions 24	*Ingrédients*	Portions 6
8 kg	**Touladi**	**2 kg**
60 mL	**Jus de citron**	**15 mL**
	Sel (au goût)	
	Poivre (au goût)	
250 g	**Riz**	**75 mL**
125 g	**Oignon haché**	**50 mL**
125 g	**Poivron vert haché**	**50 mL**
100 g	**Céleri haché**	**50 mL**
50 g	**Échalote verte hachée**	**25 mL**
175 g	**Champignon émincé**	**125 mL**
	Sel (au goût)	
	Poivre (au goût)	
4	**Oeuf**	**1**
80 g	**Mie de pain en dés**	**125 mL**

Méthode

1 Bien nettoyer la touladi.
2 L'arroser de jus de citron.
3 Saler et poivrer.
4 Ajouter au riz cuit, les oignons, les poivrons, le céleri, les échalotes et les champignons.
5 Saler et poivrer.
6 Ajouter l'oeuf et la mie de pain.
7 Bien mélanger l'*appareil* et en farcir la touladi.
8 Coudre l'ouverture et envelopper le poisson dans un papier d'aluminium.
9 Cuire au four à 200°C pendant 2 heures.

L'Ansillon

L'Ansillon, c'est l'aboutissement du dernier voyage accompli par l'anguille qui nage maintenant parmi les herbes salées, l'oignon, l'ail, l'huile et la tomate. Dans un pays où l'anguille abonde, il est normal qu'après trois siècles elle soit demeurée l'un des poissons les plus populaires. « Souvent l'on a devant sa porte la pêche en abondance, principalement de l'anguille qui est en ce pays très excellente, n'étant pas bourbeuse comme celle de France... Dans les mois de septembre et d'octobre, cette pêche d'anguilles est si heureuse, que tel en prendra quarante, cinquante, soixante, septante milliers... » Voilà des pêches miraculeuses qui ne sont pas près de se répéter !

Préparation : 20 minutes $
Cuisson : 30 minutes

Portions 24	*Ingrédients*	Portions 6
3,6 kg	**Anguille parée, coupée en tronçons**	**900 g**
4 L	**Eau**	**1 L**
40 mL	**Sel**	**10 mL**
300 g	**Oignon haché**	**125 mL**
4	**Gousse d'ail écrasée**	**1**
250 mL	**Huile d'olive**	**60 mL**
75 g	**Farine**	**30 mL**
1 L	**Vin rouge**	**250 mL**
3,2 L	**Tomate concassée**	**800 mL**
20 mL	**Herbes salées *(voir recettes complémentaires)***	**5 mL**
150 g	**Cheddar fort râpé (facultatif)**	**90 mL**

Méthode

1 Mettre l'anguille dans de l'eau salée et amener à ébullition.
2 Égoutter et éponger.
3 *Faire revenir* les oignons et l'ail dans l'huile; réserver.
4 Fariner les morceaux d'anguille et les *faire revenir* dans le gras des oignons.
5 Mettre de côté.
6 *Déglacer* avec le vin rouge.
7 Ajouter les tomates et les herbes salées.
8 Ajouter les oignons et l'ail.
9 Faire mijoter de 2 à 3 minutes.
10 Ajouter le poisson.
11 Couvrir avec un papier d'aluminium.
12 Faire cuire au four à 180°C pendant environ 20 minutes.
13 Saupoudrer de fromage et faire gratiner à 290°C pendant 5 à 7 minutes.

Ragoût de faisan

Préparation : 1 heure $$$
Cuisson : 1 heure 30

Portions 24	*Ingrédients*	Portions 6
925 g	**Oignon émincé**	**350 mL**
4	**Faisan paré (1,2 à 1,5 kg)**	**1**
1,8 kg	**Veau à rôtir**	**450 g**
175 mL	**Huile**	**45 mL**
1,4 L	**Bouillon de poulet**	**350 mL**
	Sel (au goût)	
	Poivre (au goût)	
150 g	**Farine**	**60 mL**
600 mL	**Bouillon de poulet**	**150 mL**
8	**Jaune d'oeuf**	**2**
350 mL	**Crème à 35 %**	**90 mL**
	Garniture :	
400 g	**Pois vert cuit**	**125 mL**
500 g	**Chou-fleur cuit**	**250 mL**
125 g	**Champignon en quartier sauté**	**125 mL**

Méthode

1 Déposer les oignons dans une plaque à rôtir.
2 Déposer le faisan et le veau huilés sur les oignons.
3 Verser le bouillon dans le fond de la plaque.
4 Assaisonner le faisan.
5 Bien couvrir et faire cuire à 170°C pendant 30 minutes.
(Note : la viande est cuite lorsqu'elle cède sous la pression des doigts.)
6 Mettre la viande de côté, au chaud.
7 Bien mélanger la farine et le bouillon.
8 Verser petit à petit sur le fond de cuisson de la plaque.
9 Faire mijoter pendant 15 minutes et passer le bouillon.
10 Ajouter de l'eau au bouillon afin d'obtenir 500 mL de liquide et faire mijoter de 5 à 7 minutes.
11 Bien mélanger les jaunes d'oeufs et la crème.
12 Retirer du feu et ajouter 125 mL de sauce pour bien réchauffer.
13 Verser le tout dans la sauce, et ce, hors du feu.
14 Rectifier l'assaisonnement.
15 Déposer les chairs de faisan dans la sauce.
16 Couper le veau en cubes.
17 Ajouter à la sauce.
18 Ajouter les pois, les choux-fleurs et les champignons à la sauce.
19 Mélanger délicatement.
20 Servir chaud.
21 Peut se servir avec du riz pilaf.

Gigot d'agneau à la menthe

Préparation : 10 à 15 minutes $$
Cuisson : 3 heures

Portions 24	*Ingrédients*	Portions 6
9,2 kg	Gigot d'agneau non *paré*	2,3 kg
	Sel (au goût)	
	Poivre (au goût)	
175 mL	Moutarde préparée	45 mL
1 gros bouquet	Menthe fraîche	1 petit bouquet
500 mL	Vin rouge	125 mL
500 mL	Eau	125 mL
	Sel (au goût)	
	Poivre (au goût)	

Méthode
1 Dégraisser complètement la viande.
2 Enlever l'os du quasi.
3 Ficeler le gigot; le saler et le poivrer.
4 Le déposer sur une grille dans une lèchefrite, de façon à isoler le gigot du fond de la lèchefrite.
5 *Badigeonner* le gigot de moutarde.
6 Recouvrir la pièce de feuilles de menthe fraîche.
7 Faire griller à 170°C pendant 3 heures. Pour un gigot saignant, cuire pendant seulement 2 heures.
Note : Ne pas saler le gigot et ne pas l'arroser durant la cuisson.
8 Laisser reposer le gigot pendant 10 à 15 minutes avant de le découper.
9 *Déglacer* la plaque de cuisson avec le vin.
10 Ajouter l'eau.
11 Assaisonner.
12 Faire mijoter pendant 5 à 6 minutes.
13 Servir le gigot avec le jus.
Note : Peut être accompagné de gelée de menthe.

Côtelettes de porc au sirop d'érable

En 1941, Alfred Ayotte signait pour l'Oeil du 15 mars, un article décrivant l'industrie québécoise des produits de l'érable dont l'un de ses aspects les plus inusités est le suivant :
— « Nous sommes, nous les Québécois, de bons consommateurs de sirop et de sucre d'érable et d'autres produits tirés de cet excellent arbre, mais nous en vendons la plus grande partie pour fins industrielles. Les plus grands acheteurs sont les fabricants de tabac (...) » Des échantillons leurs sont expédiés puis ils commandent : « C'est ainsi que notre sirop d'érable passe dans le tabac et tourne en fumée ... »

Préparation : 15 minutes $
Cuisson : 1 heure

Portions 24	*Ingrédients*	Portions 6
4,8 kg	Côtelette de porc	1,2 kg
60 mL	Moutarde sèche	15 mL
125 g	Beurre	30 mL
60 mL	Huile	15 mL
	Sel (au goût)	
	Poivre (au goût)	
4	Oignon en rondelles	1
500 mL	Sirop d'érable	125 mL
1 L	Crème de tomate	250 mL
125 mL	Sauce chili	30 mL
20 mL	Sauce Worcestershire	5 mL

Méthode
1 Saupoudrer les côtelettes de moutarde.
2 Faire *sauter* les côtelettes dans le beurre et l'huile pendant 7 à 8 minutes.
3 Assaisonner les côtelettes.
4 Déposer les côtelettes dans un plat allant au four.
5 Déposer une rondelle d'oignon sur chaque côtelette.
6 Bien mélanger le sirop d'érable, la crème de tomate, la sauce chili et la sauce Worcestershire, et verser sur les côtelettes.
7 Faire mijoter quelques instants.
8 Cuire au four, à couvert, à 180°C pendant 45 à 50 minutes.
9 Découvrir et continuer à cuire pendant 10 à 15 minutes.
10 Servir chaud.

Archives nationales du Québec, collection du ministère des Communications *(M. Jos Hudon dans son champs d'orge à Saint-Denis)*. Objets d'artisanat : Léonard Marquis, Rimouski *(coupes)*; Legault, Port-au-Persil *(assiette)*; Artisanat Hamel, Saint-Hilaire *(nappe)*.

Faisan aux champignons

Centre des ressources didactiques / Institut de tourisme et d'hôtellerie du Québec

Corégone (pointu)

Préparation : 15 minutes $
Cuisson : 10 à 15 minutes

Portions 24	Ingrédients	Portions 6
24	**Corégone de 250 à 300 g**	6
	Sel (au goût)	
	Poivre (au goût)	
325 g	**Farine**	125 mL
300 g	**Beurre**	75 mL
24	**Citron en quartier**	6
350 g	***Beurre noisette***	90 mL
60 mL	**Persil haché**	15 mL

Méthode
1 Bien nettoyer les poissons.
2 Assaisonner.
3 Fariner les poissons. (Retourner les poissons dans vos mains pour enlever le surplus de farine.)
4 Faire cuire les poissons dans du beurre, de 5 à 7 minutes de chaque côté.
5 Servir avec les quartiers de citron et du *beurre noisette*.
6 Saupoudrer de persil haché.

Faisan aux champignons

Les chasseurs français qui s'attaquaient, pour le plaisir, aux oiseaux inoffensifs, croyaient qu'il fallait avoir tiré le maximum de la chasse avant l'arrivée des dames. En effet, on voyait communément les chasseurs rater leur cible dès le moment où le pied fin de leurs admiratrices se posait sur leur territoire. Arrivées en voiture, elles en descendaient chargées de paniers lourds de victuailles destinées à un déjeuner sur l'herbe.

Préparation : 45 minutes $$$
Cuisson : 30 minutes

Portions 16	Ingrédients	Portions 4
	Farce :	
1,2 kg	**Porc maigre haché**	350 g
6	**Abats du faisan haché**	1
175 g	**Beurre**	45 mL
275 g	**Oignon haché**	75 mL
125 g	**Beurre**	30 mL
850 g	**Champignon haché**	250 mL
	Sel (au goût)	
	Poivre (au goût)	
5	**Oeuf battu**	1
6	**Faisan (1,2 à 1,5 kg)**	1
	Barde de lard	

Méthode
1 *Faire revenir* la viande et les abats dans le beurre.
2 Mettre de côté.
3 Faire suer les oignons au beurre et les retirer.
4 *Faire revenir* les champignons dans le gras des oignons.
5 Mettre de côté.
6 Assaisonner la farce.
7 Incorporer l'oeuf battu à la farce.
8 Bien mélanger.
9 Bien nettoyer le faisan, le farcir et le *brider*.
10 *Barder* le faisan.
11 Faire rôtir à 220°C pendant environ 25 minutes.
12 Enlever les bardes de lard.
13 Faire colorer à 220°C pendant 5 minutes.
14 Laisser reposer de 5 à 7 minutes.
15 Servir chaud.

Cipaille canadien

Préparation : 3 heures $$$
Cuisson : 4 heures

Portions 24	Ingrédients	Portions 6
	Pâte :	
1,9 kg	**farine**	750 mL
40 mL	**sel**	10 mL
40 mL	**poudre à pâte**	10 mL
20 mL	**bicarbonate de soude**	5 mL
475 g	**graisse**	165 mL
600 mL	**eau froide**	150 mL
3,6 kg au total	**Veau en cubes et/ou**	900 g au total
	Porc en cubes	
	Boeuf en cubes	
	Poulet en cubes	
	Perdrix en cubes	
	Lièvre en cubes	
	Orignal en cubes	
	Chevreuil en cubes	
1,7 kg	**Pomme de terre émincée**	750 mL
525 g	**Oignon émincé**	200 mL
	Sel (au goût)	
	Poivre (au goût)	
60 mL	**Huile**	15 mL

Méthode
1 Tamiser les ingrédients secs.
2 *Sabler* les ingrédients secs avec la graisse.
3 Incorporer l'eau froide rapidement.
4 Mettre au réfrigérateur pendant 2 heures.
5 Faire *blanchir* la viande pendant 10 minutes.
6 Égoutter.
7 Réserver le jus.
8 *Passer* au chinois étamine.
9 Dans un chaudron, disposer successivement une rangée de viande, une rangée de pommes de terre et une rangée d'oignons, jusqu'à épuisement des ingrédients.
10 Assaisonner et *mouiller* à égalité de la préparation avec le jus de cuisson.
11 *Abaisser* la pâte à 2 mm d'épaisseur et *détailler* en carrés de 7,5 cm de côté.
12 Couvrir les ingrédients de pâte en prenant soin de laisser quelques espaces vides pour laisser la vapeur s'échapper.
13 *Badigeonner* d'huile.
14 Couvrir.
15 Cuire au four à 170°C pendant environ 3 heures 30.
Note : Ajouter du jus au cours de la cuisson de façon à maintenir le même niveau de liquide.
16 Découvrir et cuire pendant encore ½ heure.
17 Servir chaud.

Épinards au miel

Préparation : 20 minutes $$

Portions 24	Ingrédients	Portions 6
1,1 kg	**Épinard cru haché fin**	2 L
700 mL	**Miel liquide**	175 mL
400 mL	**Jus de citron**	100 mL
575 g	**Raisin de Corinthe**	250 mL
	Sel (au goût)	
	Poivre (au goût)	

Méthode
1 Bien laver les épinards avant de les hacher.
2 Mélanger le miel et le jus de citron.
3 Verser sur les épinards et bien mélanger.
4 Ajouter les raisins de Corinthe.
5 Laisser reposer quelques minutes avant de servir.
6 Assaisonner au goût.

Gratin du Manoir Saint-André

Préparation : 30 minutes $
Cuisson : 5 à 7 minutes

Portions 24	Ingrédients	Portions 6
500 g	**Carotte en *julienne***	250 mL
350 g	**Navet en *julienne***	175 mL
275 g	**Poireau en *julienne***	175 mL
	Béchamel :	
	Roux :	
100 g	**beurre**	25 mL
100 g	**farine**	40 mL
1,3 L	**lait**	325 mL
	Sel (au goût)	
	Poivre blanc (au goût)	
	Muscade râpée (au goût)	
125 g	**Chapelure**	60 mL
60 mL	**Beurre fondu**	15 mL

Méthode
1 Cuire les légumes séparément dans de l'eau salée. Les légumes doivent rester croquants.
2 Égoutter, réserver.
3 Faire fondre le beurre et y ajouter la farine; cuire de 3 à 4 minutes à feu doux en remuant constamment.
4 Laisser refroidir.
5 Chauffer le lait et le verser immédiatement sur le *roux* refroidi.
6 Bien mélanger pour obtenir un mélange lisse.
7 Assaisonner.
8 Faire cuire pendant 15 minutes.
9 Dans un plat à gratin, mettre les légumes.
10 Les arroser avec la béchamel.
11 Saupoudrer de chapelure et arroser de beurre fondu.
12 Gratiner au four à 260°C de 5 à 7 minutes.

Salade de betteraves

Préparation : 20 minutes $

Portions 24	*Ingrédients*	Portions 6
2,4 kg	Betterave cuite en dés	750 mL
300 g	Oignon haché	125 mL
30 g	Persil haché	30 mL
350 mL	Vinaigrette	90 mL
24	Feuille de laitue	6

Méthode

1 Bien mélanger les betteraves, les oignons et le persil haché.
2 Arroser de vinaigrette et bien mélanger.
3 Servir sur une feuille de laitue.

Salade de pissenlits

Préparation : 20 minutes $

Portions 24	*Ingrédients*	Portions 6
750 g	Feuille de pissenlit ciselée	750 mL
250 g	Laitue ciselée	250 mL
	Sel (au goût)	
	Poivre (au goût)	
4 mL	Sucre	1 mL
3	Gousse d'ail écrasée	1
125 mL	Vinaigre	30 mL
250 mL	Huile	60 mL

Méthode

1 Bien mélanger les feuilles de pissenlit et la laitue.
2 Bien mélanger le sel, le poivre, le sucre, l'ail écrasé et le vinaigre, jusqu'à dissolution du sel.
3 Ajouter l'huile petit à petit, en remuant constamment.
4 Arroser la laitue et bien mélanger.
5 Servir immédiatement.

Archives nationales du Québec, collection du ministère des Communications *(La récolte des patates chez monsieur L. Ross à Mont-Joli, comté de Rimouski)*. Objets d'artisanat : Léonard Marquis, Rimouski *(pot à fleur, assiette)*; La crémone, Clermont *(serviette)*.

Salade de betteraves

Centre des ressources didactiques / Institut de tourisme et d'hôtellerie du Québec

Gâteau à la crème sure

Préparation : 15 minutes $
Cuisson : 45 minutes

Portion 4 gâteaux	*Ingrédients*	Portion 1 gâteau
1 L	Crème sure	250 mL
12 mL	Bicarbonate de soude	3 mL
2 kg	Cassonade	500 mL
4	Oeuf	1
1,9 kg	Farine tout usage	750 mL
60 mL	Poudre à pâte	15 mL
1 mL	Sel	1 pin.
1,5 L	Lait	375 mL

Méthode

1 Mélanger la crème sure et le bicarbonate de soude.
2 Ajouter la cassonade et l'oeuf battu. Bien mélanger.
3 Tamiser ensemble la farine, la poudre à pâte et le sel.
4 Incorporer au mélange en alternant avec le lait.
5 Verser dans un moule bien beurré (22 x 30 x 8 cm).
6 Cuire au four à 180°C de 40 à 45 minutes.

Galettes aux dattes

Préparation : 20 minutes $$
Cuisson : 10 à 12 minutes

Portion 8 douzaines	*Ingrédients*	Portion 2 douzaines
4	Oeuf	1
250 g	Graisse végétale	85 mL
325 g	Sucre	85 mL
325 g	Cassonade	85 mL
8 mL	Essence de vanille	2 mL
850 g	Farine tamisée	325 mL
12 mL	Bicarbonate de soude	3 mL
400 mL	Confiture de dattes	100 mL

Méthode

1 Bien mélanger tous les ingrédients, sauf la confiture.
2 À l'aide d'un rouleau à pâtisserie, étendre la pâte sur 5 mm d'épaisseur sur un papier ciré.

3 Étendre la confiture de dattes et rouler à l'aide du papier ciré.
4 Mettre au réfrigérateur pendant 2 heures.
5 *Détailler* en 24 tranches et disposer dans une plaque légèrement graissée.
6 Cuire au four à 180°C de 10 à 12 minutes.

Pouding au pain et aux pommes

Préparation : 20 minutes $
Cuisson : 40 à 50 minutes

Portion 3 litres	*Ingrédients*	Portion 750 mL
1 kg	**Pomme**	**3**
225 g	**Pain en cubes**	**750 mL**
125 g	**Beurre**	**30 mL**
500 mL	**Confiture de fraises**	**125 mL**
4	**Oeuf**	**1**
450 g	**Sucre**	**125 mL**
1 L	**Lait**	**250 mL**

Méthode
1 Peler les pommes et les trancher assez minces.
2 Couvrir le fond d'un moule (25 x 20 x 5 cm) légèrement beurré avec la moitié des pommes.
3 Ajouter la moitié du pain beurré coupé en cubes.
4 Étendre la moitié de la confiture de fraises.
5 Répéter l'opération.
6 Battre l'oeuf avec le sucre et le lait.
7 Verser sur le pouding.
8 Cuire au four à 170°C de 40 à 50 minutes, jusqu'à ce que le dessus soit doré.

Tarte à la rhubarbe

Voici comment les Ursulines s'y prenaient pour faire du vin de rhubarbe : après avoir enlevé les feuilles de la rhubarbe, elles en coupaient les tiges en morceaux de deux ou trois pouces de longueur et en extrayaient le jus à l'aide d'une presse. Lorsqu'elles avaient recueilli un gallon de jus, elles ajoutaient un gallon d'eau et une livre de cassonade. Elles laissaient alors fermenter le tout pour une période de trois semaines pendant lesquelles, deux ou trois fois par jour, elles remplissaient le baril avec du jus réservé à cette fin. Après la fermentation, elles alcoolisaient le vin à leur gré, incorporant un gallon d'alcool à trente ou cinquante gallons de vin. C'est sans doute avec fierté qu'elles servaient aux invités de marque ce vin de fabrication maison. Quant aux jeunes pensionnaires, qui avaient, sans conteste, droit aux tartes et à la compote de rhubarbe, il est peu probable qu'elles aient vu très souvent l'une de ces précieuses bouteilles trôner au milieu de la table du réfectoire.

Préparation : 20 minutes $
Cuisson : 55 minutes

Portion 4 tartes	*Ingrédients*	Portion 1 tarte
750 g	**Rhubarbe fraîche en dés**	**375 mL**
450 g	**Sucre**	**125 mL**
30 mL	**Farine**	**7 mL**
60 mL	**Tapioca minute**	**15 mL**
30 mL	**Zeste d'orange**	**7 mL**
8	***Abaisses* de pâte brisée *(voir recettes complémentaires)***	**2**
30 mL	**Jus de citron**	**7 mL**
30 mL	**Beurre fondu**	**7 mL**

Méthode
1 Mélanger la rhubarbe, le sucre, la farine, le tapioca et le zeste d'orange.
2 Verser dans un moule de 22 cm de diamètre *foncé* de pâte brisée.
3 Arroser de jus de citron et du beurre fondu.
4 Couvrir d'une *abaisse* et faire une petite incision au centre. Bien sceller les bords et *badigeonner* de lait.
5 Cuire au four à 200°C pendant 15 minutes puis à 170°C de 35 à 40 minutes.

Carrés au gruau

Le 19 novembre 1838, un villageois proposait aux lecteurs du* Canadien *une façon d'améliorer le goût du gruau. Il s'agissait d'y incorporer de la farine de patate qui donnait, à fort bon prix, « un goût presque délicieux » au gruau. Le procédé était simple : il suffisait de peler des pommes de terre, de les râper, de les mélanger avec de l'eau; on remuait cette préparation qu'on laissait ensuite reposer pendant une heure ou deux dans un bol. Notre villageois assurait que la substance se déposant alors au fond du vase était une farine supérieure.

Préparation : 15 minutes $
Cuisson : 10 à 12 minutes

Portion 8 douzaines	*Ingrédients*	Portion 2 douzaines
700 g	**Gruau**	**500 mL**
1 kg	**Cassonade**	**250 mL**
500 mL	**Beurre fondu**	**125 mL**
12 mL	**Essence de vanille**	**3 mL**

Méthode
1 Mélanger le gruau et la cassonade.
2 Ajouter le beurre fondu et l'essence de vanille.
3 Bien mélanger.
4 Verser l'*appareil* dans deux moules carrés de 20 cm non beurrés.
5 Bien tasser l'*appareil.*
6 Cuire au four à 190°C de 10 à 12 minutes, jusqu'à ce qu'ils soient dorés.
7 Laisser tiédir pendant environ 5 minutes avant de *détailler* en carrés.
8 Détacher les bords avec un couteau et laisser refroidir avant de démouler. (Les carrés durcissent en refroidissant.)

Gâteau au miel

Préparation : 25 minutes $$
Cuisson : 45 minutes

Portion 4 gâteaux	*Ingrédients*	Portion 1 gâteau
1 L	**Miel**	**250 mL**
40 mL	**Bicarbonate de soude**	**10 mL**
40 mL	**Cannelle**	**10 mL**
20 mL	**Gingembre**	**5 mL**
20 mL	**Clou de girofle**	**5 mL**
350 g	**Graisse végétale**	**125 mL**
1 L	**Lait**	**250 mL**
1,3 kg	**Farine tout usage**	**500 mL**
	Sauce :	
2 L	**lait**	**500 mL**
400 mL	**miel**	**100 mL**
8	**oeuf**	**2**
40 mL	**fécule de maïs**	**10 mL**

Méthode
1 Mélanger le miel et le bicarbonate de soude.
2 Ajouter les épices et la graisse végétale. Bien mélanger.
3 Incorporer le lait en alternant avec la farine.
4 Verser dans un moule graissé et fariné (25 x 15 x 5 cm).
5 Cuire au four à 180°C pendant 30 minutes.
6 Servir chaud et accompagner de la sauce.
7 Mélanger tous les ingrédients et *cuire au bain-marie* pendant 15 minutes tout en brassant.

Pouding aux fruits

Préparation : 30 minutes $$
Cuisson : 35 minutes

Portion 3 kilogrammes	*Ingrédients*	Portion 750 grammes
400 g	**Farine tout usage**	**150 mL**
450 g	**Sucre**	**125 mL**
40 mL	**Poudre à pâte**	**10 mL**
1 mL	**Sel**	**1 pin.**
4	**Oeuf**	**1**
125 mL	**Graisse végétale fondue**	**40 mL**
500 mL	**Eau**	**125 mL**
1,5 kg	**Salade de fruits égouttée**	**325 mL**
650 g	**Cassonade**	**150 mL**

Méthode
1 Mélanger la farine, le sucre, la poudre à pâte et le sel.
2 Battre l'oeuf avec la graisse végétale et l'eau.
3 Ajouter au mélange.
4 Verser la salade de fruits dans un moule (25 x 20 x 5 cm) légèrement beurré.
5 Saupoudrer de cassonade.
6 Verser uniformément la pâte.
7 Cuire au four à 170°C de 30 à 35 minutes.
N.B. : Pour éviter de détremper la pâte, il serait souhaitable de laisser égoutter les fruits pendant toute une nuit sur un linge.

Pouding aux carottes

Préparation : 30 minutes $
Cuisson : 1 heure 30

Portions 24	Ingrédients	Portions 6
400 g	Graisse végétale	100 g
400 g	Cassonade	100 g
4	Oeuf	1
350 g	Carotte râpée	200 mL
500 g	Raisin sec	125 g
700 g	Farine	175 g
8 mL	Bicarbonate de soude	2 mL
8 mL	Sel	2 mL
8 mL	Poudre à pâte	2 mL
	Cannelle (au goût)	
	Muscade (au goût)	
150 mL	Eau froide	35 mL
45 g	Beurre	15 mL

Méthode

1 Battre en crème la graisse végétale avec la cassonade.
2 Y incorporer l'oeuf, puis les carottes râpées et les raisins secs.
3 Tamiser tous les ingrédients secs et les ajouter au premier mélange en alternant avec l'eau froide.
4 Verser dans un moule beurré et cuire à la vapeur à 180°C pendant 1 heure 30 à 2 heures, en couvrant d'un papier d'aluminium.
5 Laisser refroidir quelques instants et démouler.
6 Envelopper dans un papier ciré, recouvrir d'un linge et ficeler.

Choux à la crème La Grande Coulée

Préparation : 40 minutes $$$
Cuisson : 35 minutes

Portions 24	Ingrédients	Portions 6
1 L	Eau	250 mL
185 g	Graisse végétale	65 mL
8 mL	Sel	2 mL
550 g	Farine tamisée	225 mL
18	Oeuf	4-5
40 mL	Beurre	10 mL
3	Oeuf battu	1
	Garniture :	
1,5 L	crème à 35 %	375 mL
950 g	sucre d'érable râpé fin	185 mL
	Sauce :	
350 mL	beurre d'érable	90 mL
175 mL	eau	45 mL

Méthode

1 Faire chauffer l'eau, la graisse et le sel jusqu'à ce que la graisse soit complètement fondue.
2 Retirer la casserole du feu et ajouter la farine d'un seul coup.
3 Bien mélanger.
4 Remettre sur le feu.
5 Brasser jusqu'à ce que la pâte se détache de la spatule et de la casserole.
6 Retirer du feu.
7 Laisser tiédir.
8 Ajouter les oeufs un à un, tout en brassant.
(Note : La pâte doit être plus ferme que molle.)
9 Laisser reposer 1 heure au frais (la pâte gonflera mieux).
10 Beurrer une plaque à pâtisserie.
11 À l'aide d'une poche munie d'une douille unie de 1 cm d'ouverture, déposer 6 boules sur la tôle graissée en ayant soin de les distancer les unes des autres.
12 *Badigeonner* la surface des choux avec l'oeuf battu.
13 Cuire à 220°C pendant 10 minutes, puis à 190°C pendant 25 minutes.
14 Retirer du four et couper horizontalement un petit chapeau sur chaque chou.
15 Laisser reposer pendant 10 minutes dans le four éteint.
16 Fouetter la crème.
17 Incorporer le sucre d'érable.
18 Farcir les choux et les garder au réfrigérateur.
19 Chauffer le beurre d'érable et l'eau.
20 Au moment de servir, *napper* les choux de sauce.

Grands-pères aux framboises

Préparation : 20 minutes $$
Cuisson : 20 minutes

Portions 24	Ingrédients	Portions 6
1,85 kg	Sucre	500 mL
2 kg	Framboise	400 mL
250 mL	Eau	60 mL
625 g	Farine tout usage	250 mL
40 mL	Poudre à pâte	10 mL
4	Oeuf	1
500 mL	Lait	125 mL

Méthode

1 Dans une casserole épaisse, mélanger le sucre, les framboises et l'eau.
2 Amener à ébullition et faire mijoter de 7 à 8 minutes.
3 Tamiser la farine avec la poudre à pâte.
4 Incorporer les oeufs, puis le lait.
5 Laisser tomber par cuillerées de 50 mL dans le sirop bouillant.
6 Cuire à couvert pendant environ 10 minutes, en retournant délicatement les grands-pères de temps en temps.
7 Servir chaud.

Boisson à la rhubarbe

Préparation : 10 minutes $
Cuisson : 35 minutes

Portion 4 litres	Ingrédients	Portion 1 litre
1 kg	Rhubarbe en dés	500 mL
750 mL	Eau	175 mL
300 g	Sucre	85 mL
175 mL	Jus d'orange	40 mL
75 mL	Jus d'ananas	15 mL
125 mL	Jus de citron	35 mL
2,7 L	Eau glacée	675 mL

Méthode

1 Mettre la rhubarbe et l'eau dans une marmite.
2 Amener à ébullition et faire mijoter pendant 25 minutes.
3 *Passer au tamis,* bien égoutter.
4 Remettre sur le feu.
5 Ajouter le sucre et bien brasser pour le faire fondre.
6 Retirer du feu.
7 Ajouter les jus d'orange, d'ananas et de citron et laisser refroidir.
8 Ajouter l'eau glacée et mettre au réfrigérateur.

Pain aux noix

Nous connaissons la place prépondérante qui fut traditionnellement accordée au pain dans le régime alimentaire des Canadiens français. Le pain aux noix est une délicieuse variété de pain, que l'on consomme aussi bien au déjeuner, comme dessert après un bon dîner, ou encore à l'heure de la collation avec du thé. Mais, quel que soit le moment choisi, une tranche de ce quasi-gâteau a bien meilleur goût avec du beurre frais sortant tout juste de la laiterie. À l'époque de la fabrication artisanale des produits laitiers, il fallait avoir le geste sûr si l'on voulait obtenir un produit de qualité. On se devait donc de connaître les petits trucs du métier car, comme l'indiquait un connaisseur dans **Le Canadien** ***du 6 mars 1822 : « ... si la crème est battue d'une manière irrégulière, le beurre deviendra en lait en hiver, et si le battement est trop prompt et trop violent en été, le beurre fermentera, et prendra une saveur très désagréable. (...) La crème ne devrait jamais être battue dans l'été au milieu du jour, mais seulement le matin de bonne heure, ou le soir tard. » Peut-être connaissez-vous une ferme où l'on fabrique du beurre ? Apportez-y votre pain aux noix et troquez-en quelques tranches contre un bon morceau de beurre. Ce petit marché fera le bonheur des deux partis.***

Préparation : 15 minutes $$
Cuisson : 30 à 35 minutes

Portion 4 pains	Ingrédients	Portion 1 pain
1 kg	Farine à pâtisserie	500 mL
8 mL	Sel	2 mL
40 mL	Poudre à pâte	10 mL
400 g	Sucre	125 mL
325 g	Noix de Grenoble hachée	125 mL
4	Oeuf	1
1 L	Lait	250 mL

Méthode

1 Tamiser ensemble la farine, le sel et la poudre à pâte.
2 Ajouter le sucre et les noix.
3 Battre les oeufs et ajouter le lait.
4 Incorporer au premier mélange et battre jusqu'à consistance lisse.
5 Verser dans un moule à pain de 1,5 litre bien beurré.
6 Laisser reposer pendant 30 minutes.
7 Cuire au four à 180°C de 30 à 35 minutes.
8 Laisser refroidir avant de trancher.

Québec

Québec, avec ses 370 ans et plus, accumule sur son roc une part importante des exploits et des batailles qui ont marqué la province. Cette région se caractérise autant par son goût pour le « bien manger » et le « bien boire » que par ses fondateurs, ses héros, et les événements notables de la grande histoire qui s'y sont déroulés.

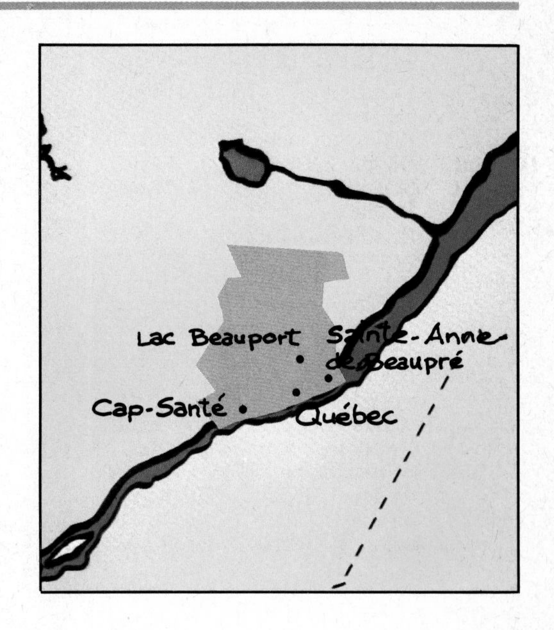

La première recette utilisée à Québec fut sans doute celle qu'un Indien apprit à Jacques Cartier alors qu'il hiverna à l'embouchure de la rivière Lairet. Il lui enseigna comment guérir le scorbut à l'aide d'une décoction d'écorce d'arbre. Quant au dîner que dégusta le sieur de Champlain le 3 juillet 1608, on peut parier qu'il fut semblable à celui qu'il mangea la veille, à bord du *Don de Dieu*.

Étant donné les difficultés du début de la colonie, sans doute mangeait-on bien, dans la basse ville, mais sans plus. Par contre, dans la haute ville, on développa très tôt une fine cuisine, du moins dans les limites des moyens. Ainsi, on notait peut-être une rareté des épices et des raffinements artificiels déjà en usage en Europe, mais les matières premières, telles que les gibiers, poissons, légumes, fruits et fruitages, se révélaient abondantes et très variées. La bière de l'intendant Jean Talon n'a sans doute pas pu résister au temps tandis que celle de Molson à Montréal a pris l'envergure que l'on connaît, en partie grâce à la disparition de celle de la famille Boswell à Québec.

Chaque district entourant Québec possède sa ou ses spécialités. Qui n'a pas entendu parler des fleurs de la côte de Beauport ainsi que de ses oignons ? Évidemment, l'île d'Orléans est réputée pour ses fraises mais également pour ses petites prunes bleues. Quel dommage que l'on ait laissé perdre la recette du fromage raffiné ! C'était vraiment à l'île d'Orléans qu'on se livrait à cette fabrication tout à fait particulière. Toute la rive sud et une partie de la rive nord sont recouvertes d'érablières, qui se prolongent par la Beauce jusqu'aux Bois-Francs.

À Québec, la tradition du « bien manger » n'est pas une légende mais bien une réalité. Actuellement, de nombreux restaurants soutiennent cette réputation et la développent.

Chaudrée au blé d'Inde

Préparation : 15 minutes $
Cuisson : 25 minutes

Portion 6 litres	*Ingrédients*	Portion 1,5 litre
600 g	**Oignon haché**	**250 mL**
85 g	**Graisse végétale**	**30 mL**
1 kg	**Pomme de terre en dés**	**500 mL**
1 L	**Eau**	**250 mL**
2 L	**Maïs en crème**	**500 mL**
2 L	**Lait**	**500 mL**
	Sel (au goût)	
	Poivre (au goût)	
60 mL	**Persil haché**	**15 mL**

Méthode

1 Faire suer les oignons dans la graisse.
2 Ajouter les pommes de terre.
3 *Mouiller* avec l'eau.
4 Faire cuire à couvert pendant 15 minutes.
5 Ajouter le maïs et le lait.
6 Assaisonner de sel et de poivre.
7 Laisser mijoter pendant 10 minutes.
8 Persiller et servir.

Langue de veau salée au vinaigre

Macération : 15 jours $$
Préparation : 1 heure
Cuisson : 2 heures 30

Portion 6 litres	*Ingrédients*	Portion 1,5 litre
1,1 kg	**Gros sel**	**250 mL**
1 kg	**Cassonade**	**250 mL**
60 mL	***Salpêtre***	**15 mL**
4 L	**Eau chaude**	**1 L**
4 L	**Eau froide**	**1 L**
24	**Langue de veau de 400 g**	**6**
16 L	**Eau froide**	**4 L**
650 g	**Oignon en *mirepoix***	**250 mL**
550 g	**Céleri en *mirepoix***	**250 mL**
600 g	**Carotte en *mirepoix***	**250 mL**
8 mL	**Thym**	**2 mL**
5	**Feuille de laurier**	**2**
1,2 L	**Vinaigre blanc**	**300 mL**

Méthode

1 Délayer le gros sel, la cassonade et le *salpêtre* dans l'eau chaude.
2 Ajouter l'eau froide.
3 Mettre les langues dans la *saumure* et laisser *macérer* au réfrigérateur pendant 15 jours.
4 Retirer les langues et les dessaler sous un filet d'eau froide courante pendant 2 heures.
5 Mettre tous les ingrédients ensemble et ajouter les langues de veau.
6 Amener à ébullition et laisser mijoter jusqu'à cuisson complète des langues (2 heures 30).
7 Retirer les langues, les laisser tiédir, les peler et les *parer*.*
8 Mettre les langues dans un pot de 1,5 litre en les pressant bien les unes contre les autres.
9 Verser le vinaigre sur les langues et fermer le pot. Laisser mariner quelques jours ou plus.
* Si on laisse trop refroidir les langues, elles seront difficiles à peler.

Concombres farcis

Préparation : 15 minutes $

Portions 24	Ingrédients	Portions 6
12	**Concombre (gros)**	3
1,4 kg	**Tomate en dés**	425 mL
225 g	**Céleri haché**	125 mL
	Sel (au goût)	
	Poivre (au goût)	
60 mL	**Oignon haché**	15 mL
100 mL	**Mayonnaise**	25 mL
24	**Feuille de laurier**	6
	Persil haché (au goût)	

Méthode

1 *Canneler* les concombres dans le sens de la longueur à l'aide d'une fourchette.
2 Les couper en deux dans le sens de la longueur.
3 Retirer la *pulpe* des concombres.
4 Saler l'intérieur des concombres et les retourner sur un linge pour les égoutter.
5 Couper les tomates en dés les mélanger avec le céleri, le sel, le poivre, l'oignon et la mayonnaise.
6 Rincer les concombres et les farcir avec ce mélange.
7 Déposer les concombres sur une feuille de laitue.
8 Garnir de persil et servir.

Soupe aux pois verts

Jusqu'en 1854, année où les seigneurs commencèrent à perdre une partie de leurs prérogatives, les habitants ont dû vivre avec la lourde contrainte des rentes seigneuriales et avec les corvées inhérentes au statut de censitaire pour disposer d'un espace de terre où pourraient croître petits pois, choux, navets et carottes.

Préparation : 35 à 40 minutes $
Cuisson : 15 à 20 minutes

Portion 6 litres	Ingrédients	Portion 1,5 litre
175 g	**Beurre**	45 mL
125 g	**Farine**	45 mL
1,6 kg	**Pois vert**	500 mL
3 L	**Eau bouillante***	750 mL
	Sel (au goût)	
	Poivre (au goût)	
2 L	**Lait chaud**	500 mL

Méthode

1 Faire un *roux* blanc.
2 Laisser refroidir.
3 Cuire les pois verts à l'eau bouillante salée.
4 Verser l'eau de cuisson bouillante sur le *roux* refroidi. Bien mélanger.
5 Faire mijoter pendant 15 à 20 minutes.
6 Poivrer.
7 Ajouter les pois.
8 Faire mijoter 3 à 4 minutes.
9 Ajouter le lait chaud.
10 Servir chaud.
Facultatif : On peut servir la soupe avec des croûtons de pain frits au beurre.
* On peut remplacer l'eau par du bouillon de volaille (fond blanc) si désiré.

Centre des ressources didactiques / Institut de tourisme et d'hôtellerie du Québec

Soupe au chou

Préparation : 15 minutes $
Cuisson : 2 à 2 heures 30

Portion 6 litres	Ingrédients	Portion 1,5 litre
1,3 kg	**Chou émincé**	750 mL
100 g	**Carotte râpée**	60 mL
200 g	**Poireau émincé**	125 mL
10 L	**Bouillon de boeuf**	2,5 L
	Sel (au goût)	
	Poivre (au goût)	
60 mL	**Persil haché**	15 mL

Méthode

1 Mettre tous les ingrédients dans une marmite.
2 Laisser mijoter de 2 à 2 heures 30.
3 Vérifier l'assaisonnement.
4 Garnir de persil haché et servir.

Fèves de chantier

Archives nationales du Québec, collection Initiale (*Québec. Scène typique de marché*). Objets d'artisanat : Louise Girard, Sainte-Foy (*assiette*).

Fèves de chantier

Préparation : 15 minutes $
Cuisson : 4 heures

Portions 24	Ingrédients	Portions 6
2 kg	**Fève blanche**	550 mL
150 g	**Lard salé en dés**	50 mL

300 g	**Oignon haché**	125 mL
	Sel (au goût)	
	Poivre (au goût)	
20 mL	**Moutarde sèche**	5 mL
500 g	**Cassonade**	125 mL
250 mL	**Mélasse**	65 mL
24	**Patte de porc de 150 g chacune**	6

Méthode

1 Faire tremper les fèves dans l'eau pendant toute une nuit.
2 Jeter l'eau.
3 *Faire colorer* les lardons.
4 *Faire suer* les oignons dans le gras des lardons.
5 Ajouter les fèves égouttées.
6 Couvrir d'eau froide.
7 Assaisonner.
8 Ajouter la moutarde, la cassonade et la mélasse.
9 Amener à ébullition.
10 Couvrir et cuire au four à 150°C pendant 2 heures.
11 Ajouter les pattes de porc.
12 Couvrir de nouveau et cuire pendant 2 heures.
13 Trente minutes avant la fin de la cuisson, retirer le couvercle pour *faire colorer.*
14 Servir.

Foie de porc braisé au lard

Préparation : 45 minutes $
Cuisson : 1 heure

Portions 24	*Ingrédients*	Portions 6
1,4 kg	**Lard salé entrelardé**	350 g
325 g	**Farine tout usage**	125 mL
	Sel (au goût)	
	Poivre (au goût)	
3,6 kg	**Foie de porc tranché**	900 g
300 g	**Carotte en *brunoise***	125 mL
300 g	**Oignon en *brunoise***	125 mL
325 g	**Céleri en *brunoise***	125 mL
175 g	**Beurre**	45 mL
200 g	**Farine**	75 mL
200 mL	**Purée de tomate**	50 mL
1 L	**Tomate concassée**	250 mL
4 L	**Fond brun clair *(voir recettes complémentaires)***	1 L
20 mL	**Ail haché**	5 mL
5 mL	**Thym**	1 mL
5 mL	**Sarriette**	1 mL
	Sel (au goût)	
	Poivre (au goût)	

Méthode

1 Couper le lard en tranches.
2 Le *blanchir* à l'eau.
3 Faire rôtir le lard dans une poêle, à feu doux.
4 Le retirer et garder le gras.
5 Mélanger la farine, le sel et le poivre et fariner les tranches de foie.
6 Les *faire colorer* dans le gras du lard. Mettre de côté.
7 *Faire revenir* au beurre les légumes dans la poêle.
8 *Singer* et ajouter la purée de tomate et les tomates concassées.
9 *Mouiller* avec le fond brun.
10 Ajouter l'ail, le thym, la sarriette, le sel et le poivre.
11 Amener à ébullition, remettre les tranches de foie dans la sauce.
12 Couvrir la casserole et cuire au four à 180°C pendant 1 heure.
13 Ajouter des grillades de lard au moment de servir.

Dinde rôtie farcie

Au début de la colonie, les oiseaux de la basse-cour logeaient à l'étable. Cependant, dans les villes aussi bien que dans les villages et ailleurs, sur les terres dépourvues de bâtiments, les habitants offraient aux volailles l'hospitalité de leur cave. Quant au poulailler, il n'apparut qu'à la fin du XVIIe siècle; il était alors bâti en pierre ou en bois — avec des murs pièce sur pièce ou fait de pieux plantés en terre — et il était souvent garni d'un toit de chaume. Selon l'historien Robert-Lionel Séguin, la cage à poule ne fut mentionnée à Montréal qu'en 1715, mais on la connaissait déjà à Québec à 1663. L'été, poules, oies et dindes jouissaient d'une liberté appréciable : dans les champs, elles picoraient à leur gré et faisaient même parfois des excursions réprouvées dans les champs de blé voisins.

Préparation : 45 minutes $
Cuisson : 4 heures

Portions 24	*Ingrédients*	Portions 6
4	**Dinde de 5,5 kg**	1
6,4 L	**Farce***	1,6 L
100 mL	**Huile**	25 mL
	Sel (au goût)	
	Poivre (au goût)	
300 g	**Carotte en *mirepoix***	125 mL
325 g	**Oignon en *mirepoix***	125 mL
275 g	**Céleri en *mirepoix***	125 mL
6 L	**Bouillon de volaille ou eau**	1,5 L
400 mL	**Gras de dinde fondu**	100 mL
250 g	**Farine**	100 mL
	***Farce :**	
1,8 kg	**Pomme de terre en dés de 2 cm**	900 mL
200 g	**Beurre**	50 mL
975 g	**Oignon haché**	400 mL
2,4 kg	**Porc haché**	600 g
700 g	**Abats de la dinde hachés**	175 g
500 g	**Pain en dés**	1,5 L
8	**Oeuf battu**	2
	Sel (au goût)	
	Poivre (au goût)	
5 mL	**Sarriette**	1 mL
12 mL	**Sauge**	3 mL

Méthode

1 Laver et éponger soigneusement la dinde. La farcir et l'attacher.
2 La placer sur le dos dans une rôtissoire.
3 La *badigeonner* d'huile et l'assaisonner de sel et de poivre.
4 Couvrir la dinde d'un papier d'aluminium et la mettre à cuire au four à 150°C pendant 3 heures.
5 Arroser à quelques reprises pendant la cuisson.
6 Ajouter la *mirepoix* et finir la cuisson (environ 1 heure).
7 Au besoin, découvrir la dinde pour la *faire colorer.*
8 Retirer la dinde, *dégraisser* la rôtissoire en la *décantant.* Conserver le gras fondu.
9 Placer la rôtissoire sur un feu vif et la faire saisir.
10 *Mouiller* avec le bouillon de volaille et bien mélanger pour détacher le fond de la rôtissoire.
11 Dans une casserole, mettre le gras de dinde et la farine, et faire cuire jusqu'à brunissement tout en brassant.
12 *Mouiller* avec le jus de la rôtissoire.
13 Faire cuire pendant 20 minutes.
14 *Passer* la sauce au tamis. *Dégraisser* au besoin.
15 Cuire les pommes de terre à l'eau environ 30 minutes.
16 *Faire suer* les oignons au beurre.
17 Ajouter le porc et les abats, bien *faire revenir.*
18 Mélanger le pain avec les oeufs et les assaisonnements.
19 Passer les pommes de terre, les viandes et le mélange de pain au hache-viande. Bien mélanger le tout et en farcir la dinde.

Pain au poulet

Préparation : 15 minutes $
Cuisson : 1 heure

Portions 24	*Ingrédients*	Portions 6
1,6 kg	**Poulet haché**	625 mL
775 g	**Chapelure**	375 mL
700 mL	**Bouillon de poulet**	175 mL
250 g	**Céleri en dés**	125 mL
40 mL	**Oignon haché**	10 mL
20 mL	**Persil haché**	5 mL
10 mL	**Sauce Worcestershire**	2,5 mL
40 mL	**Jus de citron**	10 mL
16	**Oeuf battu**	4
1 L	**Lait évaporé**	250 mL
	Sel (au goût)	
	Poivre (au goût)	
	Sauce aux tomates :	
125 g	**beurre**	30 mL
75 g	**farine**	30 mL
2 L	**tomate concassée**	500 mL
40 mL	**sucre**	10 mL
	sel (au goût)	
	poivre (au goût)	

Méthode

1 Mélanger tous les ingrédients.
2 Verser dans un moule graissé de 1,5 litre.
3 Cuire au four, au *bain-marie,* à 180°C pendant 1 heure.
4 Démouler.
5 Servir avec une sauce aux tomates.
6 Faire un *roux* avec le beurre et la farine.
Sauce aux tomates :
7 Faire chauffer les tomates et le sucre.
8 Ajouter graduellement au *roux,* tout en brassant.
9 Assaisonner.
10 Laisser mijoter pendant environ 30 minutes.
11 *Passer* la sauce.

Macaroni au jambon

Un Italien de Montréal, M. Spinelli, introduisit sur le marché local un vermicelle qu'il avait lui-même fabriqué avec de la farine du pays. Dans* Le Nationaliste *du 2 juillet 1875, il insistait avec enthousiasme sur la qualité de son produit « plus hygiénique que celui importé d'Europe », et le déclarait supérieur à tout autre quant à sa qualité nutritive. De l'avis de nombreux médecins, ajoutait-il, le vermicelle Spinelli constituait un aliment de choix pour les malades, les enfants et les convalescents.

Préparation : 15 minutes $
Cuisson : 40 minutes

Portions 24	*Ingrédients*	Portions 6
950 g	**Macaroni**	**500 mL**
300 g	**Beurre**	**75 mL**
200 g	**Farine**	**75 mL**
2,5 L	**Lait chaud**	**625 mL**
	Sel (au goût)	
	Poivre (au goût)	
125 g	**Beurre**	**30 mL**
300 g	**Oignon haché**	**125 mL**
750 g	**Jambon cuit en cubes**	**250 mL**
200 g	**Cheddar fort râpé**	**125 mL**

Méthode
1 Cuire le macaroni dans l'eau bouillante salée avec un peu d'huile.
2 Passer à l'eau froide.
3 Faire un *roux* avec le beurre et la farine.
4 *Mouiller* avec le lait chaud tout en brassant. Laisser refroidir.
5 Assaisonner de sel et de poivre.
6 Cuire pendant environ 30 minutes.
7 *Faire suer* les oignons au beurre.
8 Mélanger le jambon avec les oignons et la sauce chaude.
9 Verser sur le macaroni cuit.
10 Mettre dans un moule de 1,5 litre.
11 Saupoudrer de fromage.
12 Faire gratiner au four.
13 Servir.

Coeur de veau aux tomates

Préparation : 40 minutes $
Cuisson : 2 heures 30

Portions 24	*Ingrédients*	Portions 6
4 kg	**Coeur de veau**	**1 kg**
	Sel (au goût)	
	Poivre (au goût)	
200 mL	**Huile**	**50 mL**
300 g	**Oignon haché**	**125 mL**
500 mL	**Pâte de tomate**	**125 mL**
4,4 L	**Tomate broyée**	**1,1 L**
4	**Gousse d'ail**	**1**
250 g	**Poivron rouge en dés**	**65 mL**
60 mL	**Sucre**	**15 mL**
3	**Feuille de laurier**	**1**
12 mL	**Thym**	**3 mL**

Méthode
1 *Parer* les coeurs de veau et les trancher en escalopes minces.
2 Saler et poivrer.
3 *Faire colorer* vivement à l'huile.
4 Ajouter les oignons hachés et les *faire suer.*
5 Enlever l'excès de gras.
6 Ajouter la pâte de tomate et faire cuire quelques minutes.
7 *Mouiller* avec les tomates broyées.
8 Ajouter l'ail, le poivron rouge, le sucre, les feuilles de laurier et le thym.
9 Amener le tout à ébullition.
10 Couvrir la casserole et cuire au four à 160°C pendant 2 heures 30.
Suggestion : Servir sur des nouilles au beurre, ou sur des nouilles au fromage ou avec du riz pilaf.

Petits pâtés de veau

N'est pas boucher qui veut. On en avait décidé ainsi à Québec. En 1804, on émettait des permis. Dans l'enceinte de la haute-ville, plus de boucheries, plus d'immondices. Les veaux, agneaux, moutons, cochons, chèvres, etc., seraient tués hors des murs. La basse-ville serait également épargnée puisque c'est sur les bords du Saint-Laurent et de la rivière Saint-Charles, et uniquement en ces endroits, que les autorités voulaient voir les bouchers exécuter leur ... besogne.

Préparation : 1 heure 15 $$
Cuisson : 30 minutes

Portions 24	*Ingrédients*	Portions 6
350 g	**Chapelure**	**175 mL**
700 mL	**Lait**	**175 mL**
300 g	**Oignon haché fin**	**125 mL**
125 g	**Poivron vert en petits dés**	**45 mL**
90 g	**Céleri en petits dés**	**45 mL**
175 g	**Beurre**	**45 mL**
2,7 kg	**Veau haché**	**675 g**
8	**Oeuf battu**	**2**
	Sel (au goût)	
	Poivre (au goût)	
2 mL	**Thym**	**1 pin.**
72 ou 1,8 kg	**Tranche de bacon**	**18**
125 g	**Beurre**	**30 mL**
1,75 kg	**Pois verts en conserve**	**575 mL**
50 g	**Poivron rouge en julienne**	**25 mL**
1 bouquet	**Persil en branches**	**6 bran.**

Méthode
1 Faire tremper la chapelure dans le lait pendant 1 heure.
2 *Faire revenir* les légumes dans le beurre.
3 Laisser refroidir et mettre de côté.
4 Bien mélanger le veau, les oeufs et les assaisonnements avec les légumes et la chapelure.
5 Façonner en petits pâtés de 50 mL.
6 Enrouler le bacon autour des pâtés.
7 Piquer avec un cure-dent.
8 *Faire revenir* les petits pâtés dans le beurre.
9 Ajouter les pois avec leur jus.
10 Couvrir et faire mijoter pendant 30 minutes.
11 Dresser dans un plat de service.
12 Décorer avec les poivrons et le persil en branches.
N.B. On peut servir ce mets avec de la sauce brune.

Flan aux oignons gratiné au fromage

Préparation : 30 minutes $
Cuisson : 35 minutes

Portions 24	*Ingrédients*	Portions 6
925 g	**Farine tamisée**	**375 mL**
8 mL	**Sel**	**2 mL**
4 mL	**Moutarde sèche**	**1 mL**
400 g	**Cheddar râpé (au goût : doux ou fort)**	**250 mL**
500 mL	**Beurre fondu**	**125 mL**
900 g	**Oignon haché**	**375 mL**
125 g	**Beurre**	**30 mL**
600 g	**Nouille cuite, égouttée**	**250 mL**
8	**Oeuf battu**	**2**
800 mL	**Lait chaud**	**200 mL**
	Sel (au goût)	
325 g	**Cheddar fort râpé**	**200 mL**
80 g	**Cheddar fort râpé**	**50 mL**

Méthode
1 Tamiser ensemble les ingrédients secs.
2 Incorporer le cheddar râpé.
3 Incorporer le beurre fondu.
4 Presser le mélange dans un moule à tarte de 23 cm de diamètre.
5 *Faire revenir* les oignons dans le beurre jusqu'à ce qu'ils soient transparents.
6 Incorporer les nouilles aux oignons et bien mélanger.
7 Bien mélanger les oeufs, le lait, le sel et le cheddar avec les oignons et les nouilles.
8 Verser l'*appareil* dans le moule à tarte *foncé.*
9 Cuire au four à 170°C pendant 30 minutes.
10 Saupoudrer le tour du flan avec le fromage et faire cuire pendant encore 5 minutes.
11 Servir chaud.

Laitue en saucisses

Avec les saucisses, les charcuteries et les viandes salées, on est généralement tenté de servir de la bière. Dès 1620, en Nouvelle-France, les Récollets songèrent à brasser leur propre bière ; ils tentèrent l'expérience en 1646, mais c'est aux Jésuites que revient le mérite d'avoir construit une authentique brasserie. En mars 1647, à Sillerey, ils produisirent leur première barrique.

Préparation : 15 à 20 minutes $
Cuisson : 30 minutes

Portions 24	Ingrédients	Portions 6
4 pom.	Laitue (Boston, romaine, frisée)	1 pom.
4 L	Eau bouillante	1 L
1,8 kg	Saucisse de porc	450 g
175 g	Beurre fondu	45 mL
60 mL	Persil haché	15 mL
500 g	Carotte en bâtonnets	250 mL
400 g	Lard maigre dessalé	100 g

Méthode
1 Nettoyer et effeuiller la laitue.
2 Verser l'eau bouillante sur la laitue et laisser en attente pendant 30 secondes.
3 Égoutter la laitue, la refroidir, l'égoutter à nouveau et bien l'assécher.
4 Faire *sauter* les saucisses dans le beurre fondu.
5 Laisser tiédir.
6 Rouler les feuilles de laitue autour des saucisses.
7 Les déposer dans un plat allant au four, bien serrées les unes à côté des autres.
8 Étendre sur les saucisses : le persil haché, les carottes et le lard maigre dessalé, coupé en petits dés et blanchi.
9 Verser le jus de cuisson des saucisses sur le tout.
10 Couvrir et cuire au four à 170°C, pendant 30 minutes.
11 Déposer dans un plat de service et arroser avec le jus *dégraissé* et *réduit*.

Carottes et haricots verts au gratin

Préparation : 20 minutes $$
Cuisson : 30 minutes

Portions 24	Ingrédients	Portions 6
750 g	Carotte émincée	375 mL
1 kg	Haricot vert en morceaux de 2 cm	375 mL
175 g	Oignon haché	75 mL
100 g	Beurre	25 mL
65 g	Farine	25 mL
1,2 L	Lait	300 mL
	Sel (au goût)	
	Poivre (au goût)	
200 g	Cheddar fort râpé	125 mL
4	Oeuf battu	1
200 g	Cheddar fort râpé	125 mL

Méthode
1 Cuire les carottes et les haricots.
2 D'autre part, *faire suer* les oignons dans le beurre.
3 *Singer.*
4 *Mouiller* avec le lait.
5 Assaisonner de sel et de poivre.
6 Cuire pendant 15 minutes.
7 Ajouter le fromage.
8 Verser sur les oeufs battus.
9 Mettre les carottes et les haricots dans un récipient de 1 litre et couvrir avec la sauce.
10 Saupoudrer de fromage.
11 Faire gratiner au four.

Centre des ressources didactiques / Institut de tourisme et d'hôtellerie du Québec

Coupe aux pommes

Peut-être est-ce Louis Hébert qui, le premier, transplanta quelques pommiers à Québec, en 1617 ? Mais on parle aussi du sieur de Monts qui aurait expédié des plants d'arbres fruitiers dès la fondation de cette ville, en 1608.

Préparation : 15 minutes $
Cuisson : 15 minutes

Portions 24	Ingrédients	Portions 6
800 mL	Lait	200 mL
200 g	Beurre	50 mL
60 mL	Fécule de maïs	15 mL
200 mL	Lait	50 mL
4	Oeuf	1
250 g	Sucre	65 mL
4 mL	Cannelle	1 mL
2 kg	Pomme tranchée	1 L
125 g	Beurre	30 mL
4 mL	Cannelle	1 mL

Méthode
1 Faire chauffer le lait avec le beurre.
2 Délayer la fécule de maïs dans le lait.
3 Ajouter les oeufs, le sucre et la cannelle à la fécule délayée.
4 Verser dans le lait bouillant et cuire jusqu'à épaississement.
5 Faire *sauter* les pommes dans le beurre.
6 Ajouter la cannelle.
7 Servir les pommes *sautées* dans une coupe avec la sauce.

Coupe aux pommes

Archives nationales du Québec, collection Gilles Robitaille (*Partie d'huîtres*). Objets d'artisanat : Atelier Terre à Terre, Laval (*coupes*); La Crémone, Clermont (*nappe, serviette, anneau à serviette*).

Poireaux à la crème

Préparation : 10 minutes $$
Cuisson : 15 minutes

Portions 24	Ingrédients	Portions 6
1,8 kg	Poireau	450 g
4 L	Eau	1 L
	Sel (au goût)	
325 g	Champignon tranché	250 mL
200 g	Beurre	50 mL
1,4 L	Crème à 35 %	350 mL
	Sel (au goût)	
	Poivre (au goût)	
2 mL	Muscade	0,5 mL

Méthode
1 *Parer,* laver et émincer les poireaux.
2 Les cuire dans l'eau bouillante salée pendant 6 à 7 minutes.
3 Égoutter.
4 Faire *sauter* les champignons dans le beurre.
5 Ajouter la crème, le sel, le poivre et la muscade.
6 Y ajouter les poireaux et laisser mijoter 5 à 6 minutes.
7 Servir chaud.

Salade de fèves rouges

Préparation : 15 minutes $

Portions 24	Ingrédients	Portions 6
750 g	Haricot rouge	250 mL
6 L	Eau	1,5 L
60 mL	Sel	15 mL
375 g	Céleri haché fin	200 mL
125 g	Oignon haché fin	50 mL
275 g	Cornichon haché	100 mL
	Sel (au goût)	
400 mL	Vinaigrette	100 mL
24	Feuille de laitue	6

Méthode
1 Faire tremper les haricots toute une nuit, puis les égoutter.
2 *Mouiller* avec l'eau salée et cuire pendant environ 2 heures.
3 Égoutter et laisser refroidir.
4 Ajouter le céleri, les oignons et les cornichons aux haricots; bien mélanger le tout.
5 Assaisonner de sel.
6 Arroser de vinaigrette et bien mélanger.
7 Servir sur une feuille de laitue.

Salade de poulet Martine

Préparation : 15 minutes $$

Portions 24	Ingrédients	Portions 6
1,1 kg	Poulet cuit en morceaux	500 mL
100 g	Céleri en dés	50 mL
125 g	Piment en dés	50 mL
325 g	Concombre en dés	125 mL
500 g	Pamplemousse en dés	125 mL
200 mL	Mayonnaise	50 mL
60 g	Oignon haché	25 mL
60 mL	Persil haché	15 mL
4 mL	Curry	1 mL
	Sel (au goût)	
24	Feuille de laitue	6

Méthode
1 Mélanger tous les ingrédients.
2 Déposer 100 mL de l'*appareil* sur une feuille de laitue.

Gâteau aux pommes de terre et au gingembre

Si elle fut jadis dédaignée, la pomme de terre a bien pris sa revanche : introduite subrepticement dans le bouilli, elle a rejoint le plat à légumes, séduit la soupière, courtisé la farine et, de victoire en victoire, elle s'est enhardie au point de s'immiscer dans nos gâteaux et de s'y trouver bien à l'aise !

Préparation : 15 minutes $$
Cuisson : 1 heure

Portion 4 gâteaux	Ingrédients	Portion 1 gâteau
300 g	Beurre	75 mL
500 mL	Eau bouillante	125 mL
500 g	Cassonade	125 mL
500 mL	Mélasse	125 mL
425 g	Pomme de terre en purée	125 mL
4	Oeuf	1
950 g	Farine	375 mL
400 g	Raisin sec	125 mL
20 mL	Bicarbonate de soude	5 mL
20 mL	Cannelle	5 mL
40 mL	Gingembre	10 mL
4 mL	Clou de girofle moulu	1 mL

Méthode
1 Mettre le beurre dans un bol à mélanger.
2 Verser l'eau bouillante dessus et faire fondre le beurre.
3 Ajouter la cassonade, la mélasse et les pommes de terre en purée.
4 Ajouter les oeufs et bien mélanger.
5 Fariner les raisins.
6 Tamiser les ingrédients secs avec le reste de la farine et les incorporer au mélange.
7 Ajouter les raisins.
8 Verser dans un moule de 1 litre, graissé et fariné.
9 Cuire au four à 180°C pendant 1 heure.

Doigts de dames

Est-ce en raison de sa fragilité toute particulière que l'on désigna autrefois par le nom de « doigt de dame » cette délicate douceur, ce tendre biscuit ? Il accompagne les desserts onctueux, les mousses légères et les boissons pétillantes. Une bouteille de champagne se boit mieux si on l'accompagne de petits fours. Cela, les dames l'ont toujours su. C'est à elles que revient tout le mérite (le démérite diront certains gastronomes puristes), d'avoir imposé la présence des desserts à table.

Préparation : 15 minutes $
Cuisson : 10 à 15 minutes

Portion 8 douzaines	Ingrédients	Portion 2 douzaines
8	Blanc d'oeuf	2
250 g	Sucre à fruits	60 mL
8	Jaune d'oeuf	2
4 mL	Essence de vanille	1 mL
160 g	Farine à pâtisserie	75 mL
1 mL	Sel	1 pincée
125 g	Sucre en poudre	50 mL

Méthode
1 Monter les blancs d'oeufs en neige fermes.
2 Ajouter le sucre graduellement en continuant de battre.
3 Mousser les jaunes d'oeufs avec la vanille.
4 Incorporer délicatement les jaunes aux blancs d'oeufs.
5 Tamiser la farine avec le sel et ajouter par petites quantités au mélange précédent.
6 Dresser sur un papier à l'aide d'une poche et d'une douille unie no 6.
7 Saupoudrer de sucre en poudre.
8 Cuire au four à 150°C pendant 10 à 15 minutes.

Gâteau au chocolat et aux fraises

C'est en 1870 qu'un cultivateur de l'Île d'Orléans, engagé par un commerçant de Québec, se mit à cultiver ces fraises qui font maintenant la fierté de l'île. **Le Patriote Canadien** ***communiquait à ses lecteurs, dès 1839, une méthode de conservation appropriée. Il fallait cueillir les fruits par temps sec et les couvrir de papier attaché avec du fil. On les plongeait alors quelques instants dans une grande marmite remplie de cire bouillante, les retenant à l'aide des fils taillés, d'une longueur suffisante pour ne pas se brûler les doigts. Lorsque le papier était entièrement recouvert de cire, on le retirait de la cire, et voilà tout ! Pour expédier des fraises à des amis, on n'avait qu'à les placer ainsi recouvertes dans une boîte contenant du son ou du bran de scie.***

Préparation : 1 heure $$$
Cuisson : 12 minutes

Portion 4 gâteaux	Ingrédients	Portion 1 gâteau
16	Oeuf	4
650 g	Sucre	175 mL
20 mL	Vanille	5 mL
325 g	Farine tout usage	125 mL
135 g	Cacao en poudre	90 mL
12 mL	Poudre à pâte	3 mL
125 mL	Lait chaud	30 mL
1 L	Crème à 35 %	250 mL
350 g	Sucre glace	125 mL
750 g	Fraise fraîche	300 mL

Méthode
1 Battre les oeufs au malaxeur jusqu'à ce qu'ils soient mousseux (bien gonflés) et de couleur blanchâtre.
2 Ajouter le sucre graduellement en continuant de battre.
3 Aromatiser avec la vanille.
4 Tamiser les ingrédients secs et les ajouter aux oeufs en pliant la pâte (ne pas se servir du malaxeur) et en alternant avec le lait.
5 Couvrir de papier ciré le fond de trois moules ronds de 20 cm de diamètre.
6 Diviser la pâte et la verser dans les trois moules.
7 Cuire au four à 200°C pendant environ 12 minutes.
8 Fouetter la crème et y ajouter le sucre.
9 Laver les fraises, mettre de côté les six plus belles fraises et couper les autres en quatre.
10 Garnir le premier gâteau de crème fouettée et de la moitié des fraises en quartiers.
11 Déposer dessus le deuxième gâteau, puis le garnir de crème fouettée et du reste des fraises en quartiers.
12 Placer dessus le troisième gâteau. Garnir de crème fouettée et des six plus belles fraises.

Centre des ressources didactiques / Institut de tourisme et d'hôtellerie du Québec

Rôties au miel et aux pacanes

Archives nationales du Québec, collection du ministère des Communications (*Fillette soignant les canards, Saint-Alban de Portneuf, 1948*). Objets d'artisanat : Louise Girard, Sainte-Foy (*assiette*); La Crémone, Clermont (*serviette*).

Biscuits à la gelée et aux noix

Préparation : 15 minutes $$
Cuisson : 15 minutes

Portion 8 douzaines	*Ingrédients*	Portion 2 douzaines
700 g	**Beurre**	175 mL
350 g	**Cassonade**	90 mL
8	**Jaune d'oeuf**	2
900 g	**Farine tamisée**	350 mL
8	**Blanc d'oeuf**	2
425 g	**Noix hachée**	200 mL
200 mL	**Gelée de fraise**	50 mL

Méthode
1 Battre le beurre en crème avec la cassonade.
2 Ajouter les jaunes d'oeufs et la farine tamisée.
3 Façonner en boules de 15 mL chacune.
4 Monter les blancs d'oeufs en neige et passer chaque boule dans le blanc d'oeuf.
5 Passer les boules dans les noix hachées.
6 Déposer sur une tôle graissée.
7 Faire une cavité avec votre doigt, au centre de chaque boule.
8 Cuire pendant 5 minutes au four à 180°C.
9 Retirer et refaire la cavité avec votre doigt.
10 Remettre au four et cuire pendant 10 minutes à 180°C.
11 Laisser refroidir et déposer 2 mL de gelée de fraise dans chaque cavité.

Rôties au miel et aux pacanes

Préparation : 10 minutes $$$

Portions 24	*Ingrédients*	Portions 6
300 g	**Beurre ramolli**	75 mL
600 mL	**Miel**	150 mL
150 g	**Pacane hachée**	75 mL
48	**Rôtie**	12

Méthode
1 Mélanger le beurre, le miel et les pacanes hachées.
2 Étendre 20 mL de cet *appareil* sur chaque rôtie.

Galettes à la crème du temps jadis

Lorsque, exténuées, les religieuses de l'Hôpital général de Québec quittaient le chevet des pauvres êtres placés sous leur garde, elles s'accordaient au moins quelques instants de repos. Dans l'ombre et le silence du réfectoire désert, éclairé par la seule lueur d'une bougie, les petites nonnes, sereines, s'attablaient devant des galettes à l'anis qu'elles sucraient un peu avant d'y mordre avec entrain. Pour leurs « veilleuses », les soeurs boulangères avaient préparé ces galettes avec de la pâte à levain, cuite au four.

Préparation : 10 minutes $$$
Cuisson : 15 à 20 minutes

Portion 8 douzaines	*Ingrédients*	Portion 2 douzaines
675 g	**Beurre**	175 mL
1,85 kg	**Sucre**	500 mL
16	**Oeuf**	4
2,55 kg	**Farine**	1 L
85 g	**Poudre à pâte**	20 mL
40 mL	**Sel**	10 mL
40 mL	**Gingembre**	10 mL
1 L	**Crème à 15 %**	250 mL

Méthode
1 Battre le beurre en crème avec le sucre.
2 Ajouter les oeufs.
3 Tamiser les ingrédients secs et les ajouter au mélange en alternant avec la crème.
4 Laisser reposer au réfrigérateur quelques minutes.
5 *Abaisser* la pâte à 1 cm d'épaisseur.
6 *Détailler* à l'aide d'un *emporte-pièce* de 8 cm de diamètre.
7 Déposer sur une tôle graissée.
8 Cuire au four à 180°C pendant 15 à 20 minutes.

Pruneaux à l'érable

C'est au cours du premier tiers du XIXe siècle qu'un sucre de fabrication locale fit une apparition remarquable sur le marché québécois ; sa matière première : la sève d'érable. Dès le mois de mai 1837, La Minerve traite de l'importance de cette production du Bas-Canada qu'on estimait se chiffrer entre 800 et 1 000 livres par homme. On rapportait par ailleurs dans le même journal qu'un habitant de Valcartier avait eu l'idée de blanchir du sucre d'érable et de le réduire en poudre afin d'obtenir une imitation de la meilleure cassonade, qu'il offrait à 9 sous la livre. On ne manquait pas d'encourager cette initiative, soulignant que les érablières n'exigent que peu de soins et que la saison des sucres n'empiète pas sur les autres travaux de la ferme.

Préparation : 15 minutes $$
Cuisson : 40 minutes

Portions 24	*Ingrédients*	Portions 6
144 un. ou 925 g	Pruneau sec	36 un. ou 300 mL
2,8 L	Eau	700 mL
500 mL	Sirop d'érable	125 mL
65 g	Noix de Grenoble hachée	30 mL
300 mL	Crème à 35 %	75 mL

Méthode
1 Faire tremper les pruneaux dans l'eau pendant toute une nuit.
2 Cuire les pruneaux dans l'eau pendant 15 minutes.
3 Ajouter le sirop d'érable et cuire encore pendant 25 minutes.
4 Laisser refroidir les pruneaux dans leur jus.
5 Servir dans des coupes, à raison de six pruneaux par personne avec 30 mL de sirop.
6 Saupoudrer de noix hachées (5 mL par portion).
7 Fouetter la crème et garnir chaque coupe de 25 mL de crème.

Tarte aux pommes et aux carottes

Préparation : 15 minutes $
Cuisson : 45 minutes

Portion 4 tartes	*Ingrédients*	Portion 1 tarte
425 g	Carotte râpée	250 mL
500 mL	Eau	125 mL
800 g	Pomme râpée	250 mL
775 g	Raisin sec	250 mL
8 mL	Sel	2 mL
4 mL	Cannelle	1 mL
700 g	Cassonade	175 mL
30 mL	Farine	8 mL
4	*Abaisse* de pâte brisée *(voir recettes complémentaires)*	1

Méthode
1 Cuire les carottes quelques minutes dans l'eau, à feu doux.
2 Mélanger tous les ingrédients et ajouter les carottes cuites avec leur jus.
3 Verser la préparation dans une *abaisse* de pâte brisée de 22 cm de diamètre.
4 Cuire au four à 240°C pendant 15 minutes, puis à 180°C pendant 30 minutes.

Tartelettes au miel

Préparation : 30 minutes $$
Cuisson : 20 minutes

Portions 24	*Ingrédients*	Portions 6
925 g	Sucre	250 mL
200 mL	Miel	50 mL
8	Oeuf	2
24	*Abaisses* de pâte brisée *(voir recettes complémentaires)*	6

Méthode
1 Bien mélanger le sucre, le miel et les oeufs.
2 Verser 60 mL de l'*appareil* dans des moules à tartelettes de 9 cm de diamètre, *foncés* de pâte brisée.
3 Laisser reposer pendant 15 minutes.
4 Cuire au four à 220°C pendant 5 minutes, puis à 160°C pendant 15 minutes.
5 Laisser refroidir.

Pain de blé d'Inde cuit à la vapeur

Préparation : 5 minutes $$
Cuisson : 2 heures

Portion 4 pains	*Ingrédients*	Portion 1 pain
500 mL	Mélasse	125 mL
1 L	Lait sur	250 mL
750 g	Farine de maïs	250 mL
10 mL	Sel	2,5 mL
20 mL	Bicarbonate de soude	5 mL
650 g	Farine	250 mL
1,8 L	Sauce au caramel*	450 mL
	*Sauce au caramel :	
750 g	Cassonade	200 mL
750 mL	Sirop de maïs	200 mL
200 g	Beurre	50 mL
700 mL	Crème à 35 %	175 mL

Méthode
1 Mélanger tous les ingrédients.
2 Verser dans un moule graissé de trois litres.
3 Déposer le moule dans un *bain-marie.*
4 Fermer le *bain-marie* hermétiquement et cuire au four à 180°C, pendant 2 heures.
5 Servir avec une sauce au caramel.
Sauce au caramel :
1 Mélanger la cassonade et le sirop de maïs.
2 Amener à ébullition et cuire jusqu'à ce que le thermomètre à bonbons indique 110°C.
3 Retirer du feu et ajouter le beurre et la crème.

Crêpes au chocolat

Préparation : 15 minutes $$
Cuisson : 2 à 3 minutes

Portions 24	*Ingrédients*	Portions 6
2,2 kg	Farine	850 mL
125 g	Poudre à pâte	30 mL
20 mL	Sel	5 mL
150 g	Sucre	40 mL
20	Jaune d'oeuf	5
2,85 L	Lait	725 mL
20 carrés	Chocolat mi-sucré	5 carrés
400 mL	Beurre fondu	100 mL
24 ou 600 mL	Blanc d'oeuf	6

Méthode
1 Tamiser la farine avec la poudre à pâte, le sel et le sucre.
2 Battre les jaunes d'oeufs.
3 Ajouter aux jaunes d'oeufs : le lait, le chocolat fondu au *bain-marie* et le beurre fondu.
4 Verser les ingrédients liquides sur les ingrédients secs.
5 Bien mélanger.
6 Incorporer les blancs d'oeufs montés en neige.
7 Cuire dans une poêle graissée, à raison de 125 mL par crêpe.

Confiture à la citrouille

Chaque année, suivant la coutume, c'est le 8 décembre, jour de l'Immaculée Conception que les Ursulines préparaient de la confiture à la citrouille pour la communauté de l'Hôpital général de Québec. On confiait cette tâche à la soeur jardinière qui s'en acquittait avec soin. Les confitures à la citrouille ont peu changé ; c'est le goût des gens pour ce fruit qui a diminué au point que des dizaines et des dizaines de personnes n'y ont même jamais goûté. N'attendez plus !

Préparation : 15 minutes $$
Cuisson : 3 à 4 heures.

Portion 6 litres	*Ingrédients*	Portion 1,5 litre
4 kg	Citrouille fraîche en dés	1,5 L
3,4 kg	Sucre	925 mL
1,35 kg	Ananas en dés (sucré en conserve)	400 mL

Méthode
1 Faire sécher les dés de citrouille à la température de la pièce pendant 24 heures.
2 Mettre dans une casserole le sucre, les ananas avec leur jus et les dés de citrouille; amener le tout à ébullition.
3 Cuire à feu doux jusqu'à ce que les dés de citrouille soient transparents, environ 3 à 4 heures.
4 Verser dans des pots stérilisés.

Charlevoix

Géographiquement isolée, cette très belle partie du Québec n'en a pas moins mélangé ses usages à ceux des autres régions. On ne peut parler ici de cuisine uniforme, et les menus, d'inspirations française, britannique ou franchement locale, varient considérablement d'une famille à l'autre.

Malgré leur isolement géographique, les habitants de cette région, tout en gardant leurs coutumes, n'en ont pas moins adopté celles d'autres régions. Ainsi, au temps des Fêtes, l'oie était à l'honneur, ou encore la dinde, la tourtière ou le ragoût ; aux jours ordinaires, certains mets étaient cependant agréés de tous comme s'ils avaient fait partie d'un patrimoine commun. Ainsi en était-il de la tourtière, bien sûr, mais aussi du pâté à la viande (qui, dans Charlevoix, est différent de la précédente), du gigot d'agneau, des cretons, de la tête fromagée, du boudin et, surtout, de la soupe aux gourganes. Cette dernière, à peu près inconnue des étrangers, demande des explications.

Selon une étude de François Tremblay, *La gourgane et quelques soupes traditionnelles de Charlevoix,* la gourgane appartient, comme l'indique son nom latin de *faba vicia,* à la même famille que la fève qui fut introduite en Europe par les Ariens. Fort ancienne, son histoire ne se distingue guère avant qu'Eugène Roland, dans sa *Flore populaire* parue en 1692, ne la désigne sous le nom de « fève des marais », celle-ci étant cultivée à Paris dans les marais, c'est-à-dire dans les jardins maraîchers. Comme elle constituait la base de l'alimentation des équipages des navires et des marins retraités, appelés gourganiers, elle prit le nom de gourgane, nom qui lui est resté dans plusieurs provinces de France telles que la Normandie, le Maine, l'Anjou et le Limousin. Introduite en Nouvelle-France dès 1618 par Louis Hébert, sa culture s'étendit vite à toute la colonie. Et si la pomme de terre la supplanta au début du régime anglais, elle se maintient cependant dans la région de Charlevoix dont elle est devenue le symbole culinaire.

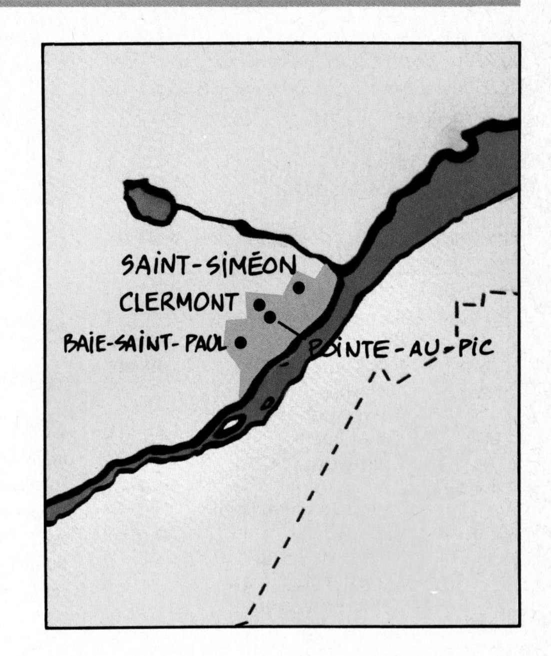

Pâté de foie gras

Préparation : 20 minutes $
Cuisson : 1 heure 30

Portion 6 kilogrammes	*Ingrédients*	Portion 1,5 kilogramme
80 g	Céleri en dés	45 mL
250 g	Oignon haché	100 mL
80 g	Beurre	20 mL
2,8 kg	Foie de porc	725 g
2,8 kg	Lard gras	725 g
6	Oeuf	2
30 mL	Sel	8 mL
10 mL	Poivre	2 mL
3 mL	Thym	1 mL
325 g	*Barde*	80 g

Méthode
1 *Faire revenir* le céleri et les oignons dans le beurre.
2 Passer trois fois au hachoir (grille très fine) le foie, le lard et les légumes.
3 Ajouter les oeufs et les assaisonnements.
4 Bien mélanger.
5 Verser dans un moule de 2 litres préalablement foncé de *bardes.*
6 Cuire au four au bain-marie à 230°C pendant 30 minutes, puis à 150°C pendant 1 heure 30.

Terrine de lièvre

Préparation : 30 minutes $$
Cuisson : 2 heures 30

Portion 6 kilogrammes	*Ingrédients*	Portion 1,5 kilogramme
4	Lièvre	1
350 mL	Cognac ou brandy	85 mL
275 g	Échalote sèche hachée	150 mL
12 mL	Ail haché grossièrement	3 mL
700 g	Porc	175 g
700 mL	Crème à 35 %	175 mL
40 mL	Sel	10 mL
20 mL	Poivre	5 mL
6 mL	Marjolaine	1,5 mL
4 mL	Thym	1 mL
4 mL	Estragon	1 mL
4 mL	Sarriette	1 mL
4 mL	Cayenne	1 mL
8	Oeuf	2
700 g	*Barde*	175 g
4	Feuille de laurier	1

Méthode
1 Désosser le lièvre.
2 Faire *macérer* les *râbles* dans le cognac pendant 2 heures; couper les *râbles* en lanières.
3 Passer trois fois au hachoir le reste du lièvre avec l'échalote, l'ail et le porc.
4 Ajouter tous les autres ingrédients à cette farce, sauf la feuille de laurier et les *bardes.*
5 Ajouter ensuite le cognac et bien mélanger.
6 *Barder* un moule de 2 litres ayant un couvercle.
7 Superposer une couche de farce et une rangée de quelques lanières de *râble,* jusqu'à épuisement des ingrédients.
8 Déposer les feuilles de laurier sur le dessus.
9 Couvrir de *bardes.*
10 Couvrir le moule et bien sceller le couvercle avec de la farine mouillée.
11 Cuire au bain-marie au four à 180°C pendant 2 heures 30.
12 Laisser refroidir et découper en tranches; les servir froides sur des feuilles de laitue.

Éperlans à l'ail

Croyez-vous qu'il soit possible d'avaler deux éperlans à la minute, ou presque ? C'est là un des records détenus par l'un des milliers d'amateurs du petit poisson argenté dont Charlevoix se targue d'être aux premiers rangs des féconds lieux de rendez-vous.

Préparation : 15 à 20 minutes $
Cuisson : 3 à 4 minutes

Portions 24	*Ingrédients*	Portions 6
48	Éperlan	12
4	Gousse d'ail hachée	1
250 g	Beurre	60 mL
125 mL	Vin blanc	30 mL
	Sel (au goût)	
	Poivre (au goût)	
60 mL	Persil haché	15 mL
¾	Chapelure fraîche	¾
en q.s.*		en q.s.*
¼	Fromage parmesan	¼
en q.s.*	râpé	en q.s.*
24	Feuille de laitue	6
24	Quartier de citron	6
	Persil en bouquet (au goût)	

Méthode
1 *Ébarber,* vider, laver et éponger les éperlans; prélever les filets.
2 Réserver.
3 *Faire tomber* l'ail dans le beurre fondu.
4 Incorporer le vin blanc.
5 Ajouter le sel, le poivre et le persil.
6 Laisser tiédir.
7 Tremper les filets de poisson dans ce beurre.
8 Mélanger la chapelure et le parmesan râpé.
9 Passer les filets dans ce mélange.
10 Déposer sur une grille et faire cuire au four à 200°C pendant 3 à 4 minutes.
11 Disposer les filets de poisson sur des feuilles de laitue.
12 Garnir de quartiers de citron et d'un bouquet de persil.
* quantité suffisante

Soupe aux fèves rouges

Préparation : 15 minutes $
Cuisson : 2 heures 15

Portion 6 litres	*Ingrédients*	Portion 1,5 litre
750 g	Fève rouge	250 mL
300 g	Oignon finement haché	125 mL
250 g	Beurre	60 mL
8 L	Eau froide	2 L
20 mL	Sel	5 mL
8 mL	Poivre	2 mL
4 L	Lait	1 L
200 g	Farine	75 mL
500 mL	Eau	125 mL
30 g	Persil haché	25 mL

Méthode
1 Tremper les fèves rouges pendant au moins 6 heures dans de l'eau froide.
2 Faire *suer* les oignons au beurre.
3 *Mouiller* avec l'eau.
4 Ajouter les fèves rouges.
5 Assaisonner de sel et de poivre.
6 Laisser mijoter pendant environ 2 heures.
7 Ajouter le lait.
8 Amener à ébullition.
9 Diluer la farine dans l'eau et l'ajouter à la soupe afin de l'épaissir.
10 Cuire pendant encore 15 minutes.
11 Ajouter le persil.
12 Servir ce potage chaud.

Soupe aux gourganes

Chacun y va de son explication quant à la couleur grisâtre que revêt parfois ce potage. Mais, de bouche à oreille, les spécialistes assurent que le passage du blond au gris résulte de la négligence des cuisiniers qui devraient dépouiller la gourgane de la petite excroissance qui la pare.

Préparation : 30 minutes $$
Cuisson : environ 1 heure à 1 heure 30

Portion 6 litres	*Ingrédients*	Portion 1,5 litre
300 g	Lard salé coupé en *lardons*	75 g
125 g	Oignon haché	40 mL
500 g	Boeuf à bouillir en dés	125 g
350 g	Gourgane pelée (congelée ou fraîche)	125 mL
125 g	Orge perlé	40 mL
6 L	Eau	1,5 L
20 mL	Sel	5 mL
8 mL	Poivre	2 mL
4 mL	Marjolaine	1 mL
450 g	Carotte en dés	200 mL
375 g	Navet en dés	175 mL
50 g	Céleri en dés	25 mL
20 mL	Feuille de betterave ciselée ou épinard	5 mL
20 mL	Laitue ciselée	5 mL
275 g	Pomme de terre en cubes	125 mL
75 g	Fève jaune coupée finement	25 mL
20 mL	Persil haché	5 mL
60 g	Échalote hachée	30 mL

Méthode
1 *Faire revenir* les *lardons* dans une marmite.
2 *Faire suer* les oignons dans cette marmite.
3 Ajouter le boeuf, les gourganes et l'orge.
4 *Mouiller* avec l'eau.
5 Assaisonner de sel, de poivre et de marjolaine.
6 Cuire pendant 1 heure à 1 heure 30.
7 Ajouter les carottes, le navet, le céleri, les feuilles de betterave, la laitue ciselée, les pommes de terre et les fèves jaunes, 30 minutes avant la fin de la cuisson.
8 Parsemer de persil et d'échalotes hachées avant de servir.

Cipaille au lièvre

Les forêts de Charlevoix offrent beaucoup de plaisir aux chasseurs de petit gibier. Jadis, on ne prenait pas la peine de poursuivre un lièvre dans la forêt et de le viser avec sa carabine; c'était là, croyait-on, un gaspillage d'énergie et... de poudre. On préférait attraper les lièvres au collet, imitant en cela les populations autochtones.

Préparation : 30 minutes $
Cuisson : 4 heures

Portions 24	*Ingrédients*	Portions 6
	Pâte :	
850 g	farine tout usage	325 mL
28 mL	poudre à pâte	7 mL
28 mL	sel	7 mL
250 g	graisse	85 mL
350 mL	lait	85 mL
350 mL	eau	85 mL
125 g	Lard salé	30 g
300 g	Poitrine de poulet en cubes	75 g
1,4 kg	Chair de lièvre en cubes	350 g
400 g	Porc haché	100 g
600 g	Oignon haché	250 mL
12 mL	Épices mélangées	3 mL
8 mL	Sel	2 mL
4 mL	Poivre	1 mL
600 g	Pomme de terre en cubes	300 mL

Méthode
1 Préparer la pâte comme pour toute autre recette de pâte à tarte.
2 *Foncer* de pâte le fond et les contours du chaudron.
3 Étendre le lard salé dans le fond du chaudron et y disposer la moitié du poulet, du lièvre, du porc et des oignons.
4 Poudrer avec les épices, saler et poivrer et couvrir avec les pommes de terre.
5 Disposer une abaisse de pâte de 65 g sur les pommes de terre.
6 Ajouter le reste des viandes et des oignons.
7 Mouiller aux trois quarts avec de l'eau et recouvrir d'une abaisse de pâte.
8 Faire une incision au centre de la pâte.
9 Cuire au four, à couvert, à 180°C pendant 2 heures d'abord, puis continuer la cuisson à 130°C pendant encore 2 heures.

Canard de la Baie

Préparation : 15 minutes $$$
Cuisson : 1 heure 30

Portions 24	*Ingrédients*	Portions 6
250 g	Céleri en dés	125 mL
40 mL	Beurre	10 mL

Centre des ressources didactiques / Institut de tourisme et d'hôtellerie du Québec

150 g	**Mie de pain en cubes**	500 mL
4	**Oeuf**	1
8 mL	**Sel**	2 mL
4 mL	**Poivre**	1 mL
4 mL	**Sarriette**	1 mL
4 mL	**Thym**	1 mL
12	**Canards de 1,8 kg**	3
200 mL	**Huile**	50 mL
	Mirepoix :	
125 g	**oignon haché**	50 mL
100 g	**céleri haché**	50 mL
125 g	**carotte hachée**	50 mL
1 L	**Cidre**	250 mL
2 L	**Fond blanc de volaille** ***(voir recettes complémentaires)***	500 mL

Méthode

1 *Faire suer* le céleri au beurre et le laisser refroidir.
2 Mélanger ensemble le céleri, le pain, l'oeuf et les épices.

Oie du Cap Tourmente

Musée régional Laure Conan, C.R.D.C.C., collection d'après les originaux de monsieur Paul-Henri Bouchard, Baie-des-Rochers *(Photo de famille pendant la saison de la chasse)*. Objets d'artisanat : Esther Legault, Port-au-Persil *(assiette et coupes)*; Danielle L. Paquette, Montréal *(napperon crocheté)*.

3 Farcir le canard avec cette farce et le *brider*.
4 Déposer le canard dans une rôtissoire et l'arroser avec l'huile.
5 Disposer le cou, le gésier et les ailerons autour.
6 Faire cuire au four à 190°C pendant 1 heure 30; arroser toutes les 15 minutes en retournant le canard à chaque fois.
7 Trente minutes avant la fin de la cuisson, ajouter la *mirepoix*.
8 Retirer le canard et le réserver au chaud.
9 *Pincer* les sucs, *dégraisser* et *déglacer* la rôtissoire au cidre.
10 *Mouiller* avec le fond de volaille et laisser cuire pendant 30 minutes.
11 Passer au chinois et *dégraisser* au besoin.
12 Servir cette sauce chaude sur le canard.

Oie du Cap Tourmente

Pehr Kalm, voyageant dans cette région en 1749, fut bien étonné de voir comment s'y prenaient les gens de la place lorsqu'ils manquaient de broche à rôtir pour cuire les volailles : les oiseaux étaient suspendus côte à côte sur un fil solide et placés au-dessus d'un bon feu; on glissait sous les oiseaux une poêle contenant de la graisse. Un petit garçon s'asseyait à côté du feu et de temps en temps, à l'aide d'une spatule, il donnait un petit coup sur les oiseaux pour les faire tourner, d'un côté puis de l'autre. Il frappait assez fort cependant pour que le fil s'enroule complètement, de sorte qu'en se déroulant, il faisait tourner les oiseaux, tout comme l'aurait fait une broche à rôtir.

Préparation : 35 à 40 minutes $$
Cuisson : 4 heures

Portions 24	*Ingrédients*	Portions 6
4	**Oie de 6,6 kg**	1
	Farce :	
150 g	**mie de pain en cubes**	500 mL
600 g	**pomme en cubes**	250 mL
250 g	**céleri en cubes**	125 mL
20 mL	**curry**	5 mL
8 mL	**sel**	2 mL
4 mL	**poivre**	1 mL
4	**oeuf**	1
	Mirepoix :	
600 g	**carotte hachée**	250 mL
225 g	**céleri haché**	125 mL
300 g	**oignon haché**	125 mL
250 mL	**Jus de pommes**	60 mL
1,2 L	**Fond blanc de volaille** ***(voir recettes complémentaires)***	300 mL

Méthode

1 Enlever les extrémités des ailes, le cou, les abats et le surplus de graisse de l'oie; bien la nettoyer.
2 Mélanger tous les ingrédients de la farce.
3 Farcir l'oie et la ficeler.
4 Dans une rôtissoire, faire fondre un peu de gras et *faire colorer* l'oie; la faire cuire au four à 120°C pendant d'abord 1 heure.
5 Ajouter alors la *mirepoix* et continuer la cuisson au four à 120°C pendant encore 3 heures.
6 Arroser souvent avec le gras de cuisson.
7 Après la cuisson, retirer l'oie et bien chauffer la rôtissoire; la dégraisser.
8 Ajouter ensuite le jus de pommes et le fond blanc et laisser réduire de moitié.
9 *Passer* à l'aide d'une passoire et servir cette sauce avec l'oie désossée.

Truite campagnarde

Préparation : 15 minutes $$
Cuisson : 10 minutes

Portions 24	Ingrédients	Portions 6
400 g	**Lard salé**	100 g
200 mL	**Huile**	50 mL
1,4 kg	**Oignon émincé**	700 mL
4 kg	**Pomme de terre en cubes**	2 L
15 mL	**Sel**	4 mL
4 mL	**Poivre**	1 mL
24	**Truite de 225 g**	6
100 g	**Beurre**	25 mL
100 mL	**Huile**	25 mL
24	**Quartier de citron**	6
	Persil haché (au goût)	

Méthode
1 Couper le lard en *lardons* et les *faire colorer* dans une grande poêle.
2 Retirer les lardons de la poêle et les réserver.
3 Ajouter l'huile dans la poêle et y *faire colorer* les oignons; les réserver.
4 *Faire colorer* les pommes de terre.
5 Ajouter les oignons et les *lardons* aux pommes de terre.
6 Assaisonner de sel et de poivre.
7 Cuire au four à 180°C pendant 10 minutes.
8 Cuire les truites dans le beurre et l'huile et les dresser sur les pommes de terre.
9 Accompagner de quartiers de citron.
10 Persiller et servir immédiatement.

Roulé au saumon, sauce aux oeufs

Même à l'époque de la colonisation où le merveilleux saumon voyageait plus loin que la rivière Sainte-Anne, on en faisait des conserves, c'est-à-dire qu'on le salait, comme on le faisait de l'anguille ou de la morue.

Préparation : 30 minutes $
Cuisson : 20 minutes

Portions 24	Ingrédients	Portions 6
950 g	**Farine**	375 mL
60 mL	**Poudre à pâte**	15 mL
8 mL	**Sel**	2 mL
150 g	**Graisse végétale**	50 mL
3	**Oeuf**	1
375 mL	**Lait**	100 mL
1,75 kg	**Saumon en boîte**	1 boîte de 440 g
200 mL	**Lait**	50 mL
60 mL	**Jus de citron**	15 mL
60 mL	**Oignon finement haché**	15 mL
70 mL	**Persil haché**	15 mL
2 L	**Sauce aux oeufs *(voir recettes complémentaires)***	500 mL

Méthode
1 Tamiser la farine, la poudre à pâte et le sel.
2 Ajouter la graisse et bien l'incorporer.
3 Battre l'oeuf avec le lait et l'ajouter à la préparation.
4 Former une pâte sans trop mélanger.
5 Former une *abaisse* de 36 x 25 cm.
6 Enlever les arêtes du saumon et défaire la chair en morceaux.
7 Mélanger le saumon, son jus, le lait, le jus de citron, l'oignon et le persil.
8 Étendre cet *appareil* sur la pâte et rouler comme pour un gâteau.
9 Couper en tranches de 3 cm d'épaisseur.
10 Déposer sur une plaque beurrée et cuire au four à 180°C pendant 20 minutes.
11 Servir avec une sauce aux oeufs.

Pâtés croches

Préparation : environ 25 minutes $
Cuisson : environ 1 heure

Portions 24	Ingrédients	Portions 6
350 g	**Oignon haché**	150 mL
70 g	**Beurre**	15 mL
2,75 kg	**Porc haché**	700 g
20 mL	**Sel**	5 mL
3 mL	**Poivre**	1 mL
15 mL	**Clou de girofle**	5 mL
15 mL	**Sauge**	5 mL
100 mL	**Eau froide**	25 mL
2 kg	**Pâté brisée *(voir recettes complémentaires)***	500 g

Méthode
1 *Faire suer* les oignons dans le beurre et les laisser refroidir.
2 Mélanger le porc, les oignons et les assaisonnements.
3 Incorporer l'eau.
4 Déposer 125 mL de farce en rouleau sur une *abaisse* carrée de 20 cm. Humecter les bords avec un peu d'eau.
5 Rabattre l'*abaisse* et presser les bords pour bien sceller le pâté.
6 Plisser le rebord du pâté avec l'index de façon à lui donner l'aspect d'un cordon.
7 Faire une petite incision au centre.
8 Déposer sur une plaque graissée et cuire au four à 170°C pendant 1 heure ou jusqu'à ce que les pâtés soient dorés.

Pâté d'éperlans

Préparation : 1 heure $$
Cuisson : 45 minutes

Portions 24	Ingrédients	Portions 6
2 kg	**Pâte brisée *(voir recettes complémentaires)***	500 g
2	**Blanc d'oeuf**	1
2,7 kg	**Éperlan**	675 g
375 g	**Échalote verte hachée**	200 mL
3	**Jaune d'oeuf**	1
3	**Oeuf**	1
1 L	**Crème à 35 %**	250 mL
20 mL	**Sel**	5 mL
10 mL	**Poivre**	2 mL
60 mL	**Eau froide**	15 mL
	Facultatif :	
48	**radis**	12
	bouquet de persil (au goût)	

Méthode
1 *Foncer* un moule à tarte avec la moitié de la pâte brisée.
2 Badigeonner le fond de la pâte avec le blanc d'oeuf battu. Laisser sécher pendant 15 minutes.
3 Fendre les éperlans sur le dos. Enlever l'arête et les nageoires à l'aide d'un couteau.
4 Couper les filets en tronçons de 2,5 cm (1 po).
5 Disposer les éperlans et les échalotes dans le fond du moule.
6 Battre le jaune d'oeuf avec l'oeuf entier.
7 Y ajouter la crème et verser sur les éperlans.
8 Assaisonner.
9 Humecter les bords de l'*abaisse* avec un peu d'eau.
10 Couvrir le moule d'une deuxième *abaisse*.
11 Presser le bord de deux *abaisses* pour bien les sceller.
12 Humecter le dessus du pâté avec un peu d'eau.
13 Pratiquer deux ou trois incisions au centre, sur le dessus du pâté.
14 Cuire au four à 180°C pendant 45 minutes.
15 Servir immédiatement.
16 Si désiré, on peut décorer le plat avec des petits radis et des bouquets de persil.

Côtelettes de porc Charlevoix

La région de Charlevoix doit son nom à l'historien français Pierre-François-Xavier de Charlevoix (1682-1761). Ce dernier débarqua pour la première fois à Québec en 1705 où on l'avait envoyé en qualité de professeur de grammaire. Il rentra en France en 1709 pour revenir en Nouvelle-France en 1719 avec la double tâche de découvrir s'il existait vraiment une mer de l'Ouest séparant l'Amérique de l'Orient et de la localiser. Charlevoix, convaincu de l'existence de cet océan, aboutit toutefois à des conclusions erronées quant à l'emplacement du Pacifique. Il retourna en France où il publia en 1744, son* Histoire et description générale de la Nouvelle-France *où il se révèle un grand historien.

Préparation : 20 minutes $
Cuisson : 40 minutes

Portions 24	Ingrédients	Portions 6
48	**Côtelette de porc de 100 g**	12
200 g	**Beurre**	50 mL

Centre des ressources didactiques / Institut de tourisme et d'hôtellerie du Québec

Écumes de mer

Musée régional Laure Conan, C.R.D.C.C., collection d'après les originaux des Soeurs de la Charité, La Malbaie *(Classe d'art ménager)*. Objets d'artisanat : Esther Legault, Port-au-Persil *(assiette et chandelier)*.

20 mL	**Sel**	**5 mL**
8 mL	**Poivre**	**2 mL**
650 g	**Sucre d'érable râpé**	**125 mL**
500 g	**ou cassonade**	**125 mL**
125 g	**Farine**	**50 mL**
1 L	**Jus de pommes**	**250 mL**
12 ou 1,5 kg	**Pomme**	**3**

Méthode
1 *Faire colorer* les côtelettes dans le beurre.
2 Dégraisser.
3 Assaisonner.
4 Mélanger le sucre d'érable avec la farine et poudrer sur les côtelettes.
5 *Mouiller* avec le jus de pommes.
6 Couper les pommes en deux, les évider mais ne pas les peler; les déposer sur les côtelettes.
7 Couvrir et cuire au four à 180°C pendant 40 minutes.
8 *Dégraisser* au besoin.

Ragoût de porc

Charlevoix abrita, au cours du dernier quart du XIXe siècle, les luttes électorales les plus violentes et les plus colorées. Certains chauds partisans retrouvaient près de leur porte, une tête de cochon sanglante, juste bonne pour faire de la tête fromagée !

Préparation : 25 minutes $
Cuisson : 3 heures 30

Portions 24	*Ingrédients*	Portions 6
4	**Patte de porc plumée**	**1**
1,6 kg	**Porc haché**	**400 g**
3,6 kg	**Boeuf haché**	**600 g**
300 g	**Oignon haché**	**125 mL**
20 mL	**Sel**	**5 mL**
8 mL	**Poivre**	**2 mL**
8 mL	**Cannelle**	**2 mL**
8 mL	**Clou de girofle**	**2 mL**
65 g	**Farine**	**25 mL**
275 g	**Farine grillée**	**125 mL**
2 L	**Eau froide**	**500 mL**

Méthode
1 Déposer la patte de porc dans une marmite; couvrir d'eau et cuire pendant environ 2 heures.
2 Mélanger le porc et le boeuf hachés avec les oignons.
3 Assaisonner de sel et de poivre.
4 Ajouter la cannelle et le clou de girofle.
5 Façonner en boulettes de 50 mL.
6 Fariner les boulettes.
7 Détacher la viande cuite de la patte et la réserver.
8 Cuire les boulettes dans l'eau de cuisson de la patte pendant environ 1 heure.
9 Retirer les boulettes.
10 Épaissir la sauce avec la farine grillée diluée dans l'eau froide.
11 Laisser cuire pendant 15 minutes.
12 *Passer* au tamis.
13 Ajouter les boulettes et la viande de pattes. Laisser mijoter pendant 30 minutes. Servir chaud.

Chiard

Le nom de ce plat ressemble à une moquerie et on peut parier qu'en effet, c'est en souriant, qu'on l'a ainsi nommé. Même s'il s'avère difficile de situer, dans le temps, l'époque de sa création, on estime qu'il est apparu en temps de guerre ou de famine alors qu'il fallait nourrir la famille avec un minimum de denrées. Les pommes de terre et les oignons n'ont jamais coûté cher au cultivateur beauceron. Même chose pour le porc, surtout pour ces pièces moins belles qui, une fois hachées, entraient dans la composition de plats simples mais bons.

Préparation : 15 minutes $
Cuisson : 3 heures

Portions 24	*Ingrédients*	Portions 6
350 g	**Oignon haché**	**150 mL**
100 g	**Beurre**	**25 mL**
3 kg	**Porc haché**	**750 g**
20 mL	**Sel**	**5 mL**
8 mL	**Poivre**	**2 mL**
2,6 kg	**Pomme de terre en cubes**	**875 mL**

Méthode
1 *Faire colorer* les oignons dans le beurre.
2 Ajouter la viande.
3 Assaisonner de sel et de poivre.
4 Ajouter les cubes de pomme de terre.
5 *Mouiller* aux trois quarts avec de l'eau.
6 Cuire au four à 180°C pendant 3 heures.
7 Servir chaud.

Écume de mer

Préparation : 5 minutes $$
Cuisson : jusqu'à 140°C

Portion 4 kilogrammes	*Ingrédients*	Portion 1 kilogramme
3,7 kg	**Sucre**	**1 L**
500 mL	**Eau chaude**	**125 mL**
1 L	**Sirop de maïs**	**250 mL**
16	**Blanc d'oeuf**	**4**
550 g	**Noix hachée**	**250 mL**
	Décoration (facultatif)	
	Pacane entière (q.s.)*	

Méthode
1 Mélanger dans une casserole le sucre, l'eau chaude et le sirop de maïs.
2 Faire chauffer jusqu'à 140°C au thermomètre à bonbon.
3 Verser en filet sur les blancs d'oeufs préalablement montés en neige, en continuant de fouetter.
4 Ajouter les noix et verser dans un moule beurré de 25 x 15 x 5 cm.
5 Couper avant le refroidissement complet.
6 Si désiré, décorer avec des pacanes entières.
7 Conserver dans une boîte de métal.

N.B. : Les bonbons sèchent avec le temps.
* quantité suffisante

Chou rouge braisé

Pour dix sous par jour en 1885, assurait le végétarien Wogan, il était possible de très bien s'alimenter et d'éloigner à jamais la source de tous nos maux : la viande. En plus de coûter cher, s'emportait Wogan, cette corruptrice « engendre l'épilepsie, la paralysie, la fièvre scarlatine, les rhumatismes, les maladies du coeur, la lèpre, l'ivrognerie, l'aptitude aux maladies épidémiques,... » etc.

Préparation : 10 minutes $
Cuisson : 20 minutes

Portions 24	*Ingrédients*	Portions 6
300 g	Lard salé en *lardons*	75 g
1,2 kg	Chou rouge émincé (bien tassé)	650 mL
700 mL	Eau	175 mL
8 mL	Sel	2 mL
4 mL	Poivre	1 mL
725 g	Pomme en quartiers	300 mL
100 g	Cassonade	25 mL

Méthode
1 Faire fondre les *lardons*.
2 Ajouter le chou rouge.
3 *Mouiller* avec l'eau.
4 Cuire pendant 10 minutes, à découvert.
5 Assaisonner de sel et de poivre.
6 Ajouter les quartiers de pomme et la cassonade.
7 Cuire pendant encore 10 minutes, à couvert.
8 Servir chaud.

Betteraves à la gelée rouge

Préparation : 20 minutes $
Cuisson : 3 à 4 heures

Portions 24	*Ingrédients*	Portions 6
80 g	Gélatine neutre	30 mL
500 mL	Jus de cuisson des betteraves	125 mL
1,5 L	Jus de cuisson des betteraves	375 mL
225 g	Sucre	60 mL
20 mL	Sel	5 mL
60 mL	Jus de citron	15 mL
500 mL	Vinaigre	125 mL
1,6 kg	Betterave cuite en cubes	500 mL
	Laitue (q.s.)*	
	Persil haché (au goût)	

Méthode
1 Faire tremper la gélatine dans le jus des betteraves froid pour la faire gonfler.
2 Faire bouillir le jus de betteraves avec le sucre, le sel, le jus de citron et le vinaigre.
3 Verser sur la gélatine gonflée.
4 Bien remuer et amener à ébullition; laisser mijoter pendant 1 à 2 minutes pour dissoudre la gélatine.
5 *Chemiser* un moule de 1 litre avec ce mélange.
6 Déposer une rangée de cubes de betterave sur la gelée.
7 Couvrir de gelée et laisser prendre au réfrigérateur.
8 Répéter cette opération jusqu'à épuisement des ingrédients; terminer par la gelée.
9 Passer le moule sous l'eau chaude pour démouler l'aspic.
10 Le déposer sur un lit de feuilles de laitue.
11 Décorer de persil haché.
* quantité suffisante

Marmite de navets

Il fut un temps, heureusement révolu, où le navet constituait le plat principal sur les tables des habitants des villages de Saint-Étienne, la Malbaie et Sainte-Agnès accablés par la misère en 1837.

Préparation : 20 minutes $
Cuisson : 45 minutes

Portions 24	*Ingrédients*	Portions 6
1,4 kg	Navet en dés	750 mL
250 g	Beurre	60 mL
	Sel (au goût)	
45 mL	Sucre	10 mL
350 mL	Bouillon de poulet	85 mL

Méthode
1 Déposer tous les ingrédients dans une marmite.
2 Couvrir et cuire au four à 190°C pendant environ 45 minutes.
3 Servir chaud en accompagnement d'une viande ou d'un poisson.

Salade de gourganes à la vinaigrette

Préparation : 12 heures (trempage) $
Cuisson : environ 2 heures

Portions 24	*Ingrédients*	Portions 6
2 kg	Gourgane	750 mL
	Vinaigrette :	
250 mL	vinaigre	60 mL
10 mL	paprika	3 mL
10 mL	poivre	3 mL
20 mL	sel	5 mL
1 L	huile	250 mL
80 mL	sauce Worcestershire	20 mL
24	Feuille de laitue	6

Méthode
1 Mettre de l'eau à égalité des gourganes et les faire tremper pendant au moins 12 heures.
2 Faire cuire les gourganes dans l'eau.
3 Enlever la peau et les laisser refroidir complètement.
4 Préparer la vinaigrette en mélangeant tous les ingrédients dans un bocal.
5 Secouer vigoureusement.
6 Verser sur les gourganes refroidies.
7 Servir sur des feuilles de laitue.

Tarte à la farlouche

Préparation : 15 minutes $$
Cuisson : 30 à 35 minutes

Portions 4 tartes	*Ingrédients*	Portion 1 tarte
2 kg	Pâte brisée *(voir recettes complémentaires)*	500 g
1 L	Sirop d'érable	250 mL
500 mL	Eau	125 mL
100 g	Fécule de maïs	50 mL
775 g	Raisin Sultana	250 mL
3	Oeuf battu	1
20 mL	Eau	5 mL

Méthode
1 *Foncer* une assiette à tarte de 20 cm d'une *abaisse* de pâte brisée.
2 Bien mélanger ensemble tous les ingrédients et amener au point d'ébullition, tout en remuant, jusqu'à consistance épaisse.
3 Laisser refroidir complètement.
4 Verser cette préparation dans l'abaisse et recouvrir d'une autre abaisse.
5 Badigeonner de dorure et bien sceller la pâte.
6 Cuire au four à 200°C pendant 30 à 35 minutes.

Pouding aux raisins à la vapeur, sauce à la vanille

Ce pouding aux raisins à la vapeur n'a aucune prétention, sinon celle d'utiliser des raisins secs, un peu de farine et des oeufs qui sont d'ailleurs les ingrédients de base du fameux « plum-pudding » anglais.

Préparation : 15 minutes $$
Cuisson : 2 heures

Portions 24	*Ingrédients*	Portions 6
750 g	Beurre	175 mL
100 g	Sucre	30 mL
8	Oeuf	2
1,3 kg	Farine	500 mL
4 mL	Sel	1 mL
60 mL	Poudre à pâte	15 mL
1 L	Lait	250 mL
775 g	Raisin Sultana	250 mL
2 L	Sauce à la vanille *(voir recettes complémentaires)*	500 mL

Méthode
1 Ramollir le beurre.
2 Y ajouter d'abord le sucre, puis les oeufs.
3 Tamiser ensemble les ingrédients secs.
4 Ajouter les ingrédients secs en alternant avec le lait.
5 Cuire les raisins dans de l'eau pendant 10 minutes; les égoutter.
6 Ajouter les raisins au mélange.
7 Déposer dans un moule beurré de 2 litres et recouvrir de papier d'aluminium.

8 *Cuire* au four au *bain-marie* à 180°C pendant 2 heures.
9 Servir avec une sauce à la vanille.

Tire au sirop de blé d'Inde

Préparation : 5 minutes $$
Cuisson : jusqu'à 127°C

Portion 4 kilogrammes	*Ingrédients*	Portion 1 kilogramme
2 L	**Sirop de blé d'Inde (sirop de maïs) ou miel (même proportion)**	**500 mL**
1,85 kg	**Sucre blanc**	**500 mL**
2 kg	**Cassonade**	**500 mL**
20 mL	**Essence de vanille**	**5 mL**

Méthode
1 Mélanger tous les ingrédients dans une casserole, sauf la vanille.
2 Amener à ébullition et chauffer jusqu'à 127°C, au thermomètre à bonbon.
3 Verser alors dans un moule beurré.
4 Aromatiser avec la vanille.
5 Refroidir sans laisser durcir.
6 Étirer dès que possible, puis couper en portions individuelles.
7 Les envelopper séparément.

Musée régional Laure Conan, C.R.D.C.C., collection d'après les originaux de madame Eudore Boutet *(La cuisson du pain dans le four à pain)*. Objets d'artisanat : Esther Legault, Port-au-Persil *(bol)*; Françoise Morency, Montréal *(chemin de table)*.

Compote de rhubarbe et de raisins secs

Centre des ressources didactiques / Institut de tourisme et d'hôtellerie du Québec

Renversé aux framboises

Le Canadien *assurait, en 1876, qu'un arpent de terre suffisait à produire, sans qu'on se donne trop de peine, entre 100 et 200 minots de framboises.*

Préparation : 20 minutes $$$
Cuisson : 30 minutes

Portion 4 gâteaux	*Ingrédients*	Portion 1 gâteau
8	**Jaune d'oeuf**	**3**
600 g	**Sucre**	**175 mL**
5 mL	**Sel**	**1 mL**
500 mL	**Beurre fondu**	**125 mL**
750 mL	**Lait**	**175 mL**
60 mL	**Jus de citron**	**15 mL**
1,1 kg	**Farine**	**425 mL**
50 mL	**Poudre à pâte**	**12 mL**
8	**Blanc d'oeuf**	**2**
1,5 kg	**Framboise congelée**	**500 mL**
850 g	**Sucre**	**250 mL**

Méthode
1 Battre les jaunes d'oeufs et ajouter d'abord le sucre et le sel, puis le beurre fondu.
2 Ajouter ensuite le lait et le jus de citron en alternant avec les ingrédients secs préalablement tamisés ensemble.
3 Battre les blancs d'oeufs en neige et les incorporer délicatement au mélange.
4 Déposer les framboises dans un moule de 25 x 15 x 5 cm et les poudrer de sucre.
5 Étendre la pâte sur le dessus.
6 Cuire au four à 220°C pendant 30 minutes.
7 Refroidir.
8 Renverser dans un plat de service.

Note : On peut remplacer les framboises par des bleuets.

Compote de rhubarbe et raisins secs

Préparation : 15 à 20 minutes $$
Cuisson : 45 minutes

Portions 24	*Ingrédients*	Portions 6
1 kg	**Rhubarbe**	**500 mL**
1,2 kg	**Cassonade**	**300 mL**
100 mL	**Jus d'orange (frais)**	**25 mL**
2	**Pelure d'orange râpée**	**½**
400 g	**Raisin sec**	**125 mL**
4 mL	**Bicarbonate de soude**	**1 mL**

Méthode
1 Couper les tiges de rhubarbe en morceaux de 1,5 cm sans les peler.
2 Mettre dans une casserole avec les autres ingrédients.
3 Laisser reposer pendant au moins 12 heures.
4 Cuire pendant 45 minutes sans trop défaire la rhubarbe en la brassant.
5 Refroidir.
6 Servir.

Carrés de rêve

Ces petits carrés de rêve sont tout désignés pour les moments d'exaltation au cours desquels nous bâtissons les mille et une chimères qui deviendraient réalités avec l'aide de quelques centaines de milliers de dollars... Léonce Boivin, dans un livre intitulé **Dans nos montagnes,** *raconte qu'un habitant de Charlevoix, le père Valérie Simard, besognait sagement sur sa terre au temps des labours, lorsque sa charrue buta contre une chaudière rempli d'or ! Il ne souffla mot à personne de sa découverte et cacha ce trésor. Il s'agissait, croît-on, de la fortune d'un Français qui l'avait ensevelie à cet endroit à l'époque de la Conquête, avant de s'embarquer pour la France.*

Préparation : 25 minutes $$
Cuisson : 30 minutes

Portions 24	*Ingrédients*	Portions 6
500 g	Beurre	125 mL
500 g	Cassonade	125 mL
8 mL	Vanille	2 mL
650 g	Farine tout-usage	250 mL
8	Oeuf	2
1 kg	Cassonade	250 mL
60 mL	Farine tout-usage	15 mL
8 mL	Poudre à pâte	2 mL
5 mL	Sel	1 mL
550 g	Noix hachée	250 mL
400 g	Cerise confite coupée en quatre	125 mL
150 g	Noix de coco râpée	125 mL

Méthode
1 Ramollir le beurre; y ajouter la cassonade, la vanille et la farine préalablement tamisée.
2 Presser ce mélange dans un moule carré de 20 cm.
3 Cuire au four à 180°C pendant 10 minutes.
4 Fouetter les oeufs; incorporer la cassonade et le reste des ingrédients en battant bien.
5 Étendre cette préparation sur la première et continuer la cuisson au four pendant 20 minutes.
6 Refroidir et couper en carrés.

Gâteau aux épices, sauce au caramel

Préparation : 20 minutes $$
Cuisson : 1 heure

Portion 4 gâteaux	*Ingrédients*	Portion 1 gâteau
1 kg	Beurre	250 mL
1,85 kg	Sucre	500 mL
16	Oeuf	4
1,9 kg	Farine	750 mL
60 mL	Poudre à pâte	15 mL
2 mL	Cannelle	1 pincée
2 mL	Clou de girofle	1 pincée
2 mL	Muscade	1 pincée
500 mL	Mélasse	125 mL
500 mL	Lait	125 mL
24 por.	Sauce au caramel tiède *(voir recettes complémentaires)*	6 por.
	Facultatif :	
12	pêche pochée au sirop	3
700 mL	crème fouettée	175 mL
12	cerise confite	3

Méthode
1 Ramollir le beurre.
2 Ajouter le sucre et les oeufs et battre jusqu'à ce que le mélange devienne mousseux.
3 Tamiser ensemble la farine, la poudre à pâte et les épices.
4 Mélanger la mélasse et le lait.
5 Ajouter au premier mélange le liquide en alternant avec les ingrédients secs; bien mélanger.
6 Verser dans un moule carré de 23 cm.
7 Cuire au four à 190°C pendant environ 1 heure.
8 Glacer avec la sauce au caramel.
9 Si désiré, décorer chaque portion de gâteau avec une demi-pêche au sirop, de la crème fouettée et une demi-cerise.

Punch au thé

Préparation : 15 minutes $$

Portion 6 litres	*Ingrédients*	Portion 1,5 litre
450 g	Sucre	125 mL
500 mL	Thé chaud infusé	125 mL
1,5 L	Jus d'orange	375 mL
500 mL	Jus de citron	125 mL
1,2 L	Eau gazéifiée	300 mL
1,2 L	Soda au gingembre (Ginger ale)	300 mL
24	Tranche d'orange	6

Méthode
1 Dissoudre le sucre dans le thé chaud infusé.
2 Ajouter les autres liquides.
3 Garnir de tranches d'orange.
4 Refroidir.
5 Servir.

Galettes au gruau et aux noix

Une recette de galettes au gruau apparaissait dans les vieux cahiers des Ursulines de Québec. De tout temps, les religieuses ont fait de la pâtisserie, de la boulangerie et de la confiserie. Le XVIIe siècle les a vues, tirant leur subsistance de la vente d'oeufs, farines, biscuits, sucreries, gâteaux, confitures et hosties.

Préparation : 40 minutes $
Cuisson : 10 à 12 minutes

Portion 8 douzaines	*Ingrédients*	Portion 2 douzaines
350 g	Beurre	85 mL
650 g	Cassonade	165 mL
60 mL	Lait	15 mL
15 mL	Vanille	5 mL
350 g	Farine d'avoine (gruau)	250 mL
2 mL	Sel	1 pincée
8 mL	Poudre à pâte	2 mL
325 g	Noix de Grenoble concassée	125 mL
	Beurre (q.s.)*	

Méthode
1 Ramollir le beurre avec la cassonade.
2 Incorporer le lait et la vanille.
3 Ajouter les ingrédients secs et les noix.
4 Déposer par portion de 15 mL sur une plaque à biscuits beurrée.
5 Bien distancer les portions car la pâte s'étend en cuisant.
6 Cuire au four à 200°C pendant 10 à 12 minutes ou jusqu'à ce que les galettes soient dorées.
* quantité suffisante

Pain à la farine de sarrasin

Le croiriez-vous ? On fabriquait déjà en 1869 du « pain chimique », comme le désigne le journal **Le Pays.** *Suivant l'exemple des cuisiniers employés à bord des vaisseaux anglais et américains, on élabora un procédé de fabrication du pain éliminant l'étape coûteuse de la fermentation. Ce n'était pas très difficile : il s'agissait de remplacer le levain par des agents produisant suffisamment de gaz carbonique pour faire lever la pâte en très peu de temps.*

Préparation : 3 heures 10 $
Cuisson : 30 minutes

Portion 4 pains	*Ingrédients*	Portion 1 pain
40 mL	Sucre	10 mL
1 L	Eau tiède	250 mL
8 unités	Levure sèche en sachet	2 unités
100 g	Beurre	25 mL
175 g	Sucre	45 mL
20 mL	Sel	5 mL
600 g	Farine de sarrasin	200 mL
125 g	Farine tout-usage	50 mL
900 g	Farine tout-usage	350 mL

Méthode
1 Dissoudre le sucre dans l'eau tiède, ajouter la levure et laisser gonfler pendant 10 minutes et bien brasser.
2 Faire fondre le beurre avec le sucre et le sel; laisser tiédir.
3 Ajouter au premier mélange.
4 Incorporer au mélange la farine de sarrasin et la farine tout-usage.
5 Laisser reposer cette pâte dans un endroit chaud pendant 3 heures.
6 Incorporer ensuite la farine, bien mélanger et pétrir pendant 8 minutes.
7 Façonner en forme de pain.
8 Déposer dans un moule à pain légèrement graissé; couvrir d'un linge et laisser lever pendant 1 heure.
9 Cuire au four à 200°C pendant 30 minutes.

Pays de l'Érable

Une diversité de paysages et de mentalités regroupés sur un même territoire, dans un décor dont l'érable fait la renommée : voilà ce que l'on appelle le Pays de l'Érable. La cuisine de cette région, de caractère rural, est intimement liée, suivant les saisons, à la production agricole locale. Ainsi, il y a le temps du « veau des bois », le temps du lard, le temps du boeuf, le temps des fruitages et le temps des sucres !

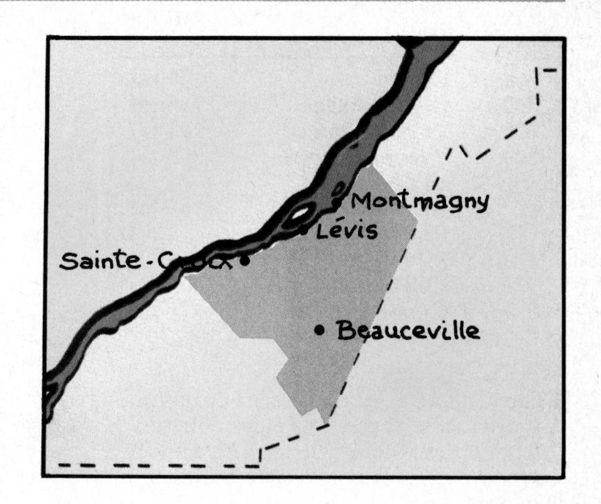

Le Pays de l'Érable présente l'une des plus fortes concentrations d'érables à sucre de tout le continent et fournit environ la moitié de la production québécoise de sirop et de sucre d'érable. La cuisine régionale ne peut manquer d'être marquée par cette production saisonnière, que l'on a vite appris à entreposer pour pouvoir en consommer en tout temps de l'année. Au printemps, au temps de Pâques, les parties de sucre se succèdent sans interruption. On se régale de tire, d'eau d'érable, de sucre chaud, de trempettes et l'on accompagne le tout d'un bon petit « réduit ». Les oeufs dans le sirop, suprême délice, couronnent les repas du midi de la fête pascale.

Jadis, à l'automne, chaque famille avait en abondance sur sa table du « veau des bois », euphémisme inventé par nos braconniers pour désigner le cerf de Virginie. On abattait alors non pas un chevreuil (cerf de Virginie) par famille, mais plutôt deux ou trois. On passait alors au rituel de l'échange des pièces de viande, que l'on accordait aux parents et aux amis que l'on estimait le plus.

Au printemps, lors de la remontée du doré, du brochet et de l'éperlan, nos gens tendaient, en catimini, dans les petits ruisseaux, des « verveux », sorte de filets qui leur permettaient de recueillir le poisson en grande quantité.

À l'été, toute la famille s'adonnait à la cueillette des fraises et, parfois, des framboises, fruits qui accompagnaient les pâtisseries et garnissaient les tartes du temps des Fêtes.

Cretons

Préparation : 20 minutes $
Cuisson : 1 heure

Portions 6 kilogrammes	*Ingrédients*	Portion 1,5 kilogramme
2,2 kg	**Porc haché gras**	**550 g**
175 g	**Céleri haché**	**90 mL**
725 g	**Oignon haché**	**300 mL**
2,2 kg	**Boeuf haché**	**550 g**
1,4 L	**Eau**	**350 mL**
20 mL	**Sel d'ail**	**5 mL**
	Sel (au goût)	
	Poivre (au goût)	
55 g	**Gélatine neutre**	**20 mL**
600 mL	**Eau froide**	**150 mL**
25 g	**Persil haché**	**20 mL**

Méthode

1 Faire fondre le porc haché gras dans un chaudron.
2 *Faire suer* le céleri et les oignons hachés.
3 Ajouter le boeuf haché et cuire un peu.
4 *Mouiller* avec l'eau.
5 Assaisonner.
6 Faire mijoter pendant 1 heure.
7 Délayer la gélatine dans l'eau froide.
8 Ajouter la gélatine dans le chaudron et bien la faire dissoudre.
9 Persiller.
10 Verser dans un moule de 1 litre.
11 Laisser prendre au réfrigérateur.

Langue de boeuf

Préparation : 10 minutes $
Cuisson : 5 heures

Portions 48	*Ingrédients*	Portions 12
4	**Langue de boeuf salée (1,8 kg)**	**1**
475 g	**Oignon haché**	**200 mL**
50 g	**Gélatine neutre**	**18 mL**

Méthode

1 Couvrir la langue de boeuf d'eau.
2 Ajouter les oignons.
3 Cuire environ 5 heures. La langue est cuite lorsque, en la piquant avec la pointe d'un couteau, celui-ci en sortant n'adhère plus à la viande.
4 Rajouter de l'eau au besoin et bien *écumer* au cours de la cuisson.
5 Après la cuisson, *passer* le bouillon *au tamis*.
6 Garder 250 mL du bouillon, en retirer une petite quantité, la faire refroidir et y faire gonfler la gélatine. Remuer et laisser reposer pendant 5 minutes.
7 Remettre le bouillon sur le feu, y ajouter la gélatine gonflée; cuire pendant 5 minutes.
8 Couper la langue en cubes après l'avoir nettoyée.
9 Disposer dans un moule de 25 x 15 x 5 cm. Y verser le bouillon et *mettre sous presse*.
10 Réfrigérer pendant 24 heures avant de servir.

Omelette beauceronne

Préparation : 10 minutes $
Cuisson : 15 minutes

Portions 4	*Ingrédients*	Portion 1
100 g	**Pomme de terre cuite en petit dés**	**45 mL**
60 g	**Beurre**	**25 mL**
8	**Oeuf**	**2**
100 mL	**Lait**	**25 mL**
	Sel (au goût)	
	Poivre (au goût)	
16 ou 225 g	**Tranche de tomate**	**4**
125 g	**Cheddar jaune doux en tranches**	**30 g**

Méthode

1 Faire *sauter* les pommes de terre dans le beurre.
2 Battre les oeufs et incorporer le lait, le sel et le poivre.
3 Verser sur les pommes de terre et faire une omelette.
4 Plier l'omelette en trois.
5 Déposer les tranches de tomate sur l'omelette.
6 Couvrir les tomates de fromage.
7 Griller au four.

Crème de navets

Préparation : 20 minutes $
Cuisson : 45 minutes

Portions 6 litres	*Ingrédients*	Portion 1,5 litre
200 g	**Beurre**	**50 mL**
300 g	**Oignon haché**	**125 mL**
200 g	**Poireau émincé**	**125 mL**
800 g	**Pomme de terre en dés**	**375 mL**
1,4 kg	**Navet en dés**	**750 mL**
6 L	**Bouillon de volaille**	**1,5 L**
	Sel (au goût)	
	Poivre (au goût)	
500 mL	**Crème à 15 %**	**125 mL**

Méthode
1 Faire fondre le beurre dans un chaudron.
2 Y *faire suer* les oignons et les poireaux.
3 Ajouter les pommes de terre et le navet.
4 *Mouiller* avec le bouillon de volaille.
5 Assaisonner.
6 Faire mijoter pendant 45 minutes.
7 *Passer* à la *moulinette.* Chauffer.
8 Crémer.
9 Servir chaud.

Soupe aux pois

La récolte des pois était harassante, car il fallait sans cesse se pencher jusqu'au sol; les habitants ne tardèrent pas à se confectionner un outil en forme de crochet aiguisé à l'intérieur et muni d'un manche assez long pour permettre à l'agriculteur de couper la plante sans se courber. Ils le baptisèrent : « crocheton ».

Préparation : 20 minutes $
Cuisson : 2 heures 30 à 3 heures

Portions 6 litres	*Ingrédients*	Portion 1,5 litre
900 g	**Pois secs**	**275 mL**
12 L	**Eau froide**	**3 L**
500 g	**Lard salé**	**125 g**
250 g	**Céleri en cubes**	**125 mL**
600 g	**Oignon haché**	**250 mL**
30 g	**Persil haché**	**30 mL**
600 g	**Carotte hachée**	**250 mL**
250 g	**Navet haché**	**125 mL**
90 g	**Herbes salées** ***(voir recettes complémentaires)***	**30 mL**

Méthode
1 Laver les pois et les faire tremper dans l'eau froide pendant 12 heures.
2 Ajouter tous les autres ingrédients et faire mijoter pendant 2 heures 30 à 3 heures.

Boeuf jardinière

Préparation : 30 minutes $
Cuisson : 1 heure 30

Portions 24	*Ingrédients*	Portions 6
3,6 kg	**Boeuf en cubes**	**900 g**
200 mL	**Huile**	**50 mL**
1,3 kg	**Oignon émincé**	**500 mL**
125 g	**Farine**	**50 mL**
1 L	**Tomate pelée (en conserve)**	**250 mL**
500 g	**Carotte en rondelles**	**250 mL**
500 g	**Céleri émincé**	**250 mL**
2 L	**Fond brun** ***(voir recettes complémentaires)***	**500 mL**
	Eau	
	Sel (au goût)	
	Poivre (au goût)	
2	**Feuille de laurier**	**½**
8 mL	**Thym**	**2 mL**
1 kg	**Pomme de terre en cubes**	**500 mL**
60 mL	**Persil haché**	**15 mL**

Méthode
1 *Faire colorer* les cubes de boeuf à l'huile.
2 Ajouter les oignons et bien *faire colorer*
3 Ajouter la farine, bien mélanger, puis ajouter les tomates.
4 Ajouter les carottes et le céleri.
5 *Mouiller* avec le fond brun et bien mélanger. Ajouter une quantité d'eau suffisante pour couvrir.
6 Assaisonner.
7 Amener à ébullition, couvrir et cuire au four à 180°C pendant 1 heure.
8 Ajouter les pommes de terre et continuer la cuisson pendant 30 minutes encore.
9 Persiller et servir.

Centre des ressources didactiques / Institut de tourisme et d'hôtellerie du Québec

Crème de navet

Archives nationales du Québec, collection du ministère des Communications *(On cuit les crêpes à la cabane à sucre de M. Barthélemy Cloutier, Sainte-Perpétue, Comté de l'Islet).* Objet d'artisanat : Jocelyne Lefebvre, Beauce-Sud *(bol à soupe).*

Pain de jambon

Préparation : 20 minutes $$
Cuisson : 1 heure 30

Portions 24	Ingrédients	Portions 6
1,2 kg	**Jambon haché**	300 g
1,2 kg	**Porc haché**	300 g
4	**Oeuf**	1
300 g	**Chapelure**	150 mL
600 mL	**Lait**	150 mL
	Sel (au goût)	
	Poivre (au goût)	
350 g	**Pomme en cubes**	150 mL
12	**Cerise (demies)**	3
500 mL	**Sirop d'érable**	125 mL
20 mL	**Moutarde**	5 mL
125 mL	**Vinaigre**	30 mL

Méthode

1 Bien mélanger le jambon, le porc, les oeufs, la chapelure et le lait.
2 Assaisonner et bien mélanger.
3 Disposer les pommes et les cerises au fond d'un moule de deux litres.
4 Déposer le mélange de viande sur cette garniture.
5 Mélanger le sirop d'érable, la moutarde et le vinaigre.
6 Étendre la sauce sur le pain de viande.
7 Cuire au four à 180°C pendant 1 heure 30.
8 Démouler.
9 Servir chaud ou froid.

Truite farcie

Préparation : 20 minutes $$
Cuisson : 15 minutes

Portions 24	Ingrédients	Portions 6
24	**Truite arc-en-ciel de 250 g**	6
700 g	**Pomme de terre en cubes**	350 mL
300 g	**Oignon haché très fin**	125 mL
40 mL	**Beurre**	10 mL
600 g	**Crevette cuite hachée**	250 mL
	Sel (au goût)	
	Poivre (au goût)	
20 mL	**Paprika**	5 mL
	Beurre à la meunière :	
400 g	**beurre**	100 mL
200 mL	**jus de citron**	50 mL
40 mL	**persil haché**	10 mL

Méthode

1 Ouvrir les truites sur le ventre et enlever les arêtes (ne pas enlever la tête ni la queue).
2 Faire cuire les pommes de terre à l'eau salée.
3 Réduire les pommes de terre en purée et y ajouter les oignons préalablement sués au beurre et les crevettes.
4 Assaisonner et bien mélanger.
5 Farcir chaque truite avec 75 mL de farce.
6 Déposer sur une plaque beurrée.
7 Beurrer légèrement la surface des truites et saupoudrer de paprika.
8 Faire cuire au four à 200°C pendant 15 minutes.
9 Préparer un *beurre à la meunière* en faisant brunir le beurre dans une casserole, puis en y ajoutant le jus de citron et le persil.
10 *Napper* les truites de beurre à la meunière.
N.B. : On peut remplacer les crevettes par un autre fruit de mer.

Ragoût de pattes

Le ragoût de pattes de porc se révèle l'un des fleurons de la cuisine traditionnelle québécoise. On reconnaît approximativement l'époque de sa création par l'usage conjugué de la cannelle et du clou de girofle, deux condiments que le XXe siècle répugne à réunir. Autrefois pourtant, on avait la main leste au chapitre des épices et condiments exotiques, si leste en effet que plusieurs gastronomes en ont dénoncé l'usage dont la conséquence première était de « tuer » le goût des viandes ou légumes.

Préparation : 10 minutes $
Cuisson : 3 heures 30

Portions 24	Ingrédients	Portions 6
12 kg	**Patte de porc**	3 kg
16 L	**Eau**	4 L
500 g	**Oignon en cubes**	250 mL
4 mL	**Clou de girofle**	1 mL
4 mL	**Cannelle**	1 mL
	Sel (au goût)	
	Poivre (au goût)	
2 kg	**Pomme de terre en cubes**	750 mL
150 g	**Farine grillée**	60 mL

Méthode

1 Tronçonner les pattes de porc et les faire *blanchir.*
2 Égoutter.
3 Les déposer dans un chaudron avec l'eau, les oignons et les assaisonnements.
4 Faire cuire pendant 3 heures.
5 Vingt minutes avant la fin de la cuisson, ajouter les pommes de terre.
6 Retirer les pommes de terre et les pattes de porc du chaudron.
7 *Passer* le bouillon.
8 Défaire la viande et la mettre de côté avec les pommes de terre.
9 Ajouter, au bouillon, la farine délayée dans un peu d'eau froide.
10 Cuire pendant 30 minutes.
11 Ajouter la viande et les pommes de terre à la sauce.
12 Donner un bouillon.
13 Servir chaud.

Veau à la crème sure

Préparation : 20 minutes $$
Cuisson : 1 heure 30

Portions 24	Ingrédients	Portions 6
200 g	**Farine**	75 mL
	Sel (au goût)	
	Poivre (au goût)	
10 mL	**Paprika**	2,5 mL
2,4 kg	**Veau en cubes de 2 cm**	600 g
8	**Oeuf battu légèrement**	2
125 mL	**Huile**	30 mL
125 g	**Beurre**	30 mL
1 kg	**Champignon frais émincé**	750 mL
1,8 L	**Fond brun** ***(voir recettes complémentaires)***	450 mL
600 mL	**Crème sure commerciale**	150 mL

Méthode

1 Mélanger la farine, le sel, le poivre et le paprika.
2 Enfariner les cubes de veau avec ce mélange.
3 Passer les cubes de veau dans les oeufs battus.
4 Chauffer l'huile et le beurre et y faire colorer les cubes de veau.
5 Ajouter les champignons.
6 *Mouiller* avec le fond brun.
7 Cuire à couvert, au four, à 180°C pendant 1 heure 30.
8 Ajouter la crème sure.
9 Donner un bouillon et servir.

Poulet beauceron

Préparation : 15 à 20 minutes $$
Cuisson : 40 à 45 minutes

Portions 24	Ingrédients	Portions 6
6 kg	**Poulet en morceaux**	1,5 kg
250 mL	**Beurre fondu**	60 mL
60 mL	**Moutarde sèche**	15 mL
4	**Oignon en tranches**	1
500 g	**Bacon tranché**	125 g
1 L	**Sirop d'érable**	250 mL
	Sauce :	
2 L	**eau bouillante**	500 mL
1 L	**ketchup**	250 mL
175 mL	**vinaigre**	45 mL
8	**clou de girofle**	3
3	**feuille de laurier**	1
2 mL	**thym**	1 pincée

Méthode

1 Déposer les morceaux de poulet sur une plaque légèrement huilée.
2 Mélanger le beurre fondu et la moutarde.
3 *Badigeonner* les morceaux de poulet de ce mélange.
4 Déposer une tranche d'oignon sur les morceaux de poulet.
5 Mettre une demi-tranche de bacon sur la rondelle d'oignon.
6 Arroser de sirop d'érable.
7 Couvrir et cuire au four à 160°C de 40 à 45 minutes.
8 Mettre les morceaux de poulet dans un plat de service et les garder au chaud.
9 *Faire pincer* la plaque de cuisson.
10 *Dégraisser* le fond de la plaque.
11 Ajouter les éléments de la sauce dans la plaque et faire mijoter 4 à 5 minutes. Vérifier l'assaisonnement. Servir chaud.
12 *Passer* la sauce *au tamis* et la verser sur les morceaux de poulet.

Pâté de canard

Préparation : 2 heures 30 $$
Cuisson : 45 minutes

Portions 24	*Ingrédients*	Portions 6
4	**Canard**	**1**
1 L	**Cidre**	**250 mL**
	Fond de canard :	
275 g	**carotte en dés**	**125 mL**
325 g	**oignon coupé grossièrement**	**125 mL**
250 g	**céleri en dés**	**125 mL**
1 gros	**oignon piqué**	**1 petit**
2 mL	**thym**	**0,5 mL**
2	**feuille de laurier**	**1**
6 L	**eau**	**1,5 L**
2 kg	**Pâte brisée *(voir recettes complémentaires)***	**500 g**
375 g	**Lardons**	**125 mL**
2 L	**Eau**	**500 mL**
250 g	**Beurre**	**60 mL**
125 mL	**Huile**	**30 mL**
325 g	**Oignon émincé**	**125 mL**
200 g	**Farine grillée**	**90 mL**
500 mL	**Fond de canard refroidi**	**125 mL**
8 mL	**Sariette**	**2 mL**
4 mL	**Clou de girofle**	**1 mL**
4 mL	**Cannelle**	**1 mL**
4 mL	**Muscade**	**1 mL**
	Sel (au goût)	
	Poivre (au goût)	
4	**Oeuf battu**	**1**

Méthode
1 Dépouiller, désosser et couper la chair de canard en tronçons de 1,5 cm.
2 Faire mariner la chair de canard dans le cidre pendant 3 heures; les retirer.
3 Ajouter les légumes, les épices et l'eau aux parures de canard.
4 Faire mijoter pendant 1 h 45.
5 *Passer* au chinois fin.
6 Remettre sur le feu et laisser *réduire* jusqu'à ce qu'il reste 500 mL de liquide.
7 Mettre de côté le fond de canard ainsi obtenu.
8 Diviser la pâte en deux parties.
9 *Abaisser* les deux parties.
10 *Foncer* un moule à tarte de 23 cm de diamètre.
11 Garder la deuxième partie pour le couvercle. Mettre de côté.
12 Faire *blanchir* les lardons dans l'eau pendant 5 minutes.
13 Égoutter.
14 Faire *sauter* les lardons dans le beurre et l'huile.
15 Égoutter et mettre de côté.
16 Égoutter la chair de canard.
17 Réserver la marinade.
18 Faire *sauter* le canard dans l'huile et le beurre.
19 Égoutter et mettre de côté avec les lardons.
20 Faire *sauter* les oignons.
21 Égoutter. Mettre de côté avec les lardons et la chair de canard.
22 *Dégraisser* et *déglacer* la sauteuse avec la marinade.
23 *Mouiller* avec 375 mL de fond de canard (1,5 L pour 24 portions).
24 Laisser mijoter de 2 à 3 minutes.
25 Épaissir avec la farine grillée diluée dans le fond de canard.
26 Assaisonner la sauce.
27 Faire mijoter un peu et *passer* au chinois fin.
28 Ajouter les lardons, les oignons et la chair de canard à la sauce.
29 Faire *braiser* jusqu'à ce que les morceaux de canard soient tendres.
30 Laisser tiédir.
31 Verser l'*appareil* dans le moule *foncé* de pâte brisée.
32 Coller le bord du pâté avec l'oeuf battu.
33 Couvrir avec l'autre *abaisse.*
34 Faire une incision au centre de l'*abaisse* pour laisser la vapeur s'échapper.
35 *Badigeonner* le dessus du pâté avec l'oeuf battu.
36 Cuire au four à 220°C pendant 45 minutes.

Pommes de terre farcies aux épinards

On peut préparer de nombreux plats délicieux avec des pommes de terre et madame Viateur Dulac, de Sainte-Marie-de-Beauce, nous a appris qu'une poche de patates peut nous mener très loin... Ayant eu la douleur de perdre son époux, madame Dulac se vit brusquement dans l'obligation de nourrir et soutenir toute sa famille qui comptait quatre jeunes enfants. Elle n'était pas femme à se laisser abattre. Énergique et très douée, elle se lança dans la fabrication de pommes de terre « chips », alors très populaires aux États-Unis, et fonda en 1948 sa propre compagnie, la « Dulac Potato Chips ». Bien qu'elle ne produisait que dix poches de patates « chips » par jour à ses débuts, cette petite entreprise connut bientôt une formidable expansion. Le petit établissement de la dame fut détruit par le feu en 1951. Loin de se décourager, notre infatigable entrepreneuse fit construire une nouvelle usine dotée d'un équipement moderne qui permit une production accélérée pour répondre aux demandes croissantes d'une vaste clientèle.

Préparation : 20 minutes $$
Cuisson : 1 heure 15

Portions 24	*Ingrédients*	Portions 6
24	**Pomme de terre**	**6**
1,1 kg	**Épinard**	**275 g**
	Sel (au goût)	
	Poivre (au goût)	
60 mL	**Beurre**	**15 mL**
50 g	**Cheddar de Beauce fort râpé**	**30 mL**

Méthode
1 Cuire les pommes de terre au four (environ 1 heure).
2 D'autre part, faire cuire les épinards à l'eau bouillante salée.
3 Les égoutter et les hacher.
4 Évider les pommes de terre cuites.
5 Ajouter le sel, le poivre, le beurre et les épinards à la farce de pommes de terre.
6 Farcir les coquilles des pommes de terre avec cet *appareil.*
7 Saupoudrer de fromage râpé.
8 Griller au four.
9 Servir.

Salade Dorchester

Préparation : 5 minutes $

Portions 24	*Ingrédients*	Portions 6
1,15 kg	**Épinard frais**	**285 g**
500 g	**Cheddar fort en cubes**	**175 mL**
8	**Oeuf cuit dur en tranches**	**2**
250 mL	**Vinaigrette**	**60 mL**

Méthode
1 Mélanger tous les ingrédients.
2 Arroser de vinaigrette.
3 Servir comme une salade.

Carottes au sirop d'érable

Préparation : 10 minutes $$
Cuisson : 25 minutes

Portions 24	*Ingrédients*	Portions 6
2,4 kg	**Carotte en bâtonnets**	**1,2 L**
	Eau (à égalité)	
	Sel (au goût)	
	Poivre (au goût)	
250 mL	**Sirop d'érable**	**60 mL**
250 g	**Beurre**	**60 mL**
20 mL	**Moutarde en poudre**	**5 mL**

Méthode
1 Cuire les carottes à l'eau avec les autres ingrédients jusqu'à évaporation presque complète du liquide.
2 Environ cinq minutes avant la fin de la cuisson, faire *sauter* les carottes pour qu'elles s'enrobent bien du sirop d'érable qui se trouve au fond.
3 Servir chaud.

Saucisses

Préparation : 30 minutes $
Cuisson : environ 7 minutes

Portions 24	*Ingrédients*	Portions 6
8	**Tranche de pain de mie**	**2**
	Eau (pour couvrir)	
1,8 kg	**Porc haché**	**450 g**
1,8 kg	**Boeuf haché**	**450 g**
850 g	**Oignon haché fin**	**350 mL**
5 mL	**Épices à volaille**	**1 mL**

5 mL	**Clou de girofle**	1 mL
5 mL	**Cannelle**	1 mL
5 mL	**Épices mélangées**	1 mL
	Sel (au goût)	
	Poivre (au goût)	
550 g	**Fécule de maïs**	250 mL
500 g	**Beurre**	125 mL

Méthode
1 Faire tremper les tranches de pain dans l'eau pendant 10 minutes.
2 Égoutter.
3 Essorer afin d'enlever le surplus d'eau.
4 Bien mélanger tous les ingrédients avec le pain.
5 Façonner en boules de 25 mL ou en cylindres de 50 mL (on peut farcir des boyaux; il est alors inutile de les passer dans la fécule).
6 Passer dans la fécule de maïs.
7 Faire cuire dans le beurre chaud.

Chiard de goélette

Préparation : 15 minutes $
Cuisson : 35 à 40 minutes

Portions 24	*Ingrédients*	Portions 6
1,5 kg	**Pomme de terre en cubes**	750 mL
	Eau (à égalité)	
	Sel (au goût)	
125 mL	**Graisse de rôti**	30 mL
200 g	**Échalote hachée**	5 ou 6
	Poivre (au goût)	
60 mL	**Farine**	15 mL
60 mL	**Eau froide**	15 mL

Méthode
1 Cuire les pommes de terre aux trois quarts, à l'eau bouillante salée.
2 Ajouter la graisse de rôti, les échalotes et le poivre aux pommes de terre.
3 *Lier* les pommes de terre avec la farine diluée dans l'eau.
4 Laisser mijoter pour finir la cuisson.
N.B. : Selon la sorte de pommes de terre, vous pouvez ajouter plus ou moins de farine. Ce mets peut être servi avec des grillades.

Collection Normand Poirier *(Vieille dame travaillant à son rouet)*. Objet d'artisanat : Jocelyne Lefebvre, Beauce-Sud *(assiette, sucrier et pichet)*.

Pommes de terre farcies aux épinards

Centre des ressources didactiques / Institut de tourisme et d'hôtellerie du Québec

Vinaigrette à l'érable

On obtenait jadis du vinaigre en laissant fermenter de l'eau d'érable dans des vases pendant les chaleurs de l'été. L'eau, d'elle-même, se convertissait en vinaigre. Au temps des sucres, on réservait à cette fin un peu d'eau d'érable enlevée aux gourmands qui l'auraient bien dégustée en délicieux sirop... Mais la partie de sucre d'autrefois n'était pas qu'une partie de boustifaille. C'était aussi une partie de plein air qui donnait lieu à toutes sortes de jeux; on s'amusait à se barbouiller la figure, on riait tout son saoul en se racontant des histoires piquantes, puis on dansait jusqu'aux petites heures. De temps en temps, il fallait bien se rincer le gosier parce que tout cela donnait soif. Une rasade de caribou de cabane ou de bagosse des sucres et les yeux pétillaient un peu plus, les pommettes rosissaient et les langues se déliaient. Pour préparer le caribou de cabane, explique Jean-Claude Dupont, on ajoutait dix onces de whisky à une pinte de vin et on coupait ce mélange avec de l'eau d'érable tirée de la « bouilleuse ». Quant à la bagosse, on la préparait en distillant dans la cabane un réduit de blé et de raisin fermenté. Lorsqu'il fallait rentrer chez-soi à une heure tardive dans la nuit froide, le p'tit caribou picotait encore délicieusement dans les veines et on avait moins froid.

Préparation : 10 minutes $$

Portion 500 mL	*Ingrédients*	Portion 125 mL
125 mL	**Ketchup aux tomates**	30 mL
125 mL	**Huile**	30 mL
60 mL	**Sirop d'érable**	15 mL
8 mL	**Moutarde préparée**	2 mL
60 mL	**Céleri haché**	15 mL
75 g	**Oignon haché**	30 mL
2	**Gousse d'ail écrasée**	½
8 mL	**Relish**	2 mL
20 mL	**Jus de citron**	5 mL
60 mL	**Persil haché**	15 mL

Méthode
1 Bien mélanger tous les ingrédients.
2 Servir avec la salade de votre choix.

Pouding à la rhubarbe et aux pommes

Pour bien réussir un pouding, il importe de mesurer scrupuleusement les ingrédients qui entrent dans sa composition. Les habitants se servaient autrefois d'instruments de mesure que nous ne connaissons plus. L'unité de mesure était le minot, soit le quart du setier de Paris qui contenait à peu près huit pintes. On mesurait les liquides dans des contenants d'étain, de fer-blanc ou de laiton. Parmi les récipients d'étain, hormis la pinte et la chopine dont les noms nous sont encore familiers, il y avait la roquille, le misérable et le demi-setier.

Préparation : 20 minutes $
Cuisson : 30 minutes

Portions 24	*Ingrédients*	Portions 6
600 g	**Rhubarbe en morceaux**	**300 mL**
1 kg	**Pomme pelée en morceaux**	**500 mL**
450 g	**Sucre**	**125 mL**
	***Appareil* au gruau :**	
175 g	**farine forte**	**75 mL**
175 g	**gruau**	**125 mL**
500 g	**cassonade**	**125 mL**
20 mL	**cannelle**	**5 mL**
400 g	**beurre**	**100 mL**

Méthode
1 Mélanger la rhubarbe, les pommes et le sucre, puis déposer dans un moule beurré de 1 litre.
2 Mélanger la farine, le gruau, la cassonade et la cannelle.
3 Ajouter le beurre et bien mélanger.
4 Déposer ce mélange sur la rhubarbe et les pommes en l'émiettant.
5 Cuire au four à 180°C pendant 30 minutes.

Gâteau beauceron

Il arrivait qu'on manque de farine au moment de la confection du gâteau. On croit que c'est à Marc Lescarbot qu'on doit la construction, en 1606, le premier moulin à farine à Port-Royal en Nouvelle-France. Les moulins se multiplièrent par la suite, mais à un rythme assez lent : en 1685, on dénombre seulement 41 moulins à farine dans tout le Canada, ce qui se révèle insuffisant pour les besoins de la population. Aussi, en 1686, le Conseil souverain força-t-il par décret les seigneurs de la Nouvelle-France à construire des moulins banaux. Si quelque seigneur s'y refusait, tout individu vivant sur son territoire était en droit d'ériger un moulin et de jouir des droits de banalité.

Préparation : 15 minutes $$$
Cuisson : 35 à 40 minutes

Centre des ressources didactiques / Institut de tourisme et d'hôtellerie du Québec

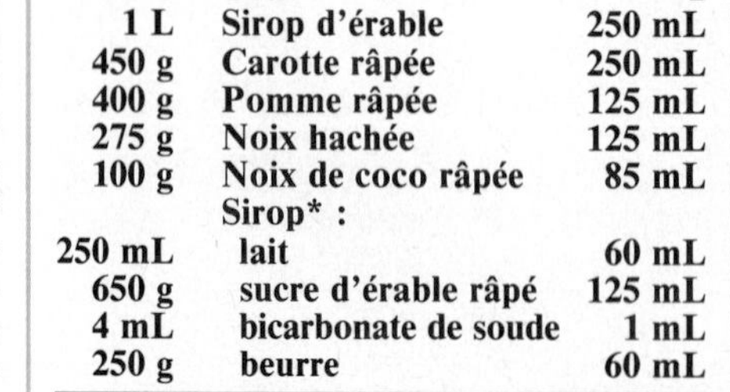

Portions 4 gâteaux	*Ingrédients*	Portion 1 gâteau
525 g	**Farine faible**	**250 mL**
20 mL	**Cannelle**	**5 mL**
20 mL	**Bicarbonate de soude**	**5 mL**
4 mL	**Sel**	**1 mL**
350 mL	**Huile**	**85 mL**
8	**Oeuf**	**2**
1 L	**Sirop d'érable**	**250 mL**
450 g	**Carotte râpée**	**250 mL**
400 g	**Pomme râpée**	**125 mL**
275 g	**Noix hachée**	**125 mL**
100 g	**Noix de coco râpée**	**85 mL**
	Sirop* :	
250 mL	**lait**	**60 mL**
650 g	**sucre d'érable râpé**	**125 mL**
4 mL	**bicarbonate de soude**	**1 mL**
250 g	**beurre**	**60 mL**

Méthode
1 Tamiser les ingrédients secs ensemble.
2 Bien mélanger l'huile, les oeufs, le sirop d'érable, les carottes, les pommes, les noix et la noix de coco.
3 Incorporer petit à petit les ingrédients secs à ce mélange.
4 Verser l'*appareil* dans un moule beurré et fariné, de 23 cm de diamètre.
5 Cuire au four à 180°C pendant 35 à 40 minutes.
6 Démouler le gâteau et le piquer avec une fourchette.
7 Faire mijoter tous les ingrédients du sirop pendant 5 minutes.
8 Verser le sirop chaud sur le gâteau.
9 Servir chaud ou froid.

Gâteau beauceron : avec, bien sûr, du sirop d'érable !

Archives nationales du Québec, collection du ministère des Communications *(Ancienne manière de faire les sucres dans une érablière de Lotbinière)*. Objet d'artisanat : Jocelyne Lefebvre, Beauce-Sud *(vaisselle)*.

Hermites au miel

Préparation : 20 minutes $$
Cuisson : 15 minutes

Portion 8 douzaines	Ingrédients	Portion 2 douzaines
250 g	**Beurre**	**65 mL**
350 mL	**Miel**	**90 mL**
4	**Oeuf**	**1**
40 mL	**Lait**	**10 mL**
8 mL	**Cannelle**	**2 mL**
600 g	**Farine**	**225 mL**
8 mL	**Poudre à pâte**	**2 mL**
4 mL	**Sel**	**1 mL**
4 mL	**Bicarbonate de soude**	**1 mL**
250 g	**Avoine roulée**	**175 mL**
100 g	**Noix hachée**	**45 mL**

Méthode
1 Crémer le beurre avec le miel.
2 Ajouter l'oeuf.
3 Ajouter le lait et incorporer les ingrédients secs préalablement tamisés.
4 Ajouter l'avoine roulée et les noix.
5 Déposer sur une plaque graissée par cuillerées de 15 mL.
6 Cuire au four à 180°C pendant 15 minutes.

Biscuits à la citrouille

La citrouille figure parmi les nombreuses bonnes choses que les Amérindiens surent faire apprécier aux Français. Le père François-Xavier de Charlevoix nota, en 1721, que les citrouilles de Nouvelle-France étaient plus petites et plus sucrées que celles de France : « Ils ont une espèce de citrouilles plus petites que les nôtres, et qui ont un goût sucré. On les fait cuire tout entières dans l'eau, ou sous la cendre, et on les mange ainsi, sans y rien ajouter. »

Préparation : 20 minutes $
Cuisson : 10 à 15 minutes

Portions 8 douzaines	Ingrédients	Portions 2 douzaines
150 g	**Beurre ramolli**	**40 mL**
400 g	**Cassonade**	**100 mL**
4	**Oeuf**	**1**
500 mL	**Purée de citrouille**	**125 mL**
4 mL	**Vanille**	**1 mL**
925 g	**Farine tamisée**	**375 mL**
15 mL	**Poudre à pâte**	**4 mL**
2 mL	**Gingembre**	**0,5 mL**
2 mL	**Muscade**	**0,5 mL**
2 mL	**Sel**	**0,5 mL**
2 mL	**Cannelle**	**0,5 mL**
275 g	**Datte hachée**	**75 mL**

Méthode
1 Crémer le beurre avec la cassonade.
2 Ajouter l'oeuf et la purée de citrouille.
3 Aromatiser avec la vanille.
4 Tamiser les ingrédients secs et les ajouter à la purée de citrouille.
5 Ajouter les dattes au mélange.
6 *Abaisser* la pâte jusqu'à ce qu'elle ait 6 mm d'épaisseur.
7 *Détailler* à l'aide d'un *emporte-pièce* de 7 cm de diamètre.
8 Déposer sur une plaque graissée.
9 Cuire au four à 180°C pendant 10 à 15 minutes.

Pain d'épice à l'érable

Préparation : 10 minutes $$
Cuisson : 30 à 40 minutes

Portions 24	Ingrédients	Portions 6
1 L	**Sirop d'érable**	**250 mL**
1 L	**Crème sure**	**250 mL**
4	**Oeuf battu**	**1**
1,5 kg	**Farine**	**575 mL**
35 mL	**Poudre à pâte**	**10 mL**
30 mL	**Gingembre**	**7 mL**
10 mL	**Sel**	**2,5 mL**
250 mL	**Graisse fondue**	**60 mL**

Méthode
1 Mélanger le sirop d'érable, la crème sure et l'oeuf battu.
2 Tamiser ensemble les ingrédients secs et les ajouter graduellement au premier mélange.
3 Ajouter enfin la graisse fondue et bien battre le mélange.
4 Verser dans un moule graissé et fariné de 25 x 15 x 5 cm.
5 Cuire au four à 180°C pendant 30 à 40 minutes.

Biscuits à l'anis

Préparation : 20 minutes $
Cuisson : 10 à 15 minutes

Portions 8 douzaines	Ingrédients	Portions 2 douzaines
350 g	**Graisse**	**125 mL**
450 g	**Sucre**	**125 mL**
4	**Oeuf**	**1**
200 mL	**Lait**	**50 mL**
950 g	**Farine**	**375 mL**
20 mL	**Poudre à pâte**	**5 mL**
60 mL	**Anis**	**15 mL**

Méthode
1 Crémer la graisse avec le sucre.
2 Ajouter l'oeuf.
3 Ajouter le lait en alternant avec la farine et la poudre à pâte préalablement tamisées.
4 Ajouter l'anis.
5 *Abaisser* la pâte jusqu'à ce qu'elle ait 6 mm d'épaisseur.
6 *Détailler* à l'aide d'un *emporte-pièce* de 7 cm de diamètre.
7 Déposer sur une plaque graissée.
8 Cuire au four à 180°C pendant 10 à 15 minutes.

Sucre à la crème à l'érable

Préparation : 15 minutes $$$
Cuisson : 20 minutes

Portion 3 kilogrammes	Ingrédients	Portion 750 grammes
1,8 kg	**Sucre d'érable râpé**	**350 mL**
1 L	**Crème à 35%**	**250 mL**
200 g	**Amande effilée**	**125 mL**

Méthode
1 Bien mélanger le sucre d'érable et la crème, et cuire jusqu'à 120°C.
2 Laisser reposer pendant 7 minutes en plaçant le chaudron dans de l'eau froide.
3 Remuer avec une spatule de bois jusqu'à ce que le mélange commence à cristalliser.
4 Incorporer les amandes.
5 Étendre sur un papier ciré.
6 Laisser refroidir au réfrigérateur.
7 Découper en carrés.

Galettes à la mélasse

Dans la Beauce, les galettes et les crêpes se dissimulent sous de jolis noms. La* bécine *et la* pitoune*, composées de farine de sarrasin sont les vestiges d'une époque où le manque de farine de blé a amené les Beaucerons à porter leur attention sur celle de sarrasin. Même le pain tira de leur génie inventif, une forme, un goût et un nom populaire :* bisque*. Si les galettes à la mélasse prennent place sur la table à la fin du repas et tiennent lieu de dessert, elles sont obligatoirement accompagnées de thé, cette boisson dont les Beaucerons raffolent.

Préparation : 20 minutes $
Cuisson : 10 à 15 minutes

Portions 8 douzaines	Ingrédients	Portions 2 douzaines
725 g	**Graisse**	**250 mL**
925 g	**Sucre**	**250 mL**
8	**Oeuf**	**2**
1 L	**Mélasse**	**250 mL**
40 mL	**Bicarbonate de soude**	**10 mL**
60 mL	**Eau bouillante**	**15 mL**
2,25 kg	**Farine**	**875 mL**
60 mL	**Poudre à pâte**	**15 mL**
8 mL	**Sel**	**2 mL**
1 L	**Lait évaporé**	**250 mL**
8 mL	**Essence de vanille**	**2 mL**

Méthode
1 Crémer la graisse avec le sucre.
2 Ajouter les oeufs et bien mélanger.
3 Ajouter la mélasse.
4 Dissoudre le bicarbonate de soude dans l'eau bouillante et incorporer au mélange.
5 Tamiser les ingrédients secs et les incorporer au mélange en alternant avec le lait évaporé.
6 Ajouter l'essence de vanille et bien mélanger.
7 *Abaisser* la pâte jusqu'à ce qu'elle ait 1 cm d'épaisseur.
8 *Détailler* à l'aide d'un *emporte-pièce* de 8 cm de diamètre.
9 Déposer sur une plaque graissée.
10 Cuire au four à 180°C pendant 10 à 15 minutes.

Fondue beauceronne

Préparation : 5 minutes $$$

Portions 24	Ingrédients	Portions 6
4	**Baguette de pain**	1
2 L	**Sirop d'érable**	500 mL
1 L	**Crème à 35%**	250 mL

Méthode
1 Couper le pain en morceaux et le faire sécher pendant 24 heures à l'air libre.
2 Faire chauffer le sirop d'érable.
3 Plonger dans le sirop d'érable les morceaux de pain piqués au bout d'une fourchette.
4 Plonger ensuite ces morceaux dans la crème.
5 Manger tel quel.
N.B. : On peut accompagner cette fondue de morceaux de fruits frais suivant la saison.

Marinade de concombres sur glace

Pour faire mariner des petits cornichons, voici une recette qui permettra d'apprécier l'art culinaire tel que le pratiquaient nos ancêtres au milieu du siècle dernier. On fait d'abord tremper quelques centaines de cornichons dans un grand contenant rempli d'un mélange d'eau et de bière. On les laisse reposer jusqu'à ce qu'ils prennent une belle couleur jaune; on les remue deux fois par jour pour les empêcher de ramollir. Dès qu'ils ont changé de couleur, on les retire de l'eau et on les couvre d'une bonne quantité de feuilles de vigne. On récupère l'eau et la bière qu'on fait bouillir pendant quelques instants. Avec ce liquide, on ébouillante les cornichons, à plusieurs reprises, jusqu'à ce qu'ils redeviennent verts...

Préparation : 20 minutes $$
Cuisson : 10 à 15 minutes

Portion 6 litres	Ingrédients	Portion 1,5 litre
5,2 kg	**Concombre émincé avec pelure**	1,9 L
2,2 kg	**Oignon émincé**	850 mL
175 g	**Poivron vert émincé**	100 mL
175 g	**Poivron rouge émincé**	100 mL
225 g	**Gros sel**	50 mL
1,4 L	**Vinaigre**	350 mL
1,3 kg	**Sucre**	350 mL
8 mL	**Curcuma**	2 mL
25 mL	**Graines de moutarde**	6 mL
2 mL	**Clou de girofle moulu**	0,5 mL
25 mL	**Graines de céleri**	6 mL

Méthode
1 Mettre les concombres, les oignons, les poivrons verts et rouges et le gros sel dans un bol.
2 Couvrir de glace.
3 Laisser reposer pendant 3 heures au réfrigérateur.
4 Égoutter.
5 Faire un sirop avec le vinaigre, le sucre, le curcuma, les graines de moutarde, le clou de girofle et les graines de céleri.
6 Amener le sirop à ébullition.
7 Ajouter les légumes *macérés* et faire bouillir pendant 10 à 15 minutes.
8 Verser dans des pots stérilisés.
9 Réfrigérer.

Pain au miel

Préparation : 15 minutes $$
Cuisson : 30 à 35 minutes

Portions 128 carrés	Ingrédients	Portions 32 carrés
325 g	**Farine**	125 mL
40 mL	**Poudre à pâte**	10 mL
12 mL	**Cannelle**	3 mL
8 mL	**Muscade**	2 mL
4 mL	**Toutes épices**	1 mL
500 g	**Beurre**	125 mL
450 g	**Sucre**	125 mL
4	**Oeuf**	1
700 mL	**Miel**	175 mL
1 L	**Eau chaude**	250 mL
1 L	**Crème à 35%**	250 mL
200 mL	**Miel**	50 mL

Méthode
1 Tamiser les ingrédients secs.
2 Crémer le beurre et le sucre.
3 Au beurre et au sucre, incorporer l'oeuf et le miel.
4 Incorporer la farine en alternant avec l'eau.
5 Déposer dans 2 moules carrés (23 cm), beurrés et enfarinés.
6 Cuire au four à 170°C pendant 30 à 35 minutes.
7 Démouler.
8 Couper en carrés de 6 cm.
9 Fouetter la crème aux trois quarts.
10 Y incorporer le miel et bien mélanger.
11 Décorer les carrés avec ce mélange.

Brioches à la façon des bonnes mamans

Préparation : 5 minutes $
Cuisson : 15 à 18 minutes

Portions 8 douzaines	Ingrédients	Portions 2 douzaines
20 mL	**Sucre**	5 mL
500 mL	**Eau tiède**	125 mL
40 mL ou 4 sachets	**Levure sèche**	10 mL ou 1 sachet
175 g	**Saindoux**	60 mL
1,5 L	**Eau tiède**	375 mL
450 g	**Sucre**	125 mL
400 g	**Raisin sec**	125 mL
2,9 kg	**Farine**	1,12 L
8	**Blanc d'oeuf**	2
	Glace :	
675 g	**sucre à glacer**	250 mL
80 mL	**lait**	20 mL
4 mL	**essence de vanille**	1 mL

Méthode
1 Bien faire dissoudre le sucre dans l'eau tiède, puis y ajouter la levure.
2 Laisser reposer pendant 10 minutes puis bien mélanger.
3 Faire fondre le saindoux et laisser tiédir.
4 Au saindoux, ajouter la levure, l'eau, le sucre, les raisins et 850 ml (pour 6 portions) ou 2,2 kg (pour 24 portions) de farine tamisée en battant vigoureusement.
5 Ajouter graduellement, dans un mouvement circulaire de la main, le reste de la farine tamisée.
6 Sur une plaque légèrement enfarinée, pétrir jusqu'à ce que la pâte soit lisse et élastique (environ 5 minutes).
7 Former une boule lisse et mettre dans un bol légèrement graissé.
8 Graisser la surface de la pâte et couvrir. Laisser doubler de volume dans un endroit chaud (38°C).
9 Dégonfler et façonner en 24 brioches (ou 96 pour 24 portions) de 75 g.
10 Déposer les brioches sur des plaques à biscuits graissées, à 5 cm d'intervalle.
11 Couvrir et laisser doubler de volume.
12 *Badigeonner* les brioches gonflées avec du blanc d'oeuf.
13 Cuire au four préchauffé à 180°C pendant 15 à 18 minutes.
14 Faire refroidir les brioches et les couvrir avec un peu de glace.
15 Mélanger le sucre à glacer tamisé avec le lait et la vanille.

Salade d'hiver

Afin de se constituer des provisions de vitamines pour l'hiver, on prépare en saison une salade de légumes frais, on l'assaisonne et on la conserve dans des pots. Le docteur William-Ernest Munkel aurait apprécié cette initiative, lui qui se souciait du bien-être et de la santé de ses concitoyens.

Préparation : 20 minutes $$

Portion 6 litres	Ingrédients	Portion 1,5 litre
4,2 kg	**Tomate en dés**	1,3 L
1,8 kg	**Oignon haché**	750 mL
2,4 kg	**Céleri haché**	1,3 L
275 g	**Poivron rouge ou vert haché**	100 mL
575 g	**Gros sel**	125 mL
1,3 kg	**Sucre**	350 mL
1 L	**Vinaigre**	250 mL
125 g	**Graines de moutarde**	40 mL

Méthode
1 Mélanger les tomates, les oignons, le céleri et les poivrons.
2 Ajouter le gros sel aux légumes.
3 Déposer sur un coton à fromage et suspendre. Laisser égoutter toute une nuit.
4 Mélanger le sucre, le vinaigre et les graines de moutarde.
5 Faire chauffer jusqu'à ce que le sucre soit dilué.
6 Mettre les légumes égouttés dans des bocaux stérilisés et verser le liquide dans les pots.

Mauricie — Bois-Francs — Centre du Québec

Zone de contrastes par excellence, cette région illustre la diversité du pays. Au sud du Saint-Laurent prospèrent l'industrie laitière et l'agriculture, alors que la forêt constitue la richesse de la Mauricie où abonde le gibier. Quant aux Bois-Francs, ils sont incontestablement les rois de l'érable.

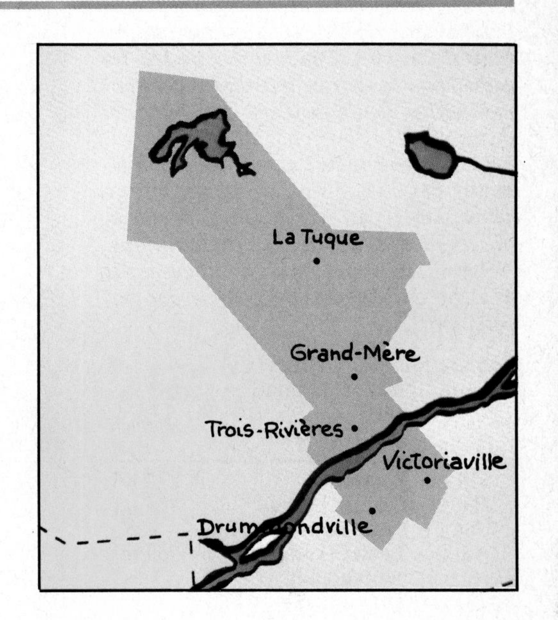

La Mauricie étant un territoire privilégié pour la chasse et la pêche, il était à prévoir que les produits de celles-ci entreraient pour une bonne part dans la composition des recettes régionales. On constate, en effet, que les fricassées, « chiards », ou « gibelottes », sont surtout populaires lorsqu'elles se composent de truite, de canard, de barbote, ou encore de petits poissons des Chenaux. Selon les endroits, l'un ou l'autre de ces animaux aquatiques entre dans la préparation de ces mets de choix. Le gibier à poil occupe lui aussi une bonne part de la cuisine de la Haute Mauricie.

Comme partout ailleurs au Québec, on mangeait beaucoup de desserts et de pâtisseries en Mauricie. Le gâteau du diable (voir recette) et les brioches du Vendredi saint ont encore la faveur de bien des gourmets. On dit aussi que les Mauriciens savent faire de savoureux gâteaux aux fruits et au lard salé. Dans les paroisses de Yamachiche, de Louiseville et des autres agglomérations plantées d'érables, les desserts à base de sirop ou de sucre d'érable sont nombreux.

Bon an mal an, le Festival de l'érable permet aux gens de la région et d'ailleurs de renouer avec la tradition des parties de sucre. Quant à la Coopérative des producteurs de sucre, elle reçoit chaque année le produit brut des érablières, en majorité des Bois-Francs et de la Beauce. Elle classe le sirop à partir de critères de qualité très stricts, de sorte que sa marque « Citadelle » constitue maintenant un véritable label de garantie. Elle procède également à la fabrication des bonbons en sucre d'érable, dont les motifs se conforment à ceux employés par les ancêtres.

Brique de lard salé à l'ail

Préparation : 25 minutes $
Cuisson : 1 heure

Portions 24	*Ingrédients*	Portions 6
4 kg	**Lard salé**	1 kg
8	**Gousse d'ail**	2
8	**Clou de girofle**	2
500 g	**Céleri coupé grossièrement**	225 mL
575 g	**Oignon coupé grossièrement**	225 mL
400 g	**Sucre d'érable râpé**	75 mL
60 g	**Chapelure**	30 mL

Méthode
1 Piquer le lard des gousses d'ail.
2 Le mettre dans de l'eau froide avec les clous de girofle, le céleri et les oignons.
3 Faire bouillir jusqu'à ce que le lard soit tendre.
4 Retirer le lard du bouillon et bien le laisser égoutter.
5 Mélanger la chapelure et le sucre d'érable, et en recouvrir le morceau de lard.
6 Faire cuire au four à 180°C, pendant 40 minutes, ou jusqu'à ce qu'il soit bien doré.
7 Servir froid.
N.B. On peut tout aussi bien utiliser du sucre brun.

Omelette aux oeufs de poulamon

Préparation : 20 minutes $
Cuisson : 30 minutes

Portions 24	*Ingrédients*	Portions 6
1,5 L	**Oeuf de poulamon**	350 mL
60	**Oeuf de poule**	15
	Sel (au goût)	
	Poivre (au goût)	
125 g	**Beurre**	50 mL

Méthode
1 Bien laver les oeufs de poulamon à l'eau froide courante ; les égoutter et réserver.
2 Battre les oeufs de poule et bien les assaisonner.
3 Faire fondre le beurre dans une poêle. Y verser les oeufs (de poulamon et de poule) et cuire.
4 Servir chaud.

Potage de maïs

Préparation : 20 minutes $
Cuisson : 40 minutes

Portions 6 litres	*Ingrédients*	Portion 1,5 litre
250 g	**Lard salé en petits dés**	60 g
325 g	**Oignon émincé**	125 mL
750 g	**Pomme de terre en dés**	375 mL
24	**Biscuit soda (sec)**	6
1 L	**Eau**	250 mL
2 L	**Maïs en grains**	500 mL
2 L	**Lait**	500 mL
	Sel (au goût)	
	Poivre (au goût)	

Méthode
1 Faire fondre le lard à feu doux.
2 Ajouter les oignons et faire dorer pendant 5 minutes.
3 Enlever l'excès de gras.
4 Ajouter les pommes de terre, les biscuits et l'eau.
5 Laisser cuire complètement.
6 Ajouter le maïs et le lait.
7 Laisser chauffer jusqu'au point d'ébullition.
8 Assaisonner.

Les oeufs dans le purgatoire

On pourrait se demander pourquoi on a eu l'idée de punir les oeufs en leur imposant un séjour au purgatoire. Cette fantaisie culinaire, où prédomine la couleur rouge, correspond à l'idée qu'on se faisait des flammes de l'enfer et du purgatoire. Mais il y a plus. Pendant des siècles, les catholiques se sont vu interdire la consommation des oeufs pendant le Carême, et même pendant les jours de jeûne, nombreux au cours de l'année. Les mandements des évêques recommandaient de jeûner **aux repas.** ***Nos ancêtres, finement, observaient à la lettre ces prescriptions, jeûnant*** **aux repas,** ***mais compensant le manque de calories et d'énergie par une collation.***

Préparation : 10 minutes $
Cuisson : environ 15 minutes

Portions 24	Ingrédients	Portions 6
125 g	Beurre	30 mL
300 g	Oignon haché	125 mL
1,7 kg	Reste de viande cuite	425 g
3 L	Tomate concassée	750 mL
	Sel (au goût)	
	Poivre (au goût)	
4	Feuille de laurier	1
24	Oeuf	6

Méthode
1 Faire dorer les oignons dans le beurre.
2 Ajouter les restes de viande cuite (boeuf, porc, veau ou autre) et les tomates.
3 Laisser mijoter pendant 10 minutes.
4 Assaisonner.
5 *Pocher* les oeufs dans cette sauce, ou à part, à feu très doux (3 à 4 minutes).
6 Servir avec des pommes de terre bouillies ou en purée.

Légende : La sauce tomate représente les flammes du purgatoire, les morceaux de viande, les âmes en pénitence.

Centre des ressources didactiques / Institut de tourisme et d'hôtellerie du Québec

Les oeufs dans le purgatoire

Archives du Séminaire des Trois-Rivières, collection « Ton Univers » *(Tante Délia au four)*. Objets d'artisanat : Centrale d'artisanat du Québec.

Saucisses campagnardes

Les saucisses campagnardes, à la mode de Drummondville ou d'ailleurs, dans la région du Coeur du Québec, étaient liées à une tradition bien établie, la boucherie. On faisait boucherie au début du mois de décembre, ce qui annonçait des festivités prochaines, mais aussi du travail harassant pour les mères de famille. Avec conviction et entrain, les grands-mères, les mères et les filles se réunissaient autour du poêle à bois sur lequel fumaient les viandes destinées aux tourtières, ragoûts, boudins et saucisses. La tâche accomplie, les cuisinières repartaient en choeur cuire la viande chez une autre parente, chez une autre voisine...

Préparation : 30 minutes $
Cuisson : 45 minutes

Portions 24	Ingrédients	Portions 6
4 kg	Porc haché finement	1 kg
300 g	Oignon haché	125 mL
100 g	Sel	20 mL
16 mL	Cannelle	4 mL
8 mL	Clou de girofle	2 mL
900 mL	Eau froide	225 mL
200 g	Farine	80 mL
4 L	Eau	1 L
	Persil	

Méthode
1 Mélanger les 5 premiers ingrédients dans un grand bol.
2 Y incorporer l'eau froide.
3 Façonner avec l'*appareil* des galettes légèrement allongées d'environ 75 g chacune.
4 Les enfariner légèrement, et les faire *sauter* à la poêle.
5 Terminer la cuisson au four à 180°C, pendant 10 minutes.
6 Retirer les saucisses de la poêle.
7 *Singer* le gras, mélanger et en faire un *roux*.
8 Laisser cuire 5 minutes.
9 *Mouiller* avec l'eau.
10 Laisser épaissir et verser sur les saucisses avant de servir.
11 Garnir de persil.

Soupe aux tomates vertes

Préparation : 15 minutes $
Cuisson : 10 minutes

Portions 6 litres	Ingrédients	Portion 1,5 litre
20	Tomate verte	5
500 mL	Eau	125 mL
20 mL	Bicarbonate de soude	5 mL
	Sel (au goût)	
	Poivre (au goût)	
20 mL	Beurre	5 mL
5 L	Lait	1,25 L

Méthode
1 Faire cuire les tomates vertes dans l'eau et les passer au presse-purée.
2 Ajouter le bicarbonate de soude, le sel, le poivre et le beurre.
3 Faire chauffer le lait jusqu'au point d'ébullition.
4 Y incorporer un peu de purée.
5 Verser ensuite le lait dans la purée et bien mélanger.
6 Servir immédiatement.

Soupe aux légumes

Préparation : 45 minutes $
Cuisson : 35 à 40 minutes

Portions 6 litres	*Ingrédients*	Portion 1,5 litre
275 g	Carotte en dés	125 mL
450 g	Chou en dés	125 mL
250 g	Oignon en dés	125 mL
125 g	Navet en dés	60 mL
125 g	Céleri en dés	60 mL
175 g	Beurre	45 mL
500 mL	Tomate concassée	125 mL
4 L	Eau	1 L
250 g	Pomme de terre en dés	125 mL
	Sel (au goût)	
	Poivre (au goût)	

Méthode
1 Faire *suer* les carottes, le chou, l'oignon, le navet et le céleri dans le beurre.
2 Ajouter la tomate.
3 *Mouiller* avec l'eau.
4 Laisser mijoter de 10 à 15 minutes.
5 Ajouter les pommes de terre.
6 Terminer la cuisson.
7 Assaisonner.

Truite mauricienne

D'où venait-elle, croyez-vous, la bonne truite dont parlait grand-père ? Il est presque certain qu'elle quittait la rivière Saint-Anne pour aboutir, frétillante, dans la casserole où grand-mère cuisait un ou deux secrets bien à elle. La truite d'antan n'a plus sa pareille de nos jours et elle se fait de plus en plus rare dans les eaux de la rivière.

Préparation : 25 minutes $$
Cuisson : 15 à 20 minutes

Portions 24	*Ingrédients*	Portions 6
500 g	Tranche de lard salé	6
24	Truites de 350 g	6
675 g	Oignon en rondelles	250 mL
800 g	Petit pois	250 mL
700 g	Carotte en rondelles	350 mL
1 kg	Pomme de terre émincée	500 mL
500 mL	Eau	125 mL
	Sel (au goût)	
	Poivre (au goût)	

Méthode
1 *Foncer* le fond d'un chaudron de minces tranches de lard.
2 Y déposer les truites nettoyées et, de préférence, débarrassées de leur tête et de leur queue.
3 Disposer une couche d'oignons, une de petits pois, une de carottes, et une de pommes de terre.
4 Recouvrir d'eau.
5 Assaisonner de sel et poivre.
6 Couvrir et laisser mijoter tranquillement jusqu'à cuisson complète des légumes (15 à 20 minutes)

Poule au chou

Préparation : 10 à 15 minutes $
Cuisson : environ 2 heures

Portions 24	*Ingrédients*	Portions 6
4	Poule de 1,7 à 2 kg	1
24	Petit oignon	6
3 kg	Chou	1 petit
	Sel (au goût)	
6	Clou de girofle	2
2	Feuille de laurier	½
2 mL	Thym	1 pincée
	Poivre (au goût)	
150 g	Farine	60 mL

Méthode
1 Couvrir la poule d'eau froide et faire mijoter pendant environ 1 heure.
2 Ajouter ensuite les oignons, le chou, le sel et les épices.
3 Continuer la cuisson.
4 Cinq minutes avant la fin de la cuisson, ajouter le poivre.
5 Retirer la poule, le chou et les oignons.
6 *Détailler* la poule en morceaux et réserver le tout au chaud dans un peu de bouillon.
7 *Passer* le jus de cuisson au chinois étamine.
8 Faire mijoter 500 mL (2 litres pour 24 portions) de jus de cuisson. L'épaissir avec de la farine diluée dans un peu de bouillon refroidi.
9 Faire mijoter pendant environ 20 minutes.
10 Vérifier l'assaisonnement.
11 *Napper* les morceaux de poule de cette sauce.
12 Servir avec un petit oignon et un morceau de chou.

N.B. Il faut garder au chaud la poule, le chou et l'oignon dans le reste du bouillon. Ce bouillon peut ensuite être utilisé pour préparer une soupe ou une sauce.

Pâté de boeuf rosé

Préparation : 1 heure $
Cuisson : 2 heures 15

Portions 24	*Ingrédients*	Portions 6
	Farine	
4 kg	Boeuf en cubes	1 kg
50 mL	Huile	25 mL
200 g	Beurre	50 mL
900 mL	Jus de tomate	225 mL
900 mL	Bouillon de boeuf	225 mL
4 mL	Basilic	1 mL
4	Feuille de laurier	1
	Sel (au goût)	
	Poivre (au goût)	
1 kg	Carotte en *jardinière*	500 mL
500 g	Navet en *jardinière*	250 mL
600 g	Céleri en *jardinière*	250 mL
350 g	Champignon émincé	250 mL
	Pâte rosée :	
900 g	farine à pâtisserie	450 mL
175 g	graisse végétale	60 mL
675 mL	jus de tomate	175 mL
5 mL	sel	1 mL

Méthode
1 Fariner les cubes de boeuf et les faire *sauter* dans l'huile et le beurre dans une casserole.
2 Ajouter le jus de tomate, le bouillon de boeuf et les assaisonnements.
3 Laisser cuire à feu doux durant 1 heure 30 à couvert.
4 Ajouter les légumes et poursuivre la cuisson pendant encore 20 minutes.
5 Laisser refroidir.
6 Verser le mélange dans une *cocotte,* et couvrir d'une *abaisse* de pâte rosée en ayant soin d'y faire une incision au centre.
7 Faire cuire au four à 180°C durant 25 minutes.

Pâte rosée :
1 Incorporer la graisse végétale à la farine.
2 Faire une *fontaine* et verser au centre le jus de tomate.
3 Travailler la pâte jusqu'à consistance ferme, mais non élastique.
4 Étendre au rouleau une *abaisse* assez grande pour couvrir complètement la *cocotte.*

Poissons des chenaux frits

Le p'tit poisson des chenaux tient son nom d'une habitude vieille de plusieurs centaines d'années, cette habitude qui le poussait à emprunter le Saint-Maurice et à vagabonder à la hauteur des trois chenaux, là où la rivière se déverse dans le Saint-Laurent. Mais un jour le p'tit poisson, désespéré par la présence des déchets d'usines, décida d'aller nicher ailleurs. Le p'tit poisson des chenaux trouva plus raisonnable et moins téméraire d'aller vivre du côté de Sainte-Anne-de-la-Pérade. Cela se passait vers 1938. Cet hiver-là, Eugène Mailhot découvrit que la petite morue venait d'accorder sa préférence à leur village. Voilà pourquoi ce joli poisson devrait changer de nom, tout comme il a changé d'adresse...

Préparation : 20 minutes $
Cuisson : 5 minutes

Portions 24	*Ingrédients*	Portions 6
8 kg	Poisson des chenaux (30 g)	2 kg
500 g	Farine tout usage	200 mL
	Sel (au goût)	
8	Oeuf	2
600 mL	Lait	150 mL
	Sel (au goût)	
1 kg	Chapelure	500 mL
10 mL	Paprika	2 mL
	Huile	

Méthode
1 Bien nettoyer les poissons (couper la tête, la queue, les nageoires, en retirer les arêtes et les viscères).
2 Les éponger.
3 Passer les poissons à la farine, à laquelle on aura ajouté le sel.
4 Les tremper dans les oeufs battus avec le lait et le sel.
5 Les passer dans le mélange de chapelure et de paprika.
6 Cuire dans l'huile à 190°C pendant environ 5 minutes.

Perdrix au chou

Préparation : 30 minutes $$$
Cuisson : 3 heures 30

Portions 24	*Ingrédients*	Portions 6
4 kg	**Lard salé gras en dés**	**1 kg**
24	**Perdrix**	**6**
250 g	**Farine**	**100 mL**
4 kg	**Gros chou vert coupé**	**1**
2,5 kg	**Gros oignon émincé**	**1,5 L**
2 L	**Eau**	**500 mL**
	Sel (au goût)	
	Poivre (au goût)	
12 mL	**Thym**	**3 mL**
600 mL	**Vin blanc sec**	**150 mL**

Méthode

1 Faire fondre le lard salé.
2 Enfariner les perdrix, les ficeler et les faire dorer dans le lard fondu, pendant environ 25 minutes, à feu très doux.
3 Retirer les perdrix du chaudron, et y déposer les choux et les oignons.
4 Ajouter l'eau, couvrir et laisser mijoter jusqu'à ce que les légumes soient tendres, environ 15 minutes.
5 Remettre alors les perdrix dans le chaudron.
6 Assaisonner et *mouiller* avec le vin blanc.
7 Couvrir et faire cuire à feu très doux, au moins 3 heures, ou jusqu'à ce que les perdrix soient très tendres.

Archives du Séminaire des Trois-Rivières, collection « Hymne au travail » *(Jeunes filles préparant le repas du dimanche)*. Objets d'artisanat : Yvette Elie, Daveluyville *(courtepointe)*.

Rôti de porc aux patates brunes

Centre des ressources didactiques / Institut de tourisme et d'hôtellerie du Québec

Rôti de porc aux patates brunes

Le rôti de porc accompagné de pommes de terre cuites dans le jus de la viande reste un délice pour tous. C'est aussi une coutume dont l'origine, pour nous, remonte à 1634, alors que débarquait à Québec le premier porc destiné à la reproduction.

Préparation : 35 minutes $$
Cuisson : 3 heures

Portions 24	*Ingrédients*	Portions 6
6 kg	**Longe de porc**	**1,5 kg**
6	**Gousse d'ail**	**2**
	Sel et poivre (au goût)	
10 mL	**Romarin**	**2,5 mL**
30 mL	**Persil haché**	**7 mL**
1 L	**Eau**	**250 mL**
3 kg	**Pomme de terre épluchée**	**750 g**

Méthode

1 Débarrasser de sa *couenne* la longe de porc et la piquer de petits morceaux d'ail.
2 *Foncer* la braisière avec la *couenne* et y déposer la longe de porc assaisonnée de sel, de poivre, de persil haché et de romarin.
3 Arroser avec l'eau et faire cuire au four, à feu modéré (170°C), durant environ 2 heures.
4 Arroser fréquemment.
5 Ajouter les pommes de terre à la sauce, et laisser cuire pendant encore 1 heure.
6 *Allonger* la sauce si elle *réduit* un peu trop durant cette dernière heure de cuisson.

Brochet de Mékinac

Préparation : 10 minutes $
Cuisson : 10 minutes

Portions 24	*Ingrédients*	Portions 6
24	**Filet de brochet de 150 à 200 g**	**6**
	Sel et poivre (au goût)	
8 mL	**Basilic**	**2 mL**
	Farine tout usage	
450 g	**Beurre**	**125 mL**
1,2 kg	**Oignon en minces rondelles**	**700 mL**

Méthode

1 Assaisonner et enfariner les filets de brochet.
2 Faire chauffer le beurre dans un poêlon.
3 Y saisir les filets et les faire dorer de chaque côté.
4 Déposer les oignons autour des filets.
5 Ajouter quelques noisettes de beurre et mettre au four à 180°C, pendant environ 10 minutes.
6 Servir très chaud.

Filets de perchaude du port

Le bon poisson, frais pêché, découpé en beaux filets, n'a jamais pu atteindre toutes les tables du Québec et dans certaines régions éloignées des centres de pêche, des générations entières ont appris à détester le poisson. On peut les comprendre lorsque l'on songe que les vendredis, ils n'avaient que du poisson séché ou salé, servi en sauce blanche, à se mettre sous la dent. Le phénomène toucha même les Trois-Rivières où se pêchait pourtant l'un des meilleurs poissons : « Je connais certaines contemporaines (...), écrivait la journaliste Marguerite Bourgeois en 1938, qui prétendent obéir aux préceptes de l'Église, en commettant chaque vendredi, l'ignominie d'ouvrir une boîte de conserves, et d'offrir sans rougir à la famille résignée, une injurieuse parodie de macaroni à l'italienne. Et cela, au vingtième siècle, en pleine Mauricie, dans le pays du petit poisson des cheneaux. »

Préparation : 5 minutes $
Cuisson : 8 à 10 minutes

Portions 24	*Ingrédients*	Portions 6
48	**Filet de perchaude de 100 g**	**12**
	Farine	
	Sel (au goût)	
	Poivre (au goût)	
	Paprika (au goût)	

250 g	**Beurre**	60 mL
	Feuille de laitue	
	Tranche de tomate	
	Citron en quartiers	
	Sauce tartare *(voir recettes complémentaires)*	

Méthode
1 Assaisonner et enfariner les filets de perchaude.
2 Les faire cuire dans le beurre (environ 4 minutes de chaque côté).
3 Les disposer dans une assiette ovale et arroser d'un *beurre à la meunière.*
4 Garnir de feuilles de laitue, de tomates, de citron et de sauce tartare.
5 Accompagner de pommes de terre *sautées.*
N.B. Après avoir fait dorer les poissons d'un côté, on peut terminer la cuisson au four à 200°C.

Fèves au lard à la perdrix

Voilà une bonne idée ! Accommoder les fèves au lard traditionnelles avec l'un des plus anciens oiseaux remarqués au pays. Au XVIIe siècle, Pierre Boucher, auteur d'une « Histoire véritable et naturelle », où la vie en Nouvelle-France est décrite sous tous ses aspects, alimentaire, culturel ou social, parle des différentes perdrix qu'il a vues et, sans doute, goûtées : « Elles sont fort belles et plus grosses que celles de France. La chair en est délicate. Il y a d'autres perdrix qui sont toutes noires, qui ont des yeux rouges. Elles sont plus petites que celles de France et leur chair est moins bonne à manger. Mais c'est un bel animal et elles ne sont pas bien communes. Il y a aussi des perdrix grises qui sont grosses comme des poules. Celles-là sont fort communes et bien aisées à tuer car elles ne s'enfuient quasi pas du monde. La chair est extrêmement blanche et sèche. »

Préparation : 20 minutes $$
Cuisson : 3 heures

Portions 24	*Ingrédients*	Portions 6
1,8 kg	**Haricot blanc sec**	500 mL
7	**Perdrix**	2
600 g	**Lard salé en tranches**	150 g
300 g	**Cassonade**	75 mL
475 g	**Oignon haché**	200 mL
	Sel et poivre (au goût)	
	Eau (q.s.)*	

Méthode
1 Faire tremper les fèves durant 12 heures, les égoutter et les mettre dans une casserole.
2 Ajouter les perdrix enveloppées dans un coton à fromage afin de ne pas retrouver les os dans les fèves une fois cuites.
3 Ajouter le lard salé, la cassonade, les oignons, le sel et le poivre.
4 Couvrir d'eau.
5 Amener à ébullition sur le feu, couvrir puis mettre au four; laisser cuire pendant environ 3 heures à 130°C. Le temps de cuisson dépend de la qualité des fèves.
6 Retirer les perdrix de la casserole, les désosser et remettre la viande dans les fèves au lard.
* quantité suffisante

Purée de navets au gratin

Préparation : 35 minutes $
Cuisson : 30 minutes

Portions 24	*Ingrédients*	Portions 6
3,6 kg	**Navet coupé grossièrement**	1,8 L
70 g	**Graisse de rôti ou**	25 mL
100 g	**Beurre**	25 mL
60 g	**Farine**	25 mL
1 L	**Lait**	250 mL
	Sel (au goût)	
	Poivre (au goût)	
150 g	**Cheddar doux râpé**	60 mL

Méthode
1 Faire cuire les navets dans de l'eau salée.
2 Faire fondre le beurre ou la graisse et y ajouter la farine et le lait chaud.
3 Laisser mijoter de 10 à 15 minutes.
4 Égoutter les navets et les passer au presse-purée.
5 Mélanger la purée et la sauce.
6 Assaisonner.
7 Déposer la préparation dans un plat creux.
8 Saupoudrer de cheddar et faire gratiner au four.

Salade de pommes

Préparation : 20 minutes $$
Cuisson : 30 minutes

Portions 24	*Ingrédients*	Portions 6
1 kg	**Cassonade**	250 mL
1 L	**Eau**	250 mL
1 L	**Vinaigre**	250 mL
2	**Cannelle en bâtons**	½
24	**Pomme entière pelée et vidée**	6
24	**Clou de girofle**	6

Méthode
1 Faire un sirop avec la cassonade, l'eau, le vinaigre et la cannelle, et laisser cuire pendant 5 minutes.
2 Ajouter les pommes et les laisser cuire jusqu'à ce qu'elles soient transparentes.
3 Les laisser refroidir avant de les dresser dans un saladier.
4 Piquer un clou de girofle dans chaque pomme.
5 Faire épaissir le sirop environ 30 minutes et en *napper* les pommes.
N.B. Accompagne le porc chaud ou froid.

Chou gratiné

Préparation : 30 minutes $
Cuisson : 20 minutes

Portions 24	*Ingrédients*	Portions 6
2,7 kg	**Chou en gros morceaux**	675 g
	Sel (au goût)	
	Poivre (au goût)	
1,5 L	**Sauce béchamel** *(voir recettes complémentaires)*	375 mL
125 g	**Chapelure**	60 mL
	Beurre	

Méthode
1 *Blanchir* le chou, puis le faire cuire dans de l'eau bouillante.
2 Égoutter et couper en gros morceaux.
3 Mettre dans un plat creux allant au four ; saler et poivrer.
4 Couvrir le chou de sauce béchamel.
5 Saupoudrer de chapelure.
6 Parsemer de noisettes de beurre et faire gratiner.

Petit fromage maison

Préparation : 20 minutes $
Cuisson : 1 heure

Portions 24	*Ingrédients*	Portions 6
8 L	**Lait**	2 L
225 mL	**Vinaigre**	50 mL
	Sel (au goût)	
175 mL	**Crème 35%**	50 mL

Méthode
1 Mettre le lait et le vinaigre dans un *bain-marie* et faire chauffer jusqu'à ce que le lait caille (environ 1 heure).
2 Passer à l'*étamine.*
3 Mettre dans un bol et fouetter.
4 Saler, puis ajouter la crème.
5 Laisser refroidir et servir sur des feuilles de laitue.

Salade de chou

Préparation : 15 minutes $

Portions 24	*Ingrédients*	Portions 6
1,1 kg	**Chou en *julienne***	550 mL
350 g	**Carotte râpée**	200 mL
225 g	**Oignon haché finement**	100 mL
	Vinaigrette :	
175 mL	**vinaigre**	45 mL
110 g	**sucre**	30 mL
350 mL	**huile**	90 mL
5 mL	**graine de céleri**	1 mL
5 mL	**moutarde en poudre**	1 mL
	sel (au goût)	

Méthode
1 Dresser dans un saladier le chou, les carottes et les oignons.
2 Faire bouillir la vinaigrette durant 3 minutes environ, et la verser sur la salade.
3 Bien mélanger.
4 Mettre au réfrigérateur durant 5 heures avant de servir.

Centre des ressources didactiques / Institut de tourisme et d'hôtellerie du Québec

Grands-pères de grand-mère

Collection de la Bibliothèque nationale du Québec *(Scène d'intérieur)*. Objets d'artisanat : Lucie Lamy, Aston-Jonction *(assiette et pot à crème)*; Julienne Camiré, Victoriaville *(napperon)*.

Grands-pères de grand-mère

Dans chaque maison, il y avait quelqu'un pour qui les desserts n'avaient pas de secret. Tante Délia était, chez les Tessier, ainsi que le raconte Monseigneur Albert Tessier, une tante sucrée qui savait mélanger savamment tous les sucres. « Le sucre à la crème, la tire d'érable ou de mélasse, les oeufs dans le sirop et les crêpes quotidiennes (...). Les poudings à la vapeur de ma tante et ses grands-pères au sirop étaient aussi accueillis avec joie. (...) Les tartes de tante Délia étaient savoureuses et couvraient une gamme accordée aux saisons : tarte à la crème, au sucre, à la mélasse, aux oeufs, au suif, aux fraises, aux framboises, aux prunes, aux bleuets, et j'en passe. »

Préparation : 20 minutes $$
Cuisson : 15 à 20 minutes

Portions 24	*Ingrédients*	Portions 6
2 L	**Sirop d'érable**	**500 mL**
2 L	**Eau**	**500 mL**
1,3 kg	**Farine tout usage**	**500 mL**
85 g	**Poudre à pâte**	**20 mL**
20 mL	**Sel**	**5 mL**
125 g	**Beurre**	**30 mL**
1 L	**Lait**	**250 mL**
	Crème	

Méthode
1 Verser le sirop d'érable et l'eau dans une casserole.
2 Couvrir et amener à ébullition.
3 Mélanger les autres ingrédients, puis les délayer dans le lait.
4 Laisser tomber par cuillerées dans le sirop bouillant, et cuire à couvert.
N.B. Délicieux avec de la crème.

Galettes à la cassonade

Préparation : 35 minutes $
Cuisson : 20 minutes

Portions 8 douzaines	*Ingrédients*	Portions 2 douzaines
500 g	**Beurre**	**125 mL**
650 g	**Sucre**	**175 mL**
4	**Oeuf**	**1**
20 mL	**Essence de vanille**	**5 mL**
950 g	**Farine tout usage**	**375 mL**
30 mL	**Poudre à pâte**	**7 mL**
500 g	**Cassonade**	**125 mL**

Méthode
1 Fouetter le beurre, et y incorporer le sucre.
2 Ajouter l'oeuf et l'essence de vanille.
3 Tamiser ensemble la farine et la poudre à pâte.
4 Incorporer graduellement au premier mélange.
5 Bien travailler cette pâte et en faire une *abaisse* de 5 mm d'épaisseur.
6 Découper un rectangle de 10 cm de large par 30 cm de long.
7 Étendre la cassonade sur la pâte, rouler l'*abaisse* et en mouiller les bords afin qu'ils adhèrent bien à la pâte.
8 Couper en tranches de 1 cm d'épaisseur.
9 Déposer sur une tôle à biscuits graissée.
10 Cuire au four à 170°C, durant 20 minutes.

Gâteau du diable

Il faut que le café soit bien tentant pour que sa seule présence dans ce gâteau ait valu à ce dernier le nom de gâteau du diable ! En fouillant bien le tiroir des souvenirs, on se rend compte, en effet, que le café et le diable ont la réputation de faire bon ménage. On raconte que l'ancien curé de la Pointe-du-Lac, l'abbé de Calonne, prenait plaisir à se mortifier. Non satisfait de jeûner plus que de raison, il poussa un jour l'excès jusqu'à refuser de boire une tasse de café bien chaud. Une des Ursulines des Trois-Rivières (il était leur aumônier) s'inquiéta de le voir, ce matin-là, repousser son café et réclamer une tisane.
— « Je vous assure, mon Père, que votre café est bon, veuillez-donc y goûter, vous en avez besoin. »
— « Non, rapportez-le, répondit-il, le diable me l'avait dit avant vous qu'il était bon. Il m'a soufflé, pendant la messe, que j'avais une tasse de café à prendre. Rapportez-la, il ne l'aura pas. »

Préparation : 30 minutes $$
Cuisson : 25 minutes

Portions 24	*Ingrédients*	Portions 6
250 g	**Beurre (ou margarine)**	**50 ml**
925 g	**Sucre**	**250 mL**
8	**Oeuf battu**	**2**
775 g	**Farine tout usage**	**300 mL**
20 mL	**Poudre à pâte**	**5 mL**
300 mL	**Lait caillé**	**75 mL**
500 mL	**Café noir bouillant**	**125 mL**
400 mL	**Chocolat mi-sucré fondu**	**100 mL**
20 mL	**Bicarbonate de soude**	**5 mL**
20 mL	**Essence de vanille**	**5 mL**

Méthode
1 Battre le beurre en crème avec le sucre.
2 Ajouter un à un les oeufs sans cesser de battre le mélange.
3 Tamiser la farine et la poudre à pâte. Incorporer au mélange en alternant avec le lait caillé. Terminer avec la farine.
4 Verser le café bouillant sur le chocolat fondu, et y ajouter le bicarbonate de soude. Laisser refroidir quelque peu, puis ajouter au premier mélange.
5 Parfumer avec l'essence de vanille.
6 Verser dans un moule de 25 x 15 x 5 cm.
7 Faire cuire au four à 190°C, durant 25 minutes.

Tarte à la ferlouche

Il en va des tartes à la ferlouche comme des tourtières. Sujet de conversations au cours desquelles on n'en finit plus d'essayer de trouver qui est en possession de la vraie recette. En Mauricie, certaines familles la font à la mélasse depuis plusieurs générations. Un draveur dressait ainsi un jour à un historien le menu qui était le sien dans les chantiers vers 1891. « Pis pour la nourriture, disait Wilbray Grenier à Normand Lafleur, céta de la soupe aux pois, pis des « beans », du sirop, des tartes à la mélasse de temps en temps, pis aux pommes sèches. T'as pas connu ça toi ? »

Préparation : 20 minutes $
Cuisson : 10 minutes

Portions 24	*Ingrédients*	Portions 6
500 mL	**Mélasse**	**125 mL**
425 g	**Cassonade**	**125 mL**
500 mL	**Lait**	**125 mL**
400 g	**Raisin sec**	**125 mL**
8	**Oeuf**	**2**
60 mL	**Beurre fondu**	**15 mL**
30 mL	**Jus de citron**	**7 mL**
35 g	**Fécule de maïs**	**15 mL**
1 kg	**Pâte brisée** ***(voir recettes complémentaires)***	**250 g**

Méthode
1 Mélanger la mélasse, la cassonade, le lait, les raisins secs et faire chauffer jusqu'au point d'ébullition.
2 Battre les oeufs et les ajouter graduellement au mélange.
3 Ajouter le beurre et le jus de citron.
4 Ajouter la fécule de maïs diluée dans un peu d'eau.
5 Bien mélanger et laisser cuire environ 10 minutes.
6 Garnir du mélange une *abaisse* déjà cuite.

Tarte chiffon à l'érable

Préparation : 30 minutes $$
Cuisson : 10 minutes

Portions 24	*Ingrédients*	Portions 6
30 mL	**Gélatine neutre**	**7 mL**
125 mL	**Eau**	**30 mL**
8	**Jaune d'oeuf**	**2**
250 mL	**Lait**	**60 mL**
500 mL	**Sirop d'érable**	**125 mL**
2 mL	**Sel**	**0,5 mL**
8	**Blanc d'oeuf**	**2**
200 g	**Sucre**	**60 mL**
1 kg	**Pâte brisée** ***(voir recettes complémentaires)***	**250 g**
60 mL	**Noix de Grenoble hachée**	**15 mL**

Méthode
1 Faire gonfler la gélatine dans l'eau froide.
2 Battre les jaunes d'oeufs avec le lait et le sirop d'érable.
3 Faire *cuire au bain-marie* en remuant constamment avec une cuillère de bois, jusqu'à ce que le mélange épaississe (environ 10 minutes) ; il est prêt lorsque, en passant le doigt sur la cuillère de bois, celui-ci y laisse une trace bien nette.
4 Retirer du feu et y incorporer la gélatine.
5 Mettre cette préparation au réfrigérateur jusqu'à ce qu'elle commence à prendre.
6 Ajouter le sel aux blancs d'oeufs.
7 Battre ceux-ci en neige ferme, et incorporer graduellement le sucre, sans cesser de battre.
8 Réunir les deux préparations, et bien mélanger.
9 Verser l'*appareil* dans l'*abaisse* déjà cuite et mettre au réfrigérateur.
10 Garnir de noix.

Brioches du Vendredi saint

Préparation : 3 heures $
Cuisson : 20 minutes

Portions 8 douzaines	*Ingrédients*	Portions 2 douzaines
80 g	**Levure sèche**	**25 mL**
950 mL	**Lait**	**250 mL**
1,3 kg	**Farine tout usage**	**500 mL**
225 g	**Sucre**	**60 mL**
50 mL	**Sel**	**12 mL**
325 g	**Beurre**	**80 mL**
3	**Oeuf**	**1**
3 mL	*Quatre-épices (au goût)*	
3 mL	**Cannelle (au goût)**	
325 g	**Raisin sec**	**100 mL**
	Glace au sucre :	
475 g	**cassonade**	**125 mL**
100 mL	**lait**	**25 mL**

Méthode
1 Délayer la levure dans le lait tiède.
2 Ajouter tous les autres ingrédients (les raisins secs en dernier).
3 Bien pétrir jusqu'à ce que la pâte devienne élastique (environ 15 minutes).
4 Laisser doubler de volume.
5 Façonner des boules lisses de 35 g chacune et disposer sur une plaque beurrée.
6 Dessiner une croix avec la pointe d'un couteau sur le dessus des brioches.
7 Laisser doubler de volume dans un endroit chaud.
8 Faire cuire au four à 180°C, durant 20 minutes.
9 Amener à ébullition la cassonade et le lait.
10 Glacer les brioches à l'aide d'un pinceau lorsqu'elles sont cuites.

Crème à l'érable

Préparation : 45 minutes $$$
Cuisson : 10 minutes

Portions 24	*Ingrédients*	Portions 6
1 L	**Sirop d'érable**	**250 mL**
325 g	**Farine tout usage**	**125 mL**
8 mL	**Sel**	**2 mL**
8	**Jaune d'oeuf**	**2**
1,8 L	**Lait**	**450 mL**
100 mL	**Beurre fondu**	**25 mL**
8	**Blanc d'oeuf**	**2**
200 mL	**Sirop d'érable**	**50 mL**

Méthode
1 Mélanger le sirop d'érable, la farine, le sel et les jaunes d'oeufs.
2 Ajouter graduellement le lait chaud, et faire *cuire au bain-marie,* en brassant constamment, jusqu'à épaississement du mélange.
3 Retirer du feu et ajouter le beurre.
4 Laisser cuire encore 3 minutes, en brassant toujours.
5 Monter les blancs d'oeufs en neige, et y ajouter graduellement le reste de sirop d'érable bouillant.
6 Continuer à battre les blancs jusqu'à ce qu'ils soient fermes.
7 Incorporer délicatement au mélange et verser dans des coupes.
8 Mettre au réfrigérateur.

Biscuits aux patates

Au XVIIe et au XVIIIe siècle, on disait la pomme de terre vénéneuse, responsable de la lèpre et coupable, dès son introduction en Europe, de tous les maux. Qui aurait cru, à ce moment, qu'un jour viendrait où la pomme de terre serait la coqueluche des Occidentaux qui la consomment même... en biscuit ? Afin de ne rien perdre de ce légume, on en vint à même le congeler. C'est ainsi que dans les chantiers de la Mauricie, les hommes disposaient d'une recette précise et efficace : après les avoir pelées et cuites, on réduisait les pommes de terre en purée assaisonnée de sel et de poivre; ensuite, « elles étaient mises par rang de deux ou trois pouces dans un petit baril de trente pouces de haut. On les faisait congeler et elles se conservaient parfaitement sans sûrir. Pour le dîner, on allait couper un bloc de patates et une fois réchauffées, elles étaient délicieuses. »

Préparation : 20 minutes $
Cuisson : 20 minutes

Portions 8 douzaines	*Ingrédients*	Portions 2 douzaines
950 g	**Farine**	**375 mL**
85 g	**Poudre à pâte**	**20 mL**
8 mL	**Sel**	**2 mL**
125 g	**Graisse végétale**	**45 mL**
825 g	**Purée de pommes de terre froide**	**250 mL**
500 mL	**Lait**	**125 mL**

Méthode
1 Tamiser les ingrédients secs.
2 Incorporer la graisse végétale, puis la purée de pommes de terre.
3 Ajouter le lait.
4 Mettre au réfrigérateur durant 1 heure.
5 Étendre la pâte sur une épaisseur de 1 cm et la *détailler* à l'aide d'un *emporte-pièce.*
6 Faire cuire au four à 190°C, durant 20 minutes, sur une tôle à biscuits graissée.

Gâteaux au son et aux pommes

Préparation : 30 minutes $
Cuisson : 30 à 40 minutes

Portions 8 douzaines	Ingrédients	Portions 2 douzaines
375 g	Saindoux	125 mL
925 g	Sucre	250 mL
4	Oeuf battu	1
125 g	Farine de son	125 mL
800 g	Pomme râpée	250 mL
950 g	Farine tout usage	375 mL
4 mL	Bicarbonate de soude	1 mL
40 mL	Poudre à pâte	10 mL
20 mL	Sel	5 mL
8 mL	Cannelle	2 mL
8 mL	Clou de girofle	2 mL
500 mL	Café froid	125 mL
20 mL	Essence de vanille	5 mL
	Glace au sucre :	
50 mL	beurre	15 mL
250 g	sucre en poudre	100 mL
8 mL	cannelle	2 mL

Méthode
1 Mélanger le saindoux, et le sucre.
2 Ajouter l'oeuf et bien brasser le mélange.
3 Incorporer la farine de son et les pommes.
4 Tamiser ensemble les ingrédients secs et les ajouter au mélange, en alternant avec le café et l'essence de vanille.
5 Déposer par cuillerées dans les moules à muffins graissés (ne remplir qu'aux trois quarts).
6 Faire cuire au four à 180°C, de 30 à 40 minutes.
7 Mélanger le beurre, le sucre et la cannelle.
8 En glacer les petits gâteaux 5 minutes avant la fin de la cuisson.

Pain au gruau

Préparation : 25 minutes $
Cuisson : 40 minutes

Portions 4 pains	Ingrédients	Portion 1 pain
800 mL	Eau bouillante	200 mL
175 g	Gruau à cuisson rapide	125 mL
125 g	Graisse végétale	50 mL
200 mL	Miel liquide	50 mL
40 mL	Sel	10 mL
20 mL	Sucre	5 mL
300 mL	Eau tiède	75 mL
40 mL	Levure sèche	10 mL
4	Oeuf	1
15 ml	Muscade	5 mL
625 g	Farine de blé entier	250 mL
75 g	Lait écrémé en poudre	50 mL
650 g	Farine tout usage	250 mL

Méthode
1 Mélanger l'eau bouillante, le gruau, la graisse végétale, le miel et le sel dans un grand bol. Laisser tiédir.
2 Faire dissoudre le sucre dans l'eau tiède.
3 Ajouter la levure et laisser reposer 10 minutes. Bien brasser.
4 Ajouter au premier mélange la levure délayée, les oeufs, la muscade, la farine de blé entier, le lait écrémé en poudre et la moitié de la farine tout usage.
5 Battre vigoureusement pendant 2 minutes en raclant souvent les parois du bol.
6 Incorporer le reste de la farine.
7 Mettre la pâte dans un moule à pain (23 x 13 x 8 cm) graissé et fariné.
8 Tapoter la surface du pain pour bien l'égaliser.
9 Couvrir d'une serviette humide et laisser lever pendant 1 heure 30 (ou jusqu'à ce que la pâte lève de 3 cm).
10 Faire cuire au four à 190°C, pendant 40 minutes.

Gâteau au lard salé

Ainsi réunis, les ingrédients qui composent ce gâteau sont synonymes de grand luxe, car celui qui décide de le fabriquer doit avoir recours à des produits importés : en effet, la mélasse, les raisins, les dattes, les fruits confits, les noix ainsi que les épices n'ont jamais pu être adaptés à notre climat. Les oeufs, l'eau, la farine font, par contre, partie de notre quotidien, de même que le porc, bien sûr. Cet animal, dont chaque centimètre est comestible, a eu très tôt la faveur de notre cuisine et il n'est pas étonnant que le gâteau au lard des Anglais ait séduit le palais de nos pères et mères. Au XVIIe siècle déjà, le porc avait une telle valeur qu'il servait quelquefois à payer les frais de scolarité et le pensionnat des élèves des Ursulines. Un père paya, à l'aide des denrées suivantes, l'inscription de sa fille à l'école des Ursulines de Québec, vers 1660 : sept cordes et demie de bois, douze livres de beurre, un baril de pois, un baril d'anguilles salées et un cochon gras. Vous avez là, noir sur blanc, les matières premières utilisées alors dans la cuisine de la Nouvelle-France !

Préparation : 35 minutes $$$
Cuisson : 3 heures 30

Portions 24	Ingrédients	Portions 6
500 mL	Eau bouillante	125 mL
200 g	Lard salé en dés	50 g
200 g	Raisin sec	75 mL
125 g	Noix hachée grossièrement	50 mL
75 g	Raisin de Corinthe	50 mL
225 g	Fruits confits	50 mL
100 g	Cerise rouge et verte	25 mL
100 g	Datte hachée	25 mL
60 mL	Cognac	15 mL
8 mL	Cannelle	2 mL
8 mL	Muscade	2 mL
8 mL	Clou de girofle	2 mL
8 mL	Bicarbonate de soude	2 mL
2 mL	Sel	0,5 mL
20 mL	Poudre à pâte	5 mL
1,3 kg	Farine tout usage	525 mL
4	Oeuf	1
400 g	Sucre	125 mL
750 mL	Mélasse	175 mL

Méthode
1 Verser l'eau bouillante sur le lard salé, et laisser refroidir.
2 Faire *macérer* les fruits dans le cognac, au moins 2 heures.
3 Mélanger tous les ingrédients secs.
4 Battre l'oeuf. Y ajouter le sucre, le lard et l'eau, les fruits, les ingrédients secs et la mélasse.
5 Verser dans un moule graissé de 25 x 15 x 5 cm.
6 Faire cuire au four à 170°C pendant 30 minutes ; couvrir d'un papier d'aluminium, et cuire à 135°C pendant 2 h. 30 à 3 heures.
7 Piquer avec un couteau pour vérifier la cuisson.

Galettes à la fleur de sarrasin

Préparation : 5 minutes $
Cuisson : 2 minutes

Portions 24	Ingrédients	Portions 6
1,5 kg	Farine de sarrasin	500 mL
25 mL	Sel	7 mL
2,5 L	Eau	625 mL

Méthode
1 Tamiser ensemble les ingrédients secs.
2 Ajouter l'eau par petites quantités. Bien mélanger.
3 Verser l'*appareil* sur une plaque bien chaude non graissée et l'étendre en une couche mince.
4 Retourner la galette avec une spatule de métal.
5 Servir avec du beurre, du sucre d'érable ou de la mélasse.
6 Accompagne agréablement le rôti de lard, la tête fromagée et la saucisse.

Ketchup aux fruits de grand-maman

Préparation : 30 minutes $$$
Cuisson : 1 heure

Portions 6 litres	Ingrédients	Portion 1,5 litre
2 kg	Tomate en dés	625 mL
1,2 kg	Oignon en dés	500 mL
400 g	Céleri en dés	200 mL
800 g	Pomme en dés	325 mL
1,6 kg	Pêche en dés	400 mL
800 g	Poire en dés	225 mL
60 mL	Sel	15 mL
30 mL	Moutarde en poudre	7 mL
28 mL	Cannelle	7 mL
8 mL	Clou de girofle	2 mL
1,2 L	Vinaigre	300 mL

Méthode
1 Mettre les fruits et les légumes dans une casserole avec les épices et le vinaigre.
2 Faire mijoter durant 1 heure.
3 Laisser refroidir avant de verser dans des pots stérilisés.

Estrie

L'art de bien manger a toujours tenu une place importante dans les habitudes de la population de l'Estrie. Érablières, vergers, fruits sauvages, gibier, poisson constituent les principales richesses de ce merveilleux coin de pays où montagnes, lacs et rivières s'entrelacent.

L'art de bien manger a toujours été primordial dans l'Estrie. La composition très variée de certains repas gastronomiques organisés par des organismes régionaux leur donne parfois des allures internationales. Ainsi, a-t-on vu au menu d'un même repas se succéder des plats australien, haïtien, vietnamien, anglais, irlandais, suisse, russe, belge et français. Cette coutume prend parfois la forme d'un « church supper », expression difficile à traduire qui signifie que les profits du repas vont à la fabrique.

Sans doute, de tels repas ne constituent pas l'occasion idéale pour découvrir — si vous ne les connaissez pas déjà — les « guédilles ». Pour les végétariens, la « guédille » revêt un attrait particulier puisqu'elle consiste en un petit pain beurré et garni, au choix, de salade de choux, d'oignons frits, d'échalotes, de tomates et de concombres, à quoi il n'est pas interdit d'ajouter des oeufs durs. Pour les non-végétariens alors, toutes les sortes de viandes froides et même les poissons sont permises.

Les Cantons-de-l'Est sont évidemment trop près de la Beauce et des Bois-Francs pour ne pas avoir aussi leurs érablières. Le sirop et le sucre d'érable entrent donc pour une bonne part dans la cuisine régionale. Les vergers étant nombreux dans la région, il en va de même pour les mets à base de pommes.

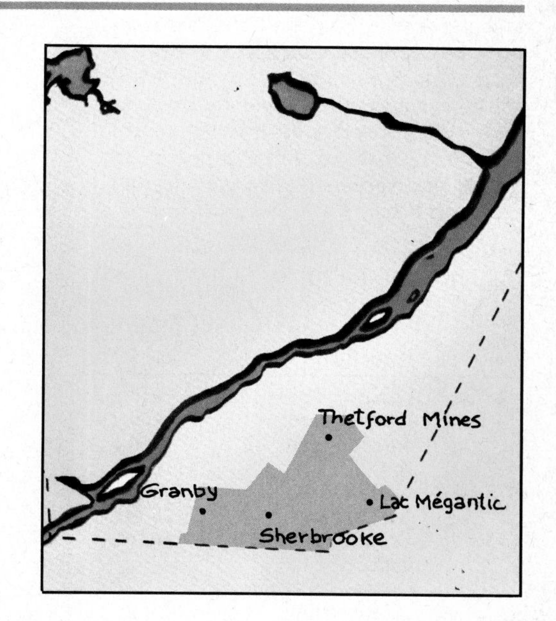

Aspic des Cantons

Préparation : 35 minutes $$
Cuisson : 5 minutes

Portions 24	Ingrédients	Portions 6
2 L	**Jus de tomate**	500 mL
60 mL	**Sucre en poudre**	15 mL
20 mL	**Sel**	5 mL
4 mL	**Poivre**	1 mL
4	**Feuille de laurier**	1
80 g	**Gélatine neutre**	30 mL
250 mL	**Eau**	60 mL
250 mL	**Vinaigre**	60 mL
75 mL	**Jus de citron**	20 mL
	Feuille de laitue	
525 g	**Chou-fleur cuit, en petits dés**	250 mL
125 g	**Olive farcie**	6
300 g	**Carotte cuite, en dés**	125 mL
350 g	**Petit pois cuit**	125 mL
	Mayonnaise	
	Persil	

Méthode

1 Faire chauffer la moitié du jus de tomate avec le sucre, le sel, le poivre et le laurier.
2 Dissoudre la gélatine dans l'eau froide et l'ajouter au jus de tomate. Laisser bouillir 5 minutes.
3 Ajouter le reste du jus de tomate, le vinaigre et le jus de citron.
4 Verser le mélange dans un moule en couronne (20 cm de diamètre) préalablement passé à l'eau froide.
5 Laisser prendre.
6 Démouler.
7 Placer quelques feuilles de laitue au centre de la gelée et y déposer le chou-fleur, les olives, les carottes et les petits pois légèrement enrobés de mayonnaise.
8 Décorer de persil.

Truites farcies aux huîtres

Au XVIIe siècle, la pêche aux huîtres était la pêche d'hiver. Au Québec, la consommation de cette perle des mers a toujours été considérable. L'automne venu, les quais de Montréal, des Trois-Rivières ou de Québec devenaient le point de ralliement des amateurs qui étaient nombreux. Connues depuis des siècles, les huîtres canadiennes ont une réputation insurpassée.

Préparation : 50 minutes $$$
Cuisson : 15 à 17 minutes

Portions 24	Ingrédients	Portions 6
24	**Truite**	6
28	**Tranche de pain**	7
ou 700 g	**de mie rassis**	
2 L	**Lait**	500 mL
175 g	**Beurre**	45 mL
225 g	**Oignon haché**	90 mL
60 g	**Échalote hachée**	30 mL
550 g	**Champignon haché**	250 mL
4	**Gousse d'ail écrasée**	1
72	**Huître**	18
4	**Oeuf**	1
12	**Jaune d'oeuf**	3
	Sel (au goût)	
	Poivre (au goût)	
1 kg	**Carotte émincée**	500 mL
650 g	**Oignon émincé**	250 mL
100 mL	**Huile**	25 mL
2 L	**Cidre**	500 mL

Méthode

1 Enlever les arêtes des truites par le ventre en prenant soin de ne pas abîmer la queue et la tête.
2 Faire tremper le pain dans le lait.
3 Faire suer dans le beurre les oignons, les échalotes, les champignons et les gousses d'ail.
4 *Ébarber* les huîtres.
5 Filtrer leur jus et l'ajouter au mélange des légumes.
6 *Pocher* les huîtres pendant 2 minutes dans cet *appareil.*
7 Égoutter les huîtres en les pressant légèrement.
8 Mettre le jus de côté.
9 Essorer le pain en le pressant dans les mains et mélanger avec les oeufs aux légumes et aux huîtres. Saler et poivrer.
10 Farcir les truites de cet *appareil.*
11 Envelopper les truites dans le papier sulfurisé, mais ne pas fermer les extrémités du papier. (Papier sulfurisé : 30 cm x 22 cm : 6 fois.)
12 *Faire revenir à brun* les carottes et les oignons dans l'huile chaude.
13 *Déglacer* avec le cidre et le jus de cuisson des huîtres.
14 Mettre les truites dans le jus.
15 Faire mijoter de 15 à 17 minutes. Retourner délicatement les truites à mi-cuisson.
N.B. : Servir avec le jus et les légumes, si possible dans le plat de cuisson.

Pâté de lapin de Richmond

L'ethnologue Jacques Rousseau, décrit ici la façon dont les Amérindiens apprêtaient les petits animaux sauvages : « Pour le repas quotidien on préfère les mets bouillis. La chaudière reçoit volontiers ensemble le petit gibier avec des tranches de lard salé, de la graisse, du sel et du poivre, au besoin des oignons déshydratés, le tout recouvert d'eau. »

Préparation : 1 heure $$$
Cuisson : 2 heures 30

Portions 6 kilogrammes	*Ingrédients*	Portion 1,5 kilogramme
2,5 kg	**Lapin**	**650 g**
2 kg	**Filet de porc**	**450 g**
2 kg	**Noix de veau**	**450 g**
450 mL	**Brandy**	**110 mL**
675 mL	**Crème 35%**	**175 mL**
75 g	**Ail haché**	**20 mL**
300 g	**Échalote française hachée**	**150 mL**
6	**Oeufs**	**2**
	Sel (au goût)	
	Poivre (au goût)	
4	**Feuille de laurier**	**1**

Méthode
1 Faire mariner les viandes crues pendant 12 heures dans le mélange de brandy et de crème.
2 Égoutter, conserver le liquide.
3 Passer les viandes, l'ail et les échalotes trois fois au hachoir.
4 Ajouter les oeufs et le mélange de brandy et de crème.
5 Bien mélanger.
6 Assaisonner.
7 *Barder* deux moules à pain, d'une capacité de deux litres chacun, puis les remplir avec l'*appareil.*
8 Déposer une feuille de laurier sur les pâtés. Couvrir de *bardes.*
9 *Cuire au bain-marie* au four à 170°C pendant 2 heures 30 minutes.

Cornichons à l'aneth

Préparation : 25 minutes $
Cuisson : jusqu'à ébullition

Portions 6 litres	*Ingrédients*	Portion 1,5 litre
3,3 kg	**Concombre**	**825 g**
1	**Gousse d'ail**	**¼**
2 mL	**Acide acétique**	**0,5 mL**
1	**Petite branche d'aneth**	**soupçon**
1,5 L	**Eau**	**375 mL**
500 mL	**Vinaigre**	**125 mL**
75 g	**Gros sel**	**16 mL**
3 mL	**Alun**	**1 mL**

Méthode
1 Stériliser des pots de verre.
2 Laver et sécher les concombres. Ne couper que les plus gros, dans le sens de la longueur.
3 Placer les concombres dans les pots.
4 Mettre dans chaque pot l'ail, l'acide acétique et l'aneth.
5 Chauffer jusqu'au point d'ébullition l'eau, le vinaigre, le sel et l'alun.
6 Verser ce mélange chaud sur les concombres et fermer hermétiquement.
7 Laisser mariner pendant 2 mois.

Centre des ressources didactiques / Institut de tourisme et d'hôtellerie du Québec

Cornichons à l'aneth

A.T.E. *(Trois fermiers au repos, sur un tracteur).* Objets d'artisanat : Marco Champagne, Saint-François-Xavier-de-Brompton *(bol en porcelaine)*; Suzanne Servant, Waterville *(napperon beige)*; Les Ateliers Plein Soleil, Mont-Joli *(nappe).*

Ketchup vert

Préparation : 30 minutes $$
Cuisson : 35 minutes

Portions 6 litres	*Ingrédients*	Portion 1,5 litre
4 kg	**Tomate verte**	**1 kg**
1,3 kg	**Oignon**	**325 g**
2,25 kg	**Céleri**	**½ pied**
275 g	**Gros sel**	**60 mL**
1,25 L	**Vinaigre**	**325 mL**
1,8 kg	**Sucre**	**500 mL**
40 g	**Épices à marinades**	**20 mL**
4 mL	**Poivre en grains**	**1 mL**

Méthode
1 Couper les légumes en dés et les faire *dégorger* pendant une nuit, couverts de gros sel.
2 Égoutter les légumes et les déposer dans une marmite.
3 Faire cuire pendant environ 35 minutes dans le mélange de vinaigre et de sucre avec les épices à marinades et le poivre en grains enveloppés dans un coton à fromage.
4 Verser dans des pots stérilisés et laisser refroidir.

Crème de maïs de l'Estrie

Préparation : 20 minutes $
Cuisson : 35 minutes

Portions 6 litres	*Ingrédients*	Portion 1,5 litre
600 g	**Oignon haché**	250 mL
85 g	**Graisse végétale**	30 mL
1 kg	**Pomme de terre en dés**	500 mL
1 L	**Eau**	250 mL
2 L	**Maïs en crème**	500 mL
2 L	**Lait**	500 mL
	Sel (au goût)	
	Poivre (au goût)	
60 mL	**Persil haché**	15 mL

Méthode
1 Faire suer les oignons dans la graisse végétale.
2 Ajouter les pommes de terre.
3 *Mouiller* avec l'eau.
4 Cuire pendant 15 minutes.
5 Réduire en purée les pommes de terre avec les oignons.
6 Incorporer le maïs et le lait.
7 Assaisonner.
8 Faire mijoter pendant 10 minutes.
9 Garnir de persil haché au moment de servir.

Champignons marinés de Waterloo

Préparation : 15 minutes $$

Portions 24	*Ingrédients*	Portions 6
	Marinade :	
500 mL	**vinaigre blanc**	125 mL
4 mL	**moutarde en poudre**	1 mL
15 mL	**sel**	4 mL
8 mL	**poivre**	2 mL
3 mL	**thym**	1 mL
20 mL	**persil haché**	5 mL
16	**Gousse d'ail hachée finement**	4
80 g	**Échalote hachée finement**	40 mL
1,25 L	**Huile**	300 mL
1,25 kg	**Champignon émincé**	900 mL

Méthode
1 Mélanger le vinaigre, les épices et les assaisonnements.
2 Ajouter l'ail et les échalotes.
3 Incorporer progressivement l'huile à l'aide d'un fouet.
4 Faire mariner les champignons trois heures avant de les servir.

Soupe aux tomates et au maïs

Autrefois le mot « restaurant » signifiait simplement que le voyageur trouverait à cette enseigne de... la soupe, plat qui constituait habituellement le repas du soir des gens du commun.

Préparation : 15 minutes $
Cuisson : 25 minutes

Portions 6 litres	*Ingrédients*	Portion 1,5 litre
600 g	**Oignon haché**	250 mL
125 g	**Beurre**	30 mL
2 L	**Tomate concassée**	500 mL
4 L	**Bouillon de poulet**	1 L
800 g	**Maïs en grains**	250 mL
	Sel (au goût)	
	Poivre (au goût)	

Méthode
1 Faire suer les oignons dans le beurre.
2 Ajouter les tomates et le bouillon.
3 Amener à ébullition et faire mijoter pendant 10 minutes.
4 Ajouter le maïs, le sel et le poivre, et cuire pendant encore 10 minutes.

Bouillon de boeuf à l'orge

Préparation : 10 minutes $
Cuisson : 2 heures

Portions 6 litres	*Ingrédients*	Portion 1,5 litre
325 g	**Orge perlé**	100 mL
8 L	**Bouillon de boeuf**	2 L
375 g	**Lard salé en dés**	125 mL
300 g	**Oignon haché fin**	125 mL
60 mL	**Herbes salées** ***(voir recettes complémentaires)***	15 mL
	Poivre (au goût)	
1 L	**Tomate concassée (facultatif)**	250 mL

Méthode
1 Laver l'orge à l'eau bouillante. Égoutter.
2 Mettre tous les ingrédients dans une casserole, sauf les herbes salées et le poivre.
3 Faire mijoter à découvert pendant environ 1½ heure.
4 Ajouter les herbes salées et le poivre, et faire mijoter 20 minutes.
5 Ajouter les tomates concassées à la fin de la cuisson.

Boulettes d'agneau

Préparation : 20 minutes $
Cuisson : 20 minutes

Portions 24	*Ingrédients*	Portions 6
4 kg	**Agneau dans l'épaule**	1 kg
250 g	**Carotte hachée**	125 mL
250 g	**Oignon haché**	125 mL
4	**Oeuf**	1
20 mL	**Sel**	5 mL
4 mL	**Romarin**	1 mL
	Farine	
	Beurre	
1 L	**Jus de tomate**	250 mL
10 mL	**Fécule de maïs**	2 mL
20 mL	**Eau froide**	4 mL

Méthode
1 Hacher la viande; ajouter les carottes et les oignons.
2 Ajouter les oeufs battus et assaisonner.
3 Bien mélanger et façonner en boulettes de 40 g environ.
4 Enfariner les boulettes.
5 Les faire dorer dans le beurre.
6 Ajouter le jus de tomate, couvrir et cuire à feu doux pendant 20 minutes.
7 Épaissir la sauce avec la fécule délayée dans de l'eau froide.

Boeuf braisé

Au Québec, on a longtemps hésité avant d'introduire les tomates dans l'alimentation. On préférait jadis les voir plutôt au salon où elles faisaient office de plantes ornementales.

Préparation : 30 minutes $
Cuisson : environ 3 heures

Portions 24	*Ingrédients*	Portions 6
4 kg	**Pièce de boeuf à braiser**	1 kg
125 mL	**Huile**	30 mL
75 g	**Céleri haché**	50 mL
300 g	**Carotte hachée**	125 mL
250 g	**Oignon haché**	125 mL
50 g	**Farine tout usage**	30 mL
5 mL	**Moutarde en poudre**	1 mL
4 L	**Fond brun**	1 L
600 mL	**Tomate concassée**	150 mL
2	**Gousse d'ail hachée**	½
2	**Feuille de laurier**	½
28 mL	**Sel***	7 mL
	Poivre (au goût)	

Méthode
1 *Faire revenir* la pièce de boeuf dans l'huile. Ajouter le céleri, les carottes et les oignons, et laisser colorer légèrement.
2 Saupoudrer du mélange de farine et de moutarde.
3 *Mouiller* avec le fond brun.
4 Ajouter les tomates et les assaisonnements.
5 Cuire au four à couvert à 180°C pendant environ trois heures. Arroser avec le jus de cuisson de temps en temps.
6 Retirer la pièce de boeuf de la braisière.
7 *Passer* le jus et le *dégraisser.*
8 *Napper* de sauce la pièce de boeuf et servir.
*Diminuer la quantité de sel si le fond brun est déjà salé.

Ragoût des loyalistes

C'est sans doute dans les environs des Grandes-Fourches qu'on éleva les premiers agneaux destinés à l'alimentation des nouveaux colons, au XVIIIe siècle. Les Grandes-Fourches est le nom que les Abénaquis donnaient à l'actuelle reine des Cantons de l'Est, au temps où elle avait encore une allure champêtre.

Préparation : 40 minutes $$
Cuisson : 1 heure 30

Portions 24	Ingrédients	Portions 6
2,5 kg	**Agneau**	**700 g**
	Sel et poivre (au goût)	
	Farine	
800 g	**Oignon tranché**	**300 mL**
	Huile	
4 L	**Eau**	**1 L**
1 kg	**Carotte en dés**	**500 mL**
1 kg	**Navet en dés**	**500 mL**
1 kg	**Pomme de terre en dés**	**500 mL**
40 mL	**Persil haché**	**10 mL**

Méthode

1 Couper la viande en cubes de 2 cm.
2 Fariner, puis assaisonner les cubes de sel et de poivre.
3 *Faire revenir* ensuite la viande et les oignons dans un peu d'huile.
4 Ajouter l'eau et couvrir.
5 Cuire pendant 1 heure 30.
6 Vers le milieu de la cuisson, ajouter les carottes et le navet, et 20 minutes après, les pommes de terre.
7 Rectifier l'assaisonnement une fois la cuisson terminée et ajouter le persil haché.

Bûche à la viande

Au XVIIe siècle, on ne songeait habituellement pas à se nourrir des bovins qui étaient plus utiles pour le travail. Plus tard, l'aisance venant, on éleva des bovins pour la boucherie.

Préparation : 30 minutes $
Cuisson : 40 minutes

Portions 24	Ingrédients	Portions 6
1,8 kg	**Boeuf haché**	**450 g**
450 g	**Oignon haché**	**200 mL**
75 g	**Piment vert haché**	**50 mL**
250 g	**Beurre**	**60 mL**
2,5 kg	**Pâte brisée***	**625 g**
	Oeuf battu	
	Sauce :	
125 g	**beurre**	**30 mL**
60 g	**farine**	**30 mL**
2 L	**tomate concassée**	**500 mL**
40 mL	**sucre**	**10 mL**
	Sel (au goût)	
	Poivre blanc (au goût)	
	***Pâte brisée :**	
1,25 kg	**farine tout usage**	**500 mL**
20 mL	**sel**	**5 mL**
85 g	**poudre à pâte**	**20 mL**
175 g	**graisse végétale**	**60 mL**
1 L	**lait**	**250 mL**

Méthode

1 *Faire revenir* le boeuf, les oignons et les piments au beurre. Égoutter et laisser refroidir la préparation.
2 *Abaisser* la pâte en rectangle, y étendre la préparation et rouler comme pour un gâteau.
3 Mettre au réfrigérateur pour environ 1 heure ou deux avant la cuisson.
4 *Badigeonner* d'oeuf battu et cuire au four pendant 40 minutes à 200°C.
5 Faire un *roux* avec le beurre et la farine.
6 Chauffer les tomates et le sucre et ajouter graduellement, tout en brassant.
7 Assaisonner.
8 Laisser mijoter pendant environ 30 minutes.
9 *Passer* la sauce.
10 *Détailler* le pâté en tranches et servir *nappé* de cette sauce.

Pâte brisée :

11 Tamiser la farine avec le sel et la poudre à pâte.
12 Bien *sabler* les ingrédients secs avec la graisse végétale.
13 Ajouter le lait froid d'un seul coup et mélanger légèrement.
14 Réfrigérer une heure avant l'utilisation.

Archives nationales du Québec, collection du Musée de Sherbrooke *(Boucherie de Sherbrooke, en 1912)*. Objets d'artisanat : Marco Champagne, Saint-François-Xavier-de-Brompton *(2 petites assiettes, bol à consommé)*; Boiserie du Haut Saint-François *(planche à pain)*.

Bûche à la viande

Centre des ressources didactiques / Institut de tourisme et d'hôtellerie du Québec

Canard de Frelighsburg

Préparation : 15 minutes $$$
Cuisson : 1 heure 30

Portions 24	Ingrédients	Portions 6
400 g	**Beurre**	**150 mL**
400 g	**Oignon émincé**	**150 mL**
400 g	**Céleri en dés**	**150 mL**
750 g	**Cube de mie de pain**	**175 mL**
	Sel (au goût)	
	Poivre (au goût)	
12 mL	**Sauge**	**3 mL**
3 kg	**Pomme tranchée**	**1,5 L**
12	**Canard (1,8 kg)**	**3**
100 mL	**Huile**	**50 mL**
600 g	**Carotte tranchée**	**350 mL**
600 g	**Oignon émincé**	**350 mL**
6 L	**Fond brun *(voir recettes complémentaires)***	**1,5 L**

Méthode

1 Cuire doucement dans le beurre les oignons et le céleri.
2 Ajouter les cubes de mie de pain, puis assaisonner.
3 Ajouter les pommes et cuire de 2 à 3 minutes.
4 Refroidir l'*appareil*, en farcir les canards.
5 Chauffer l'huile dans une rôtissoire, y déposer les canards entourés de carottes et d'oignons.

6 Cuire au four à 180°C pendant environ 1 heure 30.
7 Retirer les canards de la rôtissoire et les garder au chaud.
8 Enlever l'excédant de gras.
9 Faire colorer les sucs de la viande.
10 *Déglacer* avec le fond brun et laisser *réduire* de moitié.
11 *Lier* avec un *beurre manié.*
12 *Passer* la sauce au tamis.
13 Rectifier l'assaisonnement.

Tourtière de canard du lac Brome

Si, au XVIIIe siècle, on voyait quasiment tomber les tourtes du ciel jusqu'aux fourneaux, pourquoi ne pas tenter aujourd'hui l'expérience d'une tourtière avec ce beau volatile du lac Brome qu'est le canard ? Mais le ciel de ce coin de l'Estrie se noircit-il toujours à l'arrivée des oiseaux comme il le faisait en septembre 1752, aux environs de Québec ? Les voyageurs voyant les tourtes se laisser prendre au piège s'étonnaient de leur extraordinaire abondance.

Préparation : 40 minutes $$
Cuisson : 2 heures 20 minutes

Portions 24	Ingrédients	Portions 6
8	**Canard (1,8 kg)**	**2**
120 mL	**Huile**	**30 mL**
600 g	**Lard salé en cubes**	**150 g**
600 g	**Oignon haché**	**250 mL**
3 L	**Bouillon de canard**	**750 mL**
500 g	**Farine grillée**	**225 mL**
1 L	**Eau froide**	**250 mL**
4 mL	**Clou de girofle**	**1 mL**
4 mL	**Cannelle**	**1 mL**
	Sel (au goût)	
	Poivre (au goût)	
4 kg	**Pâte brisée** *(voir recettes complémentaires)*	**1 kg**
	Oeuf battu	

Méthode
1 Couper le canard en morceaux.
2 *Sauter* dans l'huile le lard salé et les morceaux de canard.
3 Ajouter les oignons. Dégraisser.
4 *Mouiller* avec le bouillon de canard.
5 Cuire à feu doux pendant 1 heure 30.
6 *Lier* avec la farine grillée délayée dans l'eau froide et ajouter les assaisonnements 30 minutes avant la fin de la cuisson.
7 Terminer la cuisson, puis laisser refroidir.
8 *Foncer* de pâte brisée un moule graissé de 25 cm de diamètre.
9 Y verser l'*appareil.*
10 Recouvrir d'une *abaisse* de pâte et faire une incision au centre.
11 *Badigeonner* d'oeuf battu.
12 Cuire au four à 230°C pendant 30 minutes, puis à 200°C durant le reste de la cuisson.

Ragoût de lapin

Préparation : 30 minutes $$
Cuisson : 2 heures 30 minutes

Portions 24	Ingrédients	Portions 6
6 kg	**Lapin**	**1,5 kg**
	Farine	
175 g	**Beurre**	**50 mL**
500 g	**Céleri haché**	**250 mL**
775 g	**Oignon émincé**	**325 mL**
30 mL	**Sel de céleri**	**7 mL**
	Sel (au goût)	
	Poivre (au goût)	
4	**Feuille de laurier**	**1**
8 L	**Fond brun** *(voir recettes complémentaires)*	**2 L**
1 kg	**Carotte en dés**	**500 mL**
1,5 kg	**Pomme de terre en cubes**	**750 mL**
1 kg	**Champignon entier (conserve)**	**275 mL**
775 g	**Farine grillée**	**300 mL**
1,25 L	**Eau**	**300 mL**

Méthode
1 Couper le lapin en morceaux.
2 Fariner les morceaux et les *faire revenir* dans le beurre.
3 Ajouter le céleri et les oignons et laisser cuire jusqu'à ce qu'ils soient transparents.
4 Ajouter les assaisonnements et le fond brun.
5 Amener à ébullition, puis laisser mijoter pendant 2 heures.
6 Ajouter les carottes et les pommes de terre et laisser cuire encore 30 minutes.
7 Ajouter les champignons.
8 Délayer la farine grillée dans l'eau froide et *lier* la sauce.
9 Continuer la cuisson pendant environ 10 minutes.
10 Rectifier l'assaisonnement s'il y a lieu, avant de servir.

Sauté de lapin

Préparation : 30 minutes $$
Cuisson : 1 heure 25 minutes

Portions 24	Ingrédients	Portions 6
6 kg	**Lapin**	**1,5 kg**
	Huile	
300 g	**Oignon haché**	**125 mL**
4	**Gousse d'ail**	**1**
250 mL	**Vin blanc sec (facultatif)**	**50 mL**
4,6 L	**Fond brun** *(voir recettes complémentaires)*	**1 L**
1,5 kg	**Tomate concassée**	**375 mL**
¼	**Bouquet de persil**	**⅛**
4 mL	**Thym**	**1 mL**
4	**Feuille de laurier**	**1**
150 g	**Céleri émincé**	**75 mL**
200 g	**Champignon frais ou**	**10 têtes**
1 kg	**Champignon en conserve**	**275 mL**
80 g	**Petit oignon**	**20**
25 g	**Persil**	**25 mL**

Méthode
1 *Faire revenir* dans l'huile les morceaux de lapin; laisser colorer.
2 Ajouter les oignons, laisser colorer, puis ajouter les gousses d'ail.
3 Enlever l'excès de gras.
4 *Déglacer* avec le vin blanc et faire *réduire* de moitié.
5 *Mouiller* avec le fond brun.
6 Ajouter les tomates concassées et les aromates.
7 Cuire au four à couvert, pendant 1 heure, ou jusqu'à ce que la viande se détache facilement.
8 Retirer les morceaux de lapin et *passer* la sauce.
9 *Faire revenir* les champignons et les petits oignons dans un peu de beurre; les ajouter à la sauce.
10 Laisser mijoter de 20 à 25 minutes.
11 Rectifier l'assaisonnement et *lier* la sauce, s'il y a lieu.
12 Remettre les morceaux de lapin dans la sauce.
13 Garnir de persil et servir.

Escalopes de veau gratinées aux champignons

Depuis qu'il a été popularisé en France vers 1663 par Catherine de Médicis, le veau se trouve à peu près partout. Quant aux champignons, ils se font plus rares, sauf dans certaines régions, comme l'Estrie qui peut compter sur un approvisionnement constant grâce aux champignons frais cultivés à Waterloo et aux incomparables réserves de ses sous-bois.

Préparation : 15 minutes $$$
Cuisson : 10 minutes

Portions 24	Ingrédients	Portions 6
3,6 kg	**Escalope de veau**	**900 g**
	Sel (au goût)	
	Poivre (au goût)	
150 g	**Farine**	**60 mL**
250 g	**Beurre**	**60 mL**
675 g	**Champignon émincé**	**500 mL**
2 L	**Béchamel** *(voir recettes complémentaires)*	**500 mL**
60 mL	**Persil haché**	**15 mL**
80 g	**Cheddar fort râpé**	**50 mL**
200 g	**Cheddar fort râpé**	**125 mL**

Méthode
1 Bien aplatir les escalopes.
2 Les saler, les poivrer et les fariner.
3 Les *faire sauter* dans le beurre et les garder au chaud.
4 *Faire sauter* les champignons.
5 Ajouter tous les ingrédients et faire mijoter de 2 à 3 minutes.
6 Verser la sauce sur les escalopes.
7 Parsemer de fromage râpé.
8 Gratiner au four à 260°C pendant 5 minutes.

Fricassée aux tomates

Préparation : 25 minutes $
Cuisson : 25 minutes

Portions 24	Ingrédients	Portions 6
375 g	Lard salé entrelardé en dés	125 mL
325 g	Oignon émincé	125 mL
3,2 L	Tomate concassée	800 mL
1,8 kg	Pomme de terre en dés	900 mL
	Sel (au goût)	
	Poivre (au goût)	

Méthode
1 *Faire revenir* à feu doux le lard salé.
2 *Faire revenir* les oignons avec le lard salé.
3 Ajouter les tomates, puis les pommes de terre.
4 Couvrir d'eau froide.
5 Faire mijoter 15 minutes à couvert et 10 minutes à découvert.
6 Saler et poivrer.

Purée de pommes de terre, de carottes et de navets

Préparation : 15 minutes $
Cuisson : 40 minutes

Portions 24	Ingrédients	Portions 6
1,5 kg	Carotte émincée	750 mL
1 kg	Navet en morceaux	500 mL
1,1 kg	Pomme de terre en quartiers	375 mL
	Sel (au goût)	
	Poivre (au goût)	
125 g	Beurre	30 mL
200 mL	Crème 15 %	50 mL

Méthode
1 Mettre les légumes dans une casserole. Couvrir d'eau.
2 Saler.
3 Faire mijoter à couvert pendant 30 à 35 minutes.
4 Égoutter les légumes, les remettre sur le feu et remuer avec une cuillère de bois de façon à faire évaporer l'eau restante.
5 Réduire les légumes en purée.
6 Poivrer.
7 Incorporer le beurre, puis la crème.

Gâteau aux miettes

Préparation : 25 minutes $
Cuisson : 45 minutes

Portions 24	Ingrédients	Portions 6
350 g	Graisse végétale	125 mL
875 g	Cassonade	250 mL
20 mL	Essence de vanille	5 mL
8	Jaune d'oeuf	2
1,15 kg	Chapelure	550 mL
60 mL	Poudre à pâte	15 mL
8 mL	Bicarbonate de soude	2 mL
650 mL	Lait	150 mL
8	Blanc d'oeuf	2
100 g	Sucre	30 mL

Méthode
1 Battre en crème la graisse végétale et y incorporer la cassonade.
2 Ajouter la vanille et mélanger.
3 Ajouter les jaunes d'oeufs non battus et mélanger légèrement.
4 Ajouter la chapelure, la poudre à pâte et le bicarbonate de soude en alternant avec le lait.
5 Battre les blancs d'oeufs en neige et y incorporer le sucre graduellement.
6 Incorporer les blancs d'oeufs au premier mélange.
7 Verser dans un moule beurré (25 x 15 x 5 cm).
8 Cuire au four à 180°C pendant 45 minutes.

Salade santé

Préparation : 25 minutes $

Portions 24	Ingrédients	Portions 6
	Sel (au goût)	
	Poivre (au goût)	
8 mL	Sucre	2 mL
4 mL	Moutarde en poudre	1 mL
175 mL	Vinaigre	45 mL
350 mL	Huile d'olive	90 mL
500 g	Chou émincé	250 mL
450 g	Carotte râpée	250 mL
725 g	Navet râpé	250 mL

Méthode
1 Mettre dans un bol le sel, le poivre, le sucre et la moutarde.
2 Ajouter le vinaigre. Bien mélanger.
3 Verser l'huile lentement, en remuant vivement.
4 Ajouter cette vinaigrette aux légumes et bien mélanger.

Champignons de Waterloo à l'ail

Préparation : 5 minutes $$$
Cuisson : 20 minutes

Portions 24	Ingrédients	Portions 6
1,35 kg	Tête de champignons	1 L
35 g	Ail	6 gousses
250 mL	Huile	60 mL
2 L	Crème 35 %	500 mL
	Sel (au goût)	
	Poivre (au goût)	

Méthode
1 Laver et bien égoutter les champignons.
2 Faire cuire les gousses d'ail à feu doux dans l'huile de 7 à 8 minutes et les mettre de côté.
3 Faire *sauter* les champignons dans l'huile très chaude. Arrêter la cuisson au moment où les champignons commencent à perdre leur eau de végétation (environ 6 à 7 minutes).
4 Mettre les champignons de côté avec les gousses d'ail.
5 *Dégraisser* la sauteuse et y faire mijoter la crème à feu doux pendant environ 10 minutes. Assaisonner.
6 Ajouter les champignons et les gousses d'ail, et faire mijoter 1 à 2 minutes.
7 Servir en entrée sur un toast ou comme garniture avec viande, poisson, etc.

Concombres à la crème

Préparation : 15 minutes $$

Portions 4 litres	Ingrédients	Portion 1 litre
4,2 kg	Concombre	5
60 mL	Sel	15 mL
1,4 L	Crème 35 %	350 mL
	Persil haché (au goût)	
	Poivre blanc moulu (au goût)	
350 mL	Vinaigre	85 mL

Méthode
1 Peler les concombres, les couper en deux dans le sens de la longueur, retirer les graines, puis les émincer.
2 Faire *dégorger* les concombres dans une passoire avec le sel.
3 Fouetter la crème. Ajouter le persil, le poivre, le vinaigre et les concombres bien égouttés.

Beignes de Stornoway

Préparation : 15 minutes $
Cuisson : environ 5 minutes

Portions 8 douzaines	Ingrédients	Portions 2 douzaines
725 g	Sucre	200 mL
150 mL	Beurre fondu	40 mL
12	Oeuf	3
1,9 kg	Farine tout usage	750 mL
60 mL	Poudre à pâte	15 mL
8 mL	Sel	2 mL
600 mL	Lait	150 mL
16 mL	Essence de vanille	4 mL
20 mL	Muscade	5 mL
	Huile	
	Sucre en poudre	

Méthode
1 Ajouter alternativement le sucre et les oeufs battus au beurre fondu.
2 Tamiser les ingrédients secs et les incorporer au mélange, en alternant avec le lait, auquel on aura ajouté l'essence de vanille et la muscade. La pâte doit rester assez molle.
3 Mettre au réfrigérateur pendant 4 heures.
4 Étendre la pâte à l'aide d'un rouleau à pâtisserie sur 1 cm d'épaisseur, puis découper les beignes avec un emporte-pièce.
5 Cuire dans l'huile à 180°C-190°C.
6 Bien égoutter et saupoudrer de sucre en poudre.

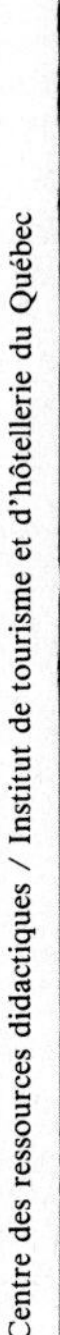

Plum-pudding des Loyalistes

Archives nationales du Québec, collection du Musée de Sherbrooke *(Classe de jeunes écoliers)*. Objets d'artisanat : Marco Champagne, Saint-François-Xavier-de-Brompton *(assiette)*; Denis Boucher, Saint-Denis-de-Brompton (*l'assiette de la soupière, lampe à l'huile*); Andrée Bernier, Magog *(murale de batik)*.

Pouding au suif de Stanstead

Préparation : 30 minutes $$$
Cuisson : 4 heures

Portions 24	Ingrédients	Portions 6
450 g	Graisse de rognons de boeuf	325 mL ou 125 g
225 g	Farine	85 mL
175 g	Chapelure	85 mL
225 g	Raisin sec	75 mL
225 g	Raisin de Corinthe	100 mL
225 g	Raisin de Malaga	100 mL
12	Oeuf	3
450 mL	Lait	125 mL
45 g	Amande effilée	30 mL
2 mL	Toute-épice	0,5 mL
2 mL	Cannelle	0,5 mL
2 mL	Muscade	0,5 mL
175 g	Écorce d'orange confite	60 mL
175 g	Écorce de cédrat confite	60 mL
175 g	Écorce de citron confite	60 mL
225 mL	Cognac	55 mL

Méthode
1 Hacher la graisse de rognons.
2 Mélanger la farine, la chapelure et les raisins secs. Ajouter la graisse hachée et travailler à la main.
3 Ajouter les oeufs un à un.
4 Ajouter le lait, les amandes, les épices, les fruits confits et le cognac.
5 Mettre le tout dans un moule beurré et couvrir d'un papier d'aluminium.
6 *Cuire* au four, au *bain-marie,* pendant 4 heures à 150°C.
7 Laisser refroidir le pouding dans le moule et servir un à deux jours après.
8 À ce moment-là, réchauffer le pouding dans le moule et flamber au cognac.

Plum-pudding des Loyalistes

Préparation : 25 minutes $
Cuisson : 3 heures

Portions 24	Ingrédients	Portions 6
350 g	Suif haché	250 mL
300 g	Pomme hachée (non pelée)	125 mL
775 g	Raisin sec	250 mL
500 mL	Mélasse	125 mL
500 mL	Jus de pomme	125 mL
950 g	Farine tout-usage	375 mL
4 mL	Sel	1 mL
12 mL	Bicarbonate de soude	3 mL
4 mL	Cannelle	1 mL
4 mL	Clou de girofle	1 mL

Méthode
1 Bien mélanger tous les ingrédients.
2 Verser dans un moule beurré (30 x 15 x 5 cm).
3 Couvrir d'un papier ciré et d'un linge humide. Ficeler.
4 *Cuire* au four au *bain-marie,* à 180°C, pendant 3 heures.
5 Accompagner de sauce au citron ou au caramel.
N.B. : Il est préférable de faire ce pouding quelques semaines à l'avance et de le réchauffer une heure avant de le servir.

Gâteau à la mélasse de Disraëli

Déjà au XVIIe siècle, la Nouvelle-France importait d'une autre colonie française, les Antilles, des denrées telles le sucre et la mélasse qui occupaient une place importante dans nos desserts.

Préparation : 30 minutes $
Cuisson : 30 minutes

Portions 24	Ingrédients	Portions 6
8 mL	Bicarbonate de soude	2 mL
500 mL	Mélasse	125 mL
800 mL	Eau chaude	200 mL
75 g	Graisse végétale	25 mL
200 g	Sucre	60 mL
20 mL	Poudre à pâte	5 mL
1,25 kg	Farine tout usage	500 mL
30 mL	Cacao	7 mL
5 mL	Sel	1 pin.
8 mL	Essence de vanille	2 mL
8 mL	Essence d'érable	2 mL

Méthode
1 Ajouter le bicarbonate de soude à la mélasse.
2 Mélanger l'eau chaude, la graisse végétale fondue et le sucre, et incorporer ce mélange à la mélasse.
3 Tamiser ensemble les ingrédients secs, puis les ajouter au premier mélange.
4 Ajouter les essences et bien mélanger.
5 Verser dans un moule beurré et fariné (25 x 15 x 5 cm), et cuire au four à 180°C pendant 30 minutes.

Casserole de pommes de Compton

Préparation : 10 minutes $
Cuisson : 40 minutes

Portions 24	Ingrédients	Portions 6
2,5 kg	Pomme moyenne	5
125 g	Farine à pâtisserie	65 mL
450 g	Cassonade	125 mL
2 mL	Sel	0,5 mL
75 g	Beurre	15 mL

Méthode
1 Peler les pommes et les couper en tranches.
2 Les disposer dans un moule beurré.
3 Bien mélanger la farine, la cassonade et le sel; y incorporer le beurre.
4 En saupoudrer les pommes.
5 Mettre au four à 180°C pendant 40 minutes.

Biscuits à la crème sure

Préparation : 20 minutes $
Cuisson : 10 minutes

Portions 8 douzaines	Ingrédients	Portions 2 douzaines
1,55 kg	Farine tout usage	625 mL
8 mL	Bicarbonate de soude	2 mL
250 g	Beurre	60 mL
200 g	Graisse végétale	65 mL
800 g	Sucre	250 mL
12	Oeuf	3
8 mL	Essence de vanille	2 mL
500 mL	Crème sure	125 mL

Méthode
1 Tamiser ensemble la farine et le bicarbonate de soude.
2 Battre en crème le beurre et la graisse végétale.
3 Y incorporer graduellement le sucre et battre jusqu'à ce que le mélange soit crémeux.
4 Ajouter les oeufs battus et l'essence de vanille.
5 Y incorporer ensuite la farine en alternant avec la crème sure.
6 Déposer par cuillerées sur une plaque beurrée.
7 Cuire au four à 220°C pendant 10 minutes.

Crumpets

Préparation : 10 minutes $
Cuisson : 15 minutes

Portions 8 douzaines	Ingrédients	Portions 2 douzaines
1 kg	Cassonade	250 mL
500 g	Beurre	125 mL
4	Oeuf	1
950 g	Farine tout usage	375 mL
775 g	Raisin sec haché	250 mL
8 mL	Épice mélangée	2 mL
8 mL	Bicarbonate de soude	2 mL
125 mL	Lait sur	30 mL

Méthode
1 Mélanger la cassonade, le beurre et l'oeuf.
2 Ajouter la farine et les raisins secs, puis les épices et le bicarbonate de soude dissous dans le lait.
3 Travailler la pâte jusqu'à ce qu'elle soit ferme.
4 Déposer par cuillerées de 25 mL sur une plaque beurrée.
5 Cuire au four à 200°C pendant environ 15 minutes.

Toasts dorés de l'Estrie

Préparation : 15 minutes $$
Cuisson : 10 minutes

Portions 24	Ingrédients	Portions 6
16	Oeuf	4
1,5 L	Lait	375 mL
250 mL	Sirop d'érable	60 mL
100 g	Beurre	25 mL
60 mL	Huile	15 mL
48	Tranche de pain blanc	12
	Sirop d'érable	

Méthode
1 Battre les oeufs.
2 Ajouter le lait et le sirop d'érable.
3 Battre de nouveau jusqu'à ce que le mélange soit bien homogène.
4 Faire chauffer le beurre et l'huile dans une poêle.
5 Tremper les tranches de pain dans le mélange, les déposer dans la poêle et les faire dorer des deux côtés à feu doux.
6 Accompagner de sirop d'érable.

Gâteau Reine Élisabeth

Préparation : 25 minutes $$$
Cuisson : environ 45 minutes

Portions 24	Ingrédients	Portions 6
	Pâte :	
1 kg	datte hachée	250 mL
1 L	eau	250 mL
950 g	farine tout usage	375 mL
20 mL	bicarbonate de soude	5 mL
20 mL	poudre à pâte	5 mL
5 mL	sel	1 mL
250 g	beurre ou	60 mL
175 g	graisse végétale	60 mL
825 g	sucre	250 mL
4	oeuf	1
20 mL	essence de vanille	5 mL
275 g	noix de Grenoble hachée	125 mL
	Farine	
	Glace :	
425 g	cassonade	125 mL
300 g	beurre	75 mL
125 mL	crème 15 % ou lait condensé	30 mL
225 g	noix de coco râpé	175 mL

Méthode
1 Faire bouillir les dattes pendant 3 minutes; laisser refroidir, puis égoutter.
2 Les hacher au couteau.
3 Tamiser ensemble les ingrédients secs.
4 Mélanger le beurre et le sucre et le battre en crème, puis ajouter l'oeuf battu.
5 Ajouter alternativement à ce mélange les ingrédients secs tamisés, puis les dattes.
6 Ajouter enfin la vanille et les noix hachées farinées.
7 Verser le tout dans un plat beurré allant au four et cuire à 180°C pendant 45 à 55 minutes.
8 Mélanger tous les ingrédients de la glace dans une casserole et faire cuire à feu modéré pendant 3 à 5 minutes.
9 Étendre la glace sur le gâteau chaud et remettre au four à 220°C pendant 3 à 5 minutes.

Pain de Cookshire

En 1677, les boulangers, trafiquant les balances et jouant sur la qualité du pain, omirent de réduire proportionnellement le prix du pain. Le peuple demanda aux autorités de la Nouvelle-France d'agir. Celles-ci lui donnèrent raison et lui permirent de soupeser le pain et de juger lui-même du rapport poids-qualité-prix...

Préparation : 30 minutes $
Cuisson : 20 minutes

Portions 4 pains	Ingrédients	Portion 1 pain
40 g	Levure fraîche*	10 g
800 mL	Eau tiède (43°C)	200 mL
8 mL	Sel	2 mL
60 mL	Sucre	15 mL
2	Oeuf	1
1,4 kg	Farine tout usage	550 mL
60 mL	Huile	15 mL

Méthode
1 Délayer la levure dans l'eau tiède.
2 Ajouter le sel, le sucre et l'oeuf.
3 Incorporer graduellement la farine.
4 Bien pétrir la pâte.
5 *Badigeonner* d'huile la surface de la pâte, recouvrir d'un linge et mettre dans un endroit chaud et humide jusqu'à ce qu'elle double de volume.
6 Pétrir la pâte et façonner en forme de pain.
7 Laisser lever de façon à ce qu'elle double de volume.
8 Cuire au four à 200°C pendant environ 20 minutes.
* Si on utilise de la levure sèche, on doit employer 4 mL pour un pain et 16 mL pour 4 pains.

Richelieu — Rive-Sud

Vergers luxuriants, cours d'eau poissonneux, forêts giboyeuses, érablières nombreuses concurent à la prospérité de cette région. Grâce aux terres fertiles des vallées du Richelieu et de la Châteauguay, elle est devenue le « jardin du Québec ».

À l'embouchure du Richelieu, dans l'archipel de Sorel, les gens du pays, tout comme les touristes, prolongent souvent leur escale dans les restaurants de la région. Plusieurs mets sont à base de poisson, et le plus typique est sans nul doute la « gibelotte » (voir recette), à Sainte-Anne-de-Sorel. À l'autre extrémité de la rivière, dans la baie Missisquoi, on pratique également la pêche, mais peut-être davantage en hiver alors que la baie, vaste mais peu profonde, est gelée. Au lac Saint-Louis, élargissement important du Saint-Laurent au sud-ouest de l'archipel de Montréal, on prend encore le maskinongé et, dans les îles de la Paix, on peut chasser le canard sauvage.

Si, au printemps, la région déborde d'activités grâce à ses érablières, à l'automne, c'est l'industrie de la pomme qui prend le pas. Rougemont, Châteauguay, Saint-Hilaire, Saint-Grégoire et bien d'autres villes de la région sont renommées pour leurs vergers. Outre la vente du fruit nature, au Québec comme à l'extérieur de la province, l'industrie de la pomme se concentre sur la fabrication du cidre, du jus de pommes, de la gelée (voir recette) et de la compote de pommes. Ainsi, à Saint-Paul-d'Abottsford, le cidre représente une industrie des plus florissantes.

Dans la vallée du Richelieu, existe une immense étendue de terre noire consacrée à la culture maraîchère, qui a pris une grande importance. On y produit en quantité pommes de terre, oignons, carottes, choux, radis, laitue, céleri, etc. Cette production élevée assure à l'année l'approvisionnement des marchés urbains et permet d'en exporter une partie à l'extérieur de la province ; elle a également rendu possible le développement de l'industrie de la conserve qui est une des plus florissantes du pays.

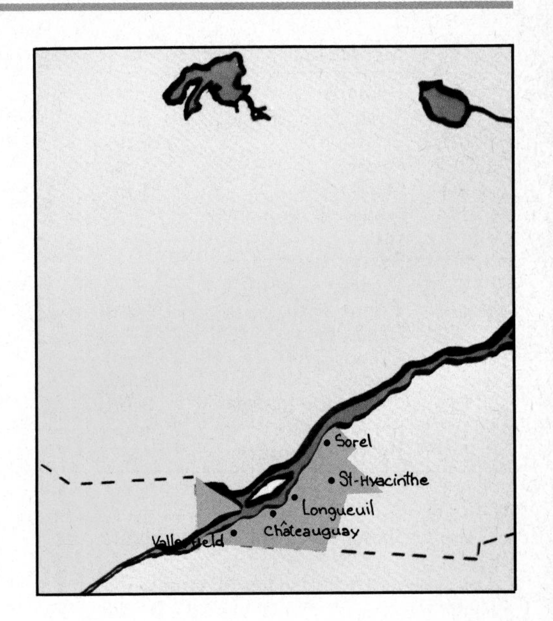

Soufflé aux pommes de terre

Préparation : 15 minutes $$
Cuisson : 40 minutes

Portions 24	Ingrédients	Portions 6
400 g	**Fromage râpé fort ou**	250 mL
600 g	**fromage râpé doux**	250 mL
1,7 kg	**Pomme de terre en purée**	500 mL
16	**Jaune d'oeuf**	4
350 mL	**Lait**	85 mL
125 mL	**Beurre fondu**	30 mL
	Sel (au goût)	
	Poivre (au goût)	
4 mL	**Moutarde sèche**	1 mL
32 ou 800 mL	**Blanc d'oeuf**	8

Méthode

1 Mélanger le fromage râpé aux pommes de terre en purée.

2 Battre les jaunes d'oeufs et ajouter le lait, le beurre, le sel, le poivre et la moutarde.

3 Incorporer aux pommes de terre. Le mélange doit être bien lisse.

4 Monter les blancs d'oeufs en neige et les incorporer délicatement, sans les briser.

5 Verser dans un plat beurré.

6 *Cuire au bain-marie* au four à 180°C pendant 40 minutes.

Les rillettes de l'Ange-Gardien

L'historien Benjamin Sulte s'étonna de l'absence des épices aux premiers jours de la Nouvelle-France, une absence que l'on ne tarda cependant pas à combler : « En consultant les inventaires des mobiliers qui ont appartenus aux anciennes familles du Canada, nous avons été frappés de n'y point voir, au milieu de tant de petites choses énumérées avec soin, la mention d'épices. Ces produits de contrées lointaines étaient encore peu répandus en Europe; le prix que les marchands y mettaient les rangeaient dans la classe des articles de luxe. »

Préparation : 20 minutes $
Cuisson : 3 heures

Portion 6 kilogrammes	Ingrédients	Portion 1,5 kilogramme
3 kg	**Porc en cubes**	750 g
3 kg	**Lard salé gras en dés**	750 g
725 g	**Oignon haché**	300 mL
8	**Gousse d'ail hachée**	2
	Sel (au goût)	
	Poivre (au goût)	
5	**Feuille de laurier**	2
10 mL	**Toute-épice**	3 mL
1,4 kg	**Os de porc**	350 g
	Eau froide pour couvrir	

Méthode

1 Mettre tous les ingrédients dans une casserole et couvrir d'eau froide.

2 Faire mijoter pendant 3 heures. Ajouter de l'eau au besoin. À la fin de la cuisson, l'eau doit s'être complètement évaporée.

3 Enlever les os et les feuilles de laurier.

4 Laisser refroidir et défaire la viande avec une fourchette.

5 Verser dans des petits moules et mettre au réfrigérateur.

N.B. La quantité de sel peut varier selon la qualité du lard salé.

Oeufs du vendredi

Préparation : 25 minutes $$
Cuisson : 10 minutes

Portions 24	Ingrédients	Portions 6
2,4 kg	Épinard	600 g
4 L	Eau	1 L
40 mL	Sel	10 mL
150 g	Beurre	35 mL
4 mL	Muscade	1 mL
4	Gousse d'ail hachée fin	1
	Sel (au goût)	
	Poivre (au goût)	
400 mL	Crème 15%	100 mL
24	Oeuf dur	6
100 mL	Crème 15%	25 mL
60 mL	Beurre	15 mL
20 mL	Ciboulette hachée	5 mL
	Sel (au goût)	
	Poivre (au goût)	

Méthode
1 Cuire les épinards dans l'eau bouillante salée.
2 Les égoutter et les hacher au couteau.
3 Dans une casserole, faire fondre le beurre et y *faire revenir* légèrement les épinards.
4 Ajouter la muscade, l'ail, le sel, le poivre et la crème.
5 Laisser *réduire* quelque peu.
6 Retirer du feu et verser dans un plat allant au four.
7 Couper les oeufs durs en deux, dans le sens de la longueur.
8 Piler les jaunes avec la crème, le beurre, la ciboulette hachée, le sel et le poivre.
9 En farcir les blancs.
10 Déposer les oeufs sur la purée d'épinards.
11 Mettre au four à 180°C pour bien chauffer (environ 10 minutes).

Crème de fèves au lard

Préparation : 15 minutes $$
Cuisson : 45 minutes

Portion 6 litres	Ingrédients	Portion 1,5 litre
775 g	Fève au lard (cuite)	375 mL
2,8 L	Eau	700 mL
900 g	Céleri haché	450 mL
400 g	Oignon émincé	150 mL
2 L	Jus de tomate	500 mL
	Sel (au goût)	
	Poivre (au goût)	
4 mL	Marjolaine	1 mL
4 mL	Sel de céleri	1 mL
600 mL	Crème 15%	125 mL
450 g	Bacon cuit en dés	125 mL

Méthode
1 Mettre dans une casserole les fèves au lard, l'eau, le céleri et les oignons.
2 Faire mijoter à découvert pendant 15 minutes.
3 Ajouter le jus de tomate et les assaisonnements, et cuire encore 15 minutes.
4 Passer à la *moulinette* et crémer.
5 Garnir chaque assiettée de petits dés de bacon.

Soupe au chou

Préparation : 20 minutes $
Cuisson : 30 minutes

Portion 6 litres	Ingrédients	Portion 1,5 litre
250 g	Beurre	60 mL
2 kg	Chou haché	1 L
2 L	Eau bouillante	500 mL
8 mL	Sel	2 mL
8 mL	Sucre	2 mL
2 L	Lait chaud	500 mL
	Sel (au goût)	
	Poivre (au goût)	

Méthode
1 Faire fondre le beurre et y *faire revenir* le chou pendant quelques minutes.
2 Verser l'eau bouillante.
3 Ajouter le sel et le sucre.
4 Faire mijoter pendant 30 minutes.
5 Ajouter le lait, le sel et le poivre.
6 Amener à ébullition et servir.

Anguille pochée

L'anguille du Québec est, au dire des connaisseurs, l'une des meilleures et des plus fines au monde. Sa chair, qui ne plaît pas à tous, à plus d'une fois servi à alimenter ceux qui autrement seraient morts de faim.

Préparation : 30 minutes $
Cuisson : 25 minutes

Portions 24	Ingrédients	Portions 6
7 kg	Anguille	1,75 kg
2,8 L	Eau	700 mL
60 mL	Vinaigre	15 mL
275 g	Oignon haché	125 mL
2,5 L	Eau	600 mL
	Sel (au goût)	
20 mL	Persil haché	5 mL
30 g	Échalote hachée	15 mL
200 g	Beurre	50 mL
40 mL	Jus de citron	10 mL
8 mL	Sauce Worcestershire	2 mL
600 mL	Crème 35%	150 mL
	Beurre manié :	
250 g	beurre	65 mL
325 g	farine	125 mL

Méthode
1 Évider l'anguille et la débarrasser de sa peau.
2 La *détailler* en tronçons de 70 g et la mettre dans une casserole avec l'eau, le vinaigre et les oignons.
3 Faire cuire pendant 10 minutes.
4 Jeter l'eau et rincer les morceaux d'anguille à l'eau chaude.
5 Remettre le poisson dans la casserole avec l'eau, le sel, le persil, les échalotes et la moitié du beurre, et faire cuire pendant environ 15 minutes.
6 Préparer le *beurre manié.*
7 Lorsque le poisson est cuit, le retirer et *lier* la sauce avec le *beurre manié.*
8 Vérifier l'assaisonnement et ajouter le jus de citron, le reste du beurre, la sauce Worcestershire et la crème.
9 *Napper* le poisson de sauce.
N.B. Le poisson y gagnerait à être servi sans arête.

Soupe aux herbes salées

Préparation : 20 minutes $
Cuisson : 20 minutes

Portion 6 litres	Ingrédients	Portion 1,5litre
40 g	Herbes salées *(voir recettes complémentaires)*	10 mL
250 g	Oignon haché	75 mL
450 g	Carotte râpée	225 mL
200 g	Beurre ou saindoux	50 mL
5,6 L	Eau	1,4 L
	Poivre (au goût)	
150 g	Riz	40 mL
100 g	Vermicelle	25 g
	Sel (au goût)	

Méthode
1 Faire suer les herbes salées, les oignons et les carottes dans le beurre.
2 Ajouter l'eau et le poivre.
3 Amener à ébullition et ajouter le riz et le vermicelle.
4 Faire bouillir pendant environ 20 minutes.
5 Saler.

Ragoût de boeuf aux grands-pères

Dans ce plat, les légumes et la viande viennent entourer une pâte tendre que la tradition avait fait entrer au chapitre des desserts. Car, parler de grands-pères, c'est parler davantage de sucreries que de bons ragoûts.

Préparation : 40 minutes $$
Cuisson : 2 heures 40

Portions 24	Ingrédients	Portions 6
3,2 kg	Boeuf en cubes	800 g
125 g	Farine tout usage	50 mL
	Poivre (au goût)	
150 g	Graisse végétale	50 mL
10 L	Eau chaude	2,5 L
60 mL	Sel	15 mL
4 mL	Romarin	1 mL
600 g	Oignon haché	250 mL
2 kg	Carotte émincée	1 L
500 g	Céleri haché	250 mL

Centre des ressources didactiques / Institut de tourisme et d'hôtellerie du Québec

1,5 kg	Haricot vert en tronçons	500 mL
	Grands-pères :	
100 g	Graisse végétale	30 mL
450 g	Farine tout usage	175 mL
20 mL	Poudre à pâte	5 mL
30 mL	Persil haché	7 mL
4	Oeuf	1
150 mL	Lait	40 mL

Méthode

1 Bien saupoudrer la viande du mélange de farine et de poivre.
2 Faire rissoler les cubes de boeuf dans la graisse bien chaude pendant environ 15 minutes.
3 Ajouter l'eau, le sel, le romarin et les oignons.
4 Couvrir et laisser mijoter de 1½ à 2 heures.
5 Ajouter les carottes, le céleri et les haricots verts.
6 Laisser mijoter à couvert pendant 20 minutes.
7 Ajouter les grands-pères et cuire pendant 20 minutes, à couvert.

Grands-pères :

1 *Sabler* la graisse végétale avec la farine et la poudre à pâte.
2 Ajouter le persil.
3 Battre les oeufs avec le lait.
4 Incorporer à la farine à l'aide d'une fourchette.
5 Laisser tomber par cuillerées dans le ragoût bouillant.

Gibelotte des îles de Sorel

Associations touristique du Richelieu — Rive-Sud *(L'automne dans les îles de Sorel)*. Objets d'artisanat : Marcel Beaucage, Boucherville *(bols)*.

Gibelotte des Îles de Sorel

On reconnaît aux Îles de Sorel une particularité culinaire : la gibelotte. Ceux qui s'y connaissent en soupes aux poissons savent que la gibelotte a son originalité propre et que le mélange de perchaude et de légumes ne ressemble à aucun autre.

Préparation : 50 minutes $$
Cuisson : 1 heure 30

Portions 24	*Ingrédients*	Portions 6
600 g	Oignon haché	250 mL
500 mL	Huile	125 mL
1 L	Eau	250 mL
4	Cube de bouillon de boeuf	1
2 kg	Pomme de terre en dés	1 L
	Sel (au goût)	
	Poivre (au goût)	
500 mL	Crème de tomate	125 mL
500 g	Pois verts	150 mL
550 g	Haricot vert entier cuit	300 mL
600 g	Petite carotte entière cuite	300 mL
600 mL	Maïs en crème	150 mL
9,2 L	Eau	2,3 L
140 g	Gros sel	30 mL
6 kg	Barbote	1,5 kg

Méthode

1 *Faire revenir* les oignons dans l'huile bouillante jusqu'à ce qu'ils soient transparents.
2 *Mouiller* avec l'eau et ajouter les cubes de bouillon.
3 Ajouter les pommes de terre, le sel et le poivre.
4 Amener à ébullition et laisser mijoter pendant 10 minutes.
5 Ajouter la crème de tomate et laisser mijoter pendant encore 10 minutes.
6 Ajouter les pois, les haricots, les carottes et le maïs; chauffer et vérifier l'assaisonnement.
7 Amener à ébullition l'eau avec le gros sel, ajouter la barbote et cuire pendant environ 5 minutes.
8 Retirer la barbote et servir avec 250 mL de gibelotte.

Pain de veau

En 1832, devant l'épidémie de choléra les gens se demandaient s'il fallait rejeter le veau dont la viande rosée n'était peut-être pas aussi nourrissante que la viande rouge de boeuf ? Les inquiets se firent répondre que si les viandes roses ou blanches leur avaient toujours réussi, il ne fallait pas en changer. Cent ans plus tard, diététiciens, médecins et infirmières éclairés par l'expérience et des analyses, allaient justement recommander le veau aux personnes malades ou faibles.

Préparation : 10 minutes $$
Cuisson : 1 heure

Portions 24	*Ingrédients*	Portions 6
2,7 kg	Veau haché	675 g
925 g	Porc haché ou jambon haché*	225 g
8	Oeuf	2
500 g	Chapelure	250 mL
2 mL	Muscade	0,5 mL
40 mL	Jus de citron	10 mL
20 mL	Zeste de citron râpé	5 mL
	Sel (au goût)	

Méthode

1 Bien mélanger tous les ingrédients.
2 Donner à cet *appareil* la forme d'un pain et le mettre dans un moule graissé (23 x 12 x 5 cm).
3 Cuire au four à 180°C pendant une heure.

*Si le jambon est déjà salé, ne pas ajouter le sel.

Pâté à la viande

On a dit et redit, chanté et répété que le pâté à la viande était l'un de nos plats nationaux et cela, depuis bientôt une éternité. Pour vérifier le bien-fondé de cette affirmation, il faudrait cependant connaître la durée de l'éternité en question. S'agit-il d'une, de deux ou de trois générations ? Il est difficile de répondre à cette question. Si l'on se fit aux témoignages des visiteurs étrangers qui ont observé les habitudes de nos ancêtres, on est pourtant forcé de constater que les viandes hachées, assaisonnées puis enfouies entre deux épaisseurs de pâte étaient alors plutôt rares.

Préparation : 20 minutes $
Cuisson : 1 heure

Portions 24	*Ingrédients*	Portions 6
1,8 kg	**Porc haché maigre**	**450 g**
400 g	**Oignon haché**	**175 mL**
500 mL	**Eau chaude**	**125 mL**
4 mL	**Clou de girofle**	**1 mL**
4 mL	**Cannelle**	**1 mL**
	Sel (au goût)	
	Poivre (au goût)	
125 g	**Chapelure**	**60 mL**
8	***Abaisse* de pâte brisée (*voir recettes complémentaires)***	**2**
	Oeuf battu	

Méthode
1 Mélanger tous les ingrédients, sauf la chapelure.
2 Faire cuire à feu doux pendant environ 15 minutes.
3 Ajouter la chapelure et bien mélanger.
4 Laisser refroidir.
5 Verser dans un moule (de 20 cm de diamètre) *foncé* de pâte brisée et recouvrir d'une *abaisse*. Faire une incision à la surface de la pâte.
6 *Badigeonner* d'oeuf battu.
7 Cuire au four à 180°C pendant une heure.

Ragoût ménagère

Préparation : 30 minutes $$
Cuisson : 2 heures 30 à 3 heures

Portions 24	*Ingrédients*	Portions 6
6 kg	**Patte de porc**	**1,5 kg**
1,8 kg	**Veau en cubes**	**450 g**
1 kg	**Lard entrelardé en dés**	**250 g**
600 g	**Oignon haché**	**250 mL**
6	**Clou de girofle**	**3**
	Sel (au goût)	
	Poivre (au goût)	
500 mL	**Vin blanc (facultatif)**	**125 mL**
	Pâte :	
1,2 kg	**Farine**	**500 mL**
250 g	**Graisse**	**90 mL**
500 mL	**Eau**	**125 mL**

Méthode
1 Mettre tous les ingrédients dans une casserole.
2 Couvrir d'eau et faire mijoter pendant 2 ou 2½ heures.
3 Retirer les pattes de porc.
4 Les désosser et remettre la chair dans la casserole.
Pâte :
5 *Sabler* la farine et la graisser.
6 Incorporer l'eau.
7 Bien pétrir et aplatir au rouleau sur une épaisseur de 2 ou 3 mm.
8 Découper des carrés de 3 cm.
9 Mettre les morceaux de pâte dans le ragoût bouillant.
10 Couvrir et laisser cuire pendant 20 à 30 minutes.
11 Vérifier l'assaisonnement.
12 Servir chaud.

Saucisses maison

La recette traditionnelle intégrait les rognures qui restaient après le dépeçage et le salage du porc. En hachant ou en broyant le gras et le maigre de ces différentes pièces de viande, on obtenait un mélange proche de la perfection.

Préparation : 30 minutes $
Cuisson : 40 minutes

Portions 24	*Ingrédients*	Portions 6
2 kg	**Porc haché**	**450 g**
1 kg	**Boeuf haché**	**225 g**
1 kg	**Lard salé**	**225 g**
300 g	**Oignon haché fin**	**125 mL**
125 mL	**Persil haché**	**25 mL**
5 mL	**Gingembre**	**1 mL**
2 mL	**Cannelle**	**0,5 mL**
2 mL	**Clou de girofle**	**0,5 mL**
4 mL	**Moutarde sèche**	**1 mL**
4	**Tranche de pain**	**1**
100 mL	**Lait**	**25 mL**
	Sel (au goût)	
	Poivre (au goût)	
175 mL	**Huile**	**45 mL**
4 L	**Eau**	**1 L**
175 g	**Farine grillée**	**75 mL**
1 L	**Eau froide**	**250 mL**

Méthode
1 Passer trois fois les viandes au hache-viande.
2 Ajouter les oignons, le persil, les épices et la moutarde.
3 Incorporer le pain imbibé de lait.
4 Saler et poivrer.
5 Façonner en boulettes oblongues et les aplatir légèrement.
6 Faire colorer les saucisses dans l'huile.
7 Retirer les saucisses et *dégraisser* la poêle.
8 Ajouter l'eau et brasser pour bien décoller le fond de la poêle.
9 Ajouter la farine grillée délayée dans l'eau froide et bien mélanger.
10 Laisser cuire pendant 10 minutes.
11 Remettre les saucisses dans la sauce et faire cuire à feu doux pendant environ 30 minutes.

Boeuf au cidre

Préparation : 50 minutes $$
Cuisson : 3 heures

Portions 24	*Ingrédients*	Portions 6
400 g	**Lanière de porc gras**	**100 g**
4 kg	**Boeuf (ronde)**	**1 kg**
3 L	**Cidre pétillant sec**	**750 mL**
175 mL	**Huile**	**45 mL**
	Mirepoix :	
125 g	**carotte**	**50 mL**
125 g	**oignon**	**50 mL**
125 g	**céleri**	**50mL**
200 g	**beurre**	**50 mL**
125 g	**Farine tout usage**	**50 mL**
2 L	**Fond brun (boeuf) *(voir recettes complémentaires)***	**700 mL**
400 g	**Lard de poitrine maigre en petits dés**	**100 g**
	Bouquet garni :	
40 mL	**persil en branches**	**10 mL**
20 mL	**thym**	**5 mL**
4	**feuille de laurier**	**1**
900 g	**Champignon frais entier**	**625 mL**
	Sel (au goût)	
	Poivre (au goût)	
65 g	**Petit oignon de semence**	**25 mL**
60 mL	**Beurre**	**15 mL**
160 mL	**Cognac**	**40 mL**

Méthode
1 Introduire les lanières de porc à l'aide d'une aiguille à larder le boeuf et l'assaisonner au goût.
2 Faire mariner le boeuf dans le cidre pendant 3 heures.
3 Égoutter la viande et la faire colorer dans l'huile.
4 Faire suer la *mirepoix* dans le beurre.
5 Ajouter la farine et faire brunir.
6 *Mouiller* avec la marinade.
7 Cuire pendant quelques minutes.
8 Ajouter la pièce de boeuf et *mouiller* avec le fond brun.
9 *Blanchir* les lardons et les ajouter au boeuf avec le *bouquet garni* et les queues de champignons.
10 Saler et poivrer.
11 Couvrir et cuire au four à 170°C pendant 2 heures.
12 Retirer la viande.
13 *Passer* la sauce et la *dégraisser*.
14 Faire rissoler les petits oignons dans le beurre.
15 Remettre la viande dans la sauce avec les lardons, les petits oignons, les têtes de champignon et le cognac.
16 Couvrir et cuire pendant environ une heure.
17 *Détailler* en tranches et *napper* de sauce.

Ratatouille de Saint-Rémi

Préparation : 20 minutes $$
Cuisson : 1 heure 15

Portions 24	*Ingrédients*	Portions 6
350 mL	**Huile végétale**	90 mL
1,5 kg	**Aubergine pelée en dés**	700 mL
900 g	**Courgette émincée**	250 ml
80 g	**Haricot vert coupé en biseau**	30 mL
150 g	**Oignon haché**	60 mL
4 mL	**Ail haché**	2 mL
10 mL	**Basilic**	2 mL

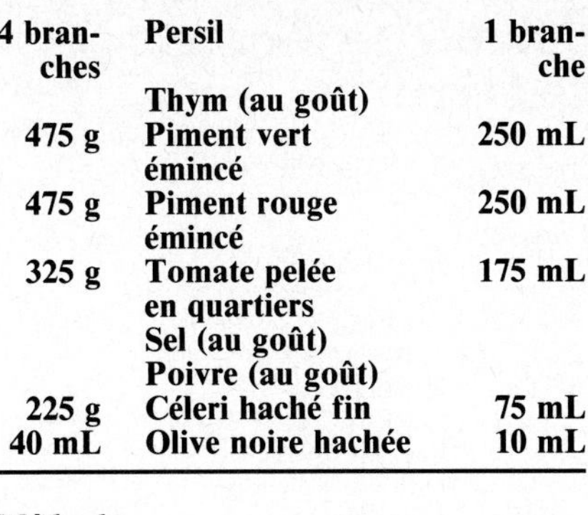

4 branches	**Persil**	1 branche
	Thym (au goût)	
475 g	**Piment vert émincé**	250 mL
475 g	**Piment rouge émincé**	250 mL
325 g	**Tomate pelée en quartiers**	175 mL
	Sel (au goût)	
	Poivre (au goût)	
225 g	**Céleri haché fin**	75 mL
40 mL	**Olive noire hachée**	10 mL

Méthode

1 *Faire revenir* dans l'huile les aubergines, les courgettes et les haricots verts.

2 Ajouter les oignons. Lorsqu'ils sont transparents, ajouter l'ail, le basilic, le persil, le thym, les piments et les tomates, et faire mijoter pendant 5 minutes.

3 Saler et poivrer.

4 Ajouter le céleri et les olives noires, et cuire à couvert à feu doux, ou au four à 190°C, pendant une heure.

Robert Joannette *(Groupe d'étudiants sortant du collège de Longueuil)*. Objets d'artisanat : Robert Fortier, centrale d'artisanat *(oeufs)*; Maria-Jeanne Geldof, Saint-Basile-le-Grand (*assiette*); Artisanat Hamel inc., Mont-Saint-Hilaire *(napperon)*.

Tarte aux oeufs

Centre des ressources didactiques / Institut de tourisme et d'hôtellerie du Québec

Rôti de veau

Préparation : 10 minutes $$

Cuisson : 3 heures

Portions 24	*Ingrédients*	Portions 6
	Sel (au goût)	
	Poivre (au goût)	
4 kg	**Veau (cuisseau)**	1 kg
80 g	**Graisse de rôti de porc**	50 mL
500 g	**Carotte émincée**	300 mL
100 g	**Sucre**	25 mL
	Sel (au goût)	
8 mL	**Thym**	2 mL
30 mL	**Jus de citron**	7 mL
1,6 L	**Bouillon de boeuf**	400 mL
60 mL	**Persil haché**	15 mL

Méthode

1 Saler et poivrer la pièce de veau et la recouvrir de graisse de rôti.

2 Cuire au four à 190°C pendant 3 heures.

3 Faire cuire à demi les carottes avec le sucre, le sel et le thym, dans de l'eau.

4 Les ajouter au rôti 30 minutes avant la fin de la cuisson.

5 Retirer les carottes et le rôti, et les garder au chaud.

6 *Dégraisser* le jus de cuisson.

7 Ajouter le jus de citron, le bouillon de boeuf et le persil, et *faire réduire* du quart.

8 *Passer* la sauce au *tamis*.

Tarte aux oeufs

La tarte aux oeufs est un de ces desserts qui ne cherchent pas à cacher la nature des éléments qui la composent. Pour qu'elle soit exquise, elle réclame des oeufs bien frais, une pâte légère et un solide coup de fourchette.

Préparation : 35 minutes $

Cuisson : 45 minutes

Portions 24	*Ingrédients*	Portions 6
12	**Oeuf**	3
900 mL	**Lait**	225 mL
550 g	**Sucre**	150 mL
8 mL	**Muscade**	2 mL
4	***Abaisse* de pâte brisée *(voir recettes complémentaires)***	1

Méthode

1 Bien mélanger tous les ingrédients et verser 1 *appareil* dans un moule *foncé* de pâte brisée (20 cm de diamètre).

2 Cuire au four à 180°C pendant 45 minutes.

Pommes de terre au lard salé

À une époque où les huiles végétales règnent sur toutes les fritures, il fait bon voir ces rondelles de pommes de terre frémir dans le gras d'une huile déjà salée. Regardez fondre le lard et, en tranchant les pommes de terre, souvenez-vous du temps où nos pères et nos mères comptaient principalement sur ces deux éléments pour s'alimenter tout l'hiver.

Préparation : 10 minutes $
Cuisson : 10 minutes

Portions 24	*Ingrédients*	Portions 6
500 g	**Lard salé en petits dés**	**125 g**
200 mL	**Huile**	**50 mL**
1 kg	**Oignon émincé**	**375 mL**
4 kg	**Pomme de terre émincée**	**1,4 L**
	Sel (au goût)	
	Poivre (au goût)	

Méthode
1 *Sauter* le lard salé dans une casserole.
2 Retirer les lardons et faire suer les oignons dans le gras du lard.
3 Retirer les oignons.
4 Faire cuire les pommes de terre dans le gras du lard.
5 Saler et poivrer.
6 Ajouter les oignons et les lardons, puis *dégraisser*.

Salade jardinière

Préparation : 20 minutes $$

Portions 24	*Ingrédients*	Portions 6
275 g	**Radis émincé**	**150 mL**
45 g	**Échalote hachée**	**25 mL**
200 g	**Céleri émincé**	**100 mL**
300 g	**Concombre émincé**	**125 mL**
350 g	**Chou émincé**	**200 mL**
200 g	**Cresson**	**50 g**
	Sel (au goût)	
	Poivre (au goût)	
600 g	**Tomate en quartiers**	**325 mL**
	Vinaigrette aux fines herbes :	
10 mL	**persil haché**	**3 mL**
10 mL	**ciboulette hachée**	**3 mL**
2 mL	**sariette fraîche**	**0,5 mL**
4 mL	**fenouil**	**1 mL**
400 mL	**huile**	**100 mL**
100 mL	**vinaigre**	**25 mL**
24	**Feuille de laitue**	**6**

Méthode
1 Mélanger tous les ingrédients, sauf la laitue et la vinaigrette.
2 Mettre au réfrigérateur pendant 20 minutes.
3 Incorporer la vinaigrette aux fines herbes.
4 Servir dans un saladier sur les feuilles de laitue.

Salade de pommes de terre

Préparation : 15 minutes $

Portions 24	*Ingrédients*	Portions 6
2,5 kg	**Pomme de terre cuite en dés**	**750 mL**
200 mL	**Vinaigre**	**50 mL**
400 g	**Oignon haché fin**	**125 mL**
	Sel (au goût)	
	Poivre (au goût)	
4 mL	**Paprika**	**1 mL**
300 mL	**Crème 15%**	**75 mL**
200 g	**Beurre**	**50 mL**

Méthode
1 Mélanger les pommes de terre, le vinaigre, les oignons, le sel, le poivre et le paprika.
2 Chauffer à feu doux la crème et le beurre jusqu'à ce que ce dernier soit fondu (ne pas faire bouillir).
3 Incorporer à la salade.
4 Mettre au réfrigérateur 2 ou 3 heures.

Gâteau aux patates

Il y a cent ans on connaissait déjà le gâteau aux patates, le hasard ayant permis de découvrir que la fécule extraite de la pomme de terre valait bien, dans certaines préparations, la farine extraite du blé.

Préparation : 20 minutes $$
Cuisson : 50 minutes

Portions 24	*Ingrédients*	Portions 6
500 g	**Beurre**	**125 mL**
900 g	**Sucre**	**250 mL**
8	**Oeuf**	**2**
500 mL	**Lait**	**125 mL**
425 g	**Pomme de terre en purée**	**125 mL**
60 mL	**Poudre à pâte**	**15 mL**
4 mL	**Sel**	**1 mL**
200 g	**Cacao**	**125 mL**
850 g	**Farine tout usage**	**325 mL**
20 mL	**Essence de vanille**	**5 mL**

Méthode
1 Battre le beurre en crème avec le tiers du sucre.
2 Battre les blancs d'oeufs en neige ferme et ajouter le tiers du sucre.
3 Mettre de côté.
4 Battre les jaunes d'oeufs avec le reste du sucre et ajouter au beurre.
5 Incorporer le lait à la purée de pommes de terre (qui doit être froide), ajouter au mélange et bien battre.
6 Tamiser ensemble les ingrédients secs et les incorporer au mélange.
7 Incorporer enfin les blancs d'oeufs et l'essence de vanille.
8 Verser dans un moule graissé (25 x 15 x 5 cm).
9 Cuire au four à 190°C pendant 40 minutes.

Gâteau à la compote de pommes

Préparation : 30 minutes $$$
Cuisson : 45 à 50 minutes

Portions 24	*Ingrédients*	Portions 6
350 mL	**Huile végétale**	**85 mL**
700 g	**Cassonade**	**175 mL**
8	**Oeuf**	**2**
950 g	**Farine tout usage**	**375 mL**
20 mL	**Poudre à pâte**	**5 mL**
20 mL	**Bicarbonate de soude**	**5 mL**
20 mL	**Sel**	**5 mL**
20 mL	**Cannelle**	**5 mL**
8 mL	**Muscade**	**2 mL**
1 L	**Compote de pommes sucrée**	**250 mL**
525 g	**Gruau**	**375 mL**
400 g	**Pruneau haché**	**100 mL**
200 g	**Noix de Grenoble hachée**	**100 mL**

Méthode
1 Mélanger l'huile, la cassonade et les oeufs.
2 Tamiser ensemble la farine, la poudre à pâte, le bicarbonate de soude, le sel, la cannelle et la muscade.
3 Incorporer graduellement au premier mélange avec la compote de pommes.
4 Incorporer enfin le gruau, les pruneaux, les noix.
5 Verser dans un moule graissé (25 x 15 x 5 cm).
6 Cuire au four à 180°C de 45 à 50 minutes.

Carrés aux pommes

En 1797, l'Île Sainte-Hélène, couverte de vergers faisait l'envie des pilleurs. Son propriétaire, le seigneur David Alexander Grant, menace les prédateurs en ces termes : « (...) Une personne aura le soin dorénavant du dit Vergé, toutes chaloupes ou canots qui aborderont à l'Île sans permission, seront envoyés à la drive ou mis en pièces. »

Préparation : 20 minutes $$
Cuisson : 40 minutes

Portions 24	*Ingrédients*	Portions 6
3,5 kg	**Pomme émincé**	**1,5 L**
500 mL	**Sirop d'érable**	**125 mL**
425 g	**Gruau**	**300 mL**
800 g	**Cassonade**	**200 mL**
500 g	**Farine tout usage**	**200 mL**
600 g	**Beurre**	**150 mL**

Méthode
1 Tapisser le fond d'un moule (25 x 15 x 5 cm) avec les pommes et verser le sirop d'érable.
2 Faire une pâte avec le gruau, la cassonade, la farine et le beurre, et en recouvrir les pommes.
3 Tasser légèrement la pâte.
4 Cuire au four à 150°C pendant 40 minutes.

Centre des ressources didactiques / Institut de tourisme et d'hôtellerie du Québec

Gelée de pomme

Direction générale du cinéma et de l'audio-visuel, service gouvernemental à Québec *(Cueillette et transport des pommes dans un verger de la région)*. Objets d'artisanat : Artisanat Hamel inc., Mont-Saint-Hilaire *(napperon)*; Ghislaine A. Lalonde, Saint-Bruno-de-Montarville *(pommes en céramique)*.

Pouding aux pommes et au tapioca

Pommes et tapioca : les gourmands y trouvent leur compte; les fragiles et les faibles, leur équilibre. Les nerveux s'apaisent.

Préparation : 20 minutes $
Cuisson : 1 heure

Portions 24	*Ingrédients*	Portions 6
150 g	**Tapioca minute**	**50 mL**
2 L	**Lait**	**500 mL**
5 mL	**Sel**	**1 mL**
250 g	**Sucre**	**75 mL**
8	**Oeuf**	**2**
5 mL	**Essence de vanille**	**1 mL**
1,5 kg	**Pomme en quartiers**	**675 mL**
200 g	**Cassonade**	**50 mL**

Méthode
1 Cuire le tapioca avec le lait et le sel.
2 Incorporer le sucre.
3 Verser graduellement sur les oeufs battus.
4 Ajouter l'essence de vanille.
5 Disposer les quartiers de pomme dans un moule graissé (25 x 15 x 5 cm).
6 Saupoudrer de cassonade.
7 Verser *l'appareil* entre les quartiers de pomme.
8 Cuire au four à 190°C pendant environ une heure.

Tarte aux dattes

La datte a dû nous arriver vers la fin du XVIIIe siècle, perdue parmi les caisses de thé, d'amandes, de pacanes et de raisins qui faisaient la richesse de nos premiers épiciers.

Préparation : 25 minutes $$$
Cuisson : 1 heure

Portions 24	*Ingrédients*	Portions 6
100 g	**Noix de Grenoble hachée**	**50mL**
2 kg	**Datte hachée**	**500 mL**
1,25 L	**Eau**	**300 mL**
60 mL	**Fécule de maïs**	**15 mL**
8	***Abaisse* de pâte brisée *(voir recettes complémentaires)***	**2**
	Oeuf battu	

Méthode
1 Mélanger tous les ingrédients et cuire à feu moyen.
2 *Lier* avec la fécule de maïs délayée dans un peu d'eau froide.
3 Laisser refroidir et verser dans un moule *foncé* de pâte brisée (20 cm de diamètre).
4 Couvrir d'une *abaisse* et *badigeonner* d'oeuf battu. Pratiquer une incision à la surface de l'*abaisse*.
5 Cuire au four à 180°C pendant une heure.

Gelée de pomme

Préparation : 20 minutes $$$
Cuisson : 50 minutes

Portion 4 litres	*Ingrédients*	Portion 1 litre
12 kg	**Pomme Wealthy ou Melba ou McIntosh**	**7 L**
	Eau	
4,6 kg	**Sucre**	**1,25 L**

Méthode
1 Laver les pommes et les couper en six.
2 Les mettre dans une marmite assez grande.
3 Verser l'eau (aux deux tiers des pommes). Couvrir et amener à ébullition.
4 Enlever le couvercle et brasser.
5 Laisser mijoter de 4 à 6 minutes.
6 Retirer du feu et laisser tiédir pendant quelques minutes.
7 Verser dans un sac de *mousseline* et laisser égoutter pendant 4 heures.
8 Ajouter le sucre au jus et faire mijoter pendant environ 45 minutes.
9 Prendre un peu de gelée avec une cuillère, attendre 2 minutes et si une pellicule se forme, cela signifie que la gelée est prête.
10 *Écumer* et verser dans des pots stérilisés chauds.
N.B. Pour obtenir une gelée de pomme encore meilleure, utiliser seulement les coeurs et les pelures de pommes.

Biscuits au beurre d'arachides

C'est le botaniste George Washington Carver qui proposa aux Américains du Sud de s'adonner à la culture de l'arachide pour compenser les pertes encourues dans la culture du coton. Devant l'abondance des récoltes, le botaniste se pencha sur l'arachide à laquelle il découvrit plusieurs centaines d'usages possibles. L'huile, les cosmétiques, la farine, l'isolant et le fameux beurre, n'en sont que quelques exemples.

Préparation : 15 minutes $
Cuisson : 10 minutes

Portions 8 douzaines	*Ingrédients*	Portions 2 douzaines
650 g	**Farine tout usage**	**250 mL**
8 mL	**Bicarbonate de soude**	**2 mL**
2 mL	**Sel**	**0,5 mL**
300 g	**Graisse végétale**	**100 mL**
550 g	**Beurre d'arachide**	**125 mL**
1 kg	**Cassonade**	**250 mL**
4	**Oeuf**	**1**
20 mL	**Essence de vanille**	**5 mL**

Méthode
1 Tamiser deux fois la farine avec le bicarbonate de soude et le sel.
2 Battre la graisse végétale en crème avec le beurre d'arachides, la cassonade et les oeufs battus.
3 Incorporer l'essence de vanille, puis les ingrédients secs.
4 Laisser tomber par cuillerées (25 mL) sur une plaque graissée.
5 Cuire au four à 180°C pendant 10 minutes.

Gâteau au gruau

Préparation : 15 minutes $
Cuisson : 40 minutes

Portions 24	*Ingrédients*	Portions 6
350 g	**Graisse végétale**	**125 mL**
900 g	**Cassonade**	**250 mL**
4	**Oeuf**	**1**
625 g	**Farine tout usage tamisée**	**250 mL**
20 mL	**Poudre à pâte**	**5 mL**
700 g	**Gruau**	**500 mL**
750 mL	**Lait**	**200 mL**
20 mL	**Essence de vanille**	**5 mL**

Méthode
1 Battre la graisse végétale en crème et incorporer la cassonade.
2 Ajouter les oeufs battus et bien mélanger.
3 Tamiser ensemble la farine et la poudre à pâte et les incorporer au mélange en alternant avec le gruau, le lait et l'essence de vanille.
4 Verser dans un moule graissé (25 x 15 x 5 cm.)
5 Cuire au four à 180°C pendant 40 minutes.

Sucre à la crème d'Hermance

Ce bonbon est à nos confiseries ce que les cretons sont à nos entrées, et c'est tout dire. Parce qu'en 1834, on discutait politique dans les cuisines, à l'hôtel et chez le marchand général et qu'alors, on préconisait la consommation de biens et de denrées domestiques, il est certain que le sucre à la crème connut une heure de gloire, entraînant dans son sillage crème fraîche et sucre d'érable pur.

Préparation : 10 minutes $$$
Cuisson : jusqu'à boule molle

Portion 4 kilogrammes	*Ingrédients*	Portion 1 kilogramme
3 L	**Sirop d'érable**	**750 mL**
925 g	**Sucre**	**250 mL**
1,5 L	**Crème 35%**	**375 mL**

Méthode
1 Bien mélanger les ingrédients.
2 Cuire à feu moyen jusqu'à l'obtention d'une boule molle dans l'eau froide (115,5°C).
3 Retirer du feu et mettre la casserole dans l'eau froide de 5 à 7 minutes. Battre le mélange jusqu'à ce qu'il cristallise.
4 Verser dans un plat beurré.
N.B. Ne pas employer de casserole en fonte émaillée.

Biscuits au gingembre et aux noix

Préparation : 15 minutes $$
Cuisson : environ 20 minutes

Portions 8 douzaines	*Ingrédients*	Portions 2 douzaines
350 g	**Graisse végétale**	**125 mL**
450 g	**Cassonade**	**125 mL**
4	**Oeuf**	**1**
500 mL	**Mélasse**	**125 mL**
250 mL	**Eau chaude**	**60 mL**
950 g	**Farine tout usage**	**375 mL**
8 mL	**Poudre à pâte**	**2 mL**
4 mL	**Sel**	**1 mL**
8 mL	**Gingembre**	**2 mL**
8 mL	**Cannelle**	**2 mL**
175 g	**Gruau**	**125 mL**
250 g	**Noix de Grenoble hachée**	**125 mL**

Méthode
1 Battre la graisse végétale en crème.
2 Ajouter la cassonade, les oeufs et la mélasse délayée dans l'eau chaude.
3 Tamiser ensemble la farine, la poudre à pâte, le sel et les épices, et ajouter le gruau et les noix.
4 Réunir les deux mélanges.
5 Laisser tomber par cuillerées (25 mL) sur une plaque graissée et enfarinée.
6 Cuire au four à 180°C pendant 20 minutes.

Petits pains au fromage

Préparation : 20 minutes $$
Cuisson : 40 minutes

Portions 48 pains	*Ingrédients*	Portions 12 pains
40 mL	**Levure sèche**	**10 mL**
500 mL	**Eau tiède**	**125 mL**
100 g	**Sucre**	**30 mL**
1 kg	**Fromage cottage**	**250 mL**
1,5 kg	**Farine**	**575 mL**
4	**Oeuf**	**1**
500 mL	**Beurre fondu**	**125 mL**
60 g	**Graine d'aneth**	**30 mL**
60 mL	**Oignon séché**	**15 mL**
20 mL	**Sel**	**5 mL**
4 mL	**Bicarbonate de soude**	**1 mL**
	Lait	
	Oeuf battu	

Méthode
1 Faire dissoudre la levure dans l'eau tiède avec le sucre pendant 10 minutes.
2 Chauffer le fromage cottage jusqu'à ce qu'il soit tiède.
3 Mettre la levure dans un bol et ajouter le tiers de la farine.
4 Bien battre.
5 Ajouter le fromage cottage, les oeufs, le beurre, les graines d'aneth, les oignons séchés, le sel et le bicarbonate de soude.
6 Bien mélanger.
7 Incorporer le reste de la farine et pétrir.
8 Laisser lever la pâte pendant environ une heure jusqu'à ce que son volume double.
9 Pétrir de nouveau et façonner en petits pains (60 g).
10 Laisser lever de nouveau pendant une heure jusqu'à ce que le volume double.
11 *Badigeonner* d'un mélange de lait et d'oeuf battu.
12 Cuire au four à 180°C pendant 30 minutes.
13 Recouvrir d'un papier d'aluminium et laisser cuire encore quelques minutes.

Oignons blancs marinés

Depuis des siècles et des siècles on croit aux vertus multiples du vinaigre. De là à penser que la consommation d'aliments marinés est bénéfique, il n'y a qu'un mouvement vite exécuté par les gourmands qui y trouvent double bénéfice.

Préparation : 10 minutes $$

Portion 6 litres	*Ingrédients*	Portion 1,5 litre
2 kg	**Petit oignon blanc***	**800 mL**
2,4 L	**Vinaigre**	**600 mL**
2,5 kg	**Sucre**	**700 mL**

Méthode
1 Mettre les petits oignons blancs dans un plat peu profond et y verser le vinaigre.
2 Saupoudrer de sucre.
3 Laisser reposer pendant une heure.
**À défaut, utiliser de l'oignon émincé.*

Lanaudière

Lanaudière, vaste et fertile plaine, s'étend du fleuve Saint-Laurent jusqu'au nord de Joliette. Plusieurs petites rivières et de nombreux lacs y hébergent truites, brochets, dorés, achigans alors que les belles forêts abritent lièvres et orignaux.

À la suite de la colonisation et du développement, les forêts ont reculé et rétréci, mais de vastes étendues en sont encore couvertes. De nombreuses érablières revivent à chaque printemps ; c'est alors le temps des dégustations de sucre, de sirop et de tire que l'on accompagne des traditionnelles « oreilles de crisse », du jambon fumé au bois d'érable, des fèves au lard, des omelettes et des crêpes. Les marinades, les « ketchups » maison et le pain de ménage complètent généralement le menu, sans oublier les oeufs dans le sirop.

Dès la fonte des neiges, sur les terrains de ces mêmes érablières, commence la cueillette de l'ail des bois et des têtes de violon, ces pousses de fougères dont le goût délicat est apprécié des plus fins gourmets. Plus tard au cours de l'été, dans les sous-bois ou le long des fossés ou des clôtures, on cueillera les fraises, framboises, catherinettes (variété de mûres), gadelles, cenelles, groseilles, bleuets et cerises. On peut également ramasser des champignons ; toutefois, cette récolte exige une très bonne connaissance de la mycologie afin d'éviter les champignons vénéneux.

Le tabac est roi ici, mais il n'éclipse pas pour autant les cultures plus nourrissantes ; ainsi, fraises, maïs, pommes de terre, asperges, carottes et navets se cultivent sur une grande échelle tandis que les potagers regorgent de tous les beaux légumes que l'on puisse désirer.

À la fin de juin, vers la Saint-Jean, arrive le temps des fraises. Il y en a tellement que la main-d'oeuvre rurale ne parvient pas à toutes les cueillir, aussi le voyageur qui traverse cette région, à cette époque, a-t-il intérêt à surveiller du coin de l'oeil les affiches l'invitant à ramasser lui-même ces délicieux petits fruits pour un prix très minime.

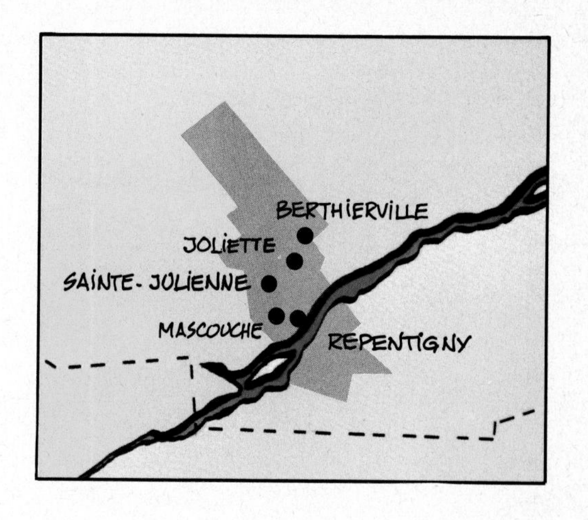

Potage aux feuilles de radis de Saint-Calixte

Pendant longtemps, les radis ne figurèrent que dans les « remèdes de bonne femme » contre la coqueluche et comme antiscorbutique pour les marins au long cours. Quoi qu'il en soit, le radis sera toujours le premier légume à cueillir dans le jardin.

Préparation : 15 minutes $
Cuisson : 20 minutes

Portion 6 litres	*Ingrédients*	Portion 1,5 litre
125 g	**Beurre**	**30 mL**
2 L	**Feuille de radis lavée, équeutée**	**500 mL**
2,5 kg	**Pomme de terre moyenne émincée**	**4**
4 L	**Bouillon de volaille**	**1 L**
250 mL	**Crème à 35 %**	**60 mL**
	Sel (au goût)	
	Poivre (au goût)	

Méthode
1 Faire chauffer le beurre et y *faire suer* les feuilles de radis et les pommes de terre.
2 Ajouter le bouillon de volaille.
3 Cuire jusqu'à cuisson complète des pommes de terre.
4 Réduire le tout en purée dans le mélangeur.
5 Ajouter la crème.
6 Vérifier l'assaisonnement.
7 Garder au chaud.

Salade aux coudes de Saint-Donat

Préparation : 20 minutes $

Portions 24	*Ingrédients*	Portions 6
4,5 kg	**Macaroni cuit**	**1,5 L**
12	**Oeuf dur haché**	**3**
250 g	**Piment vert haché**	**½ un.**
20 mL	**Ail haché finement**	**5 mL**
48 un. ou 200 g	**Olive farcie émincée**	**12 un.**
250 g	**Échalote verte hachée**	**125 mL**
100 g	**Persil haché**	**90 mL**
1 L	**Mayonnaise**	**250 mL**

Méthode
1 Mélanger tous les ingrédients dans un bol à salade.
2 Laisser reposer une heure pour donner du goût à l'ensemble.

Champignons gratinés de Saint-Donat

Il fut un temps où la recherche de champignons dans les sous-bois aurait probablement été désapprouvée par le curé... au même titre qu'une danse, par exemple.

Préparation : 15 minutes $
Cuisson : 5 à 7 minutes

Portions 24	*Ingrédients*	Portions 6
1 kg	**Champignon frais**	**250 g**
	Beurre à l'ail :	
150 g	**beurre**	**40 mL**
15 mL	**ail haché**	**3 mL**
20 g	**persil haché**	**20 mL**
	sel (au goût)	
	poivre (au goût)	
100 g	**Cheddar fort râpé**	**60 mL**

Méthode
1 Brosser et équeuter les champignons.
2 Hacher finement les queues de champignons.
3 Faire *sauter* dans le beurre à l'ail.
4 Farcir les têtes des champignons avec ce mélange.
5 Poudrer de cheddar râpé.
6 Gratiner au four à 190°C pendant 5 à 7 minutes environ.

Centre des ressources didactiques / Institut de tourisme et d'hôtellerie du Québec

Quiche de Saint-Michel-des-Saints

Collection de l'abbé François Lanoue, Saint-Alexis *(Fileuse à Sainte-Marie vers 1945)*. Objets d'artisanat : Ronald Trépanier et Louise Meilleur, Chertsey *(chandelier et assiette à quiche)*.

Quiche de Saint-Michel-des-Saints

De nos jours les quiches lorraines, provençales et alsaciennes sont bien connues. Nos ancêtres, par contre, connaissaient mieux les tourtières, ces pâtés à la viande confectionnés quelquefois à base de tourtes.

Préparation : 30 à 35 minutes $
Cuisson : environ 45 minutes

Portions 24	*Ingrédients*	Portions 6
1 kg	**Pâte brisée** ***(voir recettes complémentaires)***	250 g
24 tr.	**Bacon**	6 tr.
225 g	**Oignon haché**	90 mL
8	**Oeuf**	2
500 mL	**Lait**	125 mL
500 mL	**Crème à 15 %**	125 mL
150 g	**Fromage gruyère râpé**	60 mL
	Sel (au goût)	
	Poivre (au goût)	

Méthode
1 *Abaisser* la pâte sur une plaque enfarinée, à l'aide d'un rouleau à pâte.
2 *Foncer* un moule à tarte.
3 Réserver.
4 *Faire revenir* le bacon dans une poêle jusqu'à ce qu'il soit croustillant.
5 Le couper en petits morceaux et les déposer sur le fond de tarte.
6 Faire cuire les oignons dans le gras du bacon.
7 Parsemer le fond de tarte avec les oignons égouttés.
8 Battre les oeufs et ajouter le lait et la crème.
9 Incorporer le fromage.
10 Assaisonner au goût.
11 Verser l'*appareil* sur le fond de tarte.
12 Cuire au four à 180°C pendant 45 minutes.
13 Servir chaud.

Aspic de crevettes de Saint-Donat

Un aspic de crevettes annonce un bon repas et une chaleureuse hospitalité pour le voyageur à pied qui, il n'y a pas si longtemps, demandait asile.

Préparation : 20 à 25 minutes $$$
Réfrigération : 4 heures
Cuisson : 15 minutes

Portion 5 litres	*Ingrédients*	Portion 1,25 litre
1,6 L	**Soupe aux tomates**	400 mL
900 g	**Fromage à la crème**	225 mL
1 L	**Mayonnaise**	250 mL
450 g	**Céleri haché fin**	250 mL
125 g	**Beurre**	30 mL
225 g	**Échalote verte hachée**	125 mL
65 g	**Gélatine neutre**	25 mL
500 mL	**Jus des crevettes**	125 mL
1,2 kg	**Crevette hachée**	500 mL
	Sel (au goût)	
	Poivre (au goût)	
	Cayenne (au goût)	
100 g	**Jus de citron**	25 mL
	Huile (q.s.)*	
	Persil haché (au goût)	

Méthode
1 Faire chauffer la soupe.
2 Incorporer le fromage.
3 Bien battre, pour éviter l'apparition de grumeaux.
4 Incorporer la mayonnaise.
5 *Faire suer* le céleri dans le beurre.
6 Ajouter l'échalote et la *faire suer*.
7 Mélanger avec la soupe.
8 Faire mijoter le tout pendant 2 à 3 minutes.
9 Faire gonfler la gélatine dans le jus des crevettes.
10 Incorporer les crevettes.
11 Verser dans la masse et faire mijoter pendant 1 à 2 minutes.
12 Assaisonner.
13 Verser un filet de jus de citron.
14 Verser l'*appareil* dans un moule huilé.
15 Laisser prendre dans le réfrigérateur pendant 4 heures environ.
16 Passer sous l'eau chaude et démouler dans une assiette.
17 Persiller.
18 Servir froid.
* quantité suffisante

Potage à la citrouille de Saint-Jacques de Montcalm

« Les citrouilles de ce Pais-ci font douces & d'un autre nature que celle de l'Europe. On les fait cuire ordinairement dans le four, mais elles font meilleures sous les cendres, à la manière des Sauvages. »

Préparation : 20 minutes $
Cuisson : 30 minutes

Portion 6 litres	*Ingrédients*	Portion 1,5 litre
225 g	**Oignon haché**	90 mL
175 g	**Céleri haché**	90 mL
175 g	**Beurre**	45 mL
75 g	**Farine**	30 mL
1 L	**Bouillon de poulet**	250 mL
1 L	**Lait**	250 mL
10 mL	**Paprika**	2 mL
5 mL	**Muscade**	1 mL
	Sel (au goût)	
	Poivre (au goût)	
4 L	**Purée de citrouille**	1 L
1 L	**Crème à 15 %**	250 mL
	Bacon cuit émietté (q.s.)*	
	Croûton (q.s.)*	

Méthode
1 Faire blondir légèrement l'oignon et le céleri dans le beurre.
2 Ajouter la farine et cuire quelques minutes sans cesser de remuer.
3 Ajouter le bouillon de poulet, le lait et cuire en remuant jusqu'au point d'ébullition.
4 Incorporer les assaisonnements et la purée de citrouille.
5 Chauffer doucement sans reprendre l'ébullition.
6 Ajouter la crème et garder au chaud.
7 Servir avec le bacon et les croûtons.
* quantité suffisante

Côtelettes de porc braisées de Saint-Michel-des-Saints

Préparation : 15 minutes $
Cuisson : 1 heure à 1 heure 30

Portions 24	*Ingrédients*	Portions 6
24	**Côtelette de porc**	6
	Sel (au goût)	
	Poivre (au goût)	
175 g	**Beurre**	45 mL
1,15 L	**Crème à l'oignon**	275 mL
1,15 L	**Eau**	275 mL

Méthode
1 *Faire revenir* les côtelettes assaisonnées dans le beurre.
2 *Dégraisser.*
3 Ajouter la crème à l'oignon et la même quantité d'eau.
4 Couvrir et faire cuire pendant 1 heure à 1 heure 30 environ, jusqu'à ce que les côtelettes soient tendres.
5 Servir chaud.

Pain de viande de Saint-Michel-des-Saints

L'exemplaire docteur Smiley, de la région de Rawdon, connaissant la situation financière souvent difficile de ses patients, acceptait très cordialement les paniers de légumes, les oeufs frais et autres victuailles. On raconte qu'à certaine occasion il reçut même une vache en paiement de compte !

Préparation : 20 à 25 minutes $
Cuisson : 1 heure à 1 heure 30

Portions 24	*Ingrédients*	Portions 6
350 g	**Chapelure***	165 mL
1 L	**Lait**	250 mL
300 g	**Oignon haché**	125 mL
225 g	**Céleri haché**	125 mL
75 g	**Carotte hachée**	125 mL
175 g	**Beurre**	45 mL
1,4 kg	**Boeuf haché**	350 g
1,4 kg	**Porc haché**	350 g
6	**Oeuf**	2
	Marjolaine (au goût)	
	Sel (au goût)	
	Poivre (au goût)	
	Graisse (q.s.)**	
250 mL	**Ketchup rouge**	60 mL
20 mL	**Moutarde sèche**	5 mL
20 mL	**Cassonade**	5 mL

Méthode
1 Faire tremper la chapelure dans le lait.
2 Réserver.
3 *Faire suer* les légumes dans le beurre.
4 Bien mélanger tous les ingrédients ensemble et déposer l'*appareil* dans un moule préalablement graissé.
5 Presser la préparation et en lisser la surface.
6 Bien mélanger le ketchup, la moutarde et la cassonade.
7 *Badigeonner* la surface du pain avec le mélange.
8 Cuire au four à 180°C pendant 1 heure à 1 heure 30.
9 Servir chaud avec une sauce de votre choix.
* À défaut de chapelure, employer des craquelins écrasés.
** quantité suffisante

Ragoût de boeuf en cubes de Crabtree

Brunet, Vaillant, Gaillard, Mignonne et même Libertine, sont les noms dont on avait coutume d'affubler les bêtes à cornes aux XVIIe et XVIIIe siècles. Une coutume ancienne voulait qu'on baptise aussi bien les bêtes que les individus. Cette habitude qu'avaient les habitants de distribuer des surnoms au bétail témoignait autant de leur tendresse et de leur respect pour la bête que de leur sens de l'humour.

Préparation : 15 minutes $
Cuisson : 2 heures

Portions 24	*Ingrédients*	Portions 6
325 g	**Oignon émincé**	125 mL
4	**Gousse d'ail**	1
	Huile (q.s.)*	
3,6 kg	**Cube de boeuf**	900 g
	Farine (q.s.)*	
175 mL	**Huile**	45 mL
1,5 L	**Eau**	375 mL
125 mL	**Sauce au chili**	30 mL
	Sel (au goût)	
	Poivre (au goût)	
4	**Feuille de laurier**	1
60 mL	**Persil haché**	15 mL

Méthode
1 *Faire revenir* l'oignon et l'ail dans l'huile.
2 Réserver les oignons et l'ail, et garder l'huile.
3 Passer les cubes de boeuf dans la farine. Enlever le surplus de farine.
4 Faire *sauter* les cubes dans l'huile.
5 *Mouiller* avec l'eau.
6 Incorporer la sauce au chili.
7 Assaisonner avec le sel, le poivre et la feuille de laurier.
8 Commencer la cuisson sur le feu. Couvrir et cuire au four à 190°C pendant 2 heures environ.
9 Persiller.
10 Servir chaud.
Note : La viande est cuite lorsqu'elle cède sous la pression du doigt.
* quantité suffisante

Pailles au fromage de Saint-Jean-de-Matha

Préparation : 20 minutes $
Cuisson : 20 minutes

Portion 8 douzaines	*Ingrédients*	Portion 2 douzaines
650 g	**Farine**	250 mL
12 mL	**Sel**	3 mL
12 mL	**Poudre à pâte**	3 mL
300 g	**Cheddar fort râpé**	175 mL
300 g	**Beurre**	85 mL
4	**Jaune d'oeuf**	1
	Tabasco (au goût)	
	Poivre de Cayenne (au goût)	
200 mL	**Eau froide**	50 mL

Méthode
1 Tamiser la farine avec le sel et la poudre à pâte.
2 Ajouter le fromage râpé.
3 Incorporer le beurre ramolli et le jaune d'oeuf.
4 Assaisonner avec le tabasco et le poivre de Cayenne.
5 *Mouiller* avec l'eau pour obtenir une pâte lisse.
6 *Fraiser* légèrement.
7 Découper en petits bâtonnets de 5 mm x 5 cm.
8 Déposer sur une plaque et cuire au four à 190°C pendant 20 minutes environ.

Pain de saumon de Saint-Jacques de Montcalm

Préparation : 15 minutes $
Cuisson : 45 minutes

Portions 24	*Ingrédients*	Portions 6
2 kg	**Saumon**	500 g
1 kg	**Chapelure**	500 mL
725 mL	**Lait**	175 mL
8	**Oeuf battu**	2
60 mL	**Oignon haché**	15 mL
	Sel (au goût)	
	Poivre (au goût)	

Méthode
1 Enlever la peau et les arêtes du saumon.
2 Hacher les chairs.
3 Mélanger le poisson, la chapelure, le lait, les oeufs, l'oignon, le sel et le poivre.
4 Mettre l'*appareil* dans un moule à pain de 1,5 litre beurré.
5 Cuire à four modéré, à 180°C, pendant 45 minutes environ.

Casserole de chou de Saint-Donat

Ce chou qui est l'essentiel de tant de potées, ce chou qui est le plus indiscret, le plus exhibitionniste de nos aliments, ce chou (...) est notre planche de salut par-dessus les étendues glacées de janvier et de février !!

Préparation : 20 minutes $
Cuisson : 1 heure 30

Portions 24	*Ingrédients*	Portions 6
1,8 kg	**Chou émincé**	**1 L**
	Sucre	
60 mL	**Huile**	**15 mL**
150 g	**Oignon haché**	**60 mL**
20 mL	**Ail haché**	**5 mL**
2 kg	**Boeuf haché**	**500 g**
425 g	**Riz minute**	**125 mL**
20 mL	**Sauce Worcestershire**	**5 mL**
800 mL	**Crème de tomate**	**200 mL**
325 mL	**Lait**	**80 mL**
	Sel (au goût)	
	Poivre (au goût)	

Méthode
1 Faire *blanchir* le chou dans l'eau bouillante salée avec un peu de sucre.
2 Égoutter et réserver.
3 Chauffer l'huile.
4 Y *faire revenir* l'oignon, l'ail, puis la viande.
5 Cuire pendant 15 minutes.
6 Ajouter les autres ingrédients, sauf le chou.
7 Tapisser le fond d'un plat de feuilles de chou.
8 Y verser la viande et recouvrir de chou.
9 Couvrir et cuire au four pendant 1 heure environ.

Omelette aux épinards de Saint-Donat

Berthier n'est peut-être plus une ville maraîchère, mais au siècle dernier, les habitants pouvaient s'enorgueillir de posséder l'un des plus grands marchés de plein air du Québec.

Préparation : 20 à 25 minutes $
Cuisson : 30 à 35 minutes

Portions 24	*Ingrédients*	Portions 6
1,15 kg	**Épinard**	**285 g**
125 g	**Beurre**	**30 mL**
	Beurre	
165 g	**Champignon émincé**	**125 mL**
60 mL	**Beurre**	**15 mL**
32	**Oeuf**	**8**
200 g	**Cheddar fort râpé**	**125 mL**
	Sel (au goût)	
	Poivre (au goût)	

Méthode
1 Laver les épinards, les trier et les équeuter.
2 Les *faire suer* au beurre.
3 Les déposer dans un plat à gratin beurré.
4 Faire *sauter* les champignons au beurre.
5 Les déposer sur les épinards.
6 Battre les oeufs.
7 Incorporer le fromage.
8 Assaisonner au goût.
9 Verser le mélange dans le plat à gratin.
10 Cuire au four à 180°C pendant environ 30 à 35 minutes.
11 Servir chaud.

Centre des ressources didactiques / Institut de tourisme et d'hôtellerie du Québec

Brochettes de poulet de Saint-Donat

Société historique de Joliette, collection Hector Geoffroy *(Hôtel Rivard à Joliette, vers 1900)*. Objets d'artisanat : Ronald Trépanier et Louise Meilleur, Chertsey *(vaisselle)*.

Brochettes de poulet de Saint-Donat

Préparation : 20 minutes $$
Cuisson : 20 minutes

Portions 24	*Ingrédients*	Portions 6
3,6 kg	**Cube de poulet**	**900 g**
	Marinade :	
250 mL	**sauce de soya**	**60 mL**
650 mL	**huile d'arachide**	**160 mL**
60 mL	**jus de citron**	**15 mL**
	poudre d'ail (au goût)	
800 g	**Oignon**	**2 un.**
1 kg	**Piment vert**	**2 un.**

1,3 kg	**Champignon entier**	**36 un.**
48 un. ou **600 g**	**Tomate cerise**	**12 un.**

Méthode
1 Faire mariner les cubes de poulet dans la marinade.
2 Marinade : mélanger tous les ingrédients ensemble.
3 Bien mélanger de temps en temps.
4 Couper les oignons et les piments en morceaux d'environ 2,5 cm^2.
5 Embrocher un champignon, une tomate, un piment vert, un oignon, un cube de poulet, un oignon, un piment, un oignon, un cube de poulet, et ainsi de suite, en terminant avec le champignon et la tomate.
6 Cuire au four entrouvert, sur une grille, à 200°C pendant 20 minutes environ. Tourner les brochettes pendant la cuisson.
7 Servir sur un riz blanc.

Foie de boeuf aux légumes de Saint-Donat

Préparation : 30 minutes $
Cuisson : 5 minutes

Portions 24	*Ingrédients*	Portions 6
16 tr.	**Bacon**	**4 tr.**
150 g	**Céleri émincé**	**1 br.**
250 g	**Piment vert en lanières**	**½ un.**
400 g	**Oignon émincé**	**1 un.**
165 g	**Champignon émincé**	**125 mL**
1 kg	**Foie de boeuf émincé**	**250 g**
	Sel (au goût)	
	Poivre (au goût)	
	Sauce au soya (au goût)	

Méthode
1 Couper le bacon en morceaux.
2 Le cuire dans un poêlon.
3 Le réserver.
4 Faire *sauter* le céleri, ajouter le piment et les oignons.
5 Ajouter les champignons.
6 Réserver.
7 Faire *sauter* le foie et l'assaisonner.
8 Mélanger le tout.
9 Parfumer de sauce au soya.
10 Servir avec du riz ou des nouilles.
Suggestion : Faire tremper environ 15 minutes le foie dans le lait pour lui enlever son acidité (facultatif).

Salade de jambon et d'oeufs de Saint-Jacques de Montcalm

Préparation : 20 minutes $$

Portions 24	*Ingrédients*	Portions 6
1,5 kg	**Jambon cuit en dés**	**500 mL**
12	**Oeuf dur haché**	**3**
800 g	**Pois vert cuit**	**250 mL**
225 g	**Céleri haché**	**125 mL**
175 g	**Piment vert haché**	**60 mL**
150 g	**Oignon haché**	**60 mL**
175 g	**Cornichon haché**	**60 mL**
	Sel (au goût)	
	Poivre (au goût)	
	Feuille de laitue (q.s.)*	
350 mL	**Mayonnaise**	**90 mL**

Méthode
1 Mélanger tous les ingrédients dans un bol à salade.
2 Assaisonner au goût.
3 Servir sur des feuilles de laitue.
4 Décorer avec la mayonnaise.
* quantité suffisante

Beignets de blé d'Inde de Saint-Jean-de-Matha

Une fois établis en Amérique, les colons français durent modifier leur alimentation habituelle, « quoiqu'ils ne persistèrent pas moins à importer d'Europe à grands prix, des mets et des breuvages dont, à la rigueur, ils auraient pu se passer ». Ils s'adaptèrent tant bien que mal à leur nouveau milieu, mais il leur fallut, ajoute Robert-Lionel Séguin, « près de deux cents ans, pour s'habituer à la patate, au sucre d'érable et au blé d'Inde... ».

Préparation : 15 minutes $
Cuisson : 4 minutes

Portion 8 douzaines	*Ingrédients*	Portion 2 douzaines
525 g	**Grain de blé d'Inde cuit**	**165 mL**
400 g	**Farine tamisée**	**165 mL**
25 mL	**Sel**	**7 mL**
15 mL	**Poudre à pâte**	**3 mL**
5	**Jaune d'oeuf battu**	**1**
5	**Blanc d'oeuf**	**1**
	Huile à friture (q.s.)*	

Méthode
1 Égoutter le blé d'Inde.
2 Ajouter la farine, le sel, la poudre à pâte et les jaunes d'oeufs au blé d'Inde.
3 Incorporer les blancs d'oeufs montés en neige.
4 Cuire à grande friture, par cuillerée.
5 Assécher les beignets sur du papier absorbant et servir.
* quantité suffisante

Tranches de porc farcies de Saint-Jean-de-Matha

Préparation : 20 minutes $
Cuisson : 2 heures 30

Portions 24	*Ingrédients*	Portions 6
1,5 kg	**Pomme de terre en morceaux**	**625 mL**
1 kg	**Boeuf haché**	**250 g**
400 g	**Oignon haché**	**1 un.**
150 g	**Céleri haché**	**1 br.**
	Sel (au goût)	
	Poivre (au goût)	
48	**Tranche de porc de 60 g (2,5 cm)**	**12**
1 L	**Bouillon de volaille**	**250 mL**

Méthode
1 Cuire les pommes de terre, les écraser et les faire refroidir.
2 Mélanger le boeuf, l'oignon et le céleri avec les pommes de terre.
3 Saler et poivrer.
4 Fendre les tranches de porc en deux en les ouvrant comme les ailes d'un papillon.
5 Les remplir de farce.
6 Refermer comme pour faire une poche et coudre tout autour.
7 Disposer dans une casserole avec le bouillon de volaille.
8 Cuire au four à 180°C pendant 2 heures 30 environ.
9 Arroser au besoin.

Tomates au fromage de Saint-Jacques de Montcalm

Le goût des Québécois pour le fromage s'est étendu à une plus grande variété. Aux cheddars traditionnels se sont ajoutés des fromages importés, plus nombreux, plus exotiques et certainement très différents de ce fromage à pâte dure qui caractérisait depuis plus d'un siècle notre production nationale.

Préparation : 15 minutes $$
Cuisson : 30 minutes

Portions 24	*Ingrédients*	Portions 6
24	**Tomate**	**6**
	Eau (q.s.)*	
60 mL	**Beurre**	**15 mL**
16	**Oeuf**	**4**
2 L	**Lait**	**500 mL**
	Sel (au goût)	
	Poivre (au goût)	
200 g	**Cheddar fort râpé**	**125 mL**

Méthode
1 Enlever les *pédoncules* des tomates.
2 Les faire *blanchir* dans l'eau bouillante pendant 30 secondes environ.
3 Enlever la peau des tomates.
4 Les couper en deux.
5 Les *épépiner*.
6 Les disposer dans un plat à gratin beurré.
7 Battre les oeufs.
8 Incorporer le lait.
9 Assaisonner.
10 Verser le mélange sur les tomates.
11 Poudrer de fromage.
12 Cuire à 180°C pendant 30 minutes environ.
13 Servir chaud.
* quantité suffisante

Trempette de Saint-Donat

Préparation : 15 minutes $

Portion 4 litres	*Ingrédients*	Portion 1 litre
700 mL	Crème sure	175 mL
1,5 kg	Fromage cottage	350 mL
1,4 L	Mayonnaise	350 mL
60 mL	Ail haché	15 mL
60 mL	Ciboulette hachée	15 mL
60 mL	Oignon haché	15 mL
50 g	Persil haché	45 mL
	Sel (au goût)	
	Poivre (au goût)	
	Sauce au tabasco (au goût)	
	Sauce Worcestershire (au goût)	

Méthode

1 Mélanger la crème sure, le fromage cottage et la mayonnaise.
2 Assaisonner avec l'ail, la ciboulette, le persil, l'oignon, le sel, le poivre, la sauce au tabasco et la sauce Worcestershire.
3 Bien mélanger le tout et garder au frais.

Tarte au suif de Saint-Michel-des-Saints

Préparation : 20 minutes $
Cuisson : 45 à 50 minutes

Portion 4 tartes	*Ingrédients*	Portion 1 tarte
2 kg	Pâte brisée *(voir recettes complémentaires)*	500 g
350 g	Suif râpé	250 mL
1 kg	Cassonade	250 mL
500 mL	Lait	125 mL
3	Oeuf battu	1
	Facultatif :	
75 g	farine	30 mL

Méthode

1 Diviser la pâte en 2 portions.
2 *Abaisser* la pâte; avec une des *abaisses, foncer* un moule à tarte.
3 Réserver au réfrigérateur avec l'autre *abaisse.*
4 Mélanger les ingrédients ensemble.
5 Verser le mélange sur l'*abaisse.*
6 Humecter le rebord de l'*abaisse* avec l'oeuf battu.
7 Couvrir avec l'autre *abaisse.*
8 Bien sceller les bords.
9 Pratiquer une incision au centre de la tarte, de façon à laisser s'échapper la vapeur.
10 Dorer à l'oeuf.
11 Cuire à 200°C pendant 45 à 50 minutes environ.
Note : Si désiré, incorporer 30 mL (75 g) de farine à l'*appareil* avant de cuire la tarte, ce qui donnera une pâte dont la composition sera moins liquide.

Pouding du chômeur de Saint-Michel-des-Saints

Préparation : 15 minutes $
Cuisson : 40 minutes

Portions 24	*Ingrédients*	Portions 6
250 mL	Huile	60 mL
925 g	Sucre	250 mL
4	Oeuf	1
1 L	Lait	250 mL
1 kg	Farine	400 mL
60 mL	Poudre à pâte	15 mL
2 kg	Cassonade	500 mL
2 L	Eau chaude	500 mL
175 g	Beurre	45 mL

Méthode

1 Mélanger l'huile et le sucre.
2 Incorporer l'oeuf.
3 Ajouter le lait, en alternant avec la farine et la poudre à pâte préalablement tamisée.
4 Déposer la préparation dans un moule beurré.
5 Dissoudre la cassonade dans l'eau.
6 Ajouter le beurre et verser sur la préparation.
7 Cuire au four à 180°C pendant 40 minutes environ.

Biscuits à la compote de pommes de Rawdon

« Un service élégant, d'une ordonnance exacte,
Doit de votre repas marquer le dernier acte,
Au secours du dessert appelez tous les arts
Attaquez et savourez ces fruits
Qu'un art officieux en compote a réduit. » Berchoux

***Les pommes et les prunes sont pratiquement les seuls fruits cultivés en Nouvelle-France au XVIIe siècle, et il y en a peu. Il n'en sera pas toujours ainsi. Quelque cent ans plus tard, avec l'importation de pommiers de Normandie, on pourra goûter différentes variétés de pommes, dont la calville, blanche et rouge, et la reinette, qui s'adapte si bien au climat du pays qu'elle deviendra la* reinette du Canada.**

Préparation : 15 minutes $$
Cuisson : 15 minutes

Portion 8 douzaines	*Ingrédients*	Portion 2 douzaines
250 g	Graisse	85 mL
600 g	Sucre	165 mL
675 mL	Compote de pommes	165 mL
800 g	Farine tamisée	325 mL
15 mL	Bicarbonate de soude	3 mL
15 mL	Cannelle moulue	3 mL
8 mL	Clou de girofle moulu	2 mL
8 mL	Sel	2 mL
175 g	Noix de Grenoble hachée	85 mL
250 g	Raisin sec	85 mL

Méthode

1 Travailler la graisse et le sucre en crème.
2 Ajouter la compote de pommes.
3 Ajouter les ingrédients secs, puis les noix de Grenoble et les raisins secs.
4 Disposer à la cuillère sur une plaque à biscuits.
5 Cuire au four à 190°C pendant 15 minutes environ.

Carrés « Chemin Kildare » de Rawdon

Préparation : 30 minutes $$
Cuisson : 30 minutes

Portion 8 douzaines	*Ingrédients*	Portion 2 douzaines
500 g	Beurre	125 mL
500 g	Cassonade	125 mL
8	Jaune d'oeuf	2
750 g	Farine	300 mL
8	Blanc d'oeuf	2
2 mL	Sel	1 pin.
1 kg	Cassonade	250 mL
15 mL	Essence de vanille	5 mL
15 mL	Crème de tartre	4 mL
550 g	Noix hachée	250 mL

Méthode

1 Travailler le beurre et la cassonade en crème.
2 Ajouter les jaunes d'oeufs.
3 Bien mélanger.
4 Incorporer la farine et bien mélanger.
5 Étendre dans un moule de 20 x 20 cm.
6 Monter les blancs d'oeufs en neige avec le sel.
7 Incorporer la cassonade et l'essence de vanille, tout en fouettant.
8 Battre pendant 10 minutes environ avec le mélangeur à grande vitesse, de façon à former des pics (meringue).
9 Ajouter la crème de tartre pour assécher la meringue.
10 Incorporer les noix à la spatule.
11 Verser l'*appareil* dans le moule.
12 Cuire au four à 180°C pendant 25 minutes environ.

Mousse à l'érable de Saint-Donat

La tradition veut qu'une partie de la production familiale ait toujours été réservée aux parents et amis qui n'entaillent pas : c'est le « morceau du curé », celui du « voisin » ou encore celui « de la maîtresse ». Jean-Claude Dupont dans son livre sur* Le sucre du pays, *rapporte, en effet, que « les vieux parents qui sont retirés au village, tout comme les frères, les soeurs et les enfants qui vivent éloignés, ont droit à leur 'sucre du bien paternel' ».

Préparation : 20 minutes $$$
Cuisson : 10 minutes

Soufflé au pain et au fromage de Saint-Jacques-de-Montcalm

Collection de l'abbé François Lanoue, Saint-Alexis *(Cabane à sucre, Saint-Jacques, vers 1920)*. Objet d'artisanat : Ronald Trépanier et Louise Meilleur, Chertsey *(plat à soufflé)*.

Portions 24	*Ingrédients*	Portions 6
8	**Blanc d'oeuf**	**2**
2 mL	**Sel**	**1 pin.**
1 L	**Sirop d'érable**	**250 mL**
12 mL	**Crème de tartre**	**3 mL**
800 mL	**Crème à 35 %**	**200 mL**

Méthode

1 Monter les blancs d'oeufs en neige fermes avec le sel.
2 Chauffer le sirop d'érable jusqu'à 121 °C, ou jusqu'à ce que le sirop forme un fil au bout d'une cuillère.
3 Verser lentement sur les blancs d'oeufs montés en neige.
4 Ajouter la crème de tartre.
5 Fouetter à grande vitesse pendant 10 minutes environ.
6 Fouetter la crème à 35 %.
7 Ajouter délicatement au premier mélange.
8 Servir dans des coupes.

Tarte aux pacanes des pauvres

Préparation : 20 minutes $$
Cuisson : 45 minutes

Portions 24	*Ingrédients*	Portions 6
1 kg	**Pâte brisée** *(voir recettes complémentaires)*	**250 g**
1 L	**Sirop de maïs**	**250 mL**
925 g	**Sucre blanc**	**250 mL**
350 g	**Farine d'avoine**	**250 mL**
500 g	**Margarine molle**	**125 mL**
8	**Oeuf battu**	**2**
325 g	**Noix de Grenoble en morceaux**	**125 mL**
	Noix de pacane en garniture (q.s.)*	

Méthode

1 *Abaisser* la pâte et en couvrir le fond d'un moule à tarte.
2 Mélanger le sirop de maïs, le sucre blanc, la farine, la margarine, les oeufs et les noix de Grenoble.
3 Verser le mélange dans l'*abaisse.*
4 Couvrir de noix de pacanes.
5 Cuire à 200 °C pendant 45 minutes environ.
* quantité suffisante

Soufflé au pain et au fromage de Saint-Jacques de Montcalm

Dans certains pays, la coutume veut parfois que la cuisson et le service du pain obéissent à un véritable rituel. La tradition acadienne de la région de Joliette veut que le grand-père coupe toujours la première tranche de pain. Personne ne mange avant que ce geste n'ait été accompli.

Préparation : 20 minutes $$
Cuisson : 25 minutes

Portion 8 douzaines	*Ingrédients*	Portion 2 douzaines
2 L	**Lait chaud**	**500 mL**
125 mL	**Beurre fondu**	**30 mL**
	Sel (au goût)	
200 g	**Pain coupé en dés**	**500 mL**
16	**Jaune d'oeuf**	**4**
400 g	**Cheddar fort râpé**	**250 mL**
	Poivre (au goût)	
	Muscade (facultatif) (au goût)	
24	**Blanc d'oeuf**	**6**

Méthode

1 Ajouter le lait, le beurre et le sel à la mie de pain.
2 Cuire à feu doux.
3 Retirer du feu et incorporer les jaunes d'oeufs et le cheddar râpé.
4 Assaisonner de poivre et de muscade.
5 Laisser refroidir.
6 Monter les blancs d'oeufs en neige fermes.
7 Incorporer à l'*appareil.*
8 Verser dans des moules individuels à muffins et cuire au four à 180 °C pendant 25 minutes environ.

Marmitones de Saint-Calixte

Préparation : 15 minutes $
Cuisson : 15 minutes

Portion 8 douzaines	Ingrédients	Portion 2 douzaines
3	Oeuf	1
325 mL	Beurre fondu	85 mL
600 g	Sucre	165 mL
1,3 kg	Farine	500 mL
70 g	Bicarbonate de soude	20 mL
2 mL	Sel	1 pin.
30 g	Crème de tartre	15 mL
325 mL	Lait	85 mL
	Essence de citron (au goût)	
	Essence de vanille (au goût)	

Méthode
1 Battre l'oeuf.
2 Ajouter le beurre fondu et le sucre.
3 Tamiser les ingrédients secs.
4 Ajouter au premier mélange en alternant avec le lait.
5 Ajouter les essences.
6 Garder au réfrigérateur pendant 30 minutes.
7 *Abaisser* la pâte de façon à ce qu'elle soit très mince.
8 Découper les marmitones et cuire au four chaud à 180°C pendant 15 minutes environ.

Gâteau du printemps de Saint-Jean-de-Matha

Préparation : 20 minutes $$
Cuisson : 30 minutes

Portion 4 gâteaux	Ingrédients	Portion 1 gâteau
250 g	Beurre	60 mL
525 g	Sucre	150 mL
4	Oeuf	1
725 mL	Lait	175 mL
650 g	Farine	250 mL
2 mL	Sel	1 pin.
	Essence d'érable (au goût)	
925 g	Sucre d'érable haché	175 mL
725 mL	Crème à 35 %	175 mL

Méthode
1 Travailler le beurre et le sucre en crème.
2 Ajouter l'oeuf.
3 Fouetter pour faire fondre le sucre.
4 Ajouter le lait en alternant avec la farine.
5 Ajouter le sel.
6 Ajouter l'essence d'érable.
7 Verser dans un moule beurré de 20 x 20 cm.
8 Mélanger le sucre d'érable et la crème.
9 Verser sur la pâte.
10 Cuire au four à 180°C pendant 30 minutes environ.

Gâteau moka à la menthe de Saint-Donat

Dès qu'ils sont apparus au comptoir des marchandises exotiques, le thé, le café et le chocolat ont connu des carrières similaires... On leur a attribué, parfois à tort, le mérite de soigner tous les maux. En décoctions, en sirops, en bouillons, en cataplasmes, ou autrement, ils ont été appelés à calmer, à fouetter les nerfs endormis et à redonner de l'énergie. Le temps, un peu de recherche et la gourmandise ont permis d'explorer toutes les ressources des uns et des autres et, en fin de compte, c'est en cuisine que les trois s'expriment le mieux !

Préparation : 30 minutes $$$
Cuisson : 40 minutes

Portion 4 gâteaux	Ingrédients	Portion 1 gâteau
500 g	Graisse végétale	175 mL
1,5 kg	Sucre	400 mL
12	Oeuf	4
16 un.	Carré de chocolat non sucré fondu	4 un.
1,3 kg	Farine	500 mL
15 mL	Sel	5 mL
85 g	Poudre à pâte	20 mL
700 mL	Lait sur	175 mL
15 mL	Essence de vanille	5 mL
8 mL	Essence de menthe	2 mL
	Glace moka :	
250 g	beurre	60 mL
1,25 kg	sucre en poudre	500 mL
45 g	cacao	30 mL
175 mL	Café fort	45 mL
10 mL	Essence de vanille	3 mL

Méthode
1 Travailler la graisse et le sucre en crème.
2 Ajouter les oeufs un à un et remuer jusqu'à l'obtention d'une crème.
3 Ajouter le chocolat fondu.
4 Bien mélanger.
5 Tamiser les ingrédients secs.
6 Ajouter au premier mélange, en alternant avec le lait. Finir avec l'essence de vanille et l'essence de menthe.
7 Verser dans deux moules beurrés et enfarinés.
8 Cuire au four à 180°C pendant 40 minutes environ.
9 Glace moka : travailler le beurre, le sucre et le cacao en crème.
10 Ajouter le café fort et l'essence de vanille.
11 Glacer le gâteau et servir.

Ketchup de choux-fleurs de Saint-Lin des Laurentides

Préparation : 20 minutes $
Cuisson : 1 heure 30

Portion 6 litres	Ingrédients	Portion 1,5 litre
2 kg	Oignon	500 g
1,8 kg	Pied de céleri	450 g
1 kg	Chou-fleur	250 g
6,7 kg	Tomate rouge	1,7 kg
45 mL	Épices à marinades	10 mL
1,1 L	Vinaigre	275 mL
1 kg	Sucre blanc	275 mL
	Sel (au goût)	
	Poivre (au goût)	

Méthode
1 Couper les légumes en petits morceaux.
2 Emballer les épices à marinades dans du coton à fromage.
3 Mettre les légumes, le vinaigre et le sucre dans une marmite.
4 Assaisonner.
5 Cuire pendant 1 heure à feu moyen.
6 Enlever le sac d'épices et cuire à nouveau pendant 30 minutes à feu moyen.
7 Mettre à chaud dans des pots fermés par un couvercle.

Vin de betterave de Saint-Jean-de-Matha

En 1870, les cultivateurs de Berthier assistaient à l'ouverture de la première raffinerie de sucre de betteraves de la région. L'usine fut vendue en 1898 à une société productrice d'alcool qui, apparemment, en tira un peu plus que du vin de betteraves...

Préparation : 30 minutes $
Cuisson : 2 heures
Fermentation : 35 jours

Portion 40 litres	Ingrédients	Portion 10 litres
8 kg	Betterave	2 kg
20 L	Eau	5 L
8 kg	Sucre	2,2 L
2 kg	Raisin sec	650 mL
60 mL	Levure sèche	15 mL

Méthode
1 Laver les betteraves non pelées coupées en dés.
2 Faire cuire à couvert à feu doux, jusqu'à cuisson complète, dans une marmite.
3 Ajouter le sucre et faire mijoter pendant 20 minutes.
4 Égoutter.
5 Laisser tiédir, ajouter les raisins secs et la levure.
6 Couvrir d'un carton et laisser fermenter 5 jours en brassant une fois par jour, à 18°C.
7 *Passer* et presser pour extraire le jus.
8 Verser dans une cruche.
9 Boucher l'ouverture avec de la ouate.
10 Garder à une température de 18°C pendant 30 jours.
11 *Siphonner* et *passer* dans un coton à fromage et mettre en bouteilles pendant 6 mois environ.

Laurentides

Sur un territoire rocheux, boisé et froid, placez un curé dynamique, faites venir une poignée de colons courageux, et disposez, un à un, 25 villages composés essentiellement d'une église, d'un magasin général, d'un hôtel et de quelques habitations de bois du pays. Laissez mijoter pendant 200 ans. Ajoutez ensuite un développement rapide fait à partir d'immigrants modestes, de riches touristes et de bâtisseurs hasardeux... Voilà les Laurentides !

Mais comment les habitants de la région vivent-ils ? À l'époque, les gens étaient pauvres ; ils travaillaient dur, mais n'étaient point tristes. On savait se réjouir, et toutes les corvées se terminaient par un souper et une veillée. On jouait aux cartes et les enjeux étaient des pommes et des noisettes.

On faisait les labours au moyen d'une grosse branche d'orme aiguisée ; l'huile d'outarde s'utilisait comme cataplasme ; et la graisse d'ours, en plus de fournir les chandelles, remplaçait la graisse de lard. Le menu des colons défricheurs n'était guère varié : soupe aux pois, fèves au lard, galettes de sarrasin et mélasse des Barbades, poisson ou gibier (en saison).

Le développement des moyens de communication vint élargir le champ d'action et modifier les habitudes de vie des habitants de la région. Les hôtels, qui constituent l'infrastructure touristique de la région des Laurentides, étaient autrefois de vieilles auberges. Le menu consistait surtout en omelette au lard, saucisse et boudin fabriqués à la maison, ragoût de boulettes, tourtière, truite rouge, perdrix, chevreuil, orignal. Quant au dessert, c'était des fruits, des tartes ou des beignes. On raconte que certains financiers américains de passage à Montréal n'hésitaient pas à faire un saut dans les Laurentides, souvent dans les chantiers, uniquement pour manger de « vraies » fèves au lard.

Jadis, les colons « allaient en ville » pour s'amuser le samedi soir ; aujourd'hui, les citadins « montent dans le Nord » pour y passer leurs vacances et leurs fins de semaine.

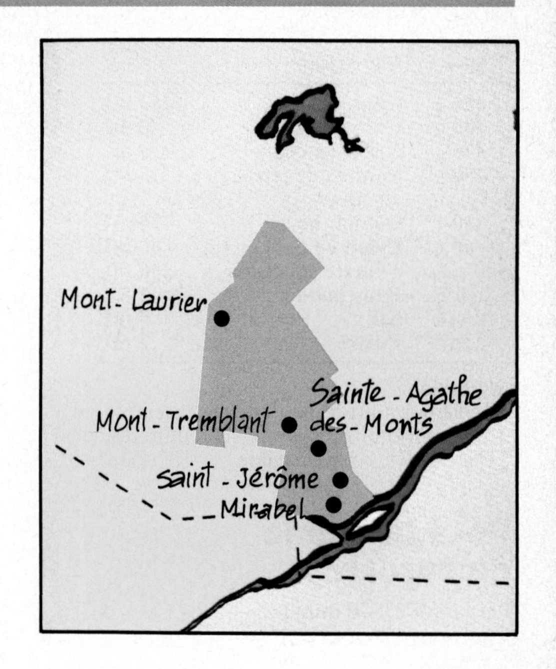

Cachette aux oeufs

Préparation : 15 minutes $
Cuisson : 15 à 20 minutes

Portions 24	Ingrédients	Portions 6
2 kg	Pomme de terre pelée en cubes	1 L
175 g	Bacon cuit et émietté	50 mL
375 g	Oignon finement haché	150 mL
20 mL	Sel	5 mL
8 mL	Poivre	2 mL
24	Oeuf dur	6
4	Oeuf battu	1
250 g	Chapelure	125 mL
25 g	Persil haché	25 mL

Méthode

1 Faire cuire les pommes de terre et les réduire en purée.
2 Ajouter le bacon et l'oignon préalablement sué dans la graisse du bacon.
3 Assaisonner de sel et de poivre.
4 Laisser tiédir.
5 Couvrir un oeuf dur de 125 mL de cette purée.
6 Passer la boulette ainsi obtenue dans l'oeuf battu puis dans la chapelure mélangée avec le persil haché.
7 Déposer sur une tôle graissée et faire dorer au four à 180°C pendant 15 à 20 minutes.
8 Servir chaud et accompagner d'une sauce aux champignons, si désiré.

Galantine de poulet à l'ancienne

Guérin, le pionnier des Laurentides, songea à offrir un peu de rêve à ses deux aides, Simard et Surprenant, qui voulaient quitter le Nord et sa solitude. À défaut de galantine de poulet, en l'absence de viandes riches et soutenantes, il leur fit la lecture, lisant chaque jour un chapitre des livres qu'il avait emportés pour tromper son propre ennui. Les deux bûcherons restèrent !

Préparation : 20 minutes $
Cuisson : 1 heure

Portion 6 kilogrammes	Ingrédients	Portion 1,5 kilogramme
8,8 kg	Poulet	2,2 kg
100 g	Beurre	25 mL
20 mL	Sel	5 ml
8 mL	Poivre	2 mL
	Eau chaude (pour couvrir)	
450 g	Carotte en dés	250 mL
500 g	Céleri en dés	250 mL
3	Feuille de laurier	1
20 mL	Sarriette	5 mL
300 g	Oignon finement haché	125 mL
20 mL	Gélatine neutre	5 mL

Méthode

1 *Faire colorer* le poulet dans le beurre.
2 *Mouiller* avec l'eau pour couvrir.
3 Assaisonner de sel et de poivre.
4 Ajouter la carotte, le céleri, la feuille de laurier, la sarriette et l'oignon.
5 Amener à ébullition.
6 Couvrir et laisser mijoter à feu doux pendant 1 heure.
7 Retirer le poulet, le désosser et couper la chair en morceaux.
8 Laisser *réduire* le bouillon jusqu'à 1,25 litre.
9 Ajouter la gélatine au bouillon.
10 Déposer les morceaux de poulet dans un moule huilé de 2 litres (pour 1,5 kg).
11 Verser le bouillon sur le poulet.
12 Réfrigérer.

Soupe maigre aux légumes

Préparation : 20 minutes $
Cuisson : 40 minutes

Portion 6 litres	*Ingrédients*	Portion 1,5 litre
450 g	Chou émincé	250 mL
100 g	Carotte en cubes	40 mL
475 g	Navet en cubes	250 mL
150 g	Pomme de terre en cubes	75 mL
50 g	Oignon haché	20 mL
80 g	Céleri en cubes	40 mL
800 mL	Tomate concassée	200 mL
6 L	Eau chaude	1,5 L
20 mL	Sel	5 mL
8 mL	Poivre	2 mL

Méthode
1 Mélanger tous les ingrédients ensemble.
2 Faire mijoter pendant 30 à 40 minutes.
3 Servir cette soupe chaude.

Potage crème de carottes

Préparation : 20 minutes $
Cuisson : 1 heure

Portion 6 litres	*Ingrédients*	Portion 1,5 litre
80 g	Beurre	20 mL
60 g	Oignon en dés	30 mL
60 g	Céleri en dés	30 mL
1,5 kg	Carotte émincée	750 mL
1 kg	Pomme de terre émincée	450 mL
5,6 L	Fond blanc *(voir recettes complémentaires)*	1,4 L
20 mL	Sel	5 mL
8 mL	Poivre	2 mL
300 mL	Crème à 15 %	75 mL

Méthode
1 Faire fondre le beurre dans une casserole.
2 *Faire suer* les oignons et le céleri.
3 Ajouter les carottes et les pommes de terre.
4 *Mouiller* avec le fond blanc.
5 Assaisonner de sel et de poivre.
6 Laisser mijoter pendant 1 heure à feu doux.
7 Réduire en purée à l'aide du mélangeur ou d'une fourchette.
8 Ajouter la crème.
9 Servir ce potage chaud.

Crème d'avoine à la laitue

Préparation : 10 minutes $
Cuisson : 10 minutes

Portion 6 litres	*Ingrédients*	Portion 1,5 litre
40 g	Farine d'avoine	60 mL
500 mL	Lait froid	250 mL
2,4 L	Lait	750 mL
200 g	Beurre	50 mL
2,5 kg	Laitue hachée	1,5 L
300 g	Oignon haché	125 mL
40 mL	Sel	(au goût)
8 mL	Poivre	(au goût)
125 mL	Crème à 15 %	60 mL

Méthode
1 Délayer la farine d'avoine dans le lait froid.
2 Faire bouillir le lait et y ajouter la farine d'avoine délayée.
3 Laisser mijoter pendant 10 minutes.
4 Faire fondre le beurre et y faire *étuver* la laitue et les oignons.
5 Ajouter la laitue *étuvée* au lait et amener à ébullition.
6 Assaisonner de sel et de poivre.
7 Ajouter la crème.
8 Servir ce potage chaud.

Centre des ressources didactiques / Institut de tourisme et d'hôtellerie du Québec

Potage crème de carottes

Société d'histoire de la région de Terrebonne *(La rue Saint-Louis au début du XXe siècle, à l'arrière de l'Auberge de la Côte).* Objet d'artisanat : Kinya Ishikawa, Val-David *(vaisselle).*

Crème de chou-fleur

Préparation : 15 minutes $$
Cuisson : 1 heure

Portion 6 litres	*Ingrédients*	Portion 1,5 litre
350 g	Beurre	90 mL
375 g	Oignon haché	150 mL
375 g	Farine	150 mL
6 L	Eau	1,5 L
1,5 kg	Chou-fleur	1 L
40 mL	Sel	10 mL
4 mL	Poivre blanc	1 mL
300 mL	Crème à 15 %	75 mL

Méthode
1 Faire fondre le beurre dans une casserole.
2 *Faire suer* les oignons au beurre.

3 Ajouter la farine.
4 *Mouiller* avec l'eau.
5 Ajouter le chou-fleur coupé en cubes et garder les têtes de chou-fleur pour la garniture.
6 Assaisonner de sel et de poivre blanc.
7 Laisser mijoter pendant 1 heure en brassant à quelques reprises.
8 Réduire en purée au mélangeur ou à l'aide d'une fourchette.
9 Ajouter la crème, puis la garniture.

Épaule d'agneau rôtie aux herbes salées

On obtient les herbes salées par la réunion d'oignon finement haché, de persil frais, de fines lamelles de queues d'échalotes, de ciboule et, bien sûr, de gros sel. Ces herbes gagnent, dit-on à être dessalées ainsi que les aimaient nos grand-mères qui, astucieuses, considéraient qu'il était sans doute plus agréable et plus sain d'abuser des herbes fines que du sel dans lequel elles les conservaient.

Préparation : 15 minutes $$
Cuisson : 1 heure

Portions 24	*Ingrédients*	Portions 6
300 g	**Oignon haché**	**125 mL**
75 g	**Herbes salées** ***(voir recettes complémentaires)***	**25 mL**
8 mL	**Sarriette**	**2 mL**
25 g	**Persil haché**	**25 mL**
8 mL	**Ail haché**	**2 mL**
20 mL	**Poivre du moulin**	**5 mL**
3,8 kg	**Épaule d'agneau désossée**	**950 g**
100 mL	**Huile**	**25 mL**
125 g	**Carotte en morceaux**	**50 mL**
125 g	**Oignon en morceaux**	**50 mL**
125 g	**Céleri en morceaux**	**50 mL**
2 L	**Fond brun** ***(voir recettes complémentaires)***	**500 mL**

Méthode
1 Mélanger l'oignon, les herbes salées, la sarriette, le persil, l'ail et le poivre.
2 Farcir l'épaule d'agneau de ce mélange et rouler le morceau de viande.
3 Attacher l'épaule farcie.
4 Faire chauffer l'huile dans une rôtissoire et y *faire colorer* la viande.
5 Continuer la cuisson au four à 180°C pendant 1 heure.
6 Retirer le rôti de la rôtissoire et *dégraisser* celle-ci.
7 Chauffer la rôtissoire à feu vif.
8 Ajouter la carotte, l'oignon et le céleri et les *faire revenir*.
9 *Mouiller* avec le fond brun.
10 Laisser *réduire* de moitié.
11 *Passer* ce jus au chinois et vérifier l'assaisonnement.
12 Couper le rôti en portions individuelles et le servir avec le jus.

Ragoût de boulettes et légumes

Préparation : 25 minutes $
Cuisson : 1 heure 30

Portions 24	*Ingrédients*	Portions 6
1,6 kg	**Boeuf haché**	**400 g**
300 g	**Oignon haché**	**125 mL**
20 mL	**Sel**	**5 mL**
4 mL	**Poivre**	**1 mL**
1,8 kg	**Porc haché**	**450 g**
125 g	**Farine d'avoine**	**90 mL**
4 mL	**Fines herbes**	**1 mL**
8 mL	**Clou de girofle**	**2 mL**
8 mL	**Cannelle**	**2 mL**
75 g	**Farine**	**30 mL**
5,6 L	**Eau bouillante**	**1,4 L**
550 g	**Carotte en cubes**	**250 mL**
475 g	**Navet en cubes**	**250 mL**
500 g	**Céleri en cubes**	**250 mL**
200 g	**Farine grillée**	**90 mL**
700 mL	**Eau froide**	**175 mL**
20 mL	**Sel**	**5 mL**
4 mL	**Poivre**	**1 mL**

Méthode
1 Mélanger le boeuf haché, l'oignon, le sel, le poivre, le porc haché, la farine d'avoine, les fines herbes, le clou de girofle et la cannelle.
2 Façonner des boulettes de 50 mL chacune et les passer dans la farine.
3 Déposer ces boulettes dans l'eau bouillante.
4 Ajouter les carottes, le navet et le céleri et laisser cuire pendant 1 heure.
5 Retirer les boulettes et les légumes cuits.
6 Diluer la farine grillée dans l'eau froide et la verser dans le liquide de cuisson.
7 Assaisonner de sel et de poivre. Laisser mijoter pendant 30 minutes.
8 Remettre les boulettes et les légumes dans la sauce.
9 Faire chauffer et servir.

Casserole de saucisses aux pommes

Dans les Laurentides, traditionnellement, on attendait la fête de l'Immaculée-Conception pour faire « les boucheries » et préparer saucisses, rillettes, tête fromagée, boudin et autres charcuteries. Dans toutes les maisons, le gros poêle de fonte chauffait à pleine capacité et la perspective d'un long hiver à venir se trouvait quelque peu allégée par le fumet réconfortant des viandes qui cuisaient, annonçant les joyeuses ripailles du temps des fêtes.

Préparation : 25 minutes $$
Cuisson : 45 minutes

Portions 24	*Ingrédients*	Portions 6
3,6 kg	**Saucisse de porc**	**900 g**
1,2 kg	**Oignon haché**	**500 mL**
2,6 kg	**Pomme émincée**	**1 L**
2 mL	**Clou de girofle moulu**	**0,5 mL**
1 L	**Eau**	**250 mL**
500 g	**Sucre brun**	**125 mL**
250 g	**Chapelure**	**125 mL**
125 g	**Graisse de saucisse**	**45 mL**

Méthode
1 *Faire colorer* les saucisses dans la poêle et récupérer la graisse.
2 *Faire suer* les oignons dans une partie de la graisse des saucisses.
3 Couper les saucisses en rondelles de 2 cm.
4 Mélanger les morceaux de saucisse avec les oignons.
5 Déposer ce mélange dans une marmite.
6 Couvrir avec les pommes.
7 Ajouter le clou de girofle.
8 *Mouiller* avec l'eau.
9 Mélanger le sucre brun, la chapelure et la graisse de saucisses ensemble.
10 Saupoudrer ce mélange sur le dessus des pommes.
11 Cuire au four, à couvert, à 180°C pendant 45 minutes.

Blanquette de poisson aux légumes

***« Aucun poisson ne peut égaler le goût d'une perchaude prise à l'eau froide du printemps et de l'automne », écrit Michel Chamberland, dans* La pêche au Québec.**

Préparation : 20 minutes $
Cuisson : 30 minutes

Portions 24	*Ingrédients*	Portions 6
450 g	**Carotte en dés**	**200 mL**
400 g	**Pomme de terre en dés**	**200 mL**
300 g	**Beurre**	**75 mL**
200 g	**Farine**	**75 mL**
1,6 L	**Lait chaud**	**400 mL**
1,6 L	**Bouillon de légumes chaud**	**400 mL**
20 mL	**Sel**	**5 mL**
4 mL	**Poivre**	**1 mL**
1,6 kg	**Poisson cuit émietté**	**400 mL**
275 g	**Champignon émincé**	**200 mL**
	Beurre (q.s)*	
550 g	**Pois vert congelé**	**200 mL**
	Riz cuit (q.s.)*	
	Persil (q.s.)*	

Méthode
1 Faire cuire les carottes et les pommes de terre dans l'eau.
2 Faire fondre le beurre dans une casserole.
3 Ajouter la farine et faire un *roux* blanc.
4 *Mouiller* avec le lait et le bouillon de légumes.
5 Assaisonner de sel et de poivre.
6 Cuire pendant 15 à 20 minutes à feu doux.
7 Ajouter le poisson, les champignons préalablement *sautés* au beurre, les pois verts, les pommes de terre et les carottes.
8 Bien mélanger le tout.
9 Servir sur un nid de riz et saupoudrer de persil.
* quantité suffisante

Centre des ressources didactiques / Institut de tourisme et d'hôtellerie du Québec

Paupiettes de boeuf laurentiennes

Ces paupiettes de boeuf alléchantes témoignent de la solide tradition culinaire d'un pays où l'on aime faire bonne chère. Le « Roi du Nord », le curé Labelle, qui pesait alors plus de 300 livres, avait pour sa part un appétit au moins aussi légendaire que l'étaient ses exploits et ses mots d'esprit.

Préparation : 45 minutes $$
Cuisson : 1 heure

Paupiettes de boeuf laurentiennes

Société d'histoire des Pays-d'en-Haut *(Rue principale menant à l'église vers les années 1915)*. Objet d'artisanat : Kinya Ishikawa, Val-David *(vaisselle)*.

Portions 24	*Ingrédients*	Portions 6
3,2 kg	**Boeuf (ronde intérieure)**	**800 g**
125 mL	**Moutarde forte**	**30 mL**
300 g	**Oignon haché**	**125 mL**
12	**Cornichon à l'aneth**	**3**
100 mL	**Huile**	**25 mL**
250 g	**Carotte émincée**	**125 mL**
300 g	**Oignon haché**	**125 mL**
250 g	**Céleri émincé**	**125 mL**
125 g	**Farine**	**50 mL**
100 mL	**Purée de tomates**	**25 mL**
1 L	**Cidre sec**	**250 mL**
2 L	**Fond brun clair *(voir recettes complémentaires)***	**500 mL**
8 mL	**Thym**	**2 mL**
8	**Gousse d'ail écrasée**	**2**
20 mL	**Sel**	**5 mL**
8 mL	**Poivre**	**2 mL**
60 mL	**Persil haché**	**15 mL**

Méthode

1 Trancher le boeuf en douze tranches (pour 6 personnes).
2 Les aplatir entre deux feuilles de papier ciré.
3 Étendre la moutarde forte sur les tranches de viande.
4 Parsemer d'oignon haché.
5 Couper les cornichons en quatre dans le sens de la longueur et placer un morceau de cornichon sur l'extrémité de chaque tranche de viande.
6 Rouler les paupiettes et les attacher avec de la ficelle ou les piquer avec un cure-dent.
7 *Faire colorer* les paupiettes à l'huile chaude dans une casserole.
8 Les retirer et ajouter dans la casserole les carottes, l'oignon et le céleri.
9 Bien *faire revenir* ces légumes.
10 Ajouter la farine et la purée de tomates et laisser cuire quelques minutes.
11 *Mouiller* avec le cidre sec et le fond brun.
12 Ajouter le thym et l'ail.
13 Assaisonner de sel et de poivre.
14 Remettre les paupiettes dans la sauce.
15 Couvrir la casserole et cuire au four à 180°C pendant 1 heure.
16 Retirer les paupiettes de la sauce et enlever la corde ou le cure-dent pour les servir.
17 *Passer* la sauce au chinois et la verser sur les paupiettes.
18 Saupoudrer de persil.

Pâté de lièvre ou de lapin

Préparation : 1 heure $$
Cuisson : 4 heures 30

Portions 24	*Ingrédients*	Portions 6
4	**Lièvre ou lapin de 2 kg**	**1**
	Saumure :	
3 L	**eau froide**	**750 mL**
100 g	**gros sel**	**20 mL**
1 kg	**Boeuf**	**250 g**
1 kg	**Porc**	**250 g**
200 mL	**Huile**	**50 mL**
600 g	**Oignon haché**	**250 mL**
8 mL	**Romarin**	**2 mL**
3	**Feuille de laurier**	**1**
30 mL	**Persil haché**	**7 mL**
40 mL	**Sel**	**10 mL**
8 mL	**Poivre**	**2 mL**
	Pâte :	
1,7 kg	**farine**	**675 mL**
60 mL	**poudre à pâte**	**15 mL**
60 mL	**sel**	**15 mL**
500 g	**graisse**	**175 mL**
700 mL	**lait**	**175 mL**
700 mL	**eau**	**175 mL**

Méthode

1 Couper le lièvre ou le lapin en morceaux et le faire mariner dans la saumure

préparée avec l'eau mélangée avec le sel pendant environ 12 heures.
2 Assécher le lièvre ou le lapin, le désosser et le couper en cubes de 2 cm.
3 Couper également le boeuf et le porc en cubes de 2 cm.
4 *Faire colorer* toutes les viandes dans l'huile chaude.
5 Ajouter l'oignon, le romarin, la feuille de laurier, le persil, le sel et le poivre.
6 Bien mélanger le tout.
7 Cuire pendant quelques minutes et retirer du feu.
8 *Foncer* un chaudron en fonte de 2 litres avec la pâte (préparée de la même façon qu'une pâte à tarte).
9 Déposer le mélange de viande dans le chaudron.
10 Recouvrir de pâte; bien sceller le tour du pâté et faire une incision au centre.
11 Remplir d'eau.
12 Cuire au four à 180°C pendant 30 minutes.
13 Diminuer la chaleur du four à 160°C et continuer la cuisson pendant environ 4 heures.
14 Couvrir le chaudron pendant les 30 dernières minutes de cuisson.
15 Servir chaud.

Pain farci à la viande

Préparation : 20 minutes $
Cuisson : 15 minutes

Portions 24	*Ingrédients*	Portions 6
4	**Pain croûté**	**1**
300 g	**Oignon haché**	**125 mL**
100 g	**Beurre**	**25 mL**
2,2 kg	**Boeuf haché**	**550 g**
40 mL	**Sel**	**10 mL**
8 mL	**Poivre**	**2 mL**
2,8 kg	**Pomme de terre en purée**	**140 mL**
175 g	**Échalote hachée**	**90 mL**
4 mL	**Sarriette**	**1 mL**
700 mL	**Lait**	**175 mL**
125 g	**Margarine**	**30 mL**
550 g	**Mie de pain séchée émiettée**	**700 mL**
	Beurre (q.s.)*	

Méthode
1 Couper une tranche dans la longueur sur le dessus du pain.
2 Enlever la mie du pain et la faire sécher. Réserver.
3 *Faire suer* les oignons au beurre.
4 *Faire colorer* le boeuf dans le beurre avec les oignons.
5 Assaisonner de sel et de poivre.
6 Ajouter aux pommes de terre en purée les échalotes, la sarriette, le lait, la margarine et la mie de pain séchée.
7 Mélanger la purée de pommes de terre avec la viande hachée.
8 Farcir le pain de ce mélange.
9 Refermer avec la tranche préalablement retirée.
10 *Badigeonner* de beurre.
11 Cuire au four à 180°C pendant 15 minutes.
* quantité suffisante

Vinaigrette au miel

Deux cents grammes de miel mélangé à trois cuillerées à café de vinaigre de cidre et le bruit de vos pas agités arpentant la chambre cédera la place à de paisibles ronflements.

Préparation : 15 minutes $$

Portion 600 mL	*Ingrédients*	Portion 150 mL
350 mL	**Huile**	**90 mL**
150 mL	**Miel liquide**	**40 mL**
80 mL	**Vinaigre d'estragon**	**20 mL**
80 mL	**Jus de citron**	**20 mL**
(au goût)	**Sel**	**1 pin.**
(au goût)	**Moutarde en poudre**	**1 pin.**
(au goût)	**Poivre**	**1 pin.**
(au goût)	**Paprika**	**1 pin.**
2	**Gousse d'ail hachée**	**½**
75 g	**Oignon haché**	**30 mL**
8 mL	**Persil haché**	**2 mL**

Méthode
1 Mélanger tous les ingrédients ensemble dans un mélangeur.
2 Servir.

Pâté aux oeufs et aux patates

« Comment alors aurait-elle couru le risque de manger seule, et d'avaler des patates qu'il avait comptées d'avance ? Non, ça, jamais. Plutôt mourir. Elle n'oublierait pas, elle ne pouvait pas oublier le jour où elle avait voulu se servir une seconde fois de mélasse : Séraphin lui avait agrippé la main qu'elle tendait vers le pot, en lui disant, la prunelle pénétrante : — Ma fille, tu n'es pas raisonnable. Une fois, c'est assez. (...) » Comment ne pas reconnaître dans cette pitoyable avarice, l'inoubliable Séraphin Poudrier ?

Préparation : 20 minutes $
Cuisson : 30 minutes

Portions 24	*Ingrédients*	Portions 6
2,7 kg	**Pomme de terre en purée**	**800 mL**
200 g	**Beurre**	**50 mL**
400 mL	**Lait**	**100 mL**
25 g	**Persil haché**	**25 mL**
8 mL	**Sel**	**2 mL**
4 mL	**Poivre**	**1 mL**
24	**Oeuf dur**	**6**
2 L	**Béchamel** ***(voir recettes complémentaires)***	**500 mL**

Méthode
1 Ajouter aux pommes de terre en purée le beurre, le lait, le persil, le sel et le poivre.
2 Beurrer un moule de 2 litres.
3 Verser la moitié de la purée de pommes de terre dans le moule et bien l'étendre.
4 Couper les oeufs durs en tranches et les déposer sur la purée.
5 Recouvrir avec la béchamel.
6 Couvrir avec le reste de la purée de pommes de terre.
7 Cuire au four à 180°C pendant 30 minutes.
8 Servir.

Farce de patates

Préparation : 15 minutes $

Portions 24	*Ingrédients*	Portions 6
1,8 kg	**Pomme de terre en purée**	**550 mL**
85 g	**Mie de pain en cubes**	**275 mL**
250 g	**Lard salé haché**	**70 mL**
75 g	**Oignon haché**	**30 mL**
475 g	**Beurre**	**125 mL**
20 mL	**Sauge**	**5 mL**
4	**Oeuf**	**1**

Méthode
1 Mélanger tous les ingrédients ensemble.
2 Utiliser pour farcir une pièce de viande.

Riz aux champignons

Préparation : 10 minutes $$
Cuisson : 20 à 25 minutes

Portions 24	*Ingrédients*	Portions 6
125 g	**Oignon haché**	**50 mL**
800 g	**Champignon émincé**	**500 mL**
125 g	**Beurre**	**30 mL**
875 g	**Riz**	**250 mL**
1,6 L	**Bouillon de volaille**	**400 mL**
20 mL	**Sel**	**(au goût)**
60 mL	**Persil haché**	**15 mL**

Méthode
1 *Faire suer* l'oignon et les champignons au beurre.
2 Ajouter le riz et bien mélanger.
3 *Mouiller* avec le bouillon de volaille, ajouter le sel et amener à ébullition.
4 Couvrir et cuire au four à 180°C pendant 20 minutes.
5 Saupoudrer de persil.

Salade d'épinards

Préparation : 15 minutes $$

Portion 6 litres	*Ingrédients*	Portion 1,5 litre
6 L ou 425 g	**Épinard**	**1,5 L**
175 g	**Bacon haché cuit**	**50 mL**
350 g	**Oignon en rondelles**	**125 mL**
450 g	**Tomate en quartiers**	**250 mL**
200 g	**Fromage cheddar fort râpé**	**125 mL**
20 mL	**Sel**	**5 mL**
4 mL	**Poivre**	**1 mL**
600 mL	**Vinaigrette**	**150 mL**

Méthode
1 Mélanger tous les ingrédients de la salade.
2 Répartir en six (6) portions et arroser de vinaigrette.

Crème au café

Préparation : 10 minutes $$
Cuisson : 15 minutes

Portion 3 litres	Ingrédients	Portion 750 mL
80 g	Gélatine neutre	30 mL
250 mL	Eau froide	60 mL
650 mL	Café fort froid	175 mL
600 g	Sucre	175 mL
2 L	Crème à 15 %	500 mL

Méthode
1 Faire gonfler la gélatine à l'eau froide.
2 Mélanger le café, la gélatine et le sucre.
3 Faire chauffer au *bain-marie* jusqu'à dissolution du sucre.
4 Retirer du feu et ajouter la crème.
5 Verser dans des coupes individuelles.
6 Réfrigérer.

Gâteau fruité aux pommes

Peut-on imaginer un dessert aux pommes qui ne soit pas parfumé à la cannelle ? Déjà en 1673, on avait inventorié parmi les biens de Jeanne-Mance, de la muscade et du clou de girofle. Par ailleurs, nous savons que nos ancêtres aimaient parfumer de cannelle et de clou de girofle les fruits à l'eau-de-vie qu'ils préparaient à la maison.

Préparation : 30 minutes $$
Cuisson : 45 minutes

Portions 24	Ingrédients	Portions 6
350 g	Beurre	85 mL
675 g	Sucre	185 mL
725 g	Pomme crue râpée	225 mL
950 g	Farine	375 mL
15 mL	Cannelle	4 mL
12 mL	Muscade	3 mL
30 mL	Bicarbonate de soude	8 mL
350 mL	Eau	85 mL
12 mL	Essence de vanille	3 mL
325 g	Datte hachée	85 mL
275 g	Raisin Sultana	85 mL
	Farine (q.s.)*	

Méthode
1 Battre le beurre en crème et y ajouter le sucre.
2 Ajouter les pommes râpées et bien mélanger.
3 Tamiser ensemble la farine, la cannelle, la muscade et le bicarbonate de soude.
4 Ajouter au premier mélange les ingrédients secs en alternant avec l'eau et la vanille.
5 Ajouter les dattes et les raisins légèrement enfarinés.
6 Verser dans un moule beurré et fariné de 1 litre pour six (6) portions.
7 Faire cuire au four à 180°C pendant 45 minutes.
* quantité suffisante

Bouchées au chocolat

Préparation : 15 minutes $$

Portion 8 douzaines	Ingrédients	Portion 2 douzaines
525 g	Farine d'avoine	375 mL
150 g	Noix de coco râpée	125 mL
70 g	Cacao	45 mL
925 g	Sucre granulé	250 mL
250 mL	Lait	60 mL
10 mL	Vanille	2,5 mL
250 g	Beurre	60 mL

Méthode
1 Mélanger la farine d'avoine, la noix de coco et le cacao ensemble.
2 Dans une casserole, mettre le sucre, le lait, la vanille et le beurre et faire bouillir pendant 2 minutes.
3 Verser sur le premier mélange.
4 Bien mélanger.
5 Déposer par bouchées individuelles sur un papier ciré à l'aide d'une cuillère de 15 mL.
6 Réfrigérer.

Tarte à la mélasse

Préparation : 10 minutes $

Portions 24	Ingrédients	Portions 6
500 mL	Mélasse	125 mL
250 g	Cassonade	60 mL
10 mL	Muscade	2,5 mL
1,7 L	Eau bouillante	425 mL
130 g	Fécule de maïs	60 mL
250 mL	Eau froide	60 mL
4 abais. de 22 cm	Pâte brisée *(voir recettes complémentaires)*	*1 abais. de 22 cm*

Méthode
1 Amener à ébullition la mélasse, la cassonade, la muscade et l'eau bouillante.
2 Ajouter la fécule de maïs délayée dans l'eau froide.
3 Amener de nouveau à ébullition.
4 Verser dans une *abaisse* cuite de 22 cm.

Tarte aux fraises laurentiennes

Préparation : 20 minutes $$$
Cuisson : 20 minutes

Portions 24	Ingrédients	Portions 6
	Pâte :	
650 g	farine	250 mL
40 mL	poudre à pâte	10 mL
4 mL	sel	1 mL
250 g	Graisse	85 mL
350 mL	Lait	85 mL
	Garniture :	
500 mL	confiture de fraises	125 mL
1,2 kg	fraise fraîche	500 mL
60 mL	sucre à glacer	
	dorure (q.s.)*	

Méthode
1 Pâte : tamiser ensemble la farine, la poudre à pâte et le sel.
2 Ajouter la graisse et *sabler*.
3 Incorporer le lait et bien mélanger.
4 *Abaisser* la pâte en un cercle de 30 cm de diamètre.
5 Déposer l'*abaisse* dans une assiette à tarte.
6 Garniture : recouvrir le fond avec la confiture de fraises.
7 Ajouter les fraises fraîches.
8 Saupoudrer avec le sucre à glacer.
9 Rabattre la pâte sur les fraises et la *badigeonner* de *dorure*.
10 Cuire au four à 230°C pendant 10 minutes; diminuer la chaleur à 200°C et continuer la cuisson pendant encore 10 minutes.
* quantité suffisante

Tarte cossetarde à l'érable

Les colons eurent tôt fait d'apprendre à fabriquer du sirop et du sucre d'érable et ils aimaient boire cette eau sucrée, au printemps, parce que, disait-on, elle purifiait le sang. De plus, on sut vite tirer profit du merisier rouge, duquel on pouvait tirer un excellent sirop, en procédant tout comme avec l'érable. Dans les familles, on recueillait cette eau pour soigner diverses affections des bronches et des poumons.

Préparation : 5 minutes $
Cuisson : 30 minutes

Portion 4 tartes	Ingrédients	Portion 1 tarte
8	Oeuf	2
250 mL	Sirop d'érable	60 mL
1 L	Lait chaud	250 mL
2 mL	Sel	1 pin.
4 abais. de 22 cm	Pâte brisée *(voir recettes complémentaires)*	*1 abais. de 22 cm*

Méthode
1 Battre les oeufs.
2 Ajouter le sirop d'érable, le lait chaud et le sel.
3 Verser dans une *abaisse* de 22 cm.
4 Cuire au four à 180°C pendant 30 minutes.

Pain aux bananes

Préparation : 15 minutes $
Cuisson : 1 heure

Portion 4 pains	Ingrédients	Portion 1 pain
350 g	Beurre	90 mL
600 g	Sucre	175 mL
8	Oeuf	2
1,15 kg	Farine	450 mL
40 mL	Poudre à pâte	10 mL
8 mL	Sel	2 mL
4 mL	Bicarbonate de soude	1 mL
1 L	Purée de banane	250 mL

Méthode
1 Ramollir le beurre et le mélanger avec le sucre.
2 Ajouter les oeufs.

Centre des ressources didactiques / Institut de tourisme et d'hôtellerie du Québec

Gâteau des anges

Société d'histoire des Pays-d'en-Haut *(Rue de la gare à Saint-Sauveur vers 1940)*. Objets d'artisanat : Kinya Ishikawa, Val-David *(assiette)*; José Froment, Montréal *(napperon)*.

3 Tamiser les ingrédients secs ensemble et les incorporer au mélange en alternant avec la purée de banane.
4 Bien mélanger le tout.
5 Verser dans un moule graissé de 25 x 15 x 5 cm.
6 Laisser reposer pendant 20 minutes.
7 Cuire au four à 180°C pendant 1 heure.

Tarte aux pommes et aux pacanes

Préparation : 20 minutes $$
Cuisson : 30 minutes

Portions 24	*Ingrédients*	Portions 6
325 g	**Sucre**	**85 mL**
10 mL	**Cannelle**	**2,5 mL**
10 mL	**Muscade**	**2,5 mL**
4 mL	**Sel**	**1 mL**
4 *abais.* **de 22 cm**	**Pâte brisée** *(voir recettes complémentaires)*	**1** *abais.* **de 22 cm**
2 kg	**Pomme en tranches**	**1 L**
325 g	**Farine**	**125 mL**
350 g	**Cassonade**	**85 mL**
250 g	**Pacane hachée**	**125 mL**
350 g	**Beurre**	**85 mL**

Méthode
1 Mélanger le sucre, la cannelle, la muscade et le sel.
2 Verser la moitié de ce mélange dans une *abaisse* de pâte non cuite.
3 Déposer la moitié des pommes tranchées sur ce mélange.
4 Saupoudrer le reste du mélange de sucre sur les pommes et déposer le reste des pommes tranchées.
5 Combiner ensemble la farine, la cassonade, les pacanes et le beurre.
6 Saupoudrer ce mélange sur les pommes.
7 Cuire au four à 180°C pendant 30 minutes.

Gâteau des anges

Préparation : 25 minutes $$$
Cuisson : 45 à 50 minutes

Portions 24	*Ingrédients*	Portions 6
650 g	**Farine**	**250 mL**
650 g	**Sucre**	**175 mL**
1,5 L (environ 12 unités)	**Blanc d'oeuf**	**375 mL (environ 48 unités)**
30 mL	**Crème de tartre**	**7 mL**
8 mL	**Sel**	**2 mL**
650 g	**Sucre**	**175 mL**
12 mL	**Essence de vanille**	**3 mL**
8 mL	**Essence d'amande**	**2 mL**

Méthode
1 Tamiser ensemble la farine et le sucre.
2 Fouetter les blancs d'oeufs jusqu'à ce qu'ils soient mousseux.
3 Saupoudrer sur les blancs d'oeufs la crème de tartre et le sel.
4 Continuer de fouetter jusqu'à ce qu'ils soient fermes, mais non secs.
5 Incorporer graduellement le sucre, sans trop fouetter.
6 Aromatiser avec les essences.
7 Tamiser graduellement les ingrédients secs sur le mélange de blancs d'oeufs en pliant délicatement après chaque addition.
8 Verser la pâte dans un moule tubulaire de 3 litres graissé et fariné.
9 Cuire au four à 180°C pendant 45 à 50 minutes.
10 Après la cuisson, renverser le moule et laisser reposer le gâteau avant de le démouler.

Sucre à la crème

Préparation : 15 minutes $$$
Cuisson : jusqu'à 112°C

Portion 4 kilogrammes	*Ingrédients*	Portion 1 kilogramme
4,55 kg	**Sucre d'érable râpé**	**875 mL**
2,1 L	**Crème à 15 %**	**525 mL**

Méthode
1 Mettre le sucre d'érable et la crème dans une casserole.
2 Amener à ébullition et laisser bouillir jusqu'à 112°C au thermomètre à bonbon.
3 Retirer du feu.
4 Battre le mélange pour le faire refroidir.
5 Verser dans un moule beurré.
6 Réfrigérer.
7 Couper en morceaux.

Pouding aux pommes à l'érable

Préparation : 20 minutes $$
Cuisson : 25 minutes

Portions 24	Ingrédients	Portions 6
2,3 kg	Pomme pelée et émincée	857 mL
700 mL	Sirop d'érable	175 mL
	Pâte :	
100 mL	beurre	25 mL
225 g	sucre	60 mL
8	oeuf	2
650 g	Farine	250 mL
20 mL	Poudre à pâte	5 mL
8 mL	Sel	2 mL
200 mL	Lait	50 mL

Méthode
1 Déposer les pommes dans un moule de 25 x 15 x 5 cm.
2 Verser le sirop d'érable sur les pommes.
3 Cuire au four à 180°C pendant 5 à 10 minutes.
4 Faire fondre le beurre et y ajouter le sucre et les oeufs.
5 Tamiser la farine avec la poudre à pâte et le sel.
6 Ajouter les ingrédients secs au mélange d'oeufs en alternant avec le lait.
7 Bien mélanger.
8 Recouvrir les pommes de cette pâte.
9 Remettre au four à 180°C et cuire pendant 25 minutes.

Brioches à la cannelle

Les travaux de nos ancêtres cultivateurs les obligeaient à s'alimenter « solidement ». Pour eux, il n'était donc pas question de grignoter un morceau de brioche, d'avaler un peu de café et de se mettre au boulot ! Au menu de leur petit déjeuner, on trouvait donc des fèves au lard, des cretons, des grillades de lard salé, de la tête fromagée et même lorsqu'il y en avait en réserve, du ragoût !

Préparation : 25 minutes $
Cuisson : 15 à 20 minutes

Portion 8 douzaines	Ingrédients	Portion 2 douzaines
500 mL	Lait	125 mL
375 g	Sucre	100 mL
20 mL	Sel	5 mL
175 g	Graisse molle	65 mL
400 mL	Eau froide	100 mL
250 mL	Eau tiède	65 mL
20 mL	Sucre	5 mL
40 mL	Levure sèche	10 mL
8	Oeuf battu	2
2,55 kg	Farine	1 L
20 mL	Graisse	5 mL
200 mL	Beurre fondu	50 mL
450 g	Sucre	125 mL
40 mL	Cannelle	10 mL
4	Oeuf battu	1

Méthode
1 Amener le lait à ébullition.
2 Retirer du feu et y ajouter le sucre, le sel, la graisse amollie et l'eau froide.
3 Laisser tiédir.
4 Mélanger l'eau tiède avec le sucre et la levure sèche et laisser gonfler pendant 10 minutes; brasser ensuite.
5 Ajouter au premier mélange les oeufs battus, puis le mélange de levure.
6 Ajouter la moitié de la farine préalablement tamisée. Bien mélanger pour obtenir une pâte élastique.
7 Incorporer graduellement le reste de la farine et bien pétrir pendant environ 5 minutes.
8 Placer la pâte dans un bol, la *badigeonner* avec la graisse, puis la couvrir et la laisser gonfler au double de son volume.
9 *Abaisser* la pâte en un rectangle de 25 x 60 cm.
10 *Badigeonner* avec le beurre fondu et saupoudrer avec le sucre et la cannelle mélangés ensemble.
11 Rouler la pâte et la couper en 24 morceaux.
12 Placer les brioches sur une plaque graissée; les laisser gonfler au double de leur volume.
13 *Badigeonner* d'oeuf battu.
14 Cuire au four à 180°C pendant 15 à 20 minutes.

Crêpes aux bleuets

Il fut un temps où poudings et crêpes tenaient lieu de plat de résistance au souper, dans les familles des cantons laurentiens où les colons n'étaient pas riches.

Préparation : 15 minutes $$
Cuisson : 2 à 3 minutes

Portions 24	Ingrédients	Portions 6
950 g	Farine	375 mL
60 mL	Poudre à pâte	15 mL
15 mL	Sel	4 mL
175 g	Sucre	50 mL
8	Oeuf	2
1,3 L	Lait	325 mL
150 mL	Huile végétale	40 mL
675 g	Bleuet frais	250 mL
	Sirop d'érable (q.s.)*	

Méthode
1 Tamiser ensemble tous les ingrédients secs.
2 Dans un bol, battre les oeufs avec le lait et l'huile.
3 Ajouter les ingrédients secs d'un seul coup et mélanger légèrement.
4 Ajouter les bleuets.
5 Utiliser 60 mL de pâte par crêpe.
6 Cuire dans une poêle, de préférence en fonte.
7 Accompagner de sirop d'érable.
* quantité suffisante

Relish des Milles-Îles

Préparation : 20 minutes $$
Macération : une nuit
Cuisson : 30 minutes

Portion 6 litres	Ingrédients	Portion 1,5 litre
1,8 kg	Concombre épluché haché	550 mL
1,4 kg	Chou-fleur haché	750 mL
1,6 kg	Oignon haché	675 mL
350 g	Poivron rouge haché	125 mL
185 g	Gros sel	40 mL
1,6 L	Eau froide	400 mL
1,75 kg	Sucre cristallisé	475 mL
200 g	Farine	80 mL
50 g	Moutarde en poudre	25 mL
20 mL	Curcuma	5 mL
20 mL	Graine de moutarde	5 mL
20 mL	Graine de céleri	5 mL
1,9 L	Vinaigre	475 mL
700 mL	Eau	175 mL

Méthode
1 Passer les légumes au hachoir.
2 Ajouter le sel et l'eau.
3 Laisser reposer pendant 1 heure.
4 Égoutter dans un coton à fromage pendant 12 heures.
5 Déposer dans une marmite les légumes égouttés.
6 Ajouter le sucre, la farine, la moutarde, le curcuma, les graines de moutarde, les graines de céleri, le vinaigre et l'eau.
7 Laisser mijoter pendant 30 minutes en brassant régulièrement.
8 Verser dans des bocaux stérilisés.

Ketchup

Les ketchups se préparent sans peine dans l'âtre. Les ingrédients doivent mijoter longtemps ensemble dans une marmite, peu importe que cette dernière soit pendue à la crémaillère ou posée à plat sur un rond de poêle. C'est également le cas pour les soupes, bouillis et ragoûts de tous genres.

Préparation : 20 minutes $
Cuisson : 1 heure

Portion 6 litres	Ingrédients	Portion 1,5 litre
1 kg	Pomme rouge hachée	450 mL
3,8 kg	Tomate rouge en dés	1,2 L
1,8 kg	Céleri haché	1 L
1 kg	Oignon haché	425 mL
1,4 kg	Sucre	375 mL
900 mL	Vinaigre	225 mL
125 g	Sel	20 mL
30 mL	Épices à marinades	7 mL
8 mL	Cannelle	2 mL

Méthode
1 Mélanger tous les ingrédients ensemble.
2 Déposer dans une marmite.
3 Laisser mijoter pendant 1 heure.
4 Laisser refroidir et verser dans des bocaux stérilisés.

Montréal

Malgré la sollicitation d'une foison de restaurants exotiques, c'est bien souvent dans la quiétude de leur foyer, autour d'une bonne table, devant les plats qu'ils ont eux-mêmes cuisinés, que les Montréalais, emportés dans le tourbillon de la vie urbaine, retrouvent le calme, le repos et la détente.

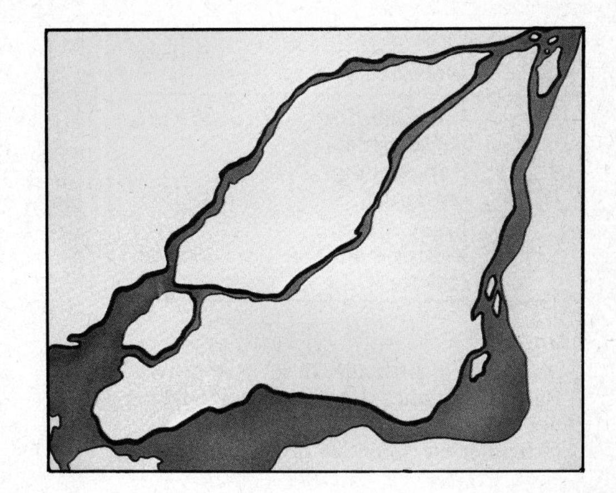

Le Montréalais savait tirer profit des immenses ressources de sa région, friand qu'il était des fruits et des légumes qu'il récoltait sur ces terres riches de la plaine. Les vergers y étaient nombreux, composés surtout de pommiers et de pruniers. Le melon, qui croissait beaucoup dans l'île, attira le gourmet dès le XVIIIe siècle. Il apprit de l'Indien à cuire sous la cendre la citrouille et la courge. Les légumes (choux, navets, oignons, maïs) accompagnaient viandes et poissons. L'usage de la pomme de terre ne devait se répandre que sous le régime anglais. Homme aux moeurs rudes, le Montréalais avait pourtant un goût développé et montrait même quelque raffinement dans ses habitudes alimentaires, puisque les écrits font allusion au sel, au poivre, à l'huile d'olive, au sucre et à la cassonade, au girofle, à la muscade et à d'autres aromates.

Le Montréalais mangeait donc bien. Mais que buvait-il ? Comme l'habitant de Québec, celui de Montréal se désaltérait parfois de café, de chocolat des colonies françaises d'Amérique du Sud et de limonade. Le peuple tirait de l'épinette cette délicieuse boisson qui répugnait à la noblesse. On fabriquait un peu de cidre, mais pas encore de bière, et, de France, on importait quelques bons crus. Dans la région des Deux-Montagnes, l'automne apportait la pomme dont on faisait la célèbre tarte et la délicieuse compote. Bien avant la légalisation de la vente du cidre, quelques audacieux de cette région laissaient fermenter leur jus de pomme et en vendaient le produit à d'autres tout aussi courageux. On s'offrait alors quelques bonnes bolées de cidre. On a, depuis lors, appris à développer toute une cuisine au jus de pomme et au cidre.

Depuis la fin du XVIIIe siècle, le Montréalais, amateur de bière comme son arrière-grand-père, avait relégué à la taverne du coin le « champagne du pauvre ». Il utilise maintenant cette boisson blonde ou brune pour mettre en valeur certains produits de chez nous et en rehausser les plats. Le vin, qu'il soit élevé à l'étranger ou produit dans la région métropolitaine, entre en concurrence avec le cidre et la bière depuis quelques décennies.

Aubergines farcies

Préparation : 25 minutes $$
Cuisson : 30 minutes

Portions 24	Ingrédients	Portions 6
12	**Aubergine**	3
	Farce :	
	Sel (au goût)	
	Poivre (au goût)	
500 mL	**Sauce tomate**	125 mL
740 g	**Jambon en dés**	250 mL
360 g	**Oignon haché légèrement doré**	250 mL
255 g	**Chapelure**	125 mL
80 g	**Beurre**	15 mL

Méthode

1 Faire bouillir les aubergines pendant environ 10 minutes.
2 Les couper en deux dans le sens de la longueur.
3 Les évider au centre avec une cuillère. Mélanger tous les ingrédients de la farce, les assaisonner au goût; farcir les aubergines de cet appareil.
4 Saupoudrer de chapelure et parsemer de noisettes de beurre.
5 Déposer dans une plaque beurrée et cuire au four à 170°C pendant environ 30 minutes.

Saucisson grand-mère

Au siècle passé, dans les villes comme Montréal où la majeure partie des habitants vivaient en... citadins, l'approvisionnement en charcuterie se faisait au marché public. Les marchands de la ville se rendaient au Vieux Marché pour y vendre leurs produits.

Préparation : 20 minutes $$
Cuisson : 45 minutes

Portions 24	Ingrédients	Portions 6
	Saucisson :	
2 kg	**Porc haché**	500 g
800 g	**Jambon haché**	200 g
2	**Gousse d'ail hachée**	½
	Sel (au goût)	
4	**Oeuf**	1
200 g	**Chapelure**	125 mL
	Poivre (au goût)	
700 mL	**Eau**	175 mL
60 mL	**Persil haché**	15 mL
	Sirop :	
125 g	**Sucre**	35 mL
125 mL	**Miel**	30 mL
125 mL	**Caribou**	30 mL

Méthode

1 Bien mélanger tous les ingrédients.
2 Façonner en un saucisson de 6 cm de diamètre et 30 cm de long.
3 Envelopper dans du papier d'aluminium et cuire au four à 180°C pendant 25 minutes.

Sirop :

4 Enlever le papier d'aluminium, déposer le saucisson sur une grille, le *badigeonner* de sirop et le remettre au four à 230°C. *Badigeonner* souvent de sirop et tourner le saucisson durant la cuisson (15 minutes environ ou jusqu'à belle coloration).
5 Servir froid, tranché mince.

Boulettes au fromage

Préparation : 10 minutes $$
Cuisson : 1 minute

Portions 24	Ingrédients	Portions 6
800 g	Canadien fort râpé	375 mL
	Sel (au goût)	
	Poivre rouge (au goût)	
12	Blanc d'oeuf	3
125 g	Biscuit « soda » émietté	125 mL

Méthode
1 Mélanger le fromage, le sel et le poivre.
2 Battre les blancs d'oeufs en neige ferme et les ajouter au fromage.
3 Façonner en boulettes de 15 mL.
4 Bien écraser les biscuits « soda » et y rouler les boulettes.
5 Frire à 190°C pendant 1 minute.
6 Égoutter sur un papier absorbant.

Crème de laitue

Préparation : 15 minutes $
Cuisson : 20 minutes

Portions 24	Ingrédients	Portions 6
250 g	Beurre	60 mL
3 kg	Laitue	2 L
150 g	Farine	60 mL
4 L	Eau chaude	1 L
4	Jaune d'oeuf	1
	Sel (au goût)	
	Poivre (au goût)	

Méthode
1 Faire fondre le beurre et y *faire revenir* sans coloration la laitue coupée en fines lamelles en remuant avec une cuillère de bois.
2 *Singer*.
3 *Mouiller* avec l'eau chaude et laisser mijoter pendant environ 15 minutes.
4 Délayer le jaune d'oeuf dans un peu d'eau et incorporer graduellement au potage bouillant lentement.
5 Assaisonner.
6 Passer au presse-purée et servir immédiatement.

Potage au potiron

Préparation : 15 minutes $
Cuisson : 15 minutes

Portions 24	Ingrédients	Portions 6
350 g	Oignon haché	150 mL
125 g	Beurre	35 mL
2 kg	Potiron en cubes (1,5 cm)	750 mL
900 g	Tomate hachée	250 mL
500 mL	Eau	125 mL
	Sel (au goût)	
	Poivre (au goût)	
60 mL	Farine	15 mL
4	Jaune d'oeuf	1
2 L	Lait chaud	500 mL

Méthode
1 *Faire revenir* l'oignon haché dans le beurre.
2 Ajouter le potiron, puis les tomates et l'eau.
3 Couvrir la marmite et cuire sur un feu doux pendant 45 minutes.
4 Assaisonner au goût.
5 *Passer* la préparation au *tamis*.
6 Ajouter la farine et le jaune d'oeuf au lait chaud.
7 Ajouter la purée de légumes (potiron et tomates).
8 Réchauffer.
9 Servir accompagné de croûtons.

Centre des ressources didactiques / Institut de tourisme et d'hôtellerie du Québec

Filets de porc au chou

Collection Alain Claude *(Chariot devant l'église à Dorval)*. Objets d'artisanat : Denise Beauchemin, Montréal *(assiette)*; Charles Lamy, Montréal *(nappe de lin)*.

Soupe au céleri

Préparation : 30 minutes $$
Cuisson : 30 minutes

Litres 6	Ingrédients	Litre 1,5
200 g	Beurre	70 mL
1,5 kg	Céleri émincé	750 mL
85 g	Oignon haché	30 mL
6 L	Bouillon de volaille	1,5 L
	Sel (au goût)	

8 mL	Sel de céleri	2 mL
75 g	Feuille de céleri hachée	50 mL
8	Saucisse de porc ou	2
300 g		75 g
200 mL	Crème 15 %	50 mL
40 mL	Persil haché	10 mL

Méthode
1 Faire fondre le beurre et y *faire revenir* sans coloration le céleri et les oignons pendant 5 minutes.
2 Ajouter le bouillon, le sel et le sel de céleri.
3 Faire bouillir pendant 10 minutes.
4 Ajouter les feuilles de céleri, brasser et laisser mijoter pendant 20 minutes.
5 Enlever la peau des saucisses et façonner la chair en très petites boulettes (5 g environ - cuillère de 5 mL).
6 Ajouter les boulettes au bouillon et cuire pendant 15 minutes.
7 Incorporer la crème et servir immédiatement.
8 Saupoudrer chaque assiettée de persil haché.

Oie farcie aux pommes et aux pruneaux

Préparation : 20 minutes $$
Cuisson : 3 heures

Portions 32	Ingrédients	Portions 8
16 kg	Oie	4 kg
	Sel (au goût)	
	Poivre (au goût)	
4	Citron en demi	1
	Farce*	
	Mirepoix :	
275 g	Carotte en dés	125 mL
250 g	Oignon en dés	125 mL
125 g	Céleri en dés	60 mL
2 L	Fond de volaille *(voir recettes complémentaires)*	500 mL
	*Farce :	
600 g	Pomme hachée	375 mL
50 g	Biscuit soda émietté	50 mL
650 g	Pruneau haché	250 mL
150 g	Raisin sec	50 mL
4	Oeuf battu	1

Méthode
1 Laver l'oie, retirer le gras à l'intérieur.
2 Bien éponger l'intérieur et l'extérieur.
3 Assaisonner.
4 Frotter l'intérieur et l'extérieur de l'oie avec les demi-citrons.
5 Farcir l'oie avec la farce et la *brider*.
6 Piquer la peau pour laisser échapper le gras durant la cuisson.
7 Cuire au four à 260°C pendant 15 minutes, puis à 150°C pendant 3 heures.
8 20 minutes avant la fin de la cuisson, ajouter la *mirepoix*.
9 Retirer l'oie.
10 *Dégraisser* la plaque de cuisson.
11 *Mouiller* avec le fond de volaille.
12 Faire mijoter pendant 45 minutes.
13 Vérifier l'assaisonnement.
14 *Passer* le jus au chinois fin.
15 Découper l'oie en portions.
16 Servir avec la farce et le jus.
17 Bien mélanger tous les ingrédients.

Courge farcie à l'agneau

Préparation : 30 minutes $
Cuisson : 1 heure 30

Portions 24	Ingrédients	Portions 6
4	Courge (environ 30 cm de longueur)	1
225 g	Beurre	60 mL
1,7 kg	Agneau haché	425 g
800 g	Oignon émincé	325 mL
675 g	Riz cuit	250 mL
	Sel (au goût)	
	Poivre (au goût)	
3 L	Sauce tomate	750 mL

Méthode
1 Vider la courge de ses graines par les deux extrémités du fruit.
2 Faire fondre le beurre dans une sauteuse et y *faire revenir* l'agneau et les oignons.
3 Ajouter le riz.
4 Cuire à feu doux pendant 5 minutes.
5 Assaisonner.
6 Farcir la courge de cet *appareil*.
7 Mettre la courge dans une plaque avec la sauce tomate.
8 Cuire au four à 180°C pendant 1 heure.
9 Tourner la courge durant la cuisson afin que toute la surface trempe dans la sauce.
10 Trancher en rondelles et servir avec la sauce tomate.

Rôti de veau au lard et au citron

Préparation : 20 minutes $$
Cuisson : 2 heures 15

Portions 24	Ingrédients	Portions 6
4 kg	Longe de veau désossée	1 kg
300 g	Lard salé en dés	75 g
400 g	Oignon tranché	165 mL
4	Citron tranché	1
	Sel (au goût)	
	Poivre (au goût)	
1,5 L	Bouillon de boeuf	375 mL

Méthode
1 Mettre la longe de veau sur les lardons dans une plaque ou une rôtissoire.
2 Couvrir la longe de tranches d'oignon et de citron.
3 Assaisonner de sel et de poivre.
4 Faire rôtir au four à 200°C pendant 15 minutes.
5 Ajouter le bouillon de boeuf.
6 Baisser la température du four à 170°C et cuire pendant environ 2 heures en arrosant souvent la longe durant la cuisson.
7 Retirer la longe de veau et *passer* la sauce.

Rognons de veau aux tomates

Autrefois, on accordait plus de valeur aux rognons de castor qu'aux rognons de veau. Grâce à leurs propriétés médicinales, ils jouissaient d'un certain prestige auprès des apothicaires français.

Préparation : 30 minutes $$
Cuisson : 15 minutes

Portions 24	Ingrédients	Portions 6
4 kg	Rognon de veau	1 kg
225 g	Beurre	60 mL
125 g	Oignon haché	30 mL
60 mL	Persil haché	15 mL
8	Gousse d'ail	2
700 g	Champignon émincé	500 mL
75 g	Farine tout usage	30 mL
3 L	Tomate concassée	750 mL

Méthode
1 Couper les rognons dans le sens de la longueur.
2 Enlever la membrane blanche nerveuse et faire tremper pendant 15 minutes dans l'eau froide.
3 Émincer les rognons, les ébouillanter, puis bien les essuyer.
4 Faire *sauter* les rognons dans du beurre.
5 Ajouter les oignons, le persil, les gousses d'ail hachées et les champignons.
6 *Singer.*
7 Ajouter les tomates et cuire de 5 à 10 minutes ou jusqu'à ce que les rognons soient tendres.
8 Vérifier l'assaisonnement et servir.

Filets de porc au chou

Préparation : 30 minutes $$
Cuisson : 50 minutes

Portions 24	Ingrédients	Portions 6
1 kg	Lard salé en dés	250 g
4 kg	Filet de porc	1 kg
500 g	Oignon tranché	175 mL
2 L	Eau	500 mL
2 kg	Chou haché	1 L
	Sel (au goût)	
	Poivre (au goût)	
20 mL	Persil haché	5 mL

Méthode
1 Faire colorer les lardons. Les retirer de la casserole.
2 Ajouter les filets de porc et bien les faire colorer.
3 Ajouter les oignons et cuire jusqu'à ce qu'ils soient transparents.
4 Retirer le surplus de gras.
5 *Déglacer* avec l'eau.
6 Ajouter le chou et les lardons.
7 Assaisonner.
8 Amener à ébullition et cuire au four à couvert, à 180°C, pendant environ 50 minutes.
9 Garnir de persil haché avant de servir.

Potée aux légumes

Préparation : 20 minutes $
Cuisson : 2 heures 30

Portions 24	*Ingrédients*	Portions 6
1 kg	Lard salé	250 g
6 kg	Porc (dans l'épaule) en cubes	1,5 kg
8 L	Eau froide	2 L
	Sel (au goût)	
	Poivre (au goût)	
1 kg	Oignon émincé	375 mL
4 kg	Chou en quartiers	1 kg ou 1 moyen
2 kg	Navet en gros cubes	800 mL
2 kg	Carotte en gros morceaux	1 L
2 kg	Pomme de terre en cubes	800 mL

Méthode
1 Mettre dans une marmite le lard salé et le porc et couvrir d'eau froide.
2 Amener à ébullition sur un feu vif.
3 Assaisonner.
4 Ajouter les oignons et cuire à feu doux pendant environ 1 heure 30 minutes.
5 Ajouter les quartiers de chou ficelés, les navets et les carottes, et faire cuire à couvert pendant encore 1 heure.
6 20 minutes avant la fin de la cuisson, ajouter les pommes de terre.
7 Vérifier l'assaisonnement.
N.B. Peut être garnie de tranches de pain grillées.

Casserole de jambon

En 1878, la célèbre pionnière en alimentation, Mère Caron, diffuse ses conseils grâce à un guide culinaire. Parmi les conseils qu'elle donne, certains illustrent des coutumes aujourd'hui disparues. Celle de sortir muni d'un couteau est de celle-là. Car, pour juger de la qualité d'un jambon, cet ustensile était, selon elle, essentiel : « Enfoncez un couteau bien aiguisé le long de l'os du jambon, et, si en le retirant, le couteau est net et sent bon, le jambon est de bonne qualité; si, au contraire, le couteau sort gluant et sent mauvais, gardez-vous de l'acheter. »

Préparation : 45 minutes $
Cuisson : 45 minutes

Portions 24	*Ingrédients*	Portions 6
2 kg	Pomme de terre émincée	750 mL
500 g	Oignon émincé	250 mL
100 g	Beurre	25 mL
	Sauce :	
150 g	Beurre	40 mL
150 g	Farine tout usage	65 mL
2 L	Lait chaud	500 mL
	Sel (au goût)	
	Poivre (au goût)	
4 mL	Muscade	1 mL
40 mL	Ciboulette hachée	10 mL
2 kg	Jambon cuit en dés	500 g

Méthode
1 *Blanchir* les pommes de terre à l'eau bouillante.
2 *Faire revenir* les oignons dans le beurre sans coloration.
Sauce :
3 Faire fondre le beurre.
4 Ajouter la farine et cuire pendant quelques minutes.
5 Ajouter graduellement le lait chaud et bien mélanger.
6 Assaisonner de sel, de poivre et de muscade.
7 Cuire pendant 5 minutes et ajouter la ciboulette hachée.
8 Dans une casserole, étendre la moitié des pommes de terre. Recouvrir avec les oignons, puis avec le jambon, et enfin avec le restant des pommes de terre.
9 Verser dessus la sauce et cuire au four à 200°C pendant 45 minutes.

Poitrines de poulet gratinées

Préparation : 30 minutes $$$
Cuisson : 30 minutes

Portions 24	*Ingrédients*	Portions 6
24	Poitrine de poulet de 225 g environ	6
8	Oeufs	2
450 g	Farine tout usage	175 mL
	Sel (au goût)	
	Poivre (au goût)	
100 g	Beurre	25 mL
100 mL	Huile	25 mL
1,8 L	Bouillon de poulet	350 mL
875 g	Piment vert émincé	500 mL
1,4 kg	Tomate en tranches	425 mL
700 mL	Crème 35 %	175 mL
65 g	Farine tout usage	25 mL
100 mL	Eau froide	25 mL
	Sel (au goût)	
	Poivre (au goût)	
650 g	Gruyère râpé	300 mL

Méthode
1 Passer les poitrines dans les oeufs battus, puis dans la farine assaisonnée de sel et de poivre.
2 Faire colorer les poitrines dans le beurre et l'huile. Dégraisser.
3 *Mouiller* avec le bouillon de poulet.
4 Couvrir et cuire au four à 180°C pendant 30 minutes.
5 Retirer les poitrines et les garder au chaud.
6 Ajouter les piments à la sauce et cuire pendant 5 minutes.
7 Ajouter les tomates et cuire 3 minutes.
8 Retirer les légumes et les disposer sur les poitrines.
9 Incorporer la crème à la sauce.
10 Délayer la farine dans l'eau froide et verser dans la sauce.
11 Rectifier l'assaisonnement.
12 Cuire de 10 à 15 minutes.
13 Verser la sauce sur les poitrines.
14 Saupoudrer de fromage râpé.
15 Gratiner au four.

Casserole sept rangs

Préparation : 30 minutes $
Cuisson : 2 heures

Portions 24	*Ingrédients*	Portions 6
750 g	Carotte émincée	375 mL
2 L	Eau	500 mL
	Sel (au goût)	
175 g	Beurre	45 mL
1,7 kg	Pomme de terre crue émincée	750 mL
650 g	Oignon émincé	250 mL
200 g	Riz cru	60 mL
1,2 kg	Pois vert en conserve	375 mL
	Sel (au goût)	
	Poivre (au goût)	
1,8 kg	Saucisse de porc	450 g
1,15 L	Soupe aux tomates	285 mL
1,15 L	Eau	285 mL

Méthode
1 Cuire les carottes pendant 5 minutes dans l'eau bouillante salée.
2 Égoutter et mettre de côté.
3 Beurrer une casserole de 2 litres allant au four.
4 Y disposer successivement les pommes de terre, les oignons, les carottes, le riz, les pois verts et leur jus.
5 Assaisonner.
6 Disposer les saucisses de porc sur les pois verts.
7 Verser la soupe aux tomates et l'eau sur le dessus.
8 Cuire au four à 180°C, à couvert, pendant 1 heure.
9 Retirer le couvercle et cuire pendant encore 1 heure, en retournant les saucisses de temps en temps.

Betteraves à l'estragon

Préparation : 15 minutes $

Portions 24	*Ingrédients*	Portions 6
2,7 kg	Betterave cuite tranchée	750 mL
125 g	Échalote émincée	100 mL
100 mL	Vinaigre d'estragon	25 mL
200 mL	Huile végétale	50 mL
	Sel (au goût)	
	Poivre (au goût)	
4 mL	Sel au céleri	1 mL

Méthode
1 Mélanger tous les ingrédients.
2 Laisser mariner pendant 2 heures en mélangeant de temps en temps.

Fantaisie de maïs

Préparation : 10 minutes $
Cuisson : 1 heure 15

Portions 24	*Ingrédients*	Portions 6
8	Oeuf	2
1,6 kg	Maïs en grains	500 mL

Centre des ressources didactiques / Institut de tourisme et d'hôtellerie du Québec

1,6 L	**Lait**	**400 mL**
	Sel (au goût)	
	Poivre (au goût)	
500 g	**Chapelure**	**250 mL**
60 g	**Beurre**	**15 mL**

Méthode
1 Battre les oeufs.
2 Ajouter le maïs, le lait, le sel et le poivre.
3 Bien mélanger le tout.
4 Verser dans un plat beurré.
5 Saupoudrer de chapelure et parsemer de noisettes de beurre.
6 Cuire au *bain-marie* au four à 180°C jusqu'à ce que le mélange soit bien ferme.

Radis à la crème

Préparation : 15 minutes $$
Cuisson : 10 minutes

Tomates et concombres d'été

Archives nationales du Québec, collection du ministère des Communications *(La récolte des carottes chez M. Victor Legault, Saint-Vincent-de-Paul)*. Objet d'artisanat : Béatrice Mizak, Montréal *(assiette)*.

Portions 24	*Ingrédients*	Portions 6
1,1 kg	**Radis émincé**	**600 mL**
175 g	**Beurre**	**45 mL**
75 g	**Oignon haché**	**30 mL**
75 g	**Farine tout usage**	**30 mL**
1,5 L	**Lait**	**375 mL**
	Sel (au goût)	
	Poivre (au goût)	
60 mL	**Persil haché**	**15 mL**
4 mL	**Paprika**	**1 mL**

Méthode
1 Cuire les radis à l'eau salée pendant environ 5 minutes.
2 Faire fondre le beurre et y *faire revenir* sans coloration les oignons.
3 Ajouter la farine, puis le lait bouillant, et cuire pendant 10 minutes.
4 Ajouter les radis.
5 Assaisonner de sel et de poivre.
6 Servir dans un légumier.
7 Saupoudrer de persil et de paprika.

Tomates et concombres d'été

Préparation : 15 minutes $

Portions 24	*Ingrédients*	Portions 6
1,2 kg	**Concombre émincé**	**500 mL**
1,6 kg	**Tomate émincée**	**500 mL**
25 g	**Persil haché**	**25 mL**
60 mL	**Ciboulette hachée**	**15 mL**
	Vinaigrette :	
500 mL	**Huile**	**125 mL**
150 mL	**Vinaigre**	**35 mL**
20 mL	**Sucre**	**5 mL**
60 g	**Oignon haché fin**	**25 mL**
	Sel (au goût)	
	Poivre du moulin (au goût)	
24	**Feuille de laitue**	**6**

Méthode
1 Mélanger dans un saladier les concombres, les tomates, le persil et la ciboulette.
2 Mélanger tous les ingrédients de la vinaigrette.
3 Verser la vinaigrette sur les concombres et les tomates et bien mélanger.
4 Dresser sur une feuille de laitue.

Salade de carottes

Préparation : 15 minutes $
Cuisson : 8 minutes

Portions 24	*Ingrédients*	Portions 6
2,5 kg	**Carotte en bâtonnets (6 mm x 6 mm x 8 cm)**	**1 L**
325 g	**Oignon émincé**	**125 mL**
225 g	**Piment vert émincé**	**125 mL**
	Vinaigrette :	
100 mL	**Pâte de tomate**	**25 mL**
150 g	**Sucre**	**40 mL**
8 mL	**Moutarde sèche**	**2 mL**
	Sel (au goût)	
	Poivre (au goût)	
200 mL	**Vinaigre**	**50 mL**
300 mL	**Huile**	**75 mL**

Méthode
1 Mettre les carottes dans une casserole, couvrir d'eau et amener à ébullition. Faire bouillir 8 minutes. Bien égoutter.
2 Mélanger les carottes, les oignons et les piments.
3 Bien mélanger tous les ingrédients de la vinaigrette.
4 Verser la vinaigrette sur les légumes. Bien mélanger et mettre au réfrigérateur pendant environ 12 heures.

Pain d'épices

Préparation : 15 minutes $
Cuisson : 35 minutes

Portions 24	Ingrédients	Portions 6
4	Oeuf	1
500 g	Sucre	125 mL
500 mL	Mélasse	125 mL
1 L	Lait sur	250 mL
250 mL	Graisse végétale fondue	60 mL
1,25 kg	Farine de blé entier	500 mL
20 mL	Bicarbonate de soude	5 mL
8 mL	Sel	2 mL
28 mL	Gingembre en poudre	7 mL
8 mL	Muscade	2 mL
20 mL	Poudre à pâte	5 mL
20 mL	Cannelle	5 mL

Méthode
1 Battre l'oeuf.
2 Ajouter le sucre, la mélasse et le lait et bien mélanger.
3 Ajouter la graisse végétale.
4 Ajouter enfin les ingrédients secs.
5 Verser dans un moule (25 x 15 x 5 cm) graissé et fariné.
6 Cuire au four à 180°C pendant 35 minutes.

Tarte à la mélasse

Vers 1766, Louis-Antoine de Bougainville écrivait : « la mélasse (...) est fort estimée des Sauvages qui l'étendent sur leur pain et c'est une espèce de confiture chez-eux. » C'est au cours de l'opération de raffinage du sucre que se forme un résidu épais de couleur brunâtre, qui ne se cristallise pas : la mélasse. En Amérique, on fabrique avec de la mélasse et des bourgeons d'épinette une boisson délicieuse et rafraîchissante, la « sapinette ».

Préparation : 30 minutes $
Cuisson : 30 minutes

Portions 24	Ingrédients	Portions 6
60 mL	Farine tout usage	15 mL
125 g	Chapelure	60 mL
500 mL	Lait	125 mL
60 mL	Beurre fondu	15 mL
500 mL	Mélasse	125 mL
8	Jaune d'oeuf	2
450 g	Sucre	125 mL
8	Blanc d'oeuf	2
	Pâte brisée *(voir recettes complémentaires)*	

Méthode
1 Mélanger la farine et la chapelure.
2 Incorporer le lait au mélange.
3 Ajouter le beurre fondu et la mélasse et bien brasser.
4 Ajouter les jaunes d'oeufs battus avec le sucre et bien mélanger.
5 Incorporer enfin les blancs d'oeufs montés en neige.
6 *Foncer* de pâte brisée un moule de 20 cm de diamètre et y verser *l'appareil.*
7 Cuire au four à 230°C pendant 5 minutes, puis à 180°C pendant environ 25 minutes.

Pouding à la rhubarbe

Avec de la rhubarbe, on prépare des desserts variés et savoureux, et cette plante s'accommode très bien des rigueurs de notre climat. On aime aussi apprêter des tartes avec d'autres fruits tels, de belles poires mûres, des raisins, des prunes et des pommes. Cependant, ces fruits ne se récoltent pas aussi facilement que la rhubarbe : il faut planter des arbres et leur apporter beaucoup de soins. Au mois de mai 1828, M. Amiot rapporta de France une variété d'arbres fruitiers et des plants de vigne « ayant racine du véritable Chasselat de Fontainebleau accompagné de certificat d'origine légalisé par les autorités du lieu ». On demandait six chelins pour un arbre et une demi-piastre pour un plant de vigne. Le vin qu'on rêvait d'en tirer fut-il bon ?

Préparation : 15 minutes $
Cuisson : 30 minutes

Portions 24	Ingrédients	Portions 6
2 kg	Rhubarbe en dés	1 L
425 g	Cassonade	125 mL
125 g	Beurre	30 mL
250 g	Cassonade	60 mL
175 g	Gruau	125 mL
8 mL	Cannelle	2 mL

Méthode
1 Faire cuire la rhubarbe avec la cassonade jusqu'à ce qu'elle soit tendre, environ 10 minutes.
2 Battre le beurre en crème et y incorporer la cassonade et le gruau.
3 Ajouter la cannelle et bien mélanger.
4 Verser la rhubarbe cuite dans un moule (25 x 15 x 5 cm).
5 Recouvrir du mélange du gruau.
6 Cuire au four à 180°C pendant environ 30 minutes, jusqu'à ce que le dessus du pouding soit doré.

Beignets aux pommes

Préparation : 15 minutes $
Cuisson : 3 minutes

Portions 24	Ingrédients	Portions 6
1,3 kg	Farine tout usage	500 mL
85 g	Poudre à pâte	20 mL
8 mL	Sel	2 mL
8 mL	Cannelle	2 mL
4 mL	Muscade	1 mL
450 g	Sucre	125 mL
8	Oeuf	2
1,5 L	Lait	375 mL
40 mL	Graisse végétale fondue	10 mL
16	Pomme	4

Méthode
1 Mélanger d'abord la farine, la poudre à pâte, le sel, la cannelle et la muscade.
2 Puis, mélanger avec les autres ingrédients, sauf les pommes.
3 Peler les pommes, leur enlever le coeur et les couper en tranches de 6 mm d'épaisseur.
4 Tremper les tranches de pomme dans la pâte.
5 Faire frire les beignets à 185°C, environ 1½ minute de chaque côté, ou jusqu'à ce qu'ils soient d'un beau brun doré.
N.B. Se mangent chauds de préférence.

Pouding de Noël à l'ancienne

Préparation : 20 minutes $
Cuisson : 3 heures

Portions 24	Ingrédients	Portions 6
20 mL	Bicarbonate de soude	5 mL
500 mL	Mélasse	125 mL
175 g	Suif de boeuf haché	125 mL
4	Oeuf	1
12 mL	Muscade	3 mL
950 g	Farine tout usage	375 mL
500 mL	Lait	125 mL
400 g	Raisin sec	125 mL

Méthode
1 Mélanger le bicarbonate de soude et la mélasse et laisser reposer pendant 10 minutes.
2 Brasser la mélasse et y ajouter graduellement le suif, l'oeuf et la muscade.
3 Incorporer graduellement la farine en alternant avec le lait.
4 Incorporer enfin les raisins farinés.
5 Graisser un moule de 15 x 15 x 10 cm et le remplir aux trois quarts.
6 Couvrir, placer dans un *bain-marie* et cuire pendant 3 heures.

Gâteau aux carottes

Préparation : 30 minutes $$
Cuisson : 35 minutes

Portions 24	Ingrédients	Portions 6
8	Oeuf	2
725 g	Sucre	200 mL
275 mL	Huile végétale	65 mL
650 g	Farine tout usage	250 mL
20 mL	Poudre à pâte	5 mL
16 mL	Bicarbonate de soude	4 mL
8 mL	Cannelle	2 mL
4 mL	Sel	1 mL
600 g	Ananas broyé	125 mL
450 g	Carotte râpée	250 mL
275 g	Noix de Grenoble hachée	125 mL

Méthode
1 Battre les oeufs jusqu'à ce qu'ils soient mousseux et ajouter le sucre graduellement.
2 Ajouter l'huile en mince filet tout en battant.

3 Tamiser ensemble les ingrédients secs et les incorporer au mélange.
4 Bien égoutter les ananas et les ajouter au mélange avec les carottes et les noix légèrement farinées.
5 Verser l'*appareil* dans un moule tubulaire (20 x 7 cm) graissé.
6 Cuire au four à 180°C pendant 35 minutes.

Tarte à la citrouille

Qui dit citrouille dit Halloween. La veille de la Toussaint (All Hallow Even, d'où l'abréviation Halloween), c'est la nuit des sorcières, des fantômes, des squelettes, crépuscule de fête pour les petits enfants. Ceux-ci mettent tout en oeuvre pour imaginer et fabriquer les déguisements les plus terrifiants. Dès le crépuscule, sous l'oeil malicieux et complice des citrouilles illuminées aux fenêtres, ils trottinent joyeusement dans les rues munis de grands sacs, en quête d'un mystérieux butin... constitué par des quantités et des quantités de friandises. S'ils ne se montrent pas trop gourmands, nos terrifiants petits personnages en auront pour des semaines à dévorer, à petites doses, leur précieux trésor. Quant à la citrouille, elle aura droit à quelque autre moment de gloire puisque sa chair servira à la préparation d'une tarte savoureuse.

Préparation : 30 minutes $$
Cuisson : 40 minutes

Portions 24	*Ingrédients*	Portions 6
325 g	**Cassonade**	**80 mL**
300 g	**Sucre**	**80 mL**
20 mL	**Cannelle**	**5 mL**
25 mL	**Fécule de maïs**	**6 mL**
12 mL	**Gingembre**	**3 mL**
12 mL	**Sel**	**3 mL**
1,9 kg	**Pulpe de citrouille**	**475 g**
12	**Oeufs**	**3**
1 L	**Lait chaud**	**250 mL**
60 mL	**Mélasse**	**15 mL**
1 kg	**Pâte brisée** ***(voir recettes complémentaires)***	**250 g**
1 L	**Crème fouettée**	**250 mL**

Méthode
1 Mélanger les ingrédients secs.
2 Incorporer la pulpe de citrouille aux ingrédients secs.
3 Mélanger les oeufs, le lait chaud et la mélasse.
4 Ajouter à la pulpe de citrouille. Ne pas trop brasser le mélange.
5 Garnir de pâte brisée un moule de 25 cm de diamètre.
6 Y verser le mélange.
7 Cuire au four à 230°C pendant 7 minutes, puis à 180°C pendant encore 30 minutes, ou jusqu'à ce que la citrouille soit dorée et la croûte bien cuite.
8 Laisser refroidir et garnir de crème fouettée.

Centre des ressources didactiques / Institut de tourisme et d'hôtellerie du Québec

Gâteau aux noix

Archives publiques du Canada, collection de la Gazette de Montréal *(Les rues de la ville sont de pauvres terrains de jeux. Révélations d'une étude sur la condition de vie des enfants)*.
Objets d'artisanat : Renée Lavaillante, Montréal *(théière)*; Louise Lemieux-Bérubé, Montréal *(nappe)*.

Gâteau aux noix

Préparation : 15 minutes $$$
Cuisson : 50 minutes

Portions 24	*Ingrédients*	Portions 6
500 g	**Beurre**	**125 mL**
925 g	**Sucre**	**250 mL**
8	**Oeuf**	**2**
950 g	**Farine tout usage**	**375 mL**
20 mL	**Bicarbonate de soude**	**5 mL**
40 mL	**Crème de tartre**	**10 mL**
2 mL	**Sel**	**0,5 mL**
1 L	**Lait**	**250 mL**
550 g	**Noix de Grenoble hachée**	**250 mL**

Méthode
1 Battre le beurre en crème et y incorporer le sucre.
2 Ajouter les oeufs et bien battre.
3 Tamiser ensemble les ingrédients secs et les incorporer au mélange en alternant avec le lait.
4 Incorporer enfin les noix légèrement farinées.
5 Verser l'*appareil* dans un moule graissé (25 x 15 x 5 cm).
6 Cuire au four à 180°C pendant 50 minutes.

Galettes au chocolat

Préparation : 15 minutes $$
Cuisson : 15 minutes

Douzaines 8	Ingrédients	Douzaines 2
175 g	Graisse végétale	60 mL
1 kg	Cassonade	250 mL
4	Oeuf	1
950 g	Farine tout usage	375 mL
8 mL	Bicarbonate de soude	2 mL
500 mL	Lait	125 mL
8 carrés	Chocolat non sucré	2 carrés
500 g	Noix de Grenoble hachée	250 mL
20 mL	Essence de vanille	5 mL

Méthode
1 Battre en crème la graisse végétale et y incorporer la cassonade.
2 Ajouter l'oeuf et bien mélanger.
3 Tamiser la farine avec le bicarbonate de soude et incorporer graduellement au mélange en alternant avec le lait.
4 Incorporer le chocolat fondu, les noix et l'essence de vanille.
5 Déposer par cuillerées de 25 mL dans une plaque graissée et farinée.
6 Cuire au four à 180°C pendant environ 15 minutes.

Crêpes aux fraises

Préparation : 20 minutes $$$

Portions 24	Ingrédients	Portions 6
1,4 L	Lait	350 mL
8	Jaune d'oeuf	2
200 g	Sucre	50 mL
75 g	Farine tout usage	30 mL
60 mL	Beurre fondu	15 mL
700 g	Fraise en morceaux	500 mL
100 g	Sucre	30 mL
	Appareil à crêpes *(voir recettes complémentaires)*	
500 mL	Crème 35 %	125 mL
60 mL	Sucre en poudre	15 mL
20 mL	Essence de vanille	5 mL
24	Fraise	6

Méthode
1 Faire chauffer le lait au *bain-marie.*
2 Battre les jaunes d'oeufs avec le sucre.
3 Incorporer la farine.
4 Verser le lait bouillant, puis le beurre.
5 Saupoudrer les fraises de sucre et laisser reposer.
6 Mélanger à la crème pâtissière et laisser refroidir.
7 Garnir les crêpes de crème pâtissière aux fraises et les rouler.
8 Fouetter la crème et incorporer le sucre en poudre et l'essence de vanille.
9 À l'aide d'un sac à douille, décorer les crêpes de crème fouettée et les garnir de fraises.

Tarte du printemps

Préparation : 30 minutes $$$
Cuisson : 45 minutes

Tartes 4	Ingrédients	Tarte 1
650 g	Rhubarbe congelée en dés	250 mL
500 g	Fraise en morceaux	250 mL
450 g	Ananas en cubes	125 mL
925 g	Sucre	250 mL
700 mL	Jus des fruits	175 mL
125 mL	Fécule de maïs	30 mL
200 mL	Eau froide	50 mL
4 abais.	Pâte brisée *(voir recettes complémentaires)*	1 abais.

Méthode
1 Faire *macérer* les fruits avec le sucre.
2 Égoutter les fruits et faire chauffer le jus ainsi recueilli.
3 Délayer la fécule de maïs dans l'eau froide.
4 Verser dans le jus et cuire pendant environ 5 minutes.
5 Y ajouter délicatement les fruits.
6 Laisser refroidir.
7 Verser l'*appareil* dans un moule (20 cm de diamètre) *foncé* de pâte brisée et cuire au four à 190°C pendant environ 45 minutes.

Marmelade de rhubarbe

Ce sont les pétioles ou bâtons de la rhubarbe qui, pelés et coupés en dés, servent à la préparation de la marmelade. Outre sa saveur très appréciée, la rhubarbe possède aussi des propriétés apéritives, toniques et purgatives. Les anxieux l'éviteront car elle augmenterait l'acidité dans leur estomac.

Préparation : 20 minutes $$
Cuisson : 45 minutes

Litres 6	Ingrédients	Litre 1,5
4,4 kg	*Rhubarbe en dés**	2,2 L
4,8 kg	Sucre	1,3 L
300 mL	Jus d'orange	75 mL
150 mL	Jus de citron	35 mL
150 g	Noix de Grenoble hachée	75 mL
12 mL	Zeste de citron	3 mL

Méthode
1 Bien mélanger tous les ingrédients dans une casserole.
2 Couvrir et laisser reposer pendant 30 minutes.
3 Faire mijoter pendant 45 minutes en brassant fréquemment.
4 Laisser refroidir et mettre en pots.
* *Si vous utilisez de la rhubarbe fraîche, bien la nettoyer et la peler avant de la couper en dés.*

Relish aux piments

Préparation : 20 minutes $$
Cuisson : 30 minutes

Litres 6	Ingrédients	Litre 1,5
5,4 kg	Piment vert haché	2 L
5,4 kg	Piment rouge haché	2 L
4,8 kg	Oignon haché	2 L
2 L	Vinaigre blanc	500 mL
1,8 kg	Sucre	500 mL
60 mL	Sel	15 mL

Méthode
1 Nettoyer les piments et les passer au hachoir avec les oignons.
2 Les ébouillanter et laisser reposer pendant 10 minutes.
3 Bien égoutter les légumes dans une *étamine.*
4 Les mettre dans une casserole avec les autres ingrédients et cuire pendant 20 minutes à feu moyen.
5 Laisser refroidir et mettre en pots.

Relish aux choux et aux tomates

Pour bien réussir cette relish, il faut que tous les ingrédients mijotent ensemble pendant deux longues heures. Jadis, c'est dans l'âtre des foyers que se faisait la cuisson. Les cheminées s'encrassaient rapidement, provoquant parfois des incendies dans les maisons généralement construites en bois.

Préparation : 45 minutes $$
Cuisson : 2 heures

Litres 6	Ingrédients	Litre 1,5
4,8 kg	Tomate verte	1,2 kg ou 10 unités
3 kg	Chou	750 g ou 1 petit
1 kg	Piment rouge	275 g ou 2 unités
1 kg	Piment vert	275 g ou 2 unités
3,6 kg	Oignon	900 g ou 9 unités
415 g	Gros sel	90 mL
6 L	Eau	1,5 L
325 g	Graine de moutarde	110 mL
50 g	Graine de céleri	25 mL
100 g	Gros sel	25 mL
25 g	Curcuma	11 mL
6 L	Vinaigre	1,5 L
5,5 kg	Sucre	1,5 L

Méthode
1 Passer les légumes au hachoir.
2 Ajouter le gros sel et l'eau.
3 Laisser reposer toute une nuit.
4 Bien égoutter les légumes.
5 Mélanger avec les assaisonnements et cuire pendant 2 heures.
6 Laisser refroidir et mettre en pots.

Outaouais

L'Outaouais, comme toutes les autres régions du Québec, participe à la tradition culinaire québécoise à sa manière, suivant ses particularités. Région relativement jeune, elle ne peut prétendre à l'invention d'une cuisine totalement distincte. Mais elle apporte tout de même sa contribution au patrimoine culinaire québécois, compte tenu du caractère particulier de son évolution et des influences qui l'ont façonnée.

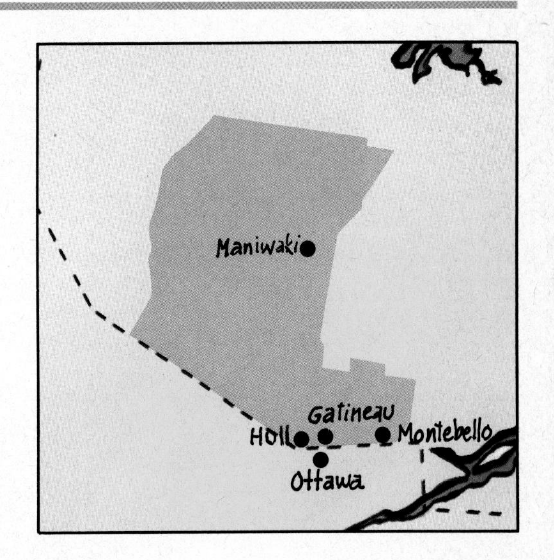

Sur un fond anglo-américain sont venues se greffer les habitudes alimentaires du vieux Québec, de la région de Montréal surtout. Plus tard, d'autres minorités se sont ajoutées, les Irlandais surtout, quelques Allemands... Jusqu'où les traditions culinaires de ces immigrants se sont-elles intégrées aux habitudes de l'Outaouais ? Les traditions culinaires se rattachant au commerce des fourrures et à l'industrie du bois occupent toujours une place de choix dans l'Outaouais. Cette race d'hommes, née au Québec, ces coureurs des bois, ces voyageurs, ces cageux ou « raftmen », ces draveurs et tous ceux qui vivaient du travail en forêt se nourrissaient de lard salé, de fèves, de mélasse, de thé, de crêpes, d'omelettes, de toute cette nourriture de chantier plutôt lourde... L'Outaouais, comme le reste du Québec, en a conservé le souvenir vivace.

Ce paradis de la chasse et de la pêche qu'est demeuré l'Outaouais explique que les mets à base de gibier et de poisson sont toujours à l'honneur ici. La truite, le doré, le brochet sont toujours très appréciés, tandis que les repas de perdrix, de lièvre, de chevreuil, d'orignal ou même, à l'occasion, de castor, sont considérés comme des festins.

Comme ailleurs au Québec, la cuisine de l'Outaouais vit au rythme des saisons. Le printemps amène les produits de l'érable et les recettes qui s'en inspirent, le mois de juillet est celui des fraises et le mois d'août, celui des framboises. C'est d'ailleurs le mois d'août qui annonce le début du branle-bas de la mise en conserve, des « cannages », comme disent les gens d'ici. On prépare toute une variété de marinades dans lesquelles on utilise les surplus du jardin. On cuit les confitures en prévision de la longue saison d'hiver. Anciennement, cette opération était suivie de peu par la boucherie et les salaisons. On s'apprêtait ainsi à affronter l'hiver rigoureux.

Potage de la paix

Préparation : 15 à 20 minutes $
Cuisson : 40 à 45 minutes

Portions 6 litres	*Ingrédients*	Portion 1,5 litre
300 g	**Oignon haché**	**125 mL**
100 g	**Beurre**	**25 mL**
1,5 kg	**Pomme de terre en cubes**	**750 mL**
4 L	**Bouillon de poulet**	**1 L**
20 mL	**Sel**	**5 mL**
2 mL	**Poivre**	**0,5 mL**
500 mL	**Crème à 35 %**	**125 mL**

Méthode

1 Cuire sans coloration les oignons dans le beurre.
2 Ajouter les autres ingrédients, sauf la crème.
3 Laisser cuire pendant 40 à 45 minutes.
4 Passer le tout au presse-purée.
5 Ajouter la crème.
6 Ne pas faire bouillir.

Soupe à l'épi d'or

Les Amérindiens faisaient grand usage du maïs, la « sagamité » étant le mets le plus commun parmi eux. Pour la préparer, ils faisaient griller le maïs, le pilaient, en retiraient la paille et en faisaient une bouillie.

Préparation : 20 minutes $
Cuisson : 25 minutes

Portions 24	*Ingrédients*	Portions 6
1 kg	**Pomme de terre en petits dés**	**500 mL**
3 L	**Eau froide**	**750 mL**
20 mL	**Sel**	**5 mL**
300 g	**Oignon haché**	**125 mL**
90 g	**Feuille de céleri hachée**	**60 mL**
100 g	**Beurre**	**25 mL**
40 g	**Farine**	**15 mL**
1 L	**Lait**	**250 mL**
2,15 L	**Maïs en crème**	**550 mL**
8 mL	**Sel**	**2 mL**
2 mL	**Poivre**	**0,5 mL**

Méthode

1 Cuire les dés de pomme de terre dans l'eau salée.
2 Faire cuire à feu doux les oignons et les feuilles de céleri dans le beurre.
3 Saupoudrer de farine.
4 Cuire pendant 2 à 3 minutes.
5 Laisser tiédir.
6 Faire chauffer le lait.
7 Verser le lait chaud sur les oignons refroidis.
8 Cuire pendant 10 minutes.
9 Ajouter le maïs en crème, les pommes de terre cuites et l'eau de cuisson des pommes de terre.
10 Assaisonner.
11 Laisser mijoter pendant 5 à 7 minutes.
12 Servir ce potage chaud.

Centre des ressources didactiques / Institut de tourisme et d'hôtellerie du Québec

Courgettes au four aux oeufs et au fromage

Préparation : 45 minutes $$
Cuisson : 20 minutes

Portions 24	*Ingrédients*	Portions 6
1 kg	**Courgette émincée**	**500 mL**
325 g	**Oignon émincé**	**125 mL**
200 mL	**Huile d'olive**	**60 mL**
3	**Gousse d'ail écrasée**	**1**
30 mL	**Basilic frais ciselé**	**10 mL**
85 mL	**Persil frais haché**	**30 mL**
8	**Oeuf**	**3**
250 mL	**Crème à 35 %**	**60 mL**
150 g	**Gruyère râpé**	**60 mL**
60 g	**Parmesan râpé**	**30 mL**
	Sel (au goût)	
	Poivre (au goût)	
	Beurre (q.s.)*	

Courgettes au four aux oeufs et au fromage

Archives nationales du Québec, Outaouais, fonds « Templeton » *(Ménagère travaillant à l'entretien de son terrain)*. Objets d'artisanat : Jean Aubry, Saint-André-Avellin *(vaisselle et accessoires)*.

Méthode
1 *Faire revenir* d'abord les courgettes, puis les oignons dans l'huile d'olive.
2 Réserver ces légumes dans un plat allant au four.
3 *Faire tomber* l'ail, le basilic et le persil dans l'huile de cuisson.
4 Verser sur les courgettes et les oignons.
5 Battre les oeufs et les mélanger avec la crème, le gruyère et le parmesan.
6 Assaisonner.
7 Verser sur les légumes et mélanger délicatement.
8 Parsemer de noisettes de beurre.
9 Cuire au four à 180°C pendant environ 20 minutes ou jusqu'à ce que le dessus soit doré.
10 Servir chaud en accompagnement d'un poisson ou d'une viande grillée.
* quantité suffisante

Boeuf braisé relevé

Préparation : 20 minutes $$
Cuisson : 2 heures à 2 heures 30

Portions 24	*Ingrédients*	Portions 6
25 g	**Persil haché**	**25 mL**
45 g	**Échalote hachée**	**25 mL**
8 mL	**Marjolaine hachée**	**2 mL**
4 kg	**Rôti de croupe de boeuf**	**1 kg**
16	**Tranche de bacon**	**4**
200 mL	**Huile**	**50 mL**
600 g	**Oignon haché**	**250 mL**
4	**Gousse d'ail hachée**	**1**
8 mL	**Clou de girofle**	**2 mL**
6	**Feuille de laurier**	**2**
5 mL	**Thym**	**1 mL**
40 mL	**Sel**	**10 mL**
8 mL	**Poivre**	**2 mL**
800 mL	**Vin rouge sec**	**200 mL**
1,9 L	**Tomate concassée**	**475 mL**

Méthode
1 Mélanger le persil, les échalotes et la marjolaine.
2 Saupoudrer de ces épices la pièce de viande.
3 Disposer les tranches de bacon autour du morceau de boeuf et bien le ficeler.
4 *Faire colorer* la pièce de viande dans l'huile.
5 Retirer la pièce de viande.
6 *Faire suer* les oignons dans le gras.
7 Remettre la pièce de viande.
8 Ajouter l'ail, le clou de girofle, les feuilles de laurier, le thym, le sel et le poivre.
9 *Mouiller* avec le vin rouge et ajouter la tomate concassée.
10 Amener à ébullition.
11 Couvrir et cuire au four à 180°C pendant 2 heures à 2 heures 30.
12 Retirer la pièce de viande.
13 *Passer* la sauce et la *dégraisser*.
14 Découper le boeuf en tranches et le servir chaud avec la sauce.

Soupe aux pois outaouaise

Préparation : 15 minutes $
Cuisson : 3 heures

Portions 24	Ingrédients	Portions 6
800 g	Pois à soupe	250 mL
8 L	Eau froide	2 L
350 g	Graisse de rôti	125 mL
125 g	Feuille de céleri finement hachée	60 mL
	Sarriette (au goût)	
	Sel (au goût)	
	Poivre (au goût)	
1,1 kg	Maïs lessivé	250 mL

Méthode
1 Laver les pois et les mettre dans l'eau froide.
2 Ajouter la graisse de rôti.
3 Cuire jusqu'à ce que les pois soient tendres.
4 Ajouter les feuilles de céleri, la sarriette, le sel et le poivre, et faire mijoter lentement pendant 30 à 40 minutes.
5 Ajouter de l'eau au besoin.
6 Ajouter le maïs lessivé et laisser mijoter pendant 30 minutes.
7 Servir ce potage chaud.

Fèves au miel et au poulet

Dans les chantiers, on servait souvent des fèves. Peut-être s'efforçait-on, en y ajoutant du miel et du poulet, d'en varier la présentation ?

Préparation : 20 minutes $$
Cuisson : 6 à 7 heures

Portions 24	Ingrédients	Portions 6
1,8 kg	Fève blanche	500 mL
20 mL	Moutarde sèche	5 mL
	Sel (au goût)	
	Poivre (au goût)	
500 mL	Miel	125 mL
600 g	Oignon haché	250 mL
900 g	Lardon	225 g
24 unités	Cuisse de poulet	6 unités
	Sel (au goût)	
	Poivre (au goût)	
175 g	Beurre	45 mL

Méthode
1 Laver les fèves.
2 Les couvrir d'eau et les laisser tremper pendant environ 1 heure.
3 Égoutter.
4 Couvrir d'eau fraîche et faire bouillir pendant 15 minutes.
5 Diluer la moutarde, le sel, le poivre et le miel dans un peu d'eau de cuisson.
6 Ajouter ce mélange aux fèves avec les oignons et les lardons.
7 Couvrir et cuire au four à 180°C pendant 4 à 5 heures.
8 Assaisonner les cuisses de poulet et les *faire sauter* dans le beurre.
9 Les déposer sur les fèves et continuer la cuisson pendant 1 à 2 heures; rajouter de l'eau si nécessaire.
10 Retirer le couvercle 15 minutes avant de servir et laisser dorer.
Note : Le temps de trempage et de cuisson dépend de la qualité des fèves.

Poulet pané aux fines herbes

Préparation : 15 minutes $
Cuisson : environ 45 minutes

Portions 24	Ingrédients	Portions 6
500 g	Chapelure	250 mL
60 g	Fromage parmesan râpé	30 mL
30 g	Fromage cheddar doux râpé	45 mL
au goût	Thym séché	1 pincée
au goût	Marjolaine séchée	1 pincée
au goût	Estragon séché	1 pincée
au goût	Romarin séché	1 pincée
60 mL	Persil frais haché	15 mL
	Sel (au goût)	
	Poivre (au goût)	
350 g	Beurre	85 mL
60 g	Échalote sèche hachée	30 mL
24 unités	Quart de poulet	6 unités

Méthode
1 Bien mélanger la chapelure, le fromage, les fines herbes et les assaisonnements.
2 *Faire suer* au beurre les échalotes.
3 Tremper les morceaux de poulet dans le beurre fondu et les échalotes.
4 Enrober les morceaux de poulet de chapelure.
5 Faire griller au four à 180°C pendant environ 45 minutes ou jusqu'à ce que le poulet soit cuit.
6 *Badigeonner* avec le reste du beurre fondu au cours de la cuisson.
7 Servir chaud.

Omelette soufflée au lard

Préparation : environ 15 minutes $
Cuisson : environ 10 minutes

Portions 24	Ingrédients	Portions 6
500 g	Lard salé entrelardé	125 g
32	Oeuf	8
225 g	Farine	85 mL
500 mL	Lait	125 mL
10 mL	Bicarbonate de soude	2,5 mL
	Poivre (au goût)	

Méthode
1 Couper le lard salé en tranches très minces. (Si le lard est très salé, il serait bon de le blanchir afin de le dessaler, et ce, avant de le faire rôtir.)
2 Faire frire les tranches de lard dans une poêle jusqu'à ce qu'elles soient très croustillantes.
3 Verser, si nécessaire, le surplus de gras.
4 Battre les oeufs.
5 Incorporer la farine, le lait et le bicarbonate de soude; assaisonner avec le poivre.
6 Verser la préparation sur les grillades de lard.
7 Mélanger.
8 Cuire au four à 170°C pendant environ 10 minutes.
9 Servir chaud.

Cocotte de chez nous

Qui songerait à s'offusquer de la présence, sur une table bien dressée, de cette marmite rustique et même de ces marmites de terre ayant conservé leur couleur orangée ? Comme l'écrit Maurice des Ombiaux dans son* Traité de la Table *: « ... on peut dire que l'aspect de la table y a gagné. Car le plat en terre orangée, par les délices qu'il promet, réjouit le coeur de l'homme, tout comme le bon vin. »

Préparation : 20 minutes $
Cuisson : 15 minutes

Portions 24	Ingrédients	Portions 6
350 g	Beurre	90 mL
225 g	Farine	90 mL
3 L	Lait chaud	750 mL
40 mL	Sel	10 mL
5 mL	Poivre	1 mL
2,4 L	Morceaux de poisson cuits	600 mL
250 g	Carotte cuite en dés	100 mL
200 g	Navet cuit en dés	100 mL
325 g	Petits pois verts cuits	100 mL

Méthode
1 Faire fondre le beurre et ajouter la farine.
2 *Mouiller* avec le lait chaud.
3 Assaisonner de sel et de poivre.
4 Cuire pendant 15 minutes.
5 Ajouter les morceaux de poisson cuits.
6 Incorporer les légumes.
7 Bien mélanger.
8 Servir avec du riz ou sur une timbale.

Pain au lard

Préparation : environ 20 minutes $
Cuisson : environ 1 heure

Portions 24	Ingrédients	Portions 6
225 g	Biscuit soda écrasé	250 mL
1 L	Lait	250 mL
500 g	Bacon	125 g
2,7 kg	Porc haché	675 g
125 g	Céleri finement haché	60 mL
300 g	Oignon finement haché	125 mL
6	Oeuf	2
	Sel (au goût)	
	Poivre (au goût)	
4	Gousse d'ail écrasée	1

Méthode
1 Faire tremper les biscuits soda dans le lait.
2 Couvrir le fond d'un moule de tranches de bacon.
3 Réserver.
4 Bien mélanger le porc, les légumes, les biscuits, les oeufs et les assaisonnements.
5 Façonner en pain et déposer dans le moule.
6 Cuire au four à 180°C pendant environ 1 heure.
7 *Dégraisser* deux ou trois fois pendant la cuisson.
8 Servir chaud.

Gibelotte outaouaise

Gibelotte : le mot coiffe un mélange d'éléments disparates, la gibelotte outaouaise semble donc être une vraie gibelotte. La preuve, on y trouve un peu de tout et elle ne ressemble à aucune autre !

Préparation : 1 heure $$
Cuisson : 20 à 25 minutes

Portions 24	*Ingrédients*	Portions 6
900 g	**Bacon**	**225 g**
450 g	**Poivron vert en dés**	**1 unité**
600 g	**Oignon haché**	**250 mL**
450 g	**Concombre en dés**	**½ unité**
2 L	**Tomate concassée**	**500 mL**
1,8 kg	**Pois cuits**	**525 mL**
1,1 kg	**Maïs en grains cuit**	**325 mL**
400 g	**Purée de pommes de terre**	**125 mL**
	Sel (au goût)	
	Poivre (au goût)	
500 mL	**Croûton de pain**	**125 mL**

Méthode
1 Couper le bacon en dés et les faire cuire jusqu'à ce qu'ils soient légèrement croustillants.
2 Réserver au chaud.
3 Faire cuire successivement les poivrons, les oignons et le concombre dans le gras de bacon.
4 Réserver les légumes et verser le surplus de gras.
5 Faire chauffer la tomate concassée dans la poêle de cuisson.
6 Ajouter les pois et le maïs.
7 Incorporer les poivrons, les oignons, le concombre et la purée de pommes de terre.
8 Remuer.
9 Vérifier l'assaisonnement.
10 Chauffer au four.
11 Garnir avec des croûtons de pain et les dés de bacon grillés.
12 Servir chaud.

Poitrines de poulet au beurre de noisettes

Préparation : 20 à 25 minutes $$
Cuisson : 15 à 20 minutes

Portions 24	*Ingrédients*	Portions 6
250 g	**Beurre**	**60 mL**
30 g	**Persil haché**	**30 mL**
85 g	**Échalote verte ciselée**	**60 mL**
100 g	**Noisette broyée au mélangeur**	**60 mL**
2 mL	**Thym**	**1 pincée**
	Sel (au goût)	
	Poivre (au goût)	
24 unités	**Poitrine de poulet**	**6 unités**
	Huile	
250 mL	**Crème à 35 %**	**60 mL**

Méthode
1 Ramollir le beurre et y incorporer le persil, les échalotes, les noisettes, le thym et les assaisonnements.
2 Pratiquer une incision sur les poitrines et répartir le mélange de beurre dans les cavités.
3 Ranger les poitrines sur une plaque légèrement huilée et faire cuire au four à 200°C pendant environ 15 minutes.
4 Badigeonner les poitrines avec la crème vers la fin de la cuisson et faire dorer au four.
5 Servir chaud.

Bifteck « bourré » au jambon

Préparation : 35 à 40 minutes $$
Cuisson : 7 à 8 minutes

Portions 24	*Ingrédients*	Portions 6
85 g	**Échalote hachée**	**45 mL**
550 g	**Champignon haché**	**250 mL**
375 g	**Jambon haché**	**125 mL**
4	**Gousse d'ail hachée**	**1**
175 g	**Beurre**	**45 mL**
175 mL	**Vin blanc sec**	**45 mL**
30 g	**Persil haché**	**30 mL**
2 mL	**Thym**	**1 pincée**
	Sel (au goût)	
	Poivre (au goût)	
24 unités	**Bifteck épais de 175 g**	**6 unités**
	Huile	
	Sel (au goût)	
	Poivre (au goût)	

Méthode
1 *Faire revenir* séparément et successivement dans une poêle les échalotes, les champignons, le jambon et l'ail dans le beurre.
2 *Dégraisser* la poêle.
3 *Déglacer* avec le vin.
4 Ajouter les assaisonnements.
5 Remuer et laisser *réduire* de façon à assécher la composition.
6 Réserver et laisser refroidir.
7 Pratiquer une incision sur l'épaisseur du bifteck de façon à former une poche.
8 Répartir l'appareil dans les cavités.
9 Coudre pour fermer ou fermer avec des cure-dents.
10 Huiler les biftecks et les faire griller au goût pendant 7 à 8 minutes.
11 Assaisonner et servir chaud.

Chou-fleur en boules

Préparation : 15 minutes $$
Cuisson : sauce : 20 minutes
chou-fleur : 15 minutes

Portions 24	*Ingrédients*	Portions 6
4 unités	**Chou-fleur de 600 g**	**1 unité**
5 mL	**Sel**	**1 mL**
5 mL	**Poivre**	**1 mL**
175 g	**Beurre**	**45 mL**
115 g	**Farine**	**45 mL**
1,2 L	**Lait chaud**	**300 mL**
275 g	**Fromage gruyère râpé**	**125 mL**

Méthode
1 Enlever les feuilles et couper les tiges du chou-fleur.
2 Les faire tremper pendant 10 minutes dans l'eau salée.
3 Cuire 15 minutes dans l'eau bouillante salée.
4 Égoutter et hacher le chou-fleur; ajouter le sel et le poivre.
5 À l'aide d'une cuillère à crème glacée no 16, façonner en boules.
6 Pendant la cuisson du chou-fleur, faire fondre le beurre; y ajouter la farine et bien mélanger.
7 Ajouter le lait chaud et cuire pendant 15 minutes en brassant bien.
8 Ajouter le fromage et continuer la cuisson pendant 5 minutes.
9 *Napper* chaque boule de chou-fleur avec 50 mL de sauce et faire gratiner au four.

Pommes de terre de la Petite-Rouge

Les patates savaient guérir bien des malaises. Aussi, pour soigner le foie buvait-on l'eau de cuisson des pommes de terre tandis que pour soulager les rhumatismes, on s'enveloppait les jambes de patates imprégnées de camphre et de térébenthine.

Préparation : 15 minutes $$
Cuisson : 1 heure 30

Portions 24	*Ingrédients*	Portions 6
4	**Gousse d'ail**	**1**
20 g	**Beurre**	**5 mL**
1,67 kg	**Pomme de terre pelée émincée**	**750 mL**
650 g	**Oignon émincé**	**250 mL**
550 g	**Fromage cheddar fort râpé**	**350 mL**
4	**Oeuf battu**	**1**
1,4 L	**Lait**	**350 mL**
25 mL	**Sel**	**6 mL**
4 mL	**Poivre**	**1 mL**
2 mL	**Muscade**	**0,5 mL**

Méthode
1 Frotter l'intérieur d'un plat allant au four avec la gousse d'ail.
2 *Badigeonner* le plat de beurre.
3 Ranger par couches successives les pommes de terre, les oignons et le fromage. Répéter jusqu'à épuisement des ingrédients.
4 Mélanger l'oeuf avec le lait et les assaisonnements.
5 Verser sur les pommes de terre.
6 Couvrir.
7 Cuire au four à 180°C pendant 1 heure 15.
8 Retirer le couvercle et continuer la cuisson pendant 15 minutes.

Pommes de terre farcies

Préparation : 30 minutes $$
Cuisson : environ 1 heure

Portions 24	Ingrédients	Portions 6
24 unités	Pomme de terre avec pelure, moyenne	6 unités
175 g	Beurre	45 mL
375 mL	Crème à 35 %	90 mL
250 g	Échalote verte émincée	6 unités
200 g	*Pulpe* de tomate en dés	60 mL
	Sel (au goût)	
	Poivre (au goût)	
60 mL	Persil haché	15 mL

Méthode

1 Laver les pommes de terre et couper une mince tranche sur le dessus.
2 Cuire au four à 200°C pendant environ 1 heure.
3 Refroidir et enlever la *pulpe* intérieure en prenant soin de ne pas briser la pelure.
4 Disposer les pelures sur une plaque.
5 Plier la *pulpe* de pomme de terre.
6 Ajouter le beurre, la crème, les échalotes, les dés de tomate, le sel et le poivre.
7 Remplir les pelures avec cette purée et garnir de persil.

Salade du « coureur des bois »

S'il est vrai que l'on peut trouver de quoi survivre dans la forêt, il faut avoir appris à en utiliser les ressources, car on ne s'improvise pas coureur des bois...

Préparation : 15 à 20 minutes $

Portions 24	Ingrédients	Portions 6
1 L	Feuille d'ail des bois	250 mL
4 L	Cresson d'eau sauvage	1 L
250 mL	Oseille des champs	60 mL
1,5 L	Feuille de pissenlit	375 mL
	Vinaigrette :	
	sel (au goût)	
175 mL	vinaigre de cidre	45 mL
60 mL	miel	15 mL
350 mL	huile	90 mL
	poivre (au goût)	

Méthode

1 Bien laver toutes ces feuilles.
2 Déchiqueter grossièrement les plus grandes feuilles.
3 Égoutter et bien assécher.
4 Disposer dans un saladier.
5 Dissoudre le sel dans le vinaigre.
6 Diluer le miel en l'ajoutant au vinaigre.
7 Incorporer l'huile.
8 Poivrer.
9 Bien remuer cette vinaigrette avant de l'utiliser.
10 Arroser la salade de vinaigrette au moment de servir.

Gâteau aux fraises Sainte-Angélique

Préparation : 25 minutes $$$

Portions 24	Ingrédients	Portions 6
4 unités	Gâteau des anges *(voir recettes complémentaires)*	1 unité
3 L	Crème à 35 %	750 mL
300 g	Sucre à glacer	125 mL
2,5 kg	Fraise fraîche	1 L

Méthode

1 Couper une tranche de 2 cm à la base du gâteau.
2 Réserver.
3 Creuser l'intérieur du dessus du gâteau en ayant soin de ne pas briser l'extérieur tout en gardant 1 cm de chaque côté.
4 Fouetter la crème aux trois quarts.
5 Incorporer le sucre et continuer de fouetter.
6 Laver les fraises et les équeuter.
7 Couper la moitié des fraises en tranches.
8 Incorporer les tranches de fraise à la moitié de la crème fouettée.
9 Ajouter les morceaux de gâteau retirés du centre.
10 Remplir la cavité centrale du gâteau avec ce mélange et refermer le gâteau.
11 Décorer l'extérieur du gâteau avec le reste de la crème fouettée et les fraises entières.

Archives nationales du Québec, Outaouais, fonds « R. Beauparlant » *(Le premier anniversaire d'un bébé)*. Objets d'artisanat : Jean Aubry, Saint-André-Avellin *(vaisselle)*.

Gâteau aux fraises Sainte-Angélique

Gâteau aux tomates

Préparation : 20 minutes $$
Cuisson : 45 à 50 minutes

Portions 4 gâteaux	*Ingrédients*	Portion 1 gâteau
550 g	**Noix hachée**	250 mL
775 g	**Raisin sec**	250 mL
1,3 kg	**Farine**	500 mL
4 mL	**Cannelle**	1 mL
4 mL	**Clou de girofle**	1 mL
4 mL	**Muscade**	1 mL
15 mL	**Bicarbonate de soude**	5 mL
2 mL	**Sel**	1 pincée
40 mL	**Poudre à pâte**	10 mL
500 g	**Beurre**	125 mL
925 g	**Sucre**	250 mL
3	**Oeuf**	1
1,1 L	**Soupe aux tomates condensée**	285 mL

Méthode
1 Enduire les noix et les raisins de farine.
2 Tamiser pour récupérer la farine.
3 Réserver les noix et les raisins.
4 Tamiser le reste de farine avec la cannelle, le clou de girofle, la muscade, le bicarbonate de soude, le sel et la poudre à pâte.
5 Ramollir le beurre avec le sucre.
6 Incorporer l'oeuf battu et mélanger jusqu'à ce que le sucre soit complètement dissous.
7 Incorporer au mélange la soupe aux tomates en alternant avec les ingrédients secs tamisés.
8 Incorporer délicatement les noix et les raisins.
9 Verser dans un moule graissé.
10 Cuire au four à 180°C pendant environ 45 à 50 minutes.

Carrés au chocolat

Nos ancêtres pouvaient se permettre ce genre de gâteries, surtout en hiver, puisque les promenades entraînaient souvent de durs combats. On n'ignorait pas que le chocolat procure un surplus d'énergie. L'ingénieur Franquet relate, dans ses* Voyages et mémoires sur le Canada, *une excursion en carriole au mois de février 1753, avant laquelle les participants burent du chocolat.

Préparation : 20 minutes $$$
Cuisson : 20 minutes

Portions 8 douzaines	*Ingrédients*	Portions 2 douzaines
225 g	**Biscuit Graham écrasé**	150 mL
700 g	**Cassonade**	175 mL
70 g	**Cacao**	45 mL
225 g	**Farine tout usage**	90 mL
8 mL	**Bicarbonate de soude**	2 mL
400 mL	**Beurre fondu**	100 mL
4	**Oeuf battu**	1
	Sucre à la crème :	
1,4 kg	**cassonade**	350 mL
1,3 kg	**sucre**	350 mL
700 mL	**crème à 15 %**	175 mL
700 mL	**lait**	175 mL
100 mL	**sirop de maïs**	25 mL
175 g	**beurre**	45 mL
12 mL	**vanille**	3,5 mL
200 g	**noix de Grenoble hachée**	90 mL

Méthode
1 Bien mélanger les sept premiers ingrédients.
2 Étendre dans un moule beurré de 23 x 30 cm.
3 Cuire au four à 180°C pendant 20 minutes.
4 Retirer du four et réserver.
5 Sucre à la crème : mélanger tous les ingrédients.
6 Cuire sur feu moyen jusqu'à 112°C au thermomètre à bonbons.
7 Retirer du feu.
8 Ajouter le beurre, la vanille et les noix de Grenoble hachées.
9 Brasser continuellement en refroidissant; lorsque le sucre commence à prendre, l'étendre sur la première préparation cuite.
10 Couper en carrés avant le refroidissement complet.

Tartelettes au sucre d'érable

Préparation : 15 minutes $$$
Cuisson : environ 38 minutes

Portions 8 douzaines	*Ingrédients*	Portions 2 douzaines
5,2 kg	**Sucre d'érable râpé**	1 L
3 L	**Eau**	750 mL
900 g	**Farine tout usage**	350 mL
2,3 L	**Eau froide**	575 mL
192	***Abaisse* de pâte brisée *(voir recettes complémentaires)* de 10 cm de diamètre (2 *abaisses* par tartelette)**	48

Méthode
1 Mélanger ensemble le sucre et l'eau.
2 Diluer la farine dans l'eau et l'ajouter au premier mélange.
3 Cuire jusqu'à épaississement, soit pendant 8 à 10 minutes.
4 *Foncer* les moules à tartelettes d'une *abaisse* de pâte.
5 Verser dans chaque tartelette 50 mL de l'*appareil.*
6 Couvrir les tartelettes d'une autre *abaisse.*
7 Sceller la pâte avec un peu d'eau et faire une incision sur le dessus.
8 Cuire au four à 225°C pendant 8 minutes.
9 Diminuer la température du four à 180°C et continuer la cuisson pendant 30 minutes.

Délices à la guimauve

Préparation : 30 minutes $$$

Portions 4 kilogrammes	*Ingrédients*	Portions 1 kilogramme
6 L	**Grosse guimauve de couleur**	1,5 L
100 g	**Beurre**	25 mL
25	**Morceau de chocolat non sucré**	6
950 g	**Sucre à glacer**	375 mL
8	**Oeuf**	2
20 mL	**Vanille**	7 mL
800 g	**Noix de Grenoble hachée**	375 mL
450 g	**Noix de coco râpée**	375 mL

Méthode
1 Couper les guimauves en quatre.
2 Faire fondre le beurre et le chocolat au *bain-marie.*
3 Ajouter le sucre à glacer au chocolat fondu.
4 Ajouter les oeufs à ce mélange.
5 Parfumer avec la vanille.
6 Mélanger les morceaux de guimauve, les noix et l'appareil au chocolat.
7 Étendre la noix de coco râpée sur deux épaisseurs de papier ciré de 45 x 30 cm.
8 Étendre l'appareil sur la noix de coco et rouler de façon à former un rouleau de 5 cm de diamètre.
9 Réfrigérer.
10 Enlever le papier.
11 Couper en tranches de 1 cm d'épaisseur.

Bouchées des fêtes

C'est la veille de Noël. Maman a préparé des petites bouchées pour les lutins. « Il faut bien qu'ils mangent un peu, explique-t-elle aux enfants étonnés, ils travaillent très fort pendant cette nuit de Noël »... Et elle place soigneusement ces petites gourmandises tout près de la cheminée, bien en vue. Il faut maintenant aller dormir.

Préparation : 15 minutes $$
Cuisson : 10 à 12 minutes

Portions 8 douzaines	*Ingrédients*	Portions 2 douzaines
8 dz	**Datte dénoyautée**	2 dz
100 g	**Fromage à la crème**	25 mL
4	**Blanc d'oeuf**	1
225 g	**Sucre**	60 mL
60 mL	**Noix de coco râpée**	15 mL

Méthode
1 Ouvrir les dattes en deux.
2 Introduire environ 1 mL de fromage dans chaque datte et refermer.
3 Monter le blanc d'oeuf et le sucre au *bain-marie* jusqu'à l'obtention d'un ruban.
4 Enrober les dattes farcies de meringue.
5 Déposer les dattes sur une plaque beurrée.
6 Saupoudrer chaque datte d'un peu de noix de coco râpée.
7 Dorer au four à 120°C pendant 10 minutes.

Centre des ressources didactiques / Institut de tourisme et d'hôtellerie du Québec

Ketchup aux carottes d'Emma

Archives nationales du Québec, Outaouais, fonds « A. Guertin » *(Groupe d'enfants jouant au bord de l'eau)*. Objets d'artisanat : Jean Aubry, Saint-André-Avellin *(pot en poterie)*.

Biscuits aux pommes de terre et aux carottes

Préparation : 1 heure $

Cuisson : 15 à 17 minutes

Portions 8 douzaines	*Ingrédients*	Portions 2 douzaines
700 g	**Pomme de terre en dés**	**350 mL**
2 L	**Eau froide**	**500 mL**
1,2 kg	**Beurre**	**300 mL**
1,85 kg	**Sucre**	**500 mL**
8	**Oeuf battu**	**2**
20 mL	**Vanille**	**5 mL**
60 mL	**Zeste d'orange râpé**	**15 mL**
875 g	**Carotte râpée**	**500 mL**
1,6 kg	**Farine**	**625 mL**
8 mL	**Sel**	**2 mL**
65 g	**Poudre à pâte**	**15 mL**

Méthode

1 Cuire les pommes de terre dans l'eau.
2 Égoutter.
3 Réduire en purée. Laisser refroidir.
4 Ramollir le beurre avec le sucre.
5 Incorporer les oeufs battus, la vanille, le zeste et la carotte.
6 Ajouter ensuite la purée de pommes de terre refroidie.
7 Ajouter les ingrédients secs.
8 Bien mélanger.
9 À l'aide d'une cuillère de 15 mL, déposer en petites boules sur une tôle à biscuits beurrée.
10 Cuire au four à 200°C pendant 15 à 17 minutes.

Ketchup aux carottes d'Emma

Le ketchup sur nos tables n'accompagne pas que les repas « à la bonne franquette ». On connaît une vaste gamme de ketchups raffinés (tel celui-ci, aux carottes), qui sont préparés avec des légumes et des fruits variés et dignes d'être présentés avec les plats les plus prestigieux. Sur les tables du temps des fêtes, les ketchups rouges ou verts, occupent une place de choix, non loin des tourtières.

Préparation : environ 1 heure $$

Cuisson : environ 20 minutes

Macération : 1 nuit

Portions 6 litres	*Ingrédients*	Portions 1,5 litre
1,3 kg	**Concombre épépiné haché**	**500 mL**
2 L	**Eau**	**500 mL**
200 g	**Sel**	**45 mL**
1,1 kg	**Carotte hachée**	**500 mL**
575 g	**Oignon haché**	**250 mL**
	Eau froide (q.s.)*	
150 g	**Farine**	**60 mL**
950 mL	**Eau froide**	**225 mL**
2 L	**Vinaigre**	**500 mL**
2 kg	**Cassonade**	**500 mL**
125 g	**Moutarde sèche**	**60 mL**
30 ml	**Curcuma (épice)**	**7 mL**
	Sel (au goût)	
	Poivre (au goût)	

Méthode

1 Faire tremper les concombres dans l'eau salée pendant au moins 12 heures.
2 Faire chauffer les concombres et l'eau salée et les amener au point de frémissement; ne pas faire bouillir.
3 Égoutter les concombres et réserver.
4 Faire cuire séparément les carottes et les oignons dans l'eau.
5 Égoutter et réserver avec les concombres.
6 Mélanger la farine et l'eau dans une casserole.
7 Y ajouter le vinaigre, la cassonade, la moutarde et le curcuma.
8 Assaisonner de sel et de poivre.
9 Bien mélanger.
10 Mettre sur le feu et faire cuire pendant 10 à 15 minutes.
11 Ajouter les légumes et laisser mijoter pendant 10 à 15 minutes.
12 Verser dans des bocaux stérilisés.
* quantité suffisante

Pouding à la rhubarbe

Préparation : 20 minutes $$
Cuisson : 40 à 45 minutes

Portions 24	*Ingrédients*	Portions 6
	Sirop :	
1,5 L	**jus de pommes**	**375 mL**
1,4 kg	**sucre**	**375 mL**
1 kg	**Rhubarbe en dés**	**500 mL**
700 g	**Fraise coupée en quatre**	**500 mL**
	Pâte :	
250 g	**beurre**	**60 mL**
650 g	**farine**	**250 mL**
100 g	**sucre**	**30 mL**
40 mL	**poudre à pâte**	**10 mL**
8 mL	**macis (épice)**	**2 mL**
300 mL	**lait**	**75 mL**
8 mL	**Muscade**	**2 mL**
	Crème à 15 % (q.s.)*	

Méthode
1 Amener à ébullition le jus de pommes avec le sucre.
2 Ajouter les fruits et garder chaud dans un plat allant au four.
3 Incorporer le beurre aux ingrédients secs en coupant.
4 Ajouter le lait et bien mélanger de façon à former une pâte.
5 Déposer la pâte par portions de 15 mL sur le sirop chaud.
6 Poudrer de muscade.
7 Cuire au four à 200°C pendant 40 à 45 minutes.
8 Servir chaud ou froid, selon le goût, avec de la crème 15 %.
* quantité suffisante.

Gâteau aux épices et aux raisins

Il faut doser les épices de façon à ce qu'aucune d'entre elles ne s'impose triomphalement aux dépens des autres, à la façon d'un invité grossier qui ne laisse à personne la chance de placer un mot.

Préparation : 30 minutes $$
Cuisson : 45 à 60 minutes

Portions 24	*Ingrédients*	Portions 6
775 g	**Raisin sec**	**250 mL**
2 L	**Eau bouillante**	**500 mL**
900 g	**Farine à pâtisserie**	**500 mL**
40 mL	**Poudre à pâte**	**10 mL**
5 mL	**Bicarbonate de soude**	**1 mL**
5 mL	**Sel**	**1 mL**
5 mL	**Cannelle moulue**	**1 mL**
5 mL	**Épices mélangées moulues**	**1 mL**
500 g	**Beurre doux**	**125 mL**
1 kg	**Cassonade (légèrement tassée)**	**250 mL**
8	**Oeuf battu**	**2**
15 mL	**Vanille**	**5 mL**
250 g	**Pacane hachée enfarinée**	**125 mL**

Méthode
1 Laver les raisins.
2 Les faire mijoter dans l'eau bouillante pendant environ 15 minutes.
3 Bien égoutter et laisser refroidir ; réserver 125 mL du liquide de cuisson.
4 Tamiser la farine à pâtisserie à deux reprises avec la poudre à pâte, le bicarbonate de soude, le sel, la cannelle et les épices.
5 Ramollir le beurre et y incorporer la cassonade.
6 Ajouter les oeufs en battant bien.
7 Mélanger le 125 mL de liquide réservé avec la vanille.
8 Ajouter les ingrédients secs tamisés à la préparation crémeuse, en alternant avec le liquide.
9 Incorporer délicatement les raisins et les pacanes.
10 Graisser un moule carré de 20 cm et garnir le fond d'un papier ciré graissé.
11 Verser le mélange dans le moule.
12 Cuire au four à 180°C pendant environ 50 minutes.
13 Refroidir complètement avant de *masquer* avec une glace au beurre et à la cannelle.

Framboises au miel

Préparation : 12 minutes $$$

Portions 24	*Ingrédients*	Portions 6
2,5 kg	**Framboise fraîche ou**	**1 L**
3 kg	**congelée non sucrée**	**1 L**
2 L	**Miel liquide**	**500 mL**

Méthode
1 Laver, trier et équeuter les framboises si nécessaire ; les écraser grossièrement à l'aide d'une fourchette.
2 Ajouter le miel à cette purée.
Suggestions :
On peut servir cette purée nature avec des biscuits ou en accompagnement de la crème glacée.
N.B. La quantité de miel peut varier selon le goût.
Si désiré, on peut laisser les framboises entières.

Muffins aux carottes

Lors de la visite de la reine Elisabeth II au mois d'octobre 1957, les diététistes de l'Aviation canadienne avaient confectionné un muffin spécial à son intention et le baptisèrent « muffin de la reine ». À l'heure du thé, Sa Majesté goûta les petits pains de ses sujets...

Préparation : 15 minutes $
Cuisson : 30 minutes

Portions 8 douzaines	*Ingrédients*	Portions 2 douzaines
275 g	**Graisse**	**100 mL**
1,2 kg	**Sucre**	**325 mL**
10	**Oeuf**	**3**
575 g	**Carotte râpée**	**325 mL**
1 kg	**Pomme râpée**	**325 mL**
1 kg	**Raisin sec**	**325 mL**
1,3 kg	**Farine tout usage**	**500 mL**
70 g	**Bicarbonate de soude**	**20 mL**
60 mL	**Poudre à pâte**	**15 mL**
12 mL	**Sel**	**3 mL**

Méthode
1 Ramollir la graisse avec le sucre.
2 Ajouter les oeufs et bien mélanger.
3 Incorporer les carottes, les pommes et les raisins.
4 Tamiser les ingrédients secs et les ajouter au mélange.
5 Bien mélanger.
6 Verser dans des moules à muffins à raison de 50 mL par muffin.
7 Cuire au four à 180°C pendant 30 minutes.

Punch de Saint-Émile

Préparation : 10 minutes $$

Portions 24	*Ingrédients*	Portions 6
2	**Bâtonnet de canelle**	**1**
8	**Clou de girofle**	**2**
2 mL	**Toute-épice**	**1 pincée**
1 L	**Eau**	**250 mL**
2 L	**Jus de pommes**	**500 mL**
1 L	**Jus de canneberges**	**250 mL**
250 g	**Cassonade**	**60 mL**
725 mL	**Cognac**	**180 mL**

Méthode
1 Faire infuser les épices dans l'eau et les jus pendant environ 5 minutes.
2 Ajouter la cassonade.
3 Servir dans des tasses en ajoutant 30 mL de cognac dans chaque tasse.
Note : La quantité de cassonade, d'épices et de cognac peut varier selon le goût.

Pain d'avelines

Préparation : 10 minutes $
Cuisson : 5 minutes

Portions 8 douzaines	*Ingrédients*	Portions 2 douzaines
900 g	**Noisette écrasée au mortier**	**300 mL**
3 L	**Eau**	**750 mL**
30 mL	**Sel**	**8 mL**
300 g	**Farine de blé entier**	**125 mL**
750 mL	**Huile à frire**	**200 mL**

Méthode
1 Faire bouillir les noisettes dans l'eau jusqu'à consistance d'une purée.
2 Battre au mélangeur.
3 Incorporer le sel et la farine à la purée.
4 Laisser gonfler pendant 30 minutes afin que le mélange devienne épais.
5 Chauffer l'huile dans une casserole épaisse.
6 Laisser tomber le mélange dans l'huile par petites cuillerées à soupe.
7 Bien brunir sur les deux côtés.

Abitibi-Témiscamingue

Tout au long de ce développement, la population de l'Abitibi-Témiscamingue est restée en étroite relation avec la nature. Ce phénomène se reflète, non seulement dans la mentalité des gens, mais encore dans leurs habitudes de vie, notamment les coutumes culinaires.

L'histoire de cette région est intimement liée aux ressources naturelles du territoire ainsi qu'à ses grands axes de pénétration. Depuis fort longtemps, la région tout entière était occupée par les Algonquins au sud et par les Cris au nord. Vivant de chasse et de pêche, en harmonie avec la nature, ces peuples ont guidé et aidé les premiers Blancs à s'installer dans ces contrées éloignées.

De par leurs fréquents contacts avec les Amérindiens, les pionniers de l'Abitibi-Témiscamingue ont cultivé un art culinaire particulier, axé en grande partie sur les viandes sauvages et le poisson. Qui, dans cette région, ignore encore le goût savoureux de l'orignal, la délicatesse de la chair de perdrix ou le fumet d'une belle truite grise ou d'un doré ? Dans une région où l'on devait chasser, pêcher et trapper pour vivre, il est toute une gamme de recettes variées qui se sont développées. Et pour accompagner ces succulents plats de résistance, c'est encore dans la forêt que l'on a puisé. Fraises, bleuets, framboises, pimbinas, atocas, pour ne citer que quelques fruits, ont inspiré à nos cuisinières de délicieux desserts.

Il faut aussi compter dans la cuisine régionale de l'Abitibi-Témiscamingue, la présence de camps de bûcherons. Hommes durs au labeur, travaillant d'une étoile à l'autre, les bûcherons avaient besoin d'une nourriture roborative, et le souvenir de la cuisine de chantier se fait encore sentir dans nos cuisines, surtout l'hiver.

La nourriture en Abitibi-Témiscamingue est à l'image de son environnement naturel : solide, généreuse et abondante.

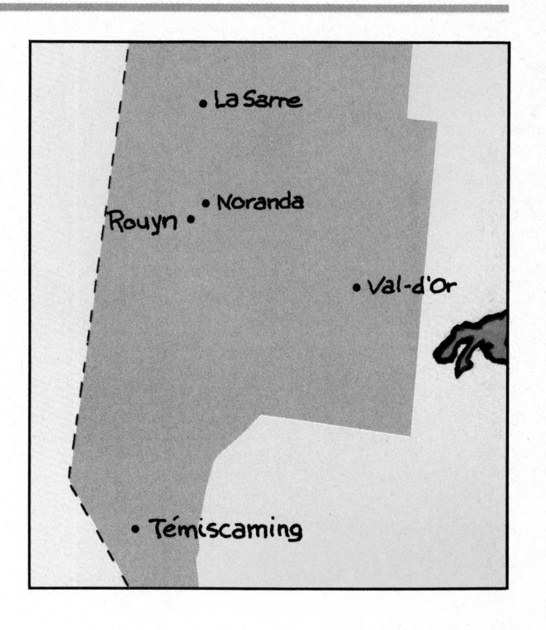

Terrine de doré de Kipawa

La chair de ce poisson, le plus gros de la famille des perchaudes, est d'une grande qualité et son goût raffiné n'est pas altéré lorsque les eaux se réchauffent l'été.

Préparation : 2 heures 30
Cuisson : 45 minutes

Portions 24	Ingrédients	Portions 6
1,2 kg	Chair de doré	300 g
4	Blanc d'oeuf	1
1,5 L	Crème 35%	375 mL
	Sel (au goût)	
	Poivre (au goût)	
	Muscade (au goût)	
20 mL	Beurre	5 mL

Méthode
1 Passer trois fois la chair de doré au hachoir.
2 Ajouter le blanc d'oeuf.
3 Bien mélanger.
4 *Passer* au tamis.
5 Laisser refroidir pendant 2 heures, au réfrigérateur.
6 Incorporer petit à petit la crème, en remuant constamment.
7 Assaisonner.
8 Beurrer un moule d'une capacité de 2 litres.
9 Verser l'*appareil* dans le moule.
10 *Cuire au bain-marie*, au four à 180°C, pendant 45 minutes.
N.B. Si la terrine a tendance à trop colorer, couvrir avec un papier d'aluminium.

Soupe du lac Macamic

Qu'une pêche soit fructueuse, que l'on ramène doré, carpe, brochet et perchaude, que l'on choisisse quelques légumes, des épices et un bon vin blanc, tout cela suffira pour créer une soupe de poissons à la mode de Macamic — qui signifierait « castor boiteux » en algonquin.

Préparation : 30 minutes $$$
Cuisson : 1 heure 15 à 1 heure 30

Portions 24	Ingrédients	Portions 6
1,2 kg	Doré	300 g
1,2 kg	Brochet	300 g
1,2 kg	Carpe	300 g
1,2 kg	Perchaude	300 g
2 L	Vin blanc	500 mL
6 L	Eau	1,5 L
200 g	Poireau émincé	125 mL
250 g	Carotte émincée	125 mL
250 g	Céleri émincé	125 mL
125 g	Navet en cubes	60 mL
325 g	Oignon émincé	125 mL
2	Citron	½
	Sel (au goût)	
20	Poivre en grains	5
3	Feuille de laurier	1
2 mL	Thym	1 pincée
300 g	Beurre	75 mL
200 g	Farine	75 mL
8	Jaune d'oeuf battu	2

Méthode
1 Laver et couper les poissons en tronçons.
2 Mettre de côté.
3 Mettre tous les ingrédients dans une casserole et faire mijoter pendant 45 minutes.
4 *Passer* au chinois fin et laisser tiédir.
5 Faire *pocher* le poisson pendant 15 à 17 minutes.
6 Retirer les morceaux de poisson et les effeuiller en prenant soin d'enlever les arêtes.
7 Mélanger le beurre et la farine.
8 *Lier* avec le jus de cuisson.
9 Faire mijoter de 15 à 20 minutes.
10 Ajouter 250 mL de poisson.
11 Verser petit à petit le jus de cuisson épaissi sur les jaunes d'oeufs.
12 Bien mélanger et servir chaud avec des croûtons au beurre.
Notes
1) La soupe ne doit pas bouillir une fois que les jaunes d'oeufs y ont été ajoutés.
2) Le reste du poisson peut servir à faire une salade.
3) On peut utiliser un ou plusieurs des poissons mentionnés.

Centre des ressources didactiques / Institut de tourisme et d'hôtellerie du Québec

La soupe du boulanger

Archives nationales du Québec, collection du ministère des Communications *(Madame Georges Mercier retire du fourneau du bon pain de ménage à Mont-Brun)*. Objets d'artisanat : Léa Vermette, Val-d'Or *(poignée)*; Marion et Verge, l'Islet *(vaisselle)*.

Crème de carottes à l'orge perlé

Voilà un potage très nourrissant pour les froides journées d'hiver. On y incorpore de l'orge perlé, c'est-à-dire des grains d'orge arrondis, dépouillés de leur écorce.

Préparation : 15 minutes $
Cuisson : 50 minutes

Portions 24	*Ingrédients*	Portions 6
2 kg	**Carotte émincée**	**1 L**
325 g	**Oignon ciselé**	**125 mL**
300 g	**Beurre**	**75 mL**
6 L	**Bouillon de volaille**	**1,5 L**
8 mL	**Sucre**	**2 mL**
	Sel (au goût)	
2 mL	**Thym**	**1 pincée**
350 g	**Riz**	**100 mL**
	Crème d'orge :	
250 g	**orge perlé**	**75 mL**
1 L	**bouillon de volaille**	**250 mL**
500 mL	**crème 35%**	**125 mL**

Méthode
1 *Étuver* les carottes et les oignons au beurre.
2 *Mouiller* avec le bouillon de volaille.
3 Laisser mijoter.
4 Ajouter le sucre, le sel et le thym.
5 Ajouter le riz.
6 Faire mijoter pendant environ 40 minutes.
7 Réduire en purée au mélangeur.
8 *Passer* à l'étamine.
9 Faire mijoter et *écumer*.
10 Laver l'orge et faire mijoter dans le bouillon de volaille et la crème pendant environ 40 minutes.
11 Ajouter la crème d'orge à la crème de carottes et bien mélanger.
12 Rectifier l'assaisonnement.

Soupe du boulanger

Préparation : 10 minutes $
Cuisson : 25 minutes

Portions 24	*Ingrédients*	Portions 6
600 g	**Oignon haché**	**250 mL**
175 g	**Beurre**	**45 mL**
150 g	**Pain tranché en cubes**	**500 mL**
6 L	**Bouillon de volaille**	**1,5 L**
	Sel (au goût)	
	Poivre (au goût)	

Méthode
1 *Faire revenir* les oignons dans le beurre, jusqu'à coloration blonde.
2 Ajouter le pain et le *faire revenir* pour obtenir une légère coloration.
3 *Mouiller* avec le bouillon et cuire pendant environ 15 minutes.
4 Assaisonner.
5 Servir bien chaud.

Soupe fermière

Préparation : 20 minutes $$
Cuisson : 25 minutes

Portions 24	*Ingrédients*	Portions 6
225 g	**Chou en *julienne***	**125 mL**
100 g	**Navet en *julienne***	**50 mL**
100 g	**Carotte en *julienne***	**50 mL**
75 g	**Poireau en *julienne***	**50 mL**
100 g	**Céleri en *julienne***	**50 mL**
6 L	**Consommé de boeuf**	**1,5 L**
	Sel (au goût)	
	Poivre (au goût)	

Méthode
1 Cuire les légumes dans juste assez de consommé pour couvrir.
2 Ajouter le reste du consommé chaud.
3 Vérifier l'assaisonnement.
4 Servir chaud.

Côtelettes de porc farcies

Préparation : 20 minutes $$
Cuisson : 1 heure

Portions 24	*Ingrédients*	Portions 6
48	**Côtelette de porc**	**12**
	Farce :	
250 g	**pain en dés**	**750 mL**
300 g	**oignon haché**	**125 mL**
	sel (au goût)	
	poivre (au goût)	
8 mL	**sauge**	**2 mL**
4	**oeuf**	**1**
125 mL	**Huile**	**30 mL**
300 g	**Oignon haché**	**125 mL**
100 g	**Céleri en dés**	**50 mL**
125 g	**Farine**	**45 mL**
3 L	**Fond brun chaud (*voir recettes complémentaires*)**	**750 mL**

500 mL	**Tomate concassée en morceaux**	**125 mL**
8 mL	**Thym**	**2 mL**
3	**Feuille de laurier**	**1**
	Sel (au goût)	
	Poivre (au goût)	
12 mL	**Sel d'ail**	**3 mL**

Méthode
1 Couper les côtelettes de moitié sur l'épaisseur.
2 Mélanger le pain, les oignons, le sel, le poivre, la sauge et l'oeuf.
3 Farcir les côtelettes.
4 *Faire colorer* les côtelettes dans l'huile.
5 Retirer les côtelettes de la poêle et les mettre dans un chaudron allant au four.
6 *Faire suer* les oignons et le céleri dans le gras de cuisson de la poêle.
7 Saupoudrer de farine.
8 *Mouiller* avec le fond brun et les tomates concassées.
9 Ajouter le thym, le laurier, le sel, le poivre et le sel d'ail.
10 Verser cette sauce sur les côtelettes.
11 Couvrir et cuire au four à 180°C pendant 1 heure.

Jambon tranché à l'érable

Après avoir rudement travaillé, les bûcherons s'attablaient pour le repas du midi : le menu, invariable, ne se composait pas de jambon tranché à l'érable, mais plutôt de lard bouilli dans de la mélasse, appelé de l'amioque.

Préparation : 10 minutes $
Cuisson : 15 minutes

Portions 24	*Ingrédients*	Portions 6
24	**Tranche de jambon**	**6**
200 g	**Cassonade**	**50 mL**
500 mL	**Sirop de table**	**125 mL**
60 mL	**Moutarde sèche**	**15 mL**
100 mL	**Vinaigre de cidre**	**25 mL**
2 mL	**Essence d'érable**	**0,5 mL**

Méthode
1 Placer les tranches de jambon sur une plaque.
2 Mélanger tous les ingrédients.
3 *Badigeonner* chaque tranche de jambon avec 15 mL de sauce.
4 Faire griller à 230°C pendant 7 à 8 minutes.
5 Retourner les tranches de jambon.
6 *Badigeonner* avec le reste de la sauce.
7 Faire griller.
8 Servir.
Note : On peut remplacer le sirop de table par du sirop d'érable.

Boulettes en casserole

Préparation : 20 minutes $
Cuisson : 1 heure

Portions 24	*Ingrédients*	Portions 6
3,6 kg	**Boeuf haché**	**900 g**
60 g	**Mie de pain en cubes**	**175 mL**
8	**Oeuf**	**2**
	Sel (au goût)	
	Poivre (au goût)	
675 g	**Poivron vert haché**	**250 mL**
600 g	**Oignon haché**	**250 mL**
100 g	**Margarine**	**25 mL**
3 L	**Bouillon de boeuf**	**750 mL**
	Sel (au goût)	
	Poivre (au goût)	
850 g	**Riz**	**250 mL**
1,3 kg	**Cheddar jaune fort en petits dés**	**425 mL**

Méthode
1 Mélanger le boeuf haché, la mie de pain, les oeufs, le sel et le poivre.
2 Façonner en boulettes de 50 mL.
3 *Faire suer* les poivrons verts et les oignons dans la margarine.
4 *Mouiller* avec le bouillon de boeuf.
5 Assaisonner.
6 Ajouter le riz et les boulettes.
7 Amener à ébullition.
8 Couvrir et cuire au four à 180°C pendant 1 heure.
9 Ajouter le fromage et bien mélanger.
10 Servir.

Truite au four

Préparation : 20 à 25 minutes $
Cuisson : 15 à 17 minutes

Portions 24	*Ingrédients*	Portions 6
6 kg	**Truite de lac**	**1,5 kg**
	Sel (au goût)	
	Poivre (au goût)	
125 mL	**Sauce H.P. ou chutney**	**30 mL**
24	**Tranche de citron**	**6**
24	**Tranche de bacon**	**6**
100 g	**Beurre**	**30 mL**
450 g	**Laitue ciselée**	**500 mL**
24	**Tranche de citron**	**6**
180 mL	**Sherry**	**45 mL**

Méthode
1 Bien nettoyer la truite de lac.
2 Éponger.
3 Assaisonner la truite et la *badigeonner* de sauce.
4 Mettre les tranches de citron à l'intérieur de la truite.
5 Déposer le bacon sur la truite.
6 Beurrer un plat allant au four ou un papier d'aluminium et le *foncer* avec la laitue.
7 Disposer les tranches de citron sur la laitue.
8 Déposer la truite sur le citron.
9 Couvrir et cuire au four à 220°C pendant 20 minutes.
10 Arroser le poisson avec le sherry.
11 Continuer la cuisson au four pendant 5 à 7 minutes, à découvert.

Dinde de Malartic rôtie et farcie aux abricots

Préparation : 1 heure $$$
Cuisson : 4 heures 30 à 5 heures

Portions 24	*Ingrédients*	Portions 6
2 kg	**Chair à saucisse**	**500 g**
175 g	**Beurre**	**45 mL**
1,1 kg	**Champignon émincé**	**800 mL**
1,2 kg	**Oignon haché**	**500 mL**
150 g	**Beurre**	**35 mL**
475 g	**Pain sec en cubes**	**1,5 L**
1,6 kg	**Abricot émincé**	**500 mL**
20 mL	**Épices à volaille**	**5 ml**
8 mL	**Muscade**	**2 mL**
	Sel (au goût)	
	Poivre (au goût)	
1,4 L	**Bouillon de poulet**	**350 mL**
4	**Petite dinde de 3 à 4 kg**	**1**
	Sel (au goût)	
	Poivre (au goût)	
250 mL	**Huile**	**60 mL**
650 g	**Oignon émincé**	**250 mL**
250 g	**Carotte en rondelles**	**125 mL**
250 g	**Céleri émincé**	**125 mL**
325 g	**Farine**	**125 mL**
250 mL	**Vinaigre**	**60 mL**
8 L	**Bouillon de volaille**	**2 L**
1 L	**Jus d'abricots**	**250 mL**
96	**Abricot poché au sirop en demi**	**24**
250 g	**Beurre**	**60 mL**

Méthode
1 Faire rissoler au beurre la chair à saucisse jusqu'à ce qu'elle soit dorée.
2 Faire *sauter* au beurre les champignons et les oignons jusqu'à ce que les oignons soient transparents.
3 Laisser tiédir.
4 Mélanger tous les ingrédients avec la chair à saucisse tiédie.
5 Farcir la dinde.
6 La *brider*.
7 Assaisonner l'extérieur de la dinde et la huiler.
8 La faire rôtir au four à 170°C pendant 4 heures 30 à 5 heures.
Note : couvrir la dinde avec une feuille de papier d'aluminium pour empêcher qu'elle colore trop fortement. Arroser souvent avec le fond de cuisson. la dinde est cuite quand la farce atteint 78°C.
9 Ajouter les légumes 30 minutes avant la fin de la cuisson.
10 Déposer la dinde dans un plat de service.
11 Mettre la plaque de cuisson sur un feu vif et laisser mijoter 4 à 5 minutes.
12 *Dégraisser* la plaque.
13 Saupoudrer de farine et faire brunir de 2 à 3 minutes.
14 *Déglacer* avec le vinaigre.
15 Ajouter le bouillon et le jus d'abricots et faire mijoter pendant 10 minutes.
16 *Passer* la sauce au chinois fin.
17 Rectifier l'assaisonnement.
18 Servir la dinde avec les abricots pochés au sirop et *sautés* au beurre.

Lapin à la mélasse

Un mélange de neuf cuillerées de soufre combinées à une chopine de mélasse vous redonnait une santé de fer à raison d'une « prise » avant chaque repas, pendant neuf jours.

Préparation : 20 minutes $$
Cuisson : 1 heure

Portions 24	Ingrédients	Portions 6
4,8 kg	**Lapin en morceaux**	**1,2 kg**
60 mL	**Beurre**	**15 mL**
4	**Poivron vert en rondelles**	**1**
4	**Oignon en rondelles**	**1**
1,3 L	**Sauce chili**	**325 mL**
1 L	**Mélasse**	**250 mL**
20 mL	**Sauce Worcestershire**	**5 mL**
	Sel (au goût)	
	Poivre (au goût)	
2 L	**Eau**	**500 mL**

Méthode
1 Déposer les morceaux de lapin dans une cocotte beurrée.
2 Déposer les rondelles de poivron et d'oignon sur les morceaux de lapin.
3 Mélanger tous les autres ingrédients et verser dans la cocotte.
4 Cuire au four à 170°C pendant environ 1 heure.
5 Servir aussitôt.

Boeuf à la bière

Au temps où les boeufs sauvages n'avaient pas encore été domestiqués, la chasse en était très répandue en Nouvelle-France. Les Amérindiens y cernaient les troupeaux en formant un vaste carré dont ils enflammaient les herbes sèches.

Préparation : 15 minutes $
Cuisson : 2 heures 30

Portions 24	Ingrédients	Portions 6
4 kg	**Boeuf en cubes**	**1 kg**
350 mL	**Huile**	**90 mL**
275 g	**Carotte en dés**	**125 mL**
275 g	**Céleri en dés**	**125 mL**
325 g	**Oignon émincé**	**125 mL**
500 mL	**Pâte de tomate**	**125 mL**
3	**Feuille de laurier**	**1**
4 mL	**Poudre de chili**	**1 mL**
4 mL	**Clou de girofle moulu**	**1 mL**
1,35 L	**Bière blonde**	**340 mL**
20 mL	**Sucre en poudre**	**5 mL**
	Sel (au goût)	
	Poivre (au goût)	

Méthode
1 *Faire revenir* les cubes de boeuf à l'huile.
2 Ajouter les légumes, la pâte de tomate et les assaisonnements, et *faire revenir* avec le boeuf.
3 *Mouiller* avec la bière, ajouter le sucre en poudre et faire cuire au four moyen pendant environ 2 heures.
4 Assaisonner.

Orignal aux poivrons

Préparation : 30 minutes $$
Cuisson : 15 à 20 minutes

Portions 24	Ingrédients	Portions 6
3,6 kg	**Orignal**	**900 g**
875 g	**Poivron en fine** *julienne*	**500 mL**
250 g	**Carotte en fine** *julienne*	**125 mL**
450 g	**Oignon émincé**	**175 mL**
	Marinade :	
1 L	**vin rouge**	**250 mL**
200 mL	**huile**	**50 mL**
200 mL	**vinaigre**	**50 mL**
	sel (au goût)	
	poivre (au goût)	
20 mL	**sucre**	**5 mL**
4	**gousse d'ail écrasée**	**1**
300 mL	**Huile**	**75 mL**
100 g	**Fécule de maïs**	**45 mL**

Méthode
1 Découper l'orignal en *aiguillettes.*
2 Bien mélanger les légumes et l'orignal, et laisser mariner au réfrigérateur pendant 24 heures.
3 Égoutter et réserver le jus.
4 Faire *sauter* par petites quantités l'orignal et les légumes dans l'huile fumante.
5 Épaissir le jus de la marinade avec la fécule de maïs.
6 Verser la sauce sur les ingrédients *sautés.*
7 Laisser reposer 2 à 3 minutes.
8 Servir chaud.

Agneau de Sainte-Germaine aux noisettes

Sainte-Germaine-Boulé est une petite municipalité de l'Abitibi, connue aussi sous le vocable de Sainte-Germaine-de-Palmarolle.

Préparation : 15 minutes $$
Cuisson : 3 heures

Portions 24	Ingrédients	Portions 6
3,6 kg	**Agneau en cubes**	**900 g**
1,3 kg	**Oignon émincé**	**500 mL**
600 g	**Noisette écrasée finement**	**150 g**
200 g	**Noisette entière**	**50 g**
	Sel (au goût)	
	Poivre (au goût)	
250 mL	**Huile**	**60 mL**
1,2 L	**Eau**	**300 mL**
2	**Gousse d'ail écrasée (facultatif)**	**½**
500 mL	**Crème 35%**	**125 mL**
60 mL	**Persil haché**	**15 mL**

Méthode
1 Réunir tous les ingrédients dans une casserole et faire cuire à feu très doux, à couvert, pendant environ 3 heures.
2 Remuer de temps en temps au cours de la cuisson.
3 Ajouter un peu d'eau si nécessaire.
4 La viande est cuite lorsqu'elle cède sous la pression du doigt.
5 Ajouter la crème.
6 Vérifier l'assaisonnement.
7 Garnir de persil et servir chaud.

Brochet aux pommes de terre et à la crème

Le brochet est un terrible prédateur : grâce à ses nageoires arrière, il bondit comme un fauve et, lorsqu'il s'apprête à saisir une proie, ce carnivore vorace ouvre une large bouche découvrant 700 dents !

Préparation : 15 minutes $$$
Cuisson : environ 1 heure

Portions 24	Ingrédients	Portions 6
3,6 kg	**Filet de brochet**	**900 g**
40 g	**Beurre**	**10 mL**
2,8 kg	**Pomme de terre émincée**	**1,25 L**
	Sel (au goût)	
	Poivre (au goût)	
3,2 L	**Crème 35%**	**800 mL**

Méthode
1 Couper le brochet en morceaux de 6 cm de large.
2 Beurrer un plat allant au four.
3 Déposer une rangée de pommes de terre dans le moule.
4 Assaisonner.
5 Déposer une rangée de filet de brochet sur les pommes de terre.
6 Assaisonner.
7 Continuer l'opération jusqu'à épuisement des ingrédients (terminer par les pommes de terre).
8 Verser la crème dans le moule.
Note : Celle-ci doit recouvrir les pommes de terre.
9 Cuire au four à 140°C, à couvert, pendant 1 heure.

Navets au miel

Préparation : 15 minutes $
Cuisson : 30 minutes

Portions 24	Ingrédients	Portions 6
1,1 kg	**Navet en cubes**	**600 mL**
	Sel (au goût)	
125 g	**Beurre**	**30 mL**
250 mL	**Miel**	**60 mL**
	Eau froide (pour couvrir)	
60 mL	**Persil haché**	**15 mL**

Méthode
1 Mettre le navet, le sel, le beurre et le miel dans une sauteuse, et couvrir d'eau.
2 Couvrir et faire mijoter jusqu'à ce que le liquide soit rendu à l'état de sirop.
3 Faire *sauter* les cubes de navet pour bien les enrober de sirop.
4 Garnir de persil haché.
5 Servir chaud.

Gratin témiscamien

Préparation : 25 minutes $
Cuisson : 20 minutes

Portions 24	Ingrédients	Portions 6
2,6 kg	Chou ciselé	1,5 L
300 g	Oignon haché	125 mL
375 g	Beurre	95 mL
1,5 L	Tomate concassée	375 mL
	Sel (au goût)	
	Poivre (au goût)	
40 mL	Beurre	10 mL
275 g	Fromage cheddar fort râpé	175 mL

Méthode
1 *Faire suer* les légumes au beurre.
2 Ajouter les tomates concassées et les assaisonnements.
3 Verser la préparation dans un plat à gratin beurré.
4 Gratiner au four à 260°C pendant 5 à 7 minutes.
5 Servir chaud.

Salade à la crème sure et à l'échalote

Voilà un légume dont l'aspect, à lui seul, suffit pour raviver une sauce. D'un vert ardent, l'échalote évoque la fraîcheur d'un beau printemps et son petit goût piquant est plus fin que celui de son gros cousin, l'oignon. L'échalote n'est pas difficile à cultiver; on peut même en récolter pendant l'hiver en aménageant un jardinet planté dans un grand pot de terre cuite installé dans l'embrasure d'une fenêtre de la cuisine. Elles s'accomoderont bien du ciel morne de l'hiver et sauront même le faire oublier.

Préparation : 1 heure 15 $

Portions 24	Ingrédients	Portions 6
500 mL	Crème 35%	125 mL
75 g	Échalote verte ciselée	60 mL
	Sel (au goût)	
	Poivre (au goût)	
60 mL	Vinaigre	15 mL
1,7 kg	Laitue déchiquetée	1 L

Méthode
1 Mélanger la crème, les échalotes et les assaisonnements, et laisser *macérer* au réfrigérateur pendant 1 heure.
2 Incorporer le vinaigre.
3 Mélanger avec la laitue.
4 Servir immédiatement.

Salade de choux aux pommes

Préparation : 20 minutes $

Portions 24	Ingrédients	Portions 6
1,8 kg	Chou ciselé	1 L
800 g	Pomme râpée	250 mL
300 g	Oignon haché	125 mL
500 mL	Mayonnaise	125 mL
	Sel (au goût)	
	Poivre (au goût)	
24	Feuille de laitue	6

Méthode
1 Mélanger tous les ingrédients.
2 Servir sur une feuille de laitue.

Archives publiques du Canada *(Un enfant en raquettes, Val-d'Or, (Québec), 1935)*. Objets d'artisanat : Normand Desrosiers, Rouyn (*tasse*); La mailloche, Québec (*bol*).

Punch glacé

Punch glacé

Voilà une boisson qui serait certes très bien accueillie après l'escalade du Mont-Chaudron.

Préparation : 5 minutes $$$

Portions 6 litres	Ingrédients	Portion 1,5 litre
200 mL	Mélasse	50 mL
2 mL	Cannelle	0,5 mL
2,6 L	Lait froid	650 mL
3,2 L	Crème glacée à la vanille	800 mL

Méthode
1 Mélanger tous les ingrédients.
2 Fouetter au mélangeur.
3 Verser dans des verres.
4 Servir.

Centre des ressources didactiques / Institut de tourisme et d'hôtellerie du Québec

Gâteau roulé à la confiture

Préparation : 20 minutes $
Cuisson : 20 minutes

Portions 24	Ingrédients	Portions 6
325 g	Farine à pâtisserie	150 mL
20 mL	Poudre à pâte	5 mL
8 mL	Sel	2 mL
325 g	Sucre	90 mL
90 mL	Eau chaude	25 mL
10	Oeuf	3
7 mL	Jus de citron	2 mL
750 mL	Gelée ou confiture	200 mL

Méthode
1 Tamiser les ingrédients secs.
2 Dissoudre le sucre dans l'eau chaude.
3 Fouetter les oeufs au mélangeur électrique de 10 à 12 minutes.
4 Ajouter lentement le sucre dissout.
5 Battre pendant 5 minutes.
6 Ajouter le jus de citron.
7 Ajouter les ingrédients secs à vitesse minimale.
8 Beurrer une plaque de 30 cm x 45 cm x 2 cm.
9 Couvrir le fond de la plaque de papier ciré.
10 Transvider la pâte dans la plaque.
11 À l'aide d'une spatule, égaliser la pâte en une couche uniforme.
12 Cuire au four à 170°C pour 20 minutes.
13 Renverser le gâteau sur un linge couvert de sucre en poudre et laisser le gâteau refroidir.
14 Retirer le papier ciré seulement au moment de rouler.
15 Étendre la confiture sur le gâteau avant de rouler.

Gâteau snobinette

Préparation : 15 minutes $
Cuisson : 50 à 60 minutes

Portions 4 gâteaux	Ingrédients	Portion 1 gâteau
500 g	Beurre	125 mL
500 g	Cassonade	125 mL
8	Jaune d'oeuf	2
20 mL	Essence de vanille	5 mL
950 g	Farine	375 mL
20 mL	Poudre à pâte	5 mL
500 mL	Lait	125 mL
8	Blanc d'oeuf	2
2 kg	Cassonade	500 mL

Méthode
1 Crémer le beurre avec la cassonade.
2 Ajouter les jaunes d'oeufs et l'essence de vanille.
3 Tamiser les ingrédients secs et les ajouter au mélange en alternant avec le lait.
4 Verser dans un moule de 1 litre graissé.
5 Monter les blancs d'oeufs en neige et ajouter la cassonade.
6 Déposer sur la pâte.
7 Cuire au four à 180°C pendant environ 50 à 60 minutes.

Centre des ressources didactiques / Institut de tourisme et d'hôtellerie du Québec

Tarte au sucre économique

En 1943, le ministère fédéral des Ressources naturelles, énumérant dans un communiqué les multiples produits dérivés de la pâte de bois, laissait entendre que le temps n'était pas très loin où l'on verrait des « sucres de bois » figurer au menu des meilleures tables !

Préparation : 5 minutes $
Cuisson : 30 minutes

Portions 4 tartes	Ingrédients	Portion 1 tarte
1,5 kg	Cassonade	375 mL
125 g	Farine	45 mL
800 mL	Lait	200 mL
4	*Abaisse* de pâte brisée de 22 cm (*voir recettes complémentaires*)	1

Méthode
1 Mélanger la cassonade avec la farine.
2 *Mouiller* avec le lait.
3 Bien mélanger.
4 Verser dans une *abaisse* de pâte brisée.
5 Cuire au four à 180°C pendant 30 minutes.

Gâteau roulé à la confiture

Archives nationales du Québec, collection du ministère des Communications *(Jeunes Indiennes faisant de la galette à Waswanipi)*. Objets d'artisanat : Normand Desrosiers, Rouyn *(assiette)*; Magus, Montréal *(lampe)*.

Gâteau aux fruits

Préparation : 20 minutes $$$
Cuisson : 2 heures 30

Portions 4 gâteaux	Ingrédients	Portion 1 gâteau
500 g	Beurre	125 mL
1 kg	Cassonade	250 mL
12	Oeuf	3
500 mL	Mélasse	125 mL
1,6 kg	Farine	625 mL
2,8 kg	Fruit confit	750 mL
10 mL	Poudre à pâte	2,5 mL
250 mL	Brandy	65 mL
1,5 L	Crème sure	375 mL
800 g	Noix de Grenoble hachée	375 mL
20 mL	Cannelle	5 mL
10 mL	Clou de girofle moulu	2,5 mL

Méthode
1 Battre le beurre en crème avec la cassonade.
2 Ajouter les oeufs et la mélasse.
3 Fariner les fruits confits (conserver le reste de la farine pour l'incorporer au gâteau).
4 Tamiser la poudre à pâte avec le reste de la farine.
5 Ajouter au mélange en alternant avec le brandy et la crème sure.
6 Ajouter les fruits confits, les noix, la cannelle et le clou de girofle moulu.
7 Bien mélanger.
8 Verser dans un moule à pain d'une capacité de 2 litres dont le fond et les côtés seront recouverts de papier brun ciré.
9 Cuire au four à 180°C pendant 2 heures 30.
10 Pendant la cuisson, vérifier le dessus du gâteau, et s'il tend à brûler, le couvrir.

Farfadets au chocolat

Qui n'a pas rêvé de se voir mystérieusement transporté dans une forêt enchantée ? Cette forêt existe, tout près de l'emplacement du Fort Témiscamingue. À l'aspect étrange de ses beaux cèdres, on reconnaît là le domaine du petit peuple merveilleux des farfadets.

Préparation : 30 minutes $$
Cuisson : 35 à 40 minutes

Portions 8 douzaines	Ingrédients	Portions 2 douzaines
500 g	Beurre	125 mL
1 kg	Cassonade	250 mL
8	Oeuf	2
20 mL	Essence de vanille	5 mL
650 g	Farine tout usage	250 mL
45 g	Cacao	30 mL
4 mL	Sel	1 mL
400 g	Noisette entière	175 mL
50 g	Noisette concassée	30 mL
	Glaçage :	
675 g	sucre glace	250 mL
60 mL	cacao	15 mL
60 mL	beurre fondu	15 mL
125 mL	eau bouillante	30 mL
4 L	essence de vanille	1 mL

Méthode
1 Battre le beurre en crème avec la cassonade.
2 Ajouter les oeufs, un à un, puis l'essence de vanille.
3 Ajouter les ingrédients secs tamisés et les noisettes.
4 Étendre la pâte dans un moule à gâteau d'une capacité de 1 litre graissé.
5 Cuire au four à 180°C de 35 à 40 minutes. Laisser refroidir.
6 Glacer le gâteau.
7 Saupoudrer de noisettes concassées.
Glaçage :
8 Tamiser les ingrédients secs.
9 Ajouter le beurre fondu, l'eau bouillante et la vanille.
10 Bien mélanger.

Galettes roulées aux dattes

Préparation : 25 minutes $$
Cuisson : 10 à 15 minutes

Portions 8 douzaines	Ingrédients	Portions 2 douzaines
	Garniture :	
925 g	datte hachée	250 mL
425 g	sucre	125 mL
500 mL	eau	125 mL
350 g	beurre	90 mL
20 mL	essence de vanille	5 mL
	Pâte :	
1 kg	beurre	250 mL
500 g	cassonade	125 mL
450 g	sucre	125 mL
4	oeuf	1
10 mL	essence de vanille	3 mL
1,3 kg	farine	500 mL
10 mL	bicarbonate de soude	3 mL
4 mL	sel	1 mL
100 mL	eau	25 mL

Méthode
Garniture :
1 Mélanger tous les ingrédients ensemble.
2 Faire cuire jusqu'à ce que les dattes se défassent en purée.
3 Laisser refroidir.
Pâte :
4 Battre le beurre en crème avec la cassonade et le sucre.
5 Incorporer l'oeuf et l'essence de vanille.
6 Ajouter les ingrédients secs tamisés et l'eau.
7 Bien mélanger.
8 *Abaisser* la pâte sur un papier ciré en un carré de 36 cm de côté.
9 Étendre la garniture aux dattes sur la pâte.
10 Rouler et mettre au réfrigérateur pendant 12 heures.
11 Couper en 24 morceaux de 1,5 cm d'épaisseur.
12 Placer sur une plaque à biscuits.
13 Cuire au four à 200°C de 10 à 15 minutes.

Gâteau aux betteraves et aux carottes

Préparation : 20 minutes $
Cuisson : 1 heure

Portions 4 gâteaux	Ingrédients	Portion 1 gâteau
600 mL	Huile végétale	150 mL
1 kg	Sucre	275 mL
8	Jaune d'oeuf	2
	Essence de vanille (au goût)	
150 mL	Eau chaude	35 mL
350 g	Carotte crue râpée	200 mL
650 g	Betterave crue râpée	200 mL
950 g	Farine tamisée	375 mL
40 mL	Poudre à pâte	10 mL
4 mL	Sel	1 mL
12 mL	Cannelle	3 mL
225 g	Noix de Grenoble hachée	100 mL
8	Blanc d'oeuf	2

Méthode
1 Mélanger l'huile, le sucre, les jaunes d'oeufs, la vanille et l'eau chaude.
2 Ajouter les carottes et les betteraves.
3 Tamiser les ingrédients secs et les incorporer au mélange avec les noix.
4 Monter les blancs d'oeufs en neige et les incorporer au mélange.
5 Verser dans un moule graissé de 1,15 litre.
6 Cuire au four à 180°C pendant 1 heure.

Tarte à la crème

Préparation : 15 minutes $

Portions 4 tartes	Ingrédients	Portion 1 tarte
135 g	Fécule de maïs	60 mL
2,5 L	Lait	625 mL
10 mL	Sel	2,5 mL
650 g	Sucre	175 mL
8	Jaune d'oeuf	2
60 mL	Beurre	15 mL
20 mL	Essence de vanille	5 mL
4	*Abaisse* de pâte brisée cuite (*voir recettes complémentaires*)	1
8	Blanc d'oeuf	2
125 g	Sucre	35 mL

Méthode
1 Délayer la fécule de maïs dans le lait.
2 Ajouter le sel et le sucre.
3 Cuire en brassant jusqu'à épaississement.
4 Réchauffer les jaunes d'oeufs avec un peu de sauce.
5 Verser les jaunes d'oeufs dans la sauce.
6 Cuire pendant 2 minutes sans faire bouillir; puis retirer du feu.
7 Ajouter le beurre et l'essence de vanille.
8 Verser l'*appareil* dans une *abaisse* de 22 cm cuite.
9 Monter les blancs d'oeufs en les *soutenant* avec le sucre.
10 En couvrir la tarte.

Grands-pères aux bleuets

Nous savons que les Amérindiens mélangeaient des bleuets à de la viande séchée pour en rehausser le goût. Ils parvenaient à conserver les fruits très longtemps, jusqu'à deux ans, en les faisant bouillir pendant une dizaine d'heures, le temps qu'il fallait pour obtenir une pâte solide. Les feuilles du bleuet peuvent être infusées, comme le thé.

Préparation : 20 à 25 minutes $$
Cuisson : 10 à 12 minutes

Portions 24	*Ingrédients*	Portions 6
2,65 kg	**Bleuet frais**	**1 L**
3,1 kg	**ou bleuet congelé**	**1 L**
650 g	**Sucre**	**175 mL**
700 g	**Cassonade**	**175 ml**
4 mL	**Gingembre**	**1 mL**
4 mL	**Cannelle**	**1 mL**
1 L	**Eau**	**250 mL**
1,05 kg	**Farine à pâtisserie**	**500 mL**
60 mL	**Poudre à pâte**	**15 mL**
8 mL	**Sel**	**2 mL**
40 mL	**Beurre**	**10 mL**
700 mL	**Lait tiède**	**175 mL**

Méthode
1 Porter tous les ingrédients au point d'ébullition.
2 Tamiser les ingrédients secs ensemble.
3 Incorporer le beurre aux ingrédients secs.
4 Incorporer le lait tiède.
5 Laisser tomber la pâte par portion de 15 mL dans le liquide.
6 Couvrir la casserole et cuire de 10 à 12 minutes.
N.B. Ne pas ouvrir le couvercle durant la cuisson de la pâte.
7 Arroser de sirop pour servir.

Gâteau à la mayonnaise

Préparation : 25 à 30 minutes $$
Cuisson : 25 à 30 minutes

Portions 24	*Ingrédients*	Portions 6
1 L	**Mayonnaise**	**250 mL**
925 g	**Sucre**	**250 mL**
20 mL	**Essence de vanille**	**5 mL**
1,05 kg	**Farine à pâtisserie**	**500 mL**
575 g	**Cacao**	**375 mL**
20 mL	**Bicarbonate de soude**	**5 mL**
20 mL	**Poudre à pâte**	**5 mL**
2 mL	**Sel**	**1 pincée**
500 mL	**Eau froide**	**125 mL**
	Glaçage :	
500 g	**fromage en crème**	**125 mL**
100 mL	**lait**	**25 mL**
1,35 kg	**sucre à glacer tamisé**	**500 mL**
115 g	**chocolat fondu non sucré (facultatif)**	**30 g**
20 mL	**essence de vanille**	**5 mL**
2 mL	**sel**	**1 pincée**

Méthode
1 Mélanger la mayonnaise, le sucre et l'essence de vanille.
2 Tamiser tous les ingrédients secs.
3 Ajouter les ingrédients secs au premier mélange en alternant avec l'eau.
4 Bien mélanger le tout.
5 Verser dans 2 moules ronds de 23 cm de diamètre beurrés et farinés.
6 Cuire au four à 180°C pendant 25 à 30 minutes.
Glaçage :
7 Diluer le fromage avec le lait.
8 Incorporer le sucre petit à petit.
9 Incorporer le chocolat, la vanille et le sel.
10 Bien mélanger.
11 Glacer le gâteau.

Pains au lait de beurre

Un ancien cuisinier a raconté que, lorsqu'il travaillait « sus la drave », il réussit un jour à cuire son pain sur un « boat de drave » : sa pâte était prête, placée dans les chaudrons, mais le bois « est parti »; on emplit de cendre chaude des contenants de lard vides, on y empila les chaudrons, et on s'embarqua avec le pain qui cuisait !

Préparation : 2 heures 30 à 3 heures $
Cuisson : 20 à 25 minutes

Portions 8 douzaines	*Ingrédients*	Portions 2 douzaines
300 g	**Sucre**	**80 mL**
675 mL	**Eau tiède**	**165 mL**
55 mL	**Levure sèche**	**13 mL**
2 L	**Lait de beurre**	**500 mL**
325 mL	**Graisse fondue**	**80 mL**
55 mL	**Sel**	**13 mL**
10 mL	**Bicarbonate de soude**	**3 mL**
3,8 kg	**Farine tout usage**	**1,5 L**
425 g	**Farine tout usage**	**165 mL**

Méthode
1 Dissoudre le sucre dans l'eau.
2 Saupoudrer de levure et laisser en attente pour 10 minutes.
3 Faire frémir le lait.
4 Ajouter la graisse, le sel et le bicarbonate de soude au lait frémi.
5 Laisser tiédir.
6 Ajouter le mélange de levure.
7 Incorporer la farine au mélange.
8 Former en une boule.
9 Pétrir la pâte sur une table en saupoudrant de temps en temps de farine (pour que ça ne colle pas) jusqu'à ce que la pâte soit ferme et élastique.
10 Laisser lever dans un endroit tiède en ayant soin de couvrir la pâte avec un linge humide, jusqu'à ce que la pâte double de volume.
11 Pétrir pendant 2 à 3 minutes.
12 Façonner en boules.
13 Laisser lever encore une fois jusqu'à ce que le volume double.
Note : Les pains peuvent être dorés à l'oeuf battu avant d'être cuits.
14 Cuire au four à 220°C pendant 20 à 25 minutes (jusqu'à ce que la croûte soit d'un beau brun doré).

Crêpes du Vieux Fort

Préparation : 10 minutes $

Portions 3,6 litres	*Ingrédients*	Portion 900 millilitres
8	**Oeuf**	**2**
250 mL	**Huile**	**65 mL**
1,15 kg	**Farine**	**450 mL**
50 mL	**Poudre à pâte**	**12 mL**
4 mL	**Sel**	**1 mL**
175 g	**Sucre**	**50 mL**
1,8 L	**Lait**	**450 mL**

Méthode
1 Battre les oeufs avec l'huile.
2 Tamiser la farine avec la poudre à pâte, le sel et le sucre.
3 Ajouter au premier mélange en alternant avec le lait.
4 Laisser reposer pendant 1 heure.
5 Cuire dans un poêlon graissé en versant 50 mL de l'*appareil* par crêpe.

Haricots jaunes à la moutarde

Ah ! les mouches de moutarde ! De nos jours encore, on reconnaît à la moutarde la même ardeur à vaincre les congestions des bronches et les troubles engendrés par des refroidissements. Après tout, ce traitement a été maintes et maintes fois éprouvé, puisque nous le devons au génie de Galien qui pratiquait la médecine au deuxième siècle de notre ère.

Préparation : 20 minutes $
Cuisson : environ 20 minutes

Portions 6 litres	*Ingrédients*	Portion 1,5 litre
4,1 kg	**Haricot jaune en morceaux de 2 cm**	**1,5 L**
	Eau (pour couvrir)	
60 mL	**Sel**	**15 mL**
1,5 kg	**Cassonade**	**375 mL**
2,2 L	**Vinaigre**	**550 mL**
150 g	**Moutarde sèche**	**80 mL**
200 g	**Farine**	**80 mL**
60 mL	**Curcuma**	**15 mL**
60 mL	**Graines de céleri**	**15 mL**
160 mL	**Eau froide**	**40 mL**

Méthode
1 Cuire les morceaux de haricots dans de l'eau salée.
2 Bien égoutter.
3 Mettre la cassonade dans le vinaigre et amener à ébullition.
4 Mélanger la moutarde sèche, la farine, le curcuma, les graines de céleri et l'eau froide.
5 Verser ce mélange dans le vinaigre bouillant en remuant constamment.
6 Cuire jusqu'à épaississement (environ 20 minutes).
7 Ajouter les haricots jaunes.
8 Laisser refroidir.

Saguenay — Lac-Saint-Jean — Chibougamau

Les gens de la région perpétuent avec vivacité et ferveur leur folklore et leurs traditions culinaires : carnaval de Chicoutimi, traversée du Lac-Saint-Jean, festival du bleuet à Mistassini, celui du miel à Normandin, celui de la gourgane à Saint-Stanislas, le festival western à Dolbeau.

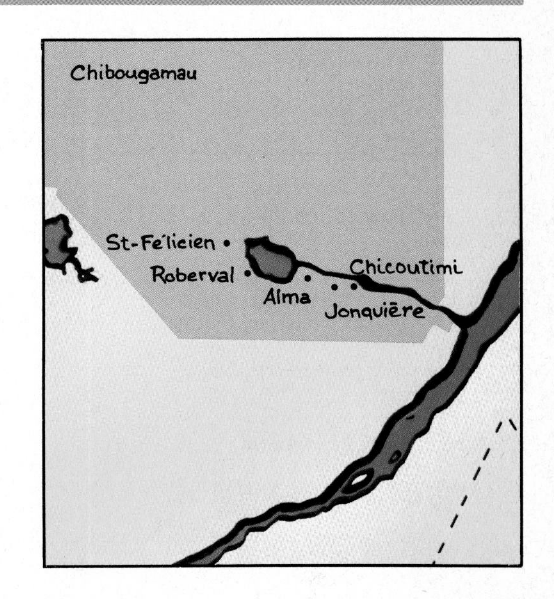

Jadis, le territoire était recouvert d'une des plus vastes et des plus belles forêts de pins d'Amérique. La grande variété de la faune qui y vivait, surtout la faune à fourrure, en faisait un paradis de la chasse.

Les gens qui ont bâti le Saguenay — Lac-Saint-Jean disposaient d'une alimentation fruste, mais certainement saine et équilibrée. L'un des mets typiques de la région est la tourtière. L'origine en est attribuée à l'oiseau, la tourte, qui fut si abondant à une époque qu'on le capturait au filet ou « en tirant dans le tas ». C'est d'ailleurs pour cette raison que l'espèce a complètement disparu; dès le début du siècle, on ne trouvait plus de tourtes au Saguenay.

La « gourgane », cette fève lourde et rougeâtre, est également très populaire; on en fait des soupes et on l'utilise dans l'apprêt de plusieurs autres plats. Pour sa part, le « fils du feu », c'est-à-dire le bleuet — le grand feu qui dévasta la région rendit le sol propice à la culture du bleuet et lui mérita ce surnom de fils du feu —, a donné naissance, comme tous les produits caractéristiques d'une région, à bien des histoires, dont l'une des plus connues est celle qui veut qu'un Saguenéen ait découvert une « talle » de bleuets si gros qu'il lui suffit d'en cueillir trois pour remplir son récipient !

Soupe aux gourganes d'Albanel

Préparation : 15 minutes $
Cuisson : 2 heures

Portions 6 litres	Ingrédients	Portion 1,5 litre
150 g	**Lard salé en petits dés**	30 mL
650 g	**Oignon haché**	250 mL
8 L	**Fond blanc de boeuf** *(voir recettes complémentaires)*	2 L
1,6 kg	**Gourgane pelée**	500 mL
	Poivre (au goût)	
20 mL	**Herbes salées** *(voir recettes complémentaires)*	5 mL
240 g	**Orge**	65 mL

Méthode

1 *Faire revenir* les lardons.
2 Ajouter les oignons et les faire cuire doucement jusqu'à ce qu'ils soient transparents.
3 *Mouiller* avec le fond blanc de boeuf.
4 Ajouter les gourganes, le poivre et les herbes salées.
5 Couvrir et faire mijoter pendant 1 heure 30.
6 Ajouter l'orge et faire cuire pendant encore 30 minutes.
7 Vérifier l'assaisonnement.

Tête fromagée de Péribonka

À quelques jours des plus longs froids, les hommes faisait boucherie. Quelle joie c'était lorsque la cuisinière pouvait servir à sa famille un de ces mets de fête qui naissait en un tournemain du savoir-faire des hommes. La tête fromagée figurait toujours en bonne place parmi les charcuteries faites de viande de porc. Aux Bergeronnes, vers 1875, on préparait ce qu'on appelait simplement « le fromage ». Traditionnellement entrait dans sa composition ce que madame Paul Tremblay appelait « les autres parcelles », comme la tête, les oreilles, les pattes, les rognons et même le mou, et qui n'avaient pas été utilisées pour la saucisse.

Préparation : 45 minutes $
Trempage : 5 à 6 heures
Cuisson : 1 heure

Portions 6 kilogrammes	Ingrédients	Portion 1,5 kilogramme
8 kg	**Tête de porc**	2 kg
3 kg	**Pied de porc**	750 g
8 mL	**Thym**	2 mL
8 mL	**Clou de girofle (non moulu)**	2 mL
	Sel (au goût)	
	Poivre (au goût)	
4	**Feuille de laurier**	1
3 kg	**Oignon coupé grossièrement**	1,2 L
1,5 kg	**Carotte coupée grossièrement**	625 mL
3 L	**Fond de cuisson**	750 mL

Méthode

1 *Parer* la tête de porc et la couper en quatre.
2 Faire tremper les morceaux dans l'eau salée avec le pied de porc, pendant 5 à 6 heures.
3 Égoutter, *blanchir,* couvrir d'eau et mettre sur le feu.
4 Assaisonner et ajouter les légumes.
5 Faire mijoter jusqu'à ce que la viande se détache facilement des os.
6 Défaire la viande à la fourchette, et couper un peu de gras en petits dés.
7 Remettre à bouillir avec du fonds de cuisson durant environ 5 minutes.
8 Laisser refroidir à la température de la pièce, en brassant de temps à autre avec une cuillère en bois.
9 Verser dans des moules.
10 Laisser prendre au réfrigérateur pendant 5 à 6 heures.

Gourganes à la vinaigrette

Préparation : 15 minutes $

Portions 24	*Ingrédients*	Portions 6
125 mL	Vinaigre blanc	30 mL
8 mL	Paprika	2 mL
	Poivre (au goût)	
	Sel (au goût)	
500 mL	Huile	125 mL
50 mL	Sauce Worcestershire	10 mL
800 g	Gourgane cuite	250 mL

Méthode
1 Bien mélanger tous les ingrédients de la vinaigrette.
2 Peler les gourganes à l'aide d'un couteau pointu.
3 Verser la vinaigrette sur les gourganes et laisser *macérer* pendant environ 2 heures.
N.B. On peut se procurer les gourganes déjà cuites, en conserve. Ce mets accompagne agréablement les viandes froides.

Société historique du Saguenay. Objets d'artisanat : Myriam Tremblay, Chicoutimi (*assiettes à dessert, beurrier*); Jacqueline Caron, Jonquière (*chandelier*); Solanges-Guy David, Normandin (*chemin de table*).

Cretons de la Chandeleur

Cretons de la chandeleur

Préparation : 15 minutes $$
Cuisson : 2 heures

Portions 6 kilogrammes	*Ingrédients*	Portion 1,5 kilogramme
125 mL	Huile végétale	30 mL
2 kg	Foie de poulet	500 g
700 g	Oignons en petits cubes	250 mL
6 L	Bouillon de poulet	1,5 L
4 kg	Veau haché	1 kg
	Sel (au goût)	
	Poivre (au goût)	
8 mL	Clou de girofle	2 mL
8 mL	Cannelle	2 mL
40 mL	Gélatine neutre	10 mL

Méthode
1 Faire chauffer l'huile dans un poêlon et y *faire revenir* les foies de poulet et les oignons (ne pas laisser brunir).
2 *Déglacer* avec le bouillon, et ajouter le veau haché.
3 Ajouter tous les autres ingrédients, à l'exception de la gélatine.
4 Délayer la gélatine avec un peu d'eau froide et ajouter au mélange.
5 Faire mijoter pendant 2 heures.
6 Lorsque les cretons sont bien cuits, les battre au fouet ou au batteur électrique.
7 Verser dans un moule préalablement passé à l'eau froide.
8 Laisser prendre au réfrigérateur pendant 5 à 6 heures.
N.B. Rectifier l'assaisonnement, si le bouillon est déjà salé.

Soupe au doré

Le « grand feu » du mois de mai 1870 transforma la pauvreté en misère. Mais on raconte que c'est à partir de ce moment-là que le bon Dieu commença à s'occuper du Saguenay. Et sur les tables la délicieuse soupe au doré remplaçait, de temps à autre, la soupe aux herbes !

Préparation : 35 minutes $
Cuisson : 30 minutes

Portions 6 litres	*Ingrédients*	Portion 1,5 litre
200 g	Beurre	50 mL
500 g	Carotte en rondelles	250 mL
225 g	Céleri en petits dés	125 mL
300 g	Oignon en dés	125 mL
500 g	Pomme de terre en cubes	250 mL
4 L	Eau	1 L
	Sel (au goût)	
	Poivre (au goût)	
4	Feuille de laurier	1
900 g	Filet de doré	225 g
400 mL	Crème 35%	100 mL

Méthode
1 Faire fondre le beurre. Ajouter les carottes, le céleri et les oignons.
2 Cuire doucement jusqu'à ce que les oignons soient transparents.
3 Ajouter les pommes de terre, l'eau et les assaisonnements.
4 Cuire le tout à petit feu pendant environ 20 minutes.
5 Ajouter alors les filets de doré coupés en cubes et cuire pendant environ 10 minutes encore.
6 Ajouter la crème réchauffée (sans la faire bouillir), juste avant de servir et vérifier l'assaisonnement.

Boudin à la sauce blanche

Préparation : 10 minutes $
Cuisson : 20 minutes

Portions 24	Ingrédients	Portions 6
650 g	Oignon haché	250 mL
250 g	Beurre	60 mL
150 g	Farine	60 mL
3 L	Lait	750 mL
	Sel (au goût)	
	Poivre blanc (au goût)	
900 g	Champignon émincé	750 mL
4 kg	Boudin	1 kg
20 mL	Persil haché	5 mL

Méthode
1 Faire cuire doucement les oignons dans le beurre, jusqu'à ce qu'ils soient transparents.
2 Ajouter la farine et bien mélanger.
3 Cuire pendant 5 minutes, sans faire brunir.
4 Ajouter graduellement le lait.
5 Amener à ébullition en brassant constamment.
6 Ajouter le sel et le poivre.
7 Cuire pendant 15 minutes à feu doux.
8 *Blanchir* les champignons.
9 Les incorporer délicatement à la sauce avec le boudin coupé en morceaux.
10 Bien chauffer.
11 Garnir de persil et servir.
N.B. Servir avec des nouilles au beurre persillées ou toutes autres pâtes alimentaires.

Poulet grillé à la mélasse

Avoir du poulet, qu'il soit grillé ou rôti, a déjà eu pour certaines personnes une signification particulière. Ainsi, si l'on avait au moins du poulet, on pouvait se croire en période d'abondance. Si l'on en avait pas, c'est que la pauvreté n'était pas très loin.

Préparation : 15 minutes $
Cuisson : 1 heure 15

Portions 24	Ingrédients	Portions 6
100 g	Moutarde sèche	50 mL
200 mL	Mélasse	50 mL
200 mL	Vinaigre	50 mL
60 mL	Sauce Worcestershire	15 mL
4 mL	Sarriette	1 mL
	Sel (au goût)	
	Poivre (au goût)	
12 kg	Poulet	3 kg

Méthode
1 Mélanger la moutarde, la mélasse, le vinaigre, la sauce Worcestershire et la sarriette, et amener à ébullition.
2 Saler et poivrer les poulets, et les *badigeonner* avec la marinade.
3 Cuire lentement les volailles sur le gril ou au four, pendant environ 1 heure et 15.
4 *Badigeonner* les poulets toutes les fois qu'on les retournera.
N.B. Cette recette peut également être faite avec du canard.

La chasse-galerie

Préparation : 20 minutes $
Cuisson : 35 minutes

Portions 24	Ingrédients	Portions 6
3 kg	Porc (ronde)	900 g
80 g	Lard salé haché	25 mL
300 g	Céleri haché	125 mL
325 g	Oignon haché	125 mL
40 mL	Persil haché	10 mL
600 g	Pomme hachée	250 mL
250 g	Chapelure	125 mL
4	Jaune d'oeuf	1
	Sel (au goût)	
	Poivre (au goût)	
60 mL	Graisse végétale	15 mL

Méthode
1 Couper le porc en tranches (3 mm d'épaisseur).
2 Aplatir légèrement les tranches.
3 Faire fondre le lard salé. Ajouter le céleri, les oignons, le persil, les pommes, et cuire à feu doux pendant environ 5 minutes.
4 Retirer du feu. Ajouter la chapelure, les jaunes d'oeufs et la moitié du sel et du poivre.
5 Laisser refroidir.
6 Déposer un peu de cette farce sur chaque tranche de porc, rouler et retenir à l'aide d'un cure-dents ou d'une ficelle.
7 Saupoudrer du reste de sel et de poivre.
8 Chauffer la graisse végétale dans un poêlon et y faire dorer légèrement les tranches de porc farcies.
9 Mettre ensuite au four à 180°C pendant environ 30 minutes.
N.B. Servir avec une sauce aux champignons ou aux pommes.

Bouillon de Roberval

Préparation : 15 minutes $
Cuisson : 30 minutes

Portions 6 litres	Ingrédients	Portion 1,5 litre
500 g	Carotte en dés	250 mL
225 g	Navet en dés	125 mL
50 g	Feuille de céleri hachée	50 mL
500 g	Oignon haché	250 mL
250 g	Beurre	60 mL
6 L	Fond blanc de boeuf *(voir recettes complémentaires)*	1,5 L
	Sel (au goût)	
	Poivre (au goût)	
175 g	Riz	50 mL

Méthode
1 Faire cuire les légumes dans le beurre, doucement jusqu'à ce que les oignons soient transparents.
2 *Mouiller* avec le fond blanc et cuire à petit feu pendant 30 minutes.
3 Assaisonner.
4 Cuire le riz à part et l'ajouter au potage.

Fricassée de légumes du Lac-Saint-Jean

Au cours des premières années de la colonisation du Lac-Saint-Jean, l'agriculture ne rendait pas tout ce qu'on en attendait. Les mères de famille, sans répit, répétaient les miracles.

Préparation : 30 minutes $$
Cuisson : 30 minutes

Portions 24	Ingrédients	Portions 6
600 g	Oignon en dés	250 mL
125 mL	Huile végétale	30 mL
2,6 L	Tomate concassée	650 mL
1,8 kg	Courgette en dés	500 mL
1,8 kg	Aubergine en dés	1,5 L
1 kg	Piment vert en dés	400 mL
30 g	Gousse d'ail hachée finement	4
5 mL	Thym	1 mL
2	Feuille de laurier	½
	Sel (au goût)	
	Poivre (au goût)	

Méthode
1 Faire revenir les oignons dans l'huile.
2 Ajouter les tomates, puis les courgettes, les aubergines, les piments verts, l'ail, le thym et le laurier.
3 Assaisonner.
4 Laisser cuire jusqu'à évaporation de l'eau de cuisson.

Gibelotte de lièvre

Préparation : 45 minutes $$
Cuisson : 1 heure 50 minutes

Portions 24	Ingrédients	Portions 6
8 kg	Lièvre en morceaux	2 kg
400 mL	Huile	100 mL
300 g	Oignon en dés	125 mL
	Sel (au goût)	
	Poivre (au goût)	
4 L	Bouillon de volaille	1 L
550 g	Carotte en dés	250 mL
475 g	Navet en dés	250 mL
1 kg	Pomme de terre en dés	500 mL
	Persil haché	
	Croûton	

Méthode
1 *Faire revenir* les morceaux de lièvre dans l'huile et lorsque la viande est bien dorée, ajouter les oignons, le sel et le poivre. *Dégraisser*.
2 *Mouiller* avec le bouillon de volaille.
3 Couvrir et cuire au four à 170°C pendant 1 heure.
4 Ajouter les carottes et le navet, et continuer à cuire pendant 30 minutes.
5 Ajouter les pommes de terre et cuire pendant encore 20 minutes.
6 Servir les portions dans une assiette à soupe.
7 Garnir de persil et de petits croûtons.

Tourtière saguenéenne

Préparation : 30 minutes $
Cuisson : 2 heures

Portions 24	*Ingrédients*	Portions 6
1,4 kg	**Boeuf**	**350 g**
900 g	**Porc (épaule)**	**225 g**
125 g	**Oignon haché**	**50 mL**
	Sel (au goût)	
	Poivre (au goût)	
1,7 kg	**Pomme de terre pelée et coupée en cubes**	**825 mL**
	Pâte :	
1,1 kg	**farine**	**500 mL**
20 mL	**poudre à pâte**	**5 mL**
20 mL	**sel**	**5 mL**
700 g	**graisse végétale**	**250 mL**
200 mL	**eau**	**50 mL**
200 mL	**lait**	**50 mL**

Méthode

1 Couper les viandes en cubes d'environ 1 cm. Passer le gras du porc au hache-viande et le mélanger aux cubes de viande. Ajouter les oignons. Saler et poivrer.
2 Mettre au réfrigérateur durant toute une nuit.
3 Mélanger les pommes de terre à la viande.
4 Préparer la pâte et en *foncer* une marmite en fonte de 3 litres.
5 Y verser l'*appareil* et couvrir d'eau, à égalité.
6 Couvrir d'une *abaisse* de pâte.
7 Cuire au four à 200°C pendant 30 minutes, puis à 130°C pendant 1 heure 30.
8 *Sabler* les ingrédients secs avec la graisse végétale.
9 Faire une *fontaine* et y verser le liquide.
10 Pétrir la pâte.
11 Laisser reposer pendant quelques heures au réfrigérateur avant utilisation.

Pâté du Bas-Saguenay

Préparation : 30 minutes $
Cuisson : 1 heure 30

Portions 24	*Ingrédients*	Portions 6
1,6 kg	**Ouananiche**	**400 g**
250 g	**Oignon émincé**	**100 mL**
100 g	**Beurre**	**25 mL**
600 g	**Pomme de terre émincée**	**175 mL**
	Sel (au goût)	
	Poivre (au goût)	
250 mL	**Lait**	**65 mL**
100 mL	**Crème 15%**	**25 mL**
8	***Abaisse* de pâte brisée *(voir recettes complémentaires)***	**2**
	Oeuf battu	

Méthode

1 Couper la ouananiche en petits morceaux.
2 *Faire revenir* légèrement les oignons.
3 Ajouter la ouananiche et tous les ingrédients. Bien mélanger.
4 *Foncer* un moule (20 cm de diamètre sur 10 cm) de pâte brisée.
5 Y verser l'*appareil.*
6 Couvrir d'une *abaisse.* Faire une incision au centre de cette *abaisse.*
7 *Badigeonner* d'oeuf battu.
8 Cuire au four à 170°C pendant 1 heure 30.

Pâté à la truite

Préparation : 20 minutes $
Cuisson : 1 heure

Portions 24	*Ingrédients*	Portions 6
1 kg	**Truite**	**250 g**
2 L	***Court-bouillon***	**500 mL**
8	***Abaisse* de pâte brisée *(voir recettes complémentaires)***	**2**
1 kg	**Pomme de terre en petits dés**	**250 mL**
350 g	**Oignon en petits dés**	**125 mL**
	Sel (au goût)	
	Poivre (au goût)	
500 mL	**Crème 15%**	**125 mL**
	Oeuf battu	

Méthode

1 Faire *pocher* la truite dans le *court-bouillon.*
2 Égoutter le poisson et enlever les arêtes.
3 Défaire la chair et mettre de côté.
4 *Foncer* un moule de pâte brisée.
5 Garnir la pâte alternativement d'une couche de pommes de terre, de truite et d'oignons.
6 Assaisonner.
7 *Napper* avec la crème.
8 Recouvrir d'une *abaisse* et bien sceller les bords.
9 Faire une incision au centre et *badigeonner* d'oeuf battu.
10 Cuire au four à 180°C pendant 1 heure.

Ouananiche de la Baie de Chambord

Préparation : 20 minutes $$
Cuisson : 20 minutes

Portions 24	*Ingrédients*	Portions 6
175 g	**Pain sec en petits dés**	**375 mL**
500 mL	**Lait**	**125 mL**
55 g	**Céleri haché fin**	**30 mL**
150 g	**Oignon haché très fin**	**60 mL**
	Sel (au goût)	
	Poivre (au goût)	
20 mL	**Persil**	**5 mL**
4	**Oeuf**	**1**
4 kg	**Ouananiche**	**1 kg**
125 g	**Beurre**	**30 mL**

Méthode

1 Faire tremper le pain dans le lait chaud pendant quelques minutes.
2 Ajouter le céleri, les oignons, le sel, le poivre et le persil.
3 Battre les oeufs et les incorporer au mélange.
4 Bien nettoyer le poisson, le laver et l'assécher.
5 Le farcir de l'*appareil,* puis le coudre.
6 Déposer dans une casserole.
7 Parsemer de quelques noisettes de beurre et cuire au four à 180°C pendant environ 20 minutes.
N.B. Le temps de cuisson peut varier selon l'épaisseur du poisson. Cette recette peut également être faite avec de la truite.

Purée de « choutiame » gratinée

Préparation : 10 minutes $
Cuisson : 40 minutes

Portions 24	*Ingrédients*	Portions 6
1,8 kg	**Navet en cubes**	**1 L**
125 g	**Céleri en cubes**	**60 mL**
60 mL	**Beurre**	**15 mL**
65 g	**Farine**	**25 mL**
500 mL	**Lait**	**125 mL**
	Sel (au goût)	
	Poivre (au goût)	
50 g	**Chapelure**	**25 mL**

Méthode

1 Faire cuire dans de l'eau légèrement salée le navet et le céleri jusqu'à ce qu'ils soient tendres.
2 Préparer une béchamel : Faire fondre le beurre. Y ajouter la farine et faire cuire pendant quelques minutes (sans brunir). Ajouter le lait tout en brassant, et amener à ébullition.
3 Passer le navet et le céleri au presse-purée. Incorporer la béchamel aux légumes. Saler et poivrer.
4 Verser dans une cocotte ou un plat allant au four.
5 Saupoudrer de chapelure et faire gratiner au four à 180°C pendant environ 15 minutes.

Galettes aux patates

Préparation : 10 minutes $
Cuisson : 10 minutes

Portions 24	*Ingrédients*	Portions 6
3,5 kg	**Pomme de terre**	**900 g**
8	**Oeuf**	**2**
60 g	**Beurre**	**25 mL**
	Sel (au goût)	
	Poivre (au goût)	
60 g	**Beurre**	**25 mL**
60 mL	**Huile**	**15 mL**

Méthode

1 Cuire les pommes de terre dans l'eau bouillante salée.
2 Égoutter et *passer* au presse-purée.
3 Incorporer les oeufs et le beurre.
4 Saler et poivrer. Bien mélanger.
5 Façonner l'*appareil* en galettes (120 g chacune).
6 Faire fondre le beurre avec l'huile et y faire dorer les galettes des deux côtés.
7 Servir bien chaud.

Centre des ressources didactiques / Institut de tourisme et d'hôtellerie du Québec

Chaussons au boeuf

Société historique du Saguenay (*Apprenties cuisinières à l'oeuvre*). Objets d'artisanat : Solanges-Guy David, Normandin (*écharpe de laine*); Marie Collard-Charbonneau, Arvida (*lampe à huile*); Jacqueline Caron, Jonquière (*assiette*); Myriam Tremblay, Chicoutimi (*assiette à dessert*).

Pâté des trois viandes

Préparation : 15 minutes $

Cuisson : 1 heure 30

Portions 24	*Ingrédients*	Portions 6
1,6 kg	**Boeuf haché**	400 g
1,6 kg	**Veau haché**	400 g
1,6 kg	**Porc gras haché**	400 g
250 g	**Chapelure**	125 mL
	Sel (au goût)	
	Poivre (au goût)	
20 mL	**Persil**	5 mL
8	**Oeuf**	2
800 mL	**Lait**	200 mL
200 g	**Céleri en petits dés**	100 mL

Méthode

1 Mélanger les viandes. Ajouter la chapelure, le sel, le poivre et le persil. Bien mélanger le tout.
2 Battre les oeufs. Ajouter le lait et bien mélanger.
3 Incorporer à la viande.
4 Ajouter le céleri.
5 Verser dans un plat beurré (20 x 15 x 10 cm) et cuire au four à 180°C pendant 1 heure 30.
6 Servir avec des pommes de terre au four et accompagner de sauce tomate.

Chaussons au boeuf

Préparation : 35 minutes $

Cuisson : environ 15 minutes

Portions 24	*Ingrédients*	Portions 6
1,5 kg	**Boeuf haché**	350 g
125 g	**Beurre**	30 mL
75 g	**Oignon haché fin**	30 mL
275 g	**Carotte hachée fin**	125 mL
50 g	**Farine tout usage**	25 mL
700 mL	**Eau bouillante**	175 mL
4	**Cube de concentré de boeuf**	1
	Sel (au goût)	
	Poivre (au goût)	
500 g	**Pomme de terre en cubes**	250 mL
125 mL	**Persil haché**	30 mL
2,4 kg	**Pâte brisée** ***(voir recettes complémentaires)***	600 g
4	**Jaune d'oeuf**	1
	Lait	

Méthode

1 Faire *sauter* le boeuf haché dans le beurre.
2 Ajouter les oignons et les carottes.
3 Saupoudrer de farine.
4 *Mouiller* avec l'eau bouillante.
5 Ajouter le concentré de boeuf, les assaisonnements, les pommes de terre et le persil.
6 Bien mélanger et cuire au four à couvert pendant 15 minutes. Laisser refroidir.
7 Étendre la pâte brisée et y découper 6 carrés de 15 cm.
8 Répartir l'*appareil* sur les carrés de pâte.
9 Humecter les bords et replier en triangle.
10 Battre les jaunes d'oeufs avec un peu de lait et en *badigeonner* les chaussons.
11 Disposer les chaussons sur une plaque et cuire au four à 200°C pendant environ 15 minutes.

Salade des verts pâturages

L'homme découvrit rapidement les propriétés de la laitue et de ses semblables. Pour certains, en effet, la laitue sonne le glas de l'insomnie; pour la grande majorité, elle favorise la digestion.

Préparation : 20 minutes $

Portions 24	*Ingrédients*	Portions 6
200 g	**Épinard**	500 mL
400 g	**Céleri en *julienne***	250 mL
400 g	**Chou vert haché**	250 mL
500 g	**Oignon blanc en rondelles**	125 mL
500 g	**Radis émincé**	200 mL
200 mL	**Vinaigre blanc**	50 mL
500 mL	**Mayonnaise**	125 mL
125 mL	**Sauce Chili**	30 mL
	Sel (au goût)	
	Poivre (au goût)	
4	**Oeuf dur**	1
125 g	**Cornichon sucré haché**	50 mL

Méthode

1 Bien laver les épinards et les sécher dans un linge propre.
2 Les couper en *julienne* et les déposer dans un grand bol.
3 Ajouter le céleri, le chou vert, les oignons et les radis.
4 Faire une vinaigrette avec le vinaigre blanc, la mayonnaise, la sauce Chili, le sel et le poivre.
5 Bien mélanger et verser sur la salade juste avant de servir.
6 Garnir de tranches d'oeuf dur et de cornichons.

Cipâte aux yeux bleus

Qu'il soit aux bleuets, comme c'est le cas ici, ou à la viande, on ne s'entendra jamais vraiment sur l'origine du cipâte. Selon certains, le « cipâte », ou « cipaille », ne serait qu'une interprétation plutôt fantaisiste de l'expression anglaise « sea-pie », alors que d'autres en attribuent l'origine à un plat cuisiné par les Montagnais et qui portait le nom de « chipaille ».

Préparation : 1 heure $$
Cuisson : 2 heures

Portions 24	*Ingrédients*	Portions 6
1,2 kg	**Pâte brisée *(voir recettes complémentaires)***	**300 g**
175 g	**Fécule de maïs**	**75 mL**
900 mL	**Eau froide**	**225 mL**
750 g	**Sucre**	**200 mL**
10 mL	**Sel**	**2,5 mL**
20 mL	**Jus de citron**	**5 mL**
2 kg	**Bleuet congelé**	**650 mL**
	Oeuf battu	

Méthode

1 *Foncer* de pâte brisée le fond et les parois d'une casserole de 20 cm de diamètre (l'ustensile doit pouvoir aller au four).
2 Délayer la fécule de maïs dans l'eau froide.
3 Ajouter le sucre, le sel, le jus de citron, puis les bleuets. Bien mélanger le tout.
4 Verser le tiers de l'*appareil* dans la casserole.
5 Recouvrir d'une *abaisse*.
6 Répéter l'opération deux autres fois.
7 Faire une incision au centre des trois *abaisses*.
8 *Badigeonner* d'oeuf battu la dernière *abaisse*.
9 Cuire au four à 170°C pendant 2 heures, jusqu'à ce que la pâte soit bien dorée.

Centre des ressources didactiques / Institut de tourisme et d'hôtellerie du Québec

Cipâte aux yeux bleus

Société historique du Saguenay (*Le magasin Tremblay & Frères*). Objets d'artisanat : Solanges-Guy David, Normandin (*napperon*).

Gâteau Germaine

Préparation : 30 minutes $$
Cuisson : environ 2 heures

Portions 24	*Ingrédients*	Portions 6
500 g	**Beurre**	**125 mL**
900 g	**Cassonade**	**250 mL**
6	**Oeuf**	**2**
900 g	**Farine**	**375 mL**
30 mL	**Poudre à pâte**	**7 mL**
500 mL	**Eau tiède**	**125 mL**
450 g	**Datte (dénoyautée) hachée**	**125 mL**
450 g	**Cerise coupée en deux**	**125 mL**
125 g	**Amande hachée**	**60 mL**

Méthode

1 Battre le beurre en crème. Ajouter graduellement la cassonade et les oeufs (un à la fois). Bien mélanger.
2 Ajouter la farine et la poudre à pâte, l'eau, graduellement et tout en brassant, les dattes, les cerises et les amandes.
3 Bien mélanger et verser dans un moule beurré de 25 x 12 x 8 cm.
4 Cuire au four à 150°C pendant 2 heures.

Brioches d'automne

Préparation : 45 minutes $
Cuisson : 20 minutes

Portions 8 douzaines	*Ingrédients*	Portions 2 douzaines
125 g	**Levure fraîche ou**	**30 g**
50 mL	**Levure sèche**	**12 mL**
2 L	**Lait tiède**	**500 mL**
550 g	**Sucre**	**150 mL**
8 mL	**Sel**	**2 mL**
12	**Oeuf**	**3**
4,4 kg	**Farine**	**1,75 L**
350 g	**Graisse végétale**	**125 mL**
	Oeuf battu	
425 g	**Cassonade**	**125 mL**
40 mL	**Cannelle**	**10 mL**
	Glaçage :	
40 mL	**beurre**	**10 mL**
925 g	**sucre en poudre**	**375 mL**
100 mL	**lait**	**25 mL**
20 mL	**jus de citron**	**5 mL**
8 mL	**zeste de citron**	**2 mL**

Méthode
1 Délayer la levure dans le lait tiède.
2 Ajouter le sucre, le sel et les oeufs ; bien mélanger.
3 Incorporer la farine par petites quantités et mélanger jusqu'à ce que la pâte se détache facilement des parois du bol.
4 Recouvrir avec la graisse végétale et laisser doubler de volume dans un endroit chaud et humide pendant environ 2 heures.
5 Rabattre la pâte et y incorporer la graisse végétale.
6 Étendre la pâte avec un rouleau à pâtisserie (40 x 60 cm).
7 *Badigeonner* d'oeuf battu, saupoudrer de cassonade et de cannelle, puis rouler.
8 Couper en morceaux (environ 2 cm de largeur).
9 Laisser de nouveau doubler de volume.
10 Cuire au four à 180°C pendant environ 20 minutes.
11 Glacer les brioches dès leur sortie du four.
Glaçage :
12 Mélanger tous les ingrédients.
13 Amener à ébullition en brassant constamment.
14 Retirer du feu.
15 Glacer les brioches.

Pouding aux bleuets à la vapeur

En 1917, puis en 1921, le Québec accueille un Français, Albert Larrieu, digne émule de Théodore Botrel... Les deux hommes ont en commun la bonne chanson et l'amour des Québécois. Larrieu compose plusieurs chansons, dont une célébrant les mérites des bleuets du Lac - Saint-Jean :
« Les bleuets du lac Saint-Jean
N'ont pas leurs pareils au monde
Et leur joli bleu d'argent
Garde le reflet de l'onde !
On raconte un peu partout,
Que pour une grosse tarte
Il ne faut pas plus de quatre
Quatre bleuets de chez nous ! »

Préparation : 35 minutes $$
Cuisson : 2 heures

Portions 24	*Ingrédients*	Portions 6
625 g	**Farine**	**250 mL**
30 mL	**Poudre à pâte**	**8 mL**
8 mL	**Sel**	**2 mL**
500 g	**Beurre**	**125 mL**
250 g	**Chapelure**	**125 mL**
450 g	**Sucre**	**125 mL**
1 kg	**Bleuet frais ou**	**375 mL**
1,2 kg	**Bleuet congelé**	**375 mL**
4	**Oeuf**	**1**
700 mL	**Lait**	**175 mL**
	Sauce aux bleuets :	
600 mL	**eau**	**150 mL**
175 g	**sucre**	**50 mL**
775 g	**bleuet frais**	**250 mL**
20 mL	**crème Dubleuet**	**5 mL**
40 mL	**jus d'orange**	**10 mL**
60 mL	**fécule de maïs**	**15 mL**

Méthode
1 Tamiser les ingrédients secs.
2 *Sabler* avec le beurre.
3 Ajouter la chapelure et le sucre.
4 Ajouter les bleuets, l'oeuf et le lait.
5 Verser dans un moule graissé.
6 Couvrir d'un papier d'aluminium.
7 Placer dans un *bain-marie,* et cuire au four, à 200°C, pendant 2 heures.
8 *Napper* de sauce aux bleuets. Servir.
Sauce aux bleuets :
9 Mélanger tous les ingrédients (sauf la fécule) et amener à ébullition. Cuire pendant 10 minutes.
10 Délayer la fécule dans un peu d'eau froide et ajouter au mélange en ébullition.
11 Dès qu'il recommence à bouillir, retirer du feu.
12 *Passer* la sauce au presse-purée (grille très fine).

Galettes au sirop noir

Préparation : 25 minutes $
Cuisson : 15 minutes

Portions 8 douzaines	*Ingrédients*	Portions 2 douzaines
350 g	**Graisse végétale**	**125 mL**
650 g	**Sucre**	**175 mL**
6	**Oeuf**	**2**
700 mL	**Mélasse**	**175 mL**
500 mL	**Café fort**	**125 mL**
1,9 kg	**Farine**	**750 mL**
12 mL	**Sel**	**3 mL**
60 mL	**Bicarbonate de soude**	**15 mL**

Méthode
1 Battre la graisse végétale en crème.
2 Ajouter le sucre et les oeufs battus, puis la mélasse.
3 Battre jusqu'à ce que le mélange soit bien mousseux.
4 Incorporer le café.
5 Ajouter les ingrédients secs et bien travailler la pâte.
6 Étendre délicatement à l'aide d'un rouleau à pâtisserie et découper la pâte avec un *emporte-pièce* de 8 cm de diamètre.
7 Disposer sur une plaque légèrement beurrée et cuire au four à 180°C pendant 15 minutes.

Biscuits « après l'école »

Préparation : 20 minutes $
Cuisson : 12 à 15 minutes

Portions 8 douzaines	*Ingrédients*	Portions 2 douzaines
275 g	**Graisse végétale**	**100 mL**
400 g	**Cassonade**	**100 mL**
4	**Oeuf**	**1**
500 g	**Farine**	**200 mL**
4 mL	**Sel**	**1 mL**
8 mL	**Cannelle**	**2 mL**
8 mL	**Bicarbonate de soude**	**2 mL**
150 mL	**Eau chaude**	**40 mL**
100 g	**Noix de Grenoble hachée**	**50 mL**
300 g	**Raisin sec**	**100 mL**

Méthode
1 Battre en crème la graisse végétale et y incorporer la cassonade tout en continuant de battre.
2 Ajouter l'oeuf bien battu, la farine, le sel et la cannelle.
3 Délayer le bicarbonate de soude dans l'eau chaude et ajouter au mélange.
4 Incorporer les noix et les raisins.
5 Déposer par petites cuillerées sur une plaque à biscuits bien graissée.
6 Cuire au four à 190°C de 12 à 15 minutes.

Gâteau au vinaigre

Préparation : 25 minutes $$
Cuisson : 30 minutes

Portions 24	*Ingrédients*	Portions 6
16	**Oeuf**	**4**
725 g	**Sucre**	**200 mL**
20 mL	**Vinaigre**	**5 mL**
8 mL	**Essence de vanille**	**2 mL**
450 g	**Farine tout usage**	**200 mL**

Méthode
1 Séparer les jaunes des blancs. Monter les blancs en neige.
2 Fouetter les jaunes et ajouter le sucre graduellement.
3 Mélanger doucement avec les blancs.
4 Ajouter le vinaigre et l'essence de vanille.
5 Enfin, incorporer délicatement la farine.
6 Verser dans un moule beurré (15 x 25 x 8 cm) et cuire au four à 180°C pendant 30 minutes.

Tarte au sucre blanc

Préparation : 30 minutes $$
Cuisson : 30 à 35 minutes

Portions 24	*Ingrédients*	Portions 6
60 mL	**Farine tout usage**	**15 mL**
925 g	**Sucre**	**250 mL**
2 mL	**Sel**	**0,5 mL**
900 mL	**Crème 15%**	**225 mL**
4	**Oeuf**	**1**
8 mL	**Essence de vanille**	**2 mL**
1 kg	**Pâte brisée *(voir recettes complémentaires)***	**250 g**

Méthode
1 Mélanger la farine, le sucre et le sel.
2 Ajouter la crème et l'oeuf.
3 Mélanger délicatement et ajouter l'essence de vanille.
4 Verser dans un moule *foncé* de pâte brisée.
5 Cuire au four à 180°C de 30 à 35 minutes.

Les pervenches

Préparation : 15 minutes $$
Cuisson : 35 minutes

Portions 8 douzaines	Ingrédients	Portions 2 douzaines
1,4 kg	Graisse végétale	500 mL
1,1 kg	Sucre	300 mL
12	Oeuf	3
1 kg	Farine à pâtisserie	500 mL
20 mL	Muscade	5 mL
20 mL	Cannelle	5 mL
20 mL	Sel	5 mL
20 mL	Bicarbonate de soude	5 mL
1,55 kg	Bleuet congelé ou	500 mL
1,3 kg	Bleuet frais	500 mL
675 mL	Lait	175 mL

Méthode
1 Battre en crème la graisse végétale et incorporer graduellement le sucre jusqu'à consistance crémeuse.
2 Incorporer les oeufs battus et bien battre le mélange.
3 Tamiser ensemble les ingrédients secs et les incorporer au mélange.
4 Incorporer enfin les bleuets en alternant avec le lait.
5 Remplir aux trois quarts des moules à muffins, graissés et farinés.
6 Cuire au four à 180°C pendant 35 minutes.

Conserve de truite

Préparation : 30 minutes $$
Cuisson : 4 heures

Portion 4 kilogrammes	Ingrédients	Portion 1 kilogramme
4 kg	Truite	1 kg
2 L	Eau	500 mL
400 mL	Jus de citron ou	100 mL
400 mL	Vinaigre	100 mL
800 g	Oignon en rondelles	250 mL
	Sel (au goût)	
	Poivre (au goût)	

Méthode
1 Nettoyer la truite, couper la tête, la queue et les nageoires.
2 Mettre dans une casserole d'eau acidulée, le poisson, les oignons et les assaisonnements.
3 *Cuire au bain-marie* pendant 4 heures.
4 Verser dans des pots stérilisés.
5 Laisser refroidir, puis fermer hermétiquement.

Crêpes de grand-mère Tremblay

Préparation : 10 minutes $

Portions 24	Ingrédients	Portions 6
600 g	Farine	250 mL
35 mL	Poudre à pâte	8 mL
12 mL	Sel	3 mL
8	Oeuf	2
40 mL	Sucre	10 mL
800 mL	Lait	200 mL
2 mL	Muscade	1 pincée
5 mL	Essence de vanille	1 mL
100 mL	Graisse végétale fondue	25 mL
	Sirop d'érable ou cassonade	

Méthode
1 Tamiser ensemble les ingrédients secs.
2 Battre les oeufs avec le sucre, le lait, la muscade et l'essence de vanille.
3 Ajouter les ingrédients secs et mélanger.
4 Incorporer la graisse végétale.
5 Verser la pâte par cuillerées (65 mL) dans un poêlon en fonte (13 cm de diamètre) assez chaud. Quand des petites bulles se forment à la surface de la crêpe et que les bords sont légèrement dorés, la retourner et cuire l'autre côté.
6 Servir immédiatement et accompagner de sirop d'érable ou de cassonade.

Banic de Pointe-Bleue

Le nom de banic a été donné au pain fabriqué par les Amérindiens, puis à celui cuit par les Écossais, qui l'ont par la suite appelé bannock. Ce pain, selon Jacques Rousseau, n'a besoin d'aucun four et ses seuls ingrédients sont la farine, la poudre à pâte, le sel et l'eau. « La pâte, enroulée autour d'un bâton fixé auprès du feu et tournée périodiquement, donne le plus croustillant des pains. » Le pain des voyageurs peut aussi être cuit dans la poêle sur un feu doux. Dès que le pain est cuit d'un côté, on le retourne. Et quand les voyageurs et les Amérindiens désiraient donner un air de fête à leur ordinaire, ils jetaient la pâte de la banic dans la friture, ce qui la transformait en friandise.

Préparation : 10 minutes $
Cuisson : 12 à 15 minutes

Portions 4 pains	Ingrédients	Portion 1 pain
950 g	Farine	375 mL
20 mL	Poudre à pâte	5 mL
8 mL	Sel	2 mL
125 g	Saindoux	50 mL
450 mL	Eau froide	125 mL

Méthode
1 Tamiser ensemble les ingrédients secs.
2 Émietter le saindoux dans les ingrédients secs.
3 Ajouter l'eau et bien mélanger de manière à obtenir une pâte lisse.
4 Façonner en boule (environ 450 g).
5 Étendre la pâte sur 1 cm d'épaisseur.
6 Poser sur une plaque graissée et cuire au four à 230°C pendant 12 à 15 minutes.

Punch à la rhubarbe et aux bleuets

Préparation : 15 minutes $$
Cuisson : 30 minutes

Portions 4 litres	Ingrédients	Portion 1 litre
4	Pamplemousse	1
3 kg	Rhubarbe congelée en dés	1,5 L
3 L	Eau	750 mL
700 g	Sucre	175 mL
1,25 L	Soda au gingembre (ginger ale)	300 mL
150 mL	Liqueur de bleuet	40 mL

Méthode
1 Couper les pamplemousses en quartiers. Ajouter la rhubarbe, l'eau et le sucre.
2 Amener à ébullition et cuire pendant 30 minutes.
3 *Passer* et laisser refroidir.
4 Ajouter des cubes de glace, le soda au gingembre et la liqueur de bleuet.
Note : La quantité de sucre peut être augmentée au goût.

Conserve de viande des bois

Pour réussir des conserves de viande des bois, il est nécessaire d'avoir d'abord capturé le gibier, ce qui constitue l'aspect le plus périlleux de la recette. Si l'aventure vous tente, vous pouvez toujours aller à la pêche... à l'orignal ! Ce sport inusité a été pratiqué au moins une fois en Nouvelle-France. Dans les* Relations des Jésuites *de 1662-1663, on raconte qu'un groupe de Français, voyant passer un orignal à la nage, décident de le capturer avant qu'il ait atteint la rive. Le tout est de s'y essayer !

Préparation : 30 minutes $$
Cuisson : 4 heures
Macération : 24 heures

Portion 4 kilogrammes	Ingrédients	Portion 1 kilogramme
2,8 kg	Gibier en cubes de 2 cm²	700 g
800 g	Porc (épaule) en cubes de 2 cm²	200 g
400 g	Lard salé entrelardé en tranches	100 g
300 g	Oignon émincé	125 mL
	Sel (au goût)	
	Poivre (au goût)	

Méthode
1 Mélanger tous les ingrédients et mettre au réfrigérateur pendant 24 heures.
2 Remplir les pots de conserve et ne visser les couvercles qu'aux trois quarts.
3 Faire *cuire au bain-marie* pendant 3 heures.
4 Fermer alors hermétiquement les pots et continuer la cuisson pendant encore 1 heure.
5 Retirer les pots du *bain-marie*, les retourner sur une planche de bois.
6 Laisser refroidir les pots dans cette position.

Manicouagan

La Côte-Nord demeure une région isolée, comblée par les largesses de la nature, accrochée aux flancs des vallées, qui observe la mer, chasse et pêche.

Les trappeurs tendent encore leurs pièges. Ils sont moins nombreux, mais le goût de la bannique ne se perd pas. Entre deux rivières ou deux lacs, lorsque éreintés sous le portage des canots, ils détrempaient de la farine dans un peu d'eau avec de la poudre à pâte et du sel, cuisaient le tout comme une énorme crêpe, délicieuse et succulente.

Les chasseurs touaient derrière leurs embarcations de superbes loups-marins dont on faisait bouillir par trois fois la viande dans de l'eau avec du bicarbonate de soude et de l'oignon, pour enlever le gras, puis on laissait rôtir au goût. Au temps de la colonisation, on vendait encore la graisse pour l'huile ou le savon.

Dans les campagnes, les vieilles dames conservent précieusement leurs recettes. Le castor se mangeait de diverses manières, rôti avec du lard tranché, bouilli avec du lard, du sel, du poivre, de l'oignon et des carottes, recouvert de feuilles de choux, ou en côtelettes avec des patates jaunes.

Le lièvre, la perdrix, le canard à l'orange farci, l'alouette, la tourte, le gibier, dans les soupes, les ragoûts, les sauces, avec les fèves, agrémentaient souvent l'ordinaire. On ne parle pas de la truite, du saumon, de la morue, du flétan, des crustacés, que les gens apprêtaient en temps opportun.

De nos jours encore, les gens pêchent l'éperlan à l'abri dans des cabanes érigées sur les glaces. Le capelan continue d'attirer les foules lorsqu'il roule à la marée montante, étourdi par les feux de grève. Au mois de mai, les pêcheurs s'installent avec leurs familles sur les glaces de la Pointe-à-Michel pour y surveiller le capelan.

Aux Escoumins et à Godbout, les pêcheurs vont encore au large des côtes pour capturer la morue et le flétan. À l'entrée des principales villes, des pêcheurs offrent leurs prises aux citadins qui préfèrent le poisson frais, à peine sorti de l'eau.

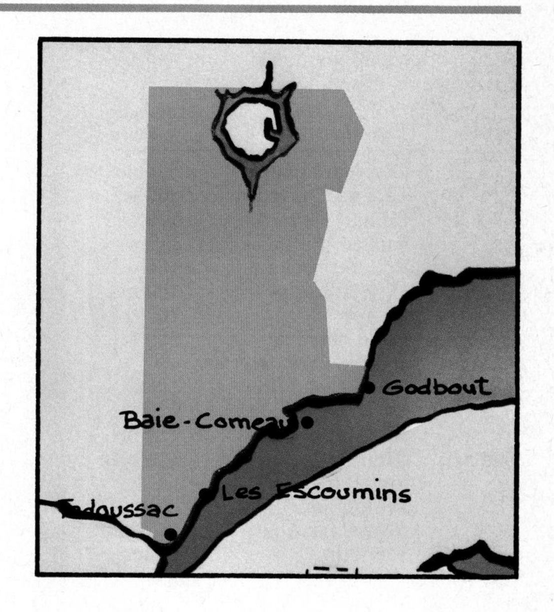

Cretons au lapin

Préparation : 1 heure $$
Cuisson : 2 heures

Portion 6 kg	*Ingrédients*	Portion 1,5 kg
1,9 kg	**Épaule de porc**	**500 g**
2 kg	**Lapin**	**525 g**
	Sel (au goût)	
	Poivre (au goût)	
650 g	**Panne de porc**	**160 g**
600 g	**Rognon**	**150 g**

Méthode

1 Faire bouillir le porc et le lapin pendant environ 1 heure.
2 Assaisonner.
3 Désosser le lapin et le porc et passer les chairs au moulin à viande.
4 Couper la panne en carrés, la faire fondre et récupérer la graisse.
5 *Parer* les rognons et les faire *dégorger* pendant 3 heures.
6 Les passer au moulin à viande.
7 Cuire toutes ces chairs ensemble pendant 45 minutes.
8 Vérifier l'assaisonnement.
9 Laisser refroidir.

Pattes de porc en gelée

Préparation : 10 minutes $
Cuisson : 2 heures 30 à 3 heures

Portion 6 kg	*Ingrédients*	Portion 1,5 kg
9 kg	**Patte de porc**	**2,2 kg**
	Eau (q.s.)*	
	Sel (au goût)	
	Poivre (au goût)	

Méthode

1 Bien nettoyer les pattes et les couvrir d'une quantité d'eau équivalente à 1½ fois leur hauteur.
2 Faire bouillir pendant environ 2 heures 30.
3 Retirer la patte et conserver l'eau de cuisson.
4 Écraser la chair et la couenne à la fourchette.
5 Faire bouillir à nouveau dans l'eau de cuisson pendant environ 5 minutes.
6 Assaisonner au goût.
7 Verser dans un contenant choisi pour la conservation de la gelée.
8 Réserver au réfrigérateur et trancher comme pour une tête fromagée.
* quantité suffisante

Soupe à la passe-pierre*

Préparation : 30 minutes $
Cuisson : 40 minutes

Portion 6 litres	*Ingrédients*	Portion 1,5 litre
800 g	**Passe-pierre**	**200 g**
550 g	**Oignon haché**	**250 mL**
300 g	**Beurre**	**75 mL**
2 L	**Eau**	**500 mL**
800 g	**Riz cru**	**225 mL**
2,4 L	**Lait**	**600 mL**
	Sel (au goût)	
	Poivre (au goût)	

Méthode

1 Faire bouillir la passe-pierre et jeter l'eau de cuisson.
2 *Faire revenir* l'oignon dans le beurre pendant 2 à 3 minutes.
3 *Mouiller* avec l'eau, puis ajouter la passe-pierre hachée très finement.
4 Ajouter ensuite le riz et le lait.
5 Saler, poivrer et laisser mijoter pendant 35 à 40 minutes.
6 Servir immédiatement.
* passe-pierre : nom populaire du crithme ou christe maritime qui pousse dans les régions maritimes.

Potage Stradivarius

Ce potage porte prétentieusement le nom de l'illustre luthier italien en hommage aux pousses de fougères qui le composent.

Préparation : 20 minutes $$$
Cuisson : 45 minutes

Portion 6 litres	*Ingrédients*	Portion 1,5 litre
2 L	**Cresson haché**	**500 mL**
1,7 kg	**Tête de violon hachée**	**500 mL**
1,6 kg	**Pomme de terre hachée**	**500 mL**
200 g	**Poireau haché**	**100 mL**
250 g	**Oignon haché**	**100 mL**
400 g	**Beurre**	**100 mL**
2 L	**Fond blanc de volaille *(voir recettes complémentaires)***	**500 mL**
1 L	**Eau**	**250 mL**
1 L	**Vin blanc**	**250 mL**
500 mL	**Crème 35 % (ou crème sure)**	**125 mL**
	Sel (au goût)	
	Poivre (au goût)	
2 mL	**Sarriette**	**1 pincée**

Méthode

1 Bien laver le cresson à l'eau vinaigrée.
2 *Faire suer* tous les légumes au beurre.
3 *Mouiller* avec le fond de volaille, l'eau et le vin blanc.
4 Faire mijoter pendant environ 40 minutes.
5 Réduire en purée au mélangeur électrique.
6 Ajouter la crème.
7 Assaisonner de sel, de poivre et de sarriette.
8 Servir chaud.

Soupe aux cochonneries

Que les gourmets se rassurent : ce potage n'aura retenu du cochon que les pattes, flanquées d'une myriade de savoureux légumes tels que des radis, tomates, pois verts, navets, fèves, etc. Il n'eut pas manqué de plaire à Champlain et à ses courageux colons en ce terrible mois de juillet 1628, alors que chacun devait se montrer satisfait d'une ration quotidienne de sept onces de pois pour tout potage ! Et l'ennemi était aux portes, ancré.

Préparation : 30 minutes $$
Cuisson : 5 heures

Portion 6 litres	*Ingrédients*	Portion 1,5 litre
2 kg	**Patte de porc**	**500 g**
9 L	**Eau**	**2,25 L**
	Sel (q.s.)*	
	Eau (q.s.)*	
375 mL	**Navet en cubes**	**100 mL**
135 mL	**Radis haché**	**30 mL**
270 mL	**Pois vert**	**75 mL**
750 mL	**Tomate hachée**	**175 mL**
270 mL	**Fève coupée**	**75 mL**
125 mL	**Feuille de carotte ciselée**	**30 mL**
175 mL	**Feuille de laitue ciselée**	**45 mL**
125 mL	**Feuille de gourgane ciselée**	**30 mL**
175 mL	**Feuille de poulette grasse** ciselée**	**45 mL**
	Sel (au goût)	
	Poivre (au goût)	

Centre des ressources didactiques / Institut de tourisme et d'hôtellerie du Québec

Potage Stradivarius... avec des têtes de violon !

La Société historique de la Côte-Nord (*Natashquan Mistassini — À Natashquan, intérieur d'une tente*). Objets d'artisanat : Huguette Bugeau, Baie-Comeau (*soupière et petits bols*); Claire Lehoux, Baie-Comeau (*nappe en lin*).

Méthode

1 Cuire les pattes de porc à l'eau salée pendant environ 3 heures.
2 Retirer les chairs des pattes cuites.
3 Mesurer la quantité qui reste d'eau de cuisson des pattes et *mouiller* d'eau jusqu'à concurrence de 1,9 litre.
4 Ajouter la viande et tous les autres ingrédients.
5 Cuire pendant environ 2 heures.
6 Vérifier l'assaisonnement.
7 Servir cette soupe chaude.

* quantité suffisante
** poulette grasse : Chenopode blanc, aussi appelé chou gras.

Orignal au vin rouge

Préparation : 30 minutes $$
Macération : 24 heures
Cuisson : 45 minutes

Portions 24	Ingrédients	Portions 6
3,6 kg	Rôti d'orignal *paré* et désossé	900 g
	Marinade :	
1,5 L	vin rouge	375 mL
325 mL	huile	80 mL
175 mL	vinaigre	45 mL
125 g	carotte en dés	60 mL
200 g	oignon haché	85 mL
40 g	échalote sèche hachée	20 mL
4	gousse d'ail écrasée	1
2 mL	thym	1 pincée
10 g	persil en queue	5 unités
2	feuille de laurier	½
	sel* (au goût)	
	poivre* (au goût)	
250 mL	Huile	60 mL
1 L	Bouillon de boeuf	250 mL
	Sel (au goût)	
	Poivre (au goût)	
60 mL	Fécule de maïs	15 mL

Méthode
1 Mettre le rôti d'orignal dans une marmite de grandeur juste suffisante pour contenir la pièce.
2 Ajouter les ingrédients de la marinade; s'assurer que la pièce est entièrement recouverte de marinade.
3 Laisser mariner pendant 24 heures au réfrigérateur en tournant le rôti à quelques reprises.
4 Retirer le rôti de la marmite; bien l'égoutter et l'éponger.
5 *Passer* le liquide au chinois fin pour récupérer les légumes.
6 Réserver la marinade.
7 *Faire revenir* le rôti d'orignal sur toutes ses faces dans l'huile chaude.
8 Le disposer dans une lèchefrite et le faire rôtir au four à 180°C pendant environ 30 à 45 minutes, selon le degré de cuisson désiré.
9 Pendant ce temps, *faire colorer* les légumes à l'huile.
10 Ajouter la marinade (en réserver une petite quantité pour diluer la fécule de maïs).
11 Ajouter ensuite le bouillon de boeuf et laisser réduire des deux tiers.
12 Retirer le rôti et le laisser reposer pendant 10 minutes au chaud.
13 *Dégraisser* la lèchefrite et *déglacer* avec la marinade réduite.
14 Vérifier l'assaisonnement.
15 *Lier* avec la fécule de maïs diluée dans un peu de marinade refroidie.
16 *Passer* la sauce au chinois étamine.
17 Servir avec le rôti d'orignal.
* Ne pas trop assaisonner la viande car la marinade doit réduire.

Bifteck mijoté

Préparation : 10 minutes $
Cuisson : 1 heure 15

Portions 24	Ingrédients	Portions 6
100 g	Beurre	25 mL
1,3 kg	Oignon émincé	500 mL
200 g	Beurre	50 mL
24	Bifteck (de ronde) (de 150 g)	6
4 L	Eau	1 L
20 mL	Sel	5 mL
8 mL	Poivre	2 mL
160 g	Farine	60 mL
400 mL	Eau	100 mL

Méthode
1 Faire fondre le beurre et *faire revenir* les oignons.
2 Retirer les oignons de la poêle et *décanter.*
3 Faire fondre le beurre à feu vif. Lorsque le beurre cesse de mousser, faire *sauter* les biftecks.
4 Remettre les oignons sur les biftecks.
5 Couvrir et laisser cuire jusqu'à ce que les biftecks soient bien dorés, pendant environ 15 minutes. Remuer à quelques reprises.
6 *Mouiller* avec l'eau de façon à couvrir les oignons et les biftecks.
7 Laisser mijoter, à couvert, pendant environ 45 minutes.
8 Remuer de temps en temps.
9 Saler et poivrer.
10 Diluer la farine dans l'eau.
11 Verser graduellement ce mélange sur les biftecks en remuant constamment afin de faire épaissir le liquide.
12 Cuire pendant 20 à 25 minutes.
13 Rectifier l'assaisonnement.
14 Servir chaud.

Soupe aux palourdes et aux pommes de terre

Préparation : 20 minutes $$
Cuisson : 40 minutes

Portion 6 litres	Ingrédients	Portion 1,5 litre
3,2 kg	Pomme de terre en dés	750 mL
150 g	Céleri haché	75 mL
400 g	Oignon haché	165 mL
4 L	Eau	1 L
40 mL	Sel	10 mL
400 g	Oignon haché finement	165 mL
125 g	Beurre	30 mL
1 L	Palourde avec leur jus	250 mL
	Sel (au goût)	
	Poivre (au goût)	
500 mL	Lait évaporé	125 mL
	Persil ou sarriette (au goût)	

Méthode
1 Faire cuire les pommes de terre, le céleri et l'oignon à l'eau salée.
2 Battre le tout au mélangeur électrique pour en faire une purée.
3 *Faire suer* l'oignon dans le beurre.
4 Ajouter d'abord les palourdes, puis la purée.
5 Assaisonner.
6 Ajouter le lait.
7 Parsemer de persil ou de sarriette.
8 Chauffer à feu doux sans laisser bouillir.
9 Servir.

Truite « Hervé »

Préparation : environ 15 minutes $
Cuisson : environ 15 minutes

Portions 24	Ingrédients	Portions 6
150 g	Graisse	50 mL
1,5 kg	*Lardon*	500 mL
24	Truite	6
20 mL	Sel	5 mL
6 mL	Poivre	1,5 mL
200 g	Farine	75 mL
1,3 kg	Oignon émincé	500 mL
1 L	Thé fort	250 mL

Méthode
1 Faire fondre la graisse dans une poêle.
2 *Faire revenir* dans la graisse les *lardons* coupés en morceaux d'environ 3 mm x 3 mm x 2,5 cm.
3 Éponger les truites; les assaisonner de sel et de poivre à l'intérieur; les passer dans la farine.
4 Enlever les *lardons* de la poêle et faire *sauter* les truites.
5 Disposer les truites dans un plat de service et les réserver au chaud.
6 Faire *sauter* les oignons.
7 Ajouter les lardons rissolés aux oignons.
8 *Déglacer* avec le thé et laisser mijoter pendant 1 à 2 minutes.
9 Arroser les truites avec le jus, les oignons et les lardons.
10 Servir immédiatement.

Boeuf à l'ail

Préparation : 20 minutes $
Cuisson : 3 à 3 heures 30

Portions 24	Ingrédients	Portions 6
3,6 kg	Pointe de surlonge *parée*	900 g
175 g	Beurre	45 mL
175 mL	Huile	45 mL
30 g	Gousse d'ail haché	4
2,5 kg	Pomme de terre en rondelles	900 mL
60 g	Moutarde sèche	30 mL
650 g	Oignon ciselé finement	250 mL
	Sel (au goût)	
	Poivre (au goût)	
	Eau (q.s.)*	

Méthode
1 *Faire colorer* la pointe de surlonge sur toutes ses faces dans le beurre et l'huile.
2 Disposer tout autour l'ail et les pommes de terre.
3 Poudrer de moutarde et couvrir la viande avec les oignons.
4 Assaisonner.
5 *Mouiller* avec l'eau jusqu'à 4 cm d'épaisseur.
6 Couvrir et cuire au four à 190°C jusqu'à ce que la viande cède sous la pression des doigts.
7 Arroser la viande avec le jus à quelques reprises en cours de cuisson.
8 Servir chaud.
* quantité suffisante

Fricassée de loup-marin

Au menu des Montagnais en 1603 : loups-marins, orignal, ours, castors et divers gibiers en quantité. Assis les uns près des autres des deux côtés de la cabane, tous attendent, écuelle d'écorce en main que la viande soit cuite à point.

Préparation : 45 minutes $
Trempage : 24 heures
Cuisson : 2 heures 30

Portions 24	*Ingrédients*	Portions 6
2,4 kg	**Viande de phoque en dés**	**600 g**
8 L	**Eau**	**2 L**
	Eau (q.s.)*	
325 g	**Oignon ciselé**	**125 mL**
175 g	**Graisse**	**60 mL**
1,1 kg	**Carotte en cubes**	**500 mL**
1,8 kg	**Pomme de terre en cubes**	**900 mL**
	Eau (q.s.)*	
	Sel (au goût)	
	Poivre (au goût)	

Méthode
1 Faire tremper la viande dans l'eau pendant 24 heures.
2 Égoutter.
4 Couvrir la viande avec de l'eau fraîche et faire *blanchir* pendant 2 à 3 minutes.
5 Égoutter.
6 Faire rissoler les oignons et la viande dans la graisse.
7 Ajouter les carottes et les *faire suer.*
8 Incorporer les pommes de terre.
9 *Mouiller* avec une quantité suffisante d'eau pour couvrir.
10 Assaisonner.
11 Faire mijoter jusqu'à ce que la viande cède sous la pression des doigts.
12 Remuer très doucement en cours de cuisson.
13 Servir cette fricassée chaude.
* quantité suffisante

Ragoût de lapin aux pâtes

Préparation : 30 minutes $
Cuisson : 1 heure 30

Portions 24	*Ingrédients*	Portions 6
500 g	**Lard salé**	**125 g**
4	**Lapin de 2 kg**	**1**
	Sel (au goût)	
	Poivre (au goût)	
500 mL	**Eau**	**125 mL**
1,5 L	**Eau**	**375 mL**
	Pâte :	
650 g	**farine**	**250 mL**
60 mL	**poudre à pâte**	**15 mL**
10 mL	**sel**	**2 mL**
60 mL	**Graisse**	**15 mL**
600 mL	**Eau**	**150 mL**

Méthode
1 Faire fondre le lard dans une poêle et en retirer les grillades.
2 Ajouter le lapin et le faire rissoler; l'assaisonner.
3 Ajouter l'eau en cours de cuisson.
4 Désosser le lapin et couper les chairs en petits morceaux.
5 *Mouiller* avec l'eau.

Pâte
6 Tamiser les ingrédients secs ensemble.
7 *Sabler* avec la graisse.
8 *Détremper* avec l'eau.
9 Ajouter la pâte à la cuillerée dans la casserole et cuire à couvert pendant environ 20 minutes.

Conseil Attikamek-Montagnais (*Excursion en traîneaux tirés par des chiens*). Objets d'artisanat : Huguette Bugeau, Baie-Comeau (*assiette*); Arlette Guy, Baie-Comeau (*panier en vannerie*).

Sabane

Sabane

Préparation : 30 minutes $
Cuisson : 1 heure 30

Portions 24	*Ingrédients*	Portions 6
400 g	**Tranche de lard salé**	**100 g**
500 g	**Oignon haché**	**200 mL**
725 g	**Lard salé entrelardé en cubes**	**175 g**
4	**Lapin de 2 kg**	**1**
	Eau (q.s.)*	
1,8 kg	**Pomme de terre en cubes**	**900 mL**
650 g	**Carotte en cubes**	**300 mL**
450 g	**Petit oignon de semence**	**175 mL**
140 g	**Farine grillée**	**60 mL**

Centre des ressources didactiques / Institut de tourisme et d'hôtellerie du Québec

250 mL	**Eau**	**60 mL**
	Pâte :	
650 g	**farine**	**250 mL**
60 mL	**poudre à pâte**	**15 mL**
10 mL	**sel**	**2 mL**
60 mL	**Graisse**	**15 mL**
600 mL	**Eau**	**150 mL**

Méthode
1 Faire brunir les tranches de lard dans un chaudron; les retirer.
2 Ajouter les oignons et les cubes de lard salé.
3 Sectionner le lapin en morceaux et les déposer dans le chaudron.
4 *Mouiller* avec l'eau.
5 Lorsque le lapin se défait à la fourchette, ajouter les légumes et de l'eau à égalité si nécessaire.
6 Terminer la cuisson et ajouter la farine diluée dans l'eau.

Pâte
7 Tamiser les ingrédients secs ensemble.
8 *Sabler* avec la graisse.
9 *Détremper* avec l'eau.
10 Ajouter la pâte à la cuillère dans le ragoût et cuire à couvert pendant environ 20 minutes.
* quantité suffisante

Bouilli d'éperlans

Préparation : 30 minutes $
Cuisson : 1 heure

Portions 24	*Ingrédients*	Portions 6
12 dz	**Éperlan**	**3 dz**
4 kg	**Pomme de terre en cubes**	**2 L**
1 kg	**Oignon haché**	**500 mL**
	Sel (au goût)	
	Poivre (au goût)	
	Eau (q.s.)*	

Méthode
1 Vider, nettoyer et *parer* les éperlans.
2 Déposer les pommes de terre et les oignons au fond d'un chaudron.
3 Déposer les éperlans sur le dessus.
4 Assaisonner.
5 *Mouiller* jusqu'à égalité.
6 Faire mijoter pendant environ 1 heure.
* quantité suffisante

Sauté de canard en sauce

Préparation : 20 minutes $$
Cuisson : 2 heures 30 à 3 heures

Portions 24	*Ingrédients*	Portions 6
400 g	**Graisse**	**150 mL**
400 g	**Beurre**	**100 mL**
8	**Canard d'environ 1 kg en morceaux**	**2**
	Farine (q.s.)*	
	Sel (au goût)	
	Poivre (au goût)	
800 g	**Oignon haché**	**325 mL**
8 L	**Eau**	**2 L**

Méthode
1 Faire fondre la graisse et le beurre.
2 Déposer les morceaux de canard enrobés généreusement de farine.
3 Laisser dorer les morceaux en les tournant.
4 Assaisonner et ajouter les oignons.
5 *Mouiller* avec l'eau et faire mijoter; remuer constamment.
6 Couvrir.
7 Laisser mijoter pendant environ 2 heures 30.
8 Ajouter de l'eau chaude, si nécessaire.
* quantité suffisante

Hachis de langues de morue

Préparation : 20 minutes $$
Cuisson : 1 heure

Portions 24	*Ingrédients*	Portions 6
3,6 kg	**Langue de morue salée**	**900 mL**
325 g	**Farine**	**60 mL**
350 g	**Graisse**	**100 mL**
1 kg	**Oignon haché finement**	**500 mL**
4 kg	**Pomme de terre en cubes**	**2 L**
	Eau (q.s.)*	
	Sel (au goût)	
	Poivre (au goût)	

Méthode
1 Faire tremper les langues dans de l'eau froide toute la nuit afin de les dessaler.
2 Faire un *roux* brun avec la farine et la graisse dans un chaudron.
3 Ajouter tous les ingrédients et *mouiller* d'eau à égalité.
4 Assaisonner.
5 Mijoter pendant environ 1 heure.
* quantité suffisante

Patates aux oeufs

Préparation : 10 minutes $
Cuisson : 20 minutes

Portions 24	*Ingrédients*	Portions 6
1 kg	**Pomme de terre en cubes**	**500 mL**
200 mL	**Huile végétale**	**50 mL**
15	**Oeuf**	**4**
700 mL	**Lait**	**175 mL**
	Sel (au goût)	
	Poivre (au goût)	

Méthode
1 Bien assécher les pommes de terre.
2 Les faire rôtir dans l'huile chaude.
3 Bien les éponger pour enlever l'excès d'huile.
4 Mélanger les oeufs, le lait, le sel et le poivre.
5 Verser ce mélange sur les pommes de terre.
6 Cuire au four à 180°C pendant environ 20 minutes.

Pain perdu au fromage

La crise économique des années trente frappa durement les petites populations des villages de Grandes-Bergeronnes, Portneuf, Milles-Vaches et Sacré-Coeur : la fermeture des « moulins à scie » dépouilla les employés de leur gagne-pain. Plusieurs familles ne possédant pas même un lopin de terre (duquel il eut été possible de tirer une maigre subsistance en attendant un redressement de l'économie) se retrouvèrent littéralement sur le carreau. Aussi, lorsque vers 1931, arrivèrent les offres du ministère de la Colonisation, ces familles démunies quittèrent leurs patelins et se dirigèrent vers les paroisses qui s'ouvraient à la colonisation agricole, et parmi celles-ci, Raguenau et Sainte-Thérèse-des-Colombiers.

Préparation : 15 minutes $$
Cuisson : 1 heure 15

Portions 24	*Ingrédients*	Portions 6
200 g	**Pain émietté**	**250 mL**
500 mL	**Lait**	**125 mL**
12	**Oeuf**	**3**
60 mL	**Beurre fondu**	**15 mL**
800 g	**Cheddar fort râpé**	**500 mL**

Méthode
1 Faire tremper le pain émietté dans le lait pendant 15 minutes.
2 Ajouter les oeufs et bien mélanger.
3 Ajouter le beurre fondu et le fromage râpé.
4 Verser dans un moule à pain de 1 litre.
5 Cuire au four à 180°C pendant 1 heure 15.
Note : Pour démouler plus facilement, verser l'*appareil* dans un moule *chemisé* d'un papier beurré ou d'un papier d'aluminium.

Salade de pissenlit à la crème

Préparation : 10 minutes $

Portions 24	*Ingrédients*	Portions 6
8 L	**Feuille de pissenlit**	**2 L**
	Eau (q.s.)*	
100 mL	**Vinaigre**	**25 mL**
300 mL	**Crème 15 %**	**75 mL**
	Sel (au goût)	
	Poivre (au goût)	
85 g	**Oignon haché finement**	**35 mL**

Méthode
1 Laver les feuilles de pissenlit à l'eau vinaigrée et les ciseler.
2 Ajouter la crème, le sel, le poivre et les oignons.
3 Bien mélanger l'ensemble et dresser dans des petites assiettes individuelles.

Salade de riz aux légumes et aux crevettes

Préparation : 20 minutes $$

Portions 24	Ingrédients	Portions 6
800 g	Riz cuit	300 mL
100 g	Oignon haché	40 mL
80 g	Céleri émincé	40 mL
100 g	Poivron vert en dés	40 mL
125 g	Maïs en grains	40 mL
60 g	Champignon émincé	40 mL
2	Gousse d'ail hachée	½
775 g	Crevette cuite	300 mL
50 g	Échalote hachée	25 mL
250 mL	Mayonnaise	60 mL
24	Feuille de laitue	6

Méthode
1 Mélanger tous les ingrédients ensemble, sauf les feuilles de laitue.
2 Dresser sur des feuilles de laitue à raison de 100 mL par portion.

Carrés aux bleuets

Les bleuets abondent dans la région des Escoumins. Mais ce ne sont pas les seuls fruits que l'on y trouve : le village doit en effet son nom à deux mots montagnais, « esko » signifiant « encore », et « mins », que l'on traduit par « fruits » et « graines ».

Préparation : 30 minutes $$
Cuisson : 15 minutes

Portions 24	Ingrédients	Portions 6
175 g	Graisse	60 mL
325 g	Farine	125 mL
750 g	Cassonade	175 mL
650 g	Bleuet	250 mL
125 mL	Eau	30 mL
450 g	Sucre	125 mL
40 mL	Fécule de maïs	10 mL
6	Blanc d'oeuf	1-2
225 g	Sucre	60 mL
	Noix de coco râpée (au goût)	

Méthode
1 Mélanger la graisse, la farine et la cassonade.
2 Mettre dans un moule graissé.
3 Cuire au four à 180°C pendant environ 15 minutes.
4 Laisser refroidir.
5 Faire mijoter les bleuets avec l'eau et le sucre.
6 *Lier* avec la fécule de maïs et laisser mijoter jusqu'à la consistance désirée.
7 Monter les blancs d'oeufs en neige à demi; ajouter alors le sucre graduellement et continuer de battre jusqu'à l'obtention d'une meringue.
8 Verser les bleuets sur le fond de pâte.
9 Ajouter la meringue.
10 Parsemer de noix de coco râpée.
11 Faire dorer au four quelques minutes.

Beignes aux patates

Préparation : 30 minutes $
Cuisson : 4 minutes

Portion 8 douzaines	Ingrédients	Portion 2 douzaines
825 g	Pomme de terre	250 mL
	Eau (q.s.)*	
925 g	Sucre	250 mL
40 mL	Beurre	10 mL
950 g	Farine	375 mL
60 mL	Poudre à pâte	15 mL
360 mL	Lait	90 mL
	Huile à frire (q.s.)*	

Méthode
1 Faire cuire les pommes de terre dans l'eau.
2 Égoutter et piler.
3 Ajouter le sucre et le beurre.
4 Tamiser la farine avec la poudre à pâte.
5 Incorporer le lait en alternant avec la farine.
6 Mettre assez de farine pour obtenir une pâte facile à étendre.
7 Laisser reposer cette pâte pendant 30 minutes.
8 Façonner des beignes et les faire frire dans l'huile ou dans la graisse.
9 Éponger les beignes sur un papier absorbant ou sur un linge avant de les servir.
* quantité suffisante

Gâteau au sirop noir

Préparation : 20 minutes $
Cuisson : 50 minutes

Portions 24	Ingrédients	Portions 6
500 mL	Graisse	125 mL
500 mL	Eau	125 mL
20 mL	Bicarbonate de soude	5 mL
500 mL	Mélasse	125 mL
4	Oeuf battu	1
775 g	Farine tout usage	300 mL
2 mL	Sel	1 pincée
	Beurre (q.s.)*	

Méthode
1 Faire fondre la graisse et la laisser tiédir.
2 Faire chauffer l'eau.
3 Ajouter le bicarbonate de soude à l'eau bouillante.
4 Incorporer à la graisse.
5 Verser dans la mélasse le mélange d'eau et de bicarbonate de soude.
6 Ajouter l'oeuf légèrement battu au mélange de mélasse, d'eau et de graisse.
7 Ajouter la farine et le sel.
8 Mélanger.
9 Beurrer un moule à pain de 1 litre et y verser le mélange.
10 Cuire au four à 180°C pendant 50 minutes ou jusqu'à ce que la pointe d'un couteau enfoncée dans la pâte n'adhère plus au gâteau.
* quantité suffisante

Biscuits aux raisins et au gruau

Préparation : 15 minutes $$
Cuisson : 15 minutes

Portion 8 douzaines	Ingrédients	Portion 2 douzaines
500 g	Beurre	125 mL
500 g	Cassonade	125 mL
4	Oeuf	1
325 mL	Lait	80 mL
650 g	Farine	250 mL
350 g	Gruau	250 mL
4 mL	Bicarbonate de soude	1 mL
20 mL	Poudre à pâte	5 mL
950 g	Raisin sec	300 mL

Méthode
1 Ramollir le beurre.
2 Ajouter la cassonade et bien mélanger.
3 Ajouter ensuite l'oeuf, puis le lait.
4 Bien mélanger le tout.
5 Incorporer la farine, le gruau, le bicarbonate de soude, la poudre à pâte et les raisins secs.
6 Disposer à la cuillère sur une plaque à biscuits.
7 Cuire au four à 180°C pendant environ 15 minutes.

Taureau au sirop

Préparation : 20 minutes $
Cuisson : 40 minutes

Portions 24	Ingrédients	Portions 6
1 L	Mélasse	250 mL
1 L	Eau	250 mL
110 g	Fécule de maïs	50 mL
200 mL	Eau froide	50 mL
2,4 kg	Pâte brisée *(voir recettes complémentaires)*	600 g
4	Oeuf battu	1

Méthode
1 Faire bouillir la mélasse avec l'eau.
2 Épaissir avec la fécule de maïs diluée dans l'eau froide.
3 Laisser refroidir.
4 Former une *abaisse* de pâte brisée rectangulaire.
5 *Foncer* de pâte un moule à pain de 1 litre (laisser dépasser la pâte sur les côtés de façon à ce qu'elle puisse se rejoindre sur le dessus).
6 Verser une partie du sirop et mettre un rang de pâte. Ajouter un rang de sirop et un autre rang de pâte. Alterner ainsi jusqu'à épuisement des ingrédients en terminant par un rang de sirop.
7 Rabattre les côtés de la pâte et les coller avec l'oeuf battu de façon à fermer hermétiquement.
8 Faire une incision au centre.
9 Dorer avec l'oeuf battu.
10 Cuire au four à 190°C pendant environ 40 minutes.
11 Laisser tiédir avant de servir.

Centre des ressources didactiques / Institut de tourisme et d'hôtellerie du Québec

Biscuits au miel

Préparation : 20 minutes $
Cuisson : 10 à 12 minutes

Portion 8 douzaines	Ingrédients	Portion 2 douzaines
400 mL	Miel	100 mL
65 g	Beurre	15 mL
20 mL	Jus de citron	5 mL
12 mL	Zeste de citron	3 mL
2	Oeuf battu	1
625 g	Farine	250 mL
	Sel (au goût)	
4 mL	Bicarbonate de soude	1 mL

Taureau au sirop

La Société historique de la Côte-Nord (*Indiens, canots Sept-Îles*). Objets d'artisanat : Arlette Guy, Baie-Comeau (*articles en vannerie*); Huguette Bugeau, Baie-Comeau (*assiette, pots à sucre et à lait*).

Méthode
1 Chauffer le miel à feu doux, ne pas le faire bouillir.
2 Ajouter le beurre, le jus et le zeste de citron.
3 Laisser refroidir.
4 Ajouter l'oeuf légèrement battu.
5 Tamiser les ingrédients secs ensemble et les mélanger à la première préparation.
6 Disposer sur une plaque à biscuits déjà graissée en portions de 5 mL.
7 Cuire au four à 190°C pendant environ 10 à 12 minutes.

Gâteau aux framboises

Les framboises ont un charme fou; les voit-on apparaître dans une croûte de tarte, dans une coupe de fruits frais ou mêlées à la pâte d'un bon gâteau, c'est gagné d'avance, le dessert sera un succès.

Préparation : 20 minutes $
Cuisson : 45 minutes

Portions 24	Ingrédients	Portions 6
40 mL	Beurre	10 mL
725 g	Cassonade	175 mL
4	Oeuf	1
675 mL	Lait sur	165 mL
8 mL	Bicarbonate de soude	2 mL
950 g	Farine	375 mL
8 mL	Cannelle	2 mL
8 mL	Muscade	2 mL
250 g	Framboise	125 mL
	Beurre (q.s.)*	

Méthode
1 Ramollir le beurre.
2 Ajouter la cassonade, l'oeuf et le lait sur dans lequel on aura préalablement dissous le bicarbonate de soude.
3 Tamiser les ingrédients secs ensemble et les incorporer au premier mélange.
4 Ajouter les framboises.
5 Mélanger légèrement et verser dans un moule beurré de 2 litres.
6 Cuire au four à 180°C pendant environ 45 minutes.
* quantité suffisante

Pouding au son et au miel

Préparation : 20 minutes $
Cuisson : 2 heures

Portions 24	Ingrédients	Portions 6
650 mL	Miel	160 mL
250 g	Beurre	60 mL
4	Oeuf battu	1
500 mL	Lait	125 mL
125 g	Farine de son	125 mL
650 g	Farine	250 mL
12 mL	Poudre à pâte	3 mL
8 mL	Sel	2 mL
775 g	Raisin sec	250 mL

Méthode
1 Battre le miel avec le beurre et les mettre en crème.
2 Ajouter l'oeuf, le lait et le son.
3 Mélanger les autres ingrédients ensemble et les incorporer au premier mélange.
4 Verser dans un moule beurré de 2 litres.
5 Placer ce moule dans un récipient contenant de l'eau.
6 Couvrir et cuire au four à la vapeur à 180°C pendant environ 2 heures.
7 Ce pouding peut se servir avec une sauce épaisse.

Roulades à la mélasse

Beurre, farine, mélasse, lait et raisins : heureuse combinaison pour un mélange consistant qui s'enroule comme un matelas de fortune et se tranche en moins de deux pour apparaître sous formes d'étroites rondelles pres que invisibles dans un baluchon ! Dessert tout désigné pour les longues courses en traîneau. De plus, pas de danger d'exciter la convoitise de vos compagnons de route, les chiens esquimaux, qui peinent dans la neige. Ceux-là se contentent tout bonnement d'un peu de farine de maïs mêlée à de l'eau, ou de quelques têtes de morues ou même — ils sont si peu exigeants ! ... — d'une portion de « maigre » de baleine.

Préparation : 20 minutes $
Cuisson : 35 à 40 minutes

Portions 24	*Ingrédients*	Portions 6
650 g	**Farine**	**250 mL**
40 mL	**Poudre à pâte**	**10 mL**
20 mL	**Sel**	**5 mL**
85 g	**Graisse**	**30 mL**
700 mL	**Lait**	**175 mL**
60 mL	**Beurre fondu**	**15 mL**
160 g	**Raisin sec**	**50 mL**
400 g	**Raisin sec**	**125 mL**
250 mL	**Eau**	**60 mL**
500 mL	**Mélasse**	**125 mL**

Méthode
1 Tamiser les ingrédients secs ensemble.
2 Ajouter la graisse et *sabler*.
3 *Détremper* l'*appareil* avec le lait.
4 *Abaisser* à la main et badigeonner avec le beurre fondu.
5 Étendre les raisins secs sur l'*abaisse* et faire un rouleau.
6 Couper en rondelles de 3 cm.
7 Disposer les raisins dans un moule carré et y disposer les roulés.
8 Mélanger l'eau et la mélasse et verser ce sirop sur les roulés.
9 Cuire au four à 200°C pendant 35 à 40 minutes.

Bannique

Préparation : 15 minutes $
Cuisson : 15 minutes

Portion 4 galettes	*Ingrédients*	Portion 1 galette
1,25 kg	**Farine de blé entier**	**500 mL**
60 mL	**Poudre à pâte**	**15 mL**
450 g	**Sucre**	**125 mL**
2 mL	**Sel**	**1 pincée**
350 g	**Graisse**	**125 mL**
775 g	**Raisin sec**	**250 mL**
1,4 L	**Lait**	**350 mL**

Méthode
1 Tamiser les ingrédients secs ensemble.
2 *Sabler* avec la graisse.
3 Ajouter les raisins.
4 Ajouter le lait tout en brassant et former une boule; la déposer sur une plaque.
5 L'aplatir de façon à obtenir une galette de 1 cm d'épaisseur.
6 Cuire au four à 200°C pendant environ 15 minutes.

Tarteaux de sarrasin

Pour confectionner le pain de ménage, on utilisera encore du blé — on n'aura qu'à s'en procurer au marché — mais comme il faut le payer un bon montant, on y mêlera du seigle, de l'avoine ou des pommes de terre. On sait par contre préparer d'excellentes galettes et de bons petits pains avec le « blé noir », ou sarrasin. Souvent, on le cultive pour débarrasser les champs des mauvaises herbes et pour engraisser le sol. Il s'agit d'une céréale très sensible aux conditions atmosphériques mais tout de même vigoureuse. « Dans les lieux de défrichement au climat souvent plus froid, écrit Jean Provencher, il arrive qu'on élève des croix de chemin pour demander à la Providence de préserver de la gelée les semences de sarrasin. »

Préparation : 10 minutes $
Cuisson : 1 heure

Portions 24	*Ingrédients*	Portions 6
1 L	**Lait**	**250 mL**
1,5 L	**Eau**	**375 mL**
40 mL	**Levure sèche**	**10 mL**
125 g	**Cassonade**	**30 mL**
12 mL	**Sel**	**3 mL**
650 g	**Farine tout usage**	**250 mL**
1,5 kg	**Farine de sarrasin**	**500 mL**
	Lard salé ou corps gras (q.s.)*	

Méthode
1 Faire tiédir le lait et l'eau.
2 Dissoudre la levure, la cassonade et le sel dans le liquide.
3 Ajouter les farines graduellement au mélange.
4 Battre jusqu'à l'obtention d'un *appareil* mousseux.
5 Couvrir et laisser lever pendant 1 heure.
6 Graisser la poêle avec le lard salé ou le corps gras.
7 Verser dans une poêle en portions de 85 mL (louche de 85 mL) et cuire comme pour une galette (d'un seul côté).
* quantité suffisante

Rouleau à la rhubarbe

Préparation : 30 minutes $
Cuisson : 30 à 40 minutes

Portions 24	*Ingrédients*	Portions 6
400 mL	**Lait tiède**	**100 mL**
350 g	**Graisse**	**125 mL**
650 g	**Farine**	**250 mL**
40 mL	**Poudre à pâte**	**10 mL**
	Sel (au goût)	
2 kg	**Rhubarbe hachée finement**	**500 mL**
250 g	**Sucre**	**60 mL**
	Sirop :	
1 L	**eau**	**250 mL**
400 g	**cassonade**	**100 mL**
375 g	**sucre**	**100 mL**

Méthode
1 Faire chauffer le lait.
2 Incorporer la graisse au lait tiède.
3 Tamiser les ingrédients secs ensemble et *détremper* avec le lait.
4 Faire une *abaisse* rectangulaire.
5 Étendre la rhubarbe sur l'*abaisse* de pâte.
6 Poudrer de sucre.
7 Faire un rouleau.
8 Cuire au four à 220°C pendant 30 à 40 minutes.
9 Mélanger l'eau avec la cassonade et le sucre et faire un sirop.
10 Verser ce sirop sur le rouleau.

Ketchup à la rhubarbe

Préparation : 20 minutes $$
Cuisson : 2 heures 30

Portion 6 litres	*Ingrédients*	Portion 1,5 litre
1,5 L	**Vinaigre blanc**	**375 mL**
3 kg	**Cassonade**	**750 mL**
30 mL	**Épices à marinade**	**8 mL**
	Sel (au goût)	
3 kg	**Rhubarbe en cubes**	**1,5 L**
1,3 kg	**Oignon haché**	**550 mL**

Méthode
1 Faire bouillir le vinaigre avec la cassonade, les épices et le sel.
2 Ajouter la rhubarbe et les oignons.
3 Faire cuire pendant 1 heure 30 ou jusqu'à ce qu'il ne reste plus de liquide à la surface.
4 Verser cette préparation chaude dans des bocaux chauds et fermer.

Boisson aux graines de pain brûlé

Préparation : 5 minutes $
Cuisson : 5 minutes

Portions 24	*Ingrédients*	Portions 6
28	**Tranche de pain baguette**	**7**
6 L	**Eau**	**1,5 L**

Méthode
1 Déposer les tranches de pain sur une plaque et les faire brûler au four à 290°C en les laissant environ 5 minutes.
2 Écraser le pain brûlé à l'aide d'un rouleau à pâtisserie jusqu'à l'obtention d'une poudre.
3 *Passer* au tamis fin.
4 Faire bouillir l'eau.
5 Mettre 100 mL (pour 6 portions) (400 mL pour 24 portions) de graines de pain brûlé dans l'eau bouillante et laisser mijoter pendant 1 à 2 minutes.
6 Servir comme une boisson chaude (thé ou café).
7 Ajouter du sucre ou du miel, du lait ou de la crème au goût.
Note : Les miettes de pain brûlé peuvent être préparées à l'avance et se conserver dans un récipient bien fermé.

Duplessis

Aussi fourmillante que Manicouagan, sa voisine, voici la vaste région de Duplessis dont le village d'Islets-Caribou est la porte d'entrée. Morue, palourdes, flétan, crabe, saumon gibier des bois, toujours cuits au lard salé, composent les menus les plus typiques.

L'une des traditions conservées des jours anciens est celle de la cueillette des fruits en saison. Parmi eux, il y a les chicoutais, d'un nom indien que l'on applique à un petit fruit qui en anglais s'appelle « bakeapple » ce qu'on a traduit par « plaquebière »; or, ce dernier mot dans ce sens-là ne se trouve ni dans le Larousse, ni dans le Robert; toutefois, il figure dans le Bélisle.

On peut, à marée basse, sur les battures, cueillir des coques ou palourdes, mollusques dont la chair est délicieuse et qui entrent dans la confection de nombreux plats fort goûtés comme la soupe, le pâté, l'étouffé.

Les spécialités sont, à n'en pas douter, les pâtés de lièvres, les gibelottes de poissons, la quiaude aux têtes de morues (un rang de morue fraîche, un rang de lard salé, en répétant tant que l'on a la matière première, le tout cuit à l'étuvée : ce serait une recette d'origine hollandaise). Viennent ensuite les pâtés de saumon, les langues de morue rôties ou accommodées tout comme la morue salée et séchée, les soupes et les étouffés aux coques ou palourdes, le hareng mariné, les galettes à la mélasse « pépé ». Ces galettes ont la particularité de ne pas geler au cours des longues randonnées en forêt.

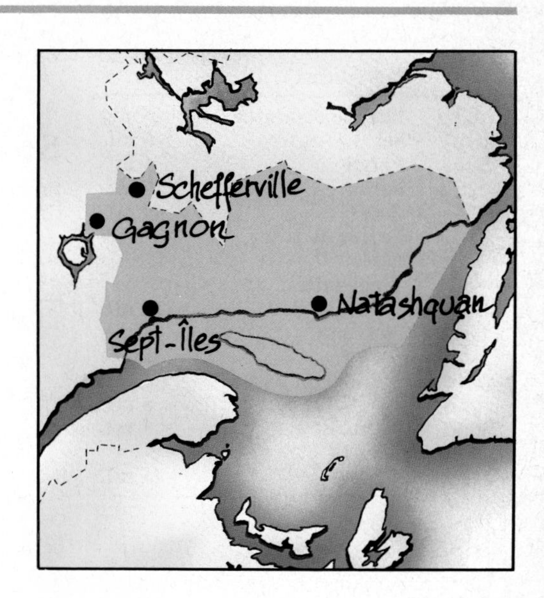

Bolée de bouillon Mémé

Il fut un temps où, sur la Côte-Nord, on ne trouvait pas une seule Mémé pour préparer cette incomparable bolée de bouillon dont elles seules possèdent la recette... Pour le grand malheur des habitants, les petites populations des premiers postes de la Côte étaient exclusivement composées d'hommes.

Préparation : 15 minutes — $
Cuisson : 5 à 7 minutes

Portions 24	*Ingrédients*	Portions 6
125 g	**Beurre**	**30 mL**
100 g	**Lard salé en cubes**	**30 mL**
300 g	**Oignon haché**	**125 mL**
4,8 L	**Jus de tomate**	**1,2 L**
450 g	**Coeur de céleri haché avec les feuilles**	**250 mL**
8	**Clou de girofle**	**3**
60 mL	**Persil haché**	**15 mL**
3	**Feuille de laurier**	**1**
	Sel (au goût)	
	Poivre (au goût)	
	Facultatif :	
250 mL	**crème sure**	**60 mL**

Méthode
1 Faire fondre le beurre et faire *rissoler* le lard salé.
2 *Faire revenir* l'oignon dans le beurre et le lard fondu.
3 Ajouter tous les autres ingrédients et faire mijoter pendant environ 5 à 7 minutes.
4 *Passer* au chinois fin.
5 Réchauffer.
6 Servir tel quel ou ajouter de la crème sure, si désiré.

Tartelette de crabe nord-côtier

Préparation : 35 minutes — $$

Portions 24	*Ingrédients*	Portions 6
24	**Tranche de pain blanc**	**6**
250 g	**Beurre**	**60 mL**
150 g	**Oignon haché**	**60 mL**
125 g	**Beurre**	**30 mL**
115 g	**Farine**	**45 mL**
1 L	**Lait chaud**	**250 mL**
500 g	**Chair de crabe cuite**	**125 g**
	Sel (au goût)	
	Poivre (au goût)	
	Persil haché (au goût)	

Méthode
1 Beurrer les tranches de pain.
2 Tapisser des petits moules à tartelette avec les tranches de pain.
3 Faire dorer au four à 230°C.
4 Faire cuire les oignons au beurre.
5 *Singer* avec la farine et cuire pendant 1 à 2 minutes.
6 Laisser refroidir.
7 Verser le lait chaud sur le *roux* refroidi.
8 Faire chauffer tout en remuant et laisser mijoter pendant 15 minutes.
9 Verser dans la sauce la chair de crabe cuite et débarrassée de ses cartilages.
10 Assaisonner.
11 Laisser mijoter pendant 1 à 2 minutes.
12 Verser cette sauce dans les tartelettes.
13 Persiller et servir chaud.

Canapé de foies de morue

Préparation : 20 minutes — $
Cuisson : 10 minutes

Portions 24	*Ingrédients*	Portions 6
60 mL	**Beurre doux**	**15 mL**
125 g	**Farine**	**45 mL**
20 mL	**Oignon haché**	**5 mL**
800 mL	**Lait bouillant**	**200 mL**
250 mL	**Crème à 35 %**	**60 mL**
1 L	**Foie de morue en morceaux**	**250 mL**
	Sel (au goût)	
	Poivre (au goût)	
1 mL	**Cayenne**	**1 pointe**
24	**Tranche de pain**	**6**
50 g	**Cheddar fort râpé**	**30 mL**

Méthode
1 Faire fondre le beurre.
2 Ajouter la farine et cuire doucement pendant 2 minutes.
3 Ajouter les oignons, puis le lait bouillant.
4 Épaissir sur le feu en brassant avec un fouet.
5 Verser la crème, puis ajouter les foies de morue.
6 Laisser épaissir et assaisonner très légèrement.
7 Ajouter le cayenne et laisser refroidir pendant 2 heures.
8 Garnir les tranches de pain avec l'*appareil* et poudrer de fromage râpé.
9 Gratiner au four pendant 2 minutes et servir aussitôt.

Langue de morue vinaigrette

Préparation : 15 à 20 minutes $$

Portions 24	*Ingrédients*	Portions 6
1,8 kg	**Langue de morue**	**450 g**
20 mL	**Sel**	**5 mL**
5 mL	**Poivre**	**1 mL**
125 g	**Farine**	**50 mL**
175 g	**Beurre**	**45 mL**
24	**Feuille de laitue frisée**	**6**
	Vinaigrette :	
60 mL	**vinaigre**	**15 mL**
8 mL	**sel**	**2 mL**
2 mL	**poivre**	**1 pincée**
20 mL	**cornichon haché**	**5 mL**
20 mL	**persil haché**	**5 mL**
20 mL	**échalote verte ciselée**	**5 mL**
175 mL	**Huile**	**45 mL**

Méthode
1 Éponger les langues de morue.
2 Les assaisonner et les passer dans la farine.
3 Faire *sauter* les langues dans le beurre.
4 Les égoutter et les déposer sur une feuille de laitue.
5 Bien mélanger tous les ingrédients de la vinaigrette ensemble.
6 Remuer jusqu'à ce que le sel soit fondu.
7 Incorporer l'huile.
8 Arroser les langues de vinaigrette.
9 Servir immédiatement.

Soupe à l'orge

Malgré son apparente modestie, cette soupe est plus qu'une soupe. L'orge a rejoint le boeuf bouilli et ensemble, ils ont mijoté jusqu'à l'arrivée des légumes. Lorsque ces derniers seront bien cuits, le bouillon servira de potage tandis que la viande et les légumes constitueront un plat très substantiel...

Préparation : 20 minutes $
Cuisson : environ 2 heures

Portions 24	*Ingrédients*	Portions 6
3,8 kg	**Boeuf salé**	**950 g**
	Eau (pour couvrir)	
325 g	**Orge**	**100 mL**
800 g	**Navet en bâtonnets**	**400 mL**
800 g	**Carotte en bâtonnets**	**400 mL**
2,3 kg	**Pomme de terre en quartiers**	**800 mL**
8 mL	**Poivre**	**2 mL**

Méthode
1 Faire mijoter le boeuf dans l'eau pendant 45 minutes.
2 Bien laver l'orge à l'eau chaude et l'égoutter.
3 Verser l'orge en pluie dans le liquide bouillant.
4 Laisser mijoter pendant 30 minutes.
5 Ajouter les légumes et les assaisonnements et cuire pendant environ 35 à 40 minutes.
6 Vérifier l'assaisonnement.
7 *Décanter* la viande et les légumes.
8 Servir le bouillon en guise de potage.
9 Servir la viande et les légumes en guise de plat principal.

Soupe aux palourdes

Préparation : 10 à 15 minutes $$
Cuisson : 10 minutes

Portions 24	*Ingrédients*	Portions 6
150 g	**Échalote verte émincée**	**125 mL**
250 g	**Céleri émincé**	**125 mL**
250 g	**Beurre**	**60 mL**
	Sel (au goût)	
	Poivre (au goût)	
4 L	**Lait**	**1 L**
1,15 L	**Palourde**	**275 mL**
60 mL	**Persil haché**	**15 mL**

Méthode
1 *Faire suer* les échalotes et le céleri au beurre.
2 Saler et poivrer.
3 Ajouter le lait, les palourdes et leur jus et faire chauffer (ne pas faire bouillir).
4 Servir et décorer de persil haché.
Note : Cette recette peut très bien se préparer avec des coques.

La Société historique de la Côte-Nord, Album 20, page 9 (*Pêche au hareng, 1936. Longue Pointe Mingan*). Objets d'artisanat : Pierrette Bertrand, Sept-Îles (*chemin de table*); Josette Raymond, Sept-Îles (*assiette*).

Langue de morue vinaigrette

Centre des ressources didactiques / Institut de tourisme et d'hôtellerie du Québec

Filets de chevreuil d'Anticosti

Grâce aux préoccupations écologiques d'Henri Menier qui avait pris soin d'acclimater des chevreuils, l'île d'Anticosti en comptait dès 1928 près de 300 000 ! Un paradis pour les chasseurs ? Que non ! La chasse était strictement interdite. Sauf dans des cas très particuliers, bien sûr... comme pour le ministre des Terres et Forêts, Honoré Mercier, qui adorait y chasser. Il le fit en toute discrétion.

Préparation : 10 à 15 minutes $$$
Marinage : 12 heures
Cuisson : 10 à 15 minutes

Portions 24	*Ingrédients*	Portions 6
	Sel (au goût)	
	Poivre (au goût)	
3,6 kg	**Filet de chevreuil *paré***	**900 g**
250 mL	**Huile d'olive**	**60 mL**
	Sauce :	
250 mL	**gelée de raisin**	**60 mL**
60 mL	**sauce Worcestershire**	**15 mL**
250 g	**beurre**	**60 mL**

Méthode
1 Saler et poivrer les filets de chevreuil et les mettre dans un plat.
2 Arroser avec un peu d'huile d'olive et laisser reposer pendant 12 heures.
4 Placer les filets à 15 cm de la source de chaleur et les faire griller à 230°C selon le degré de cuisson désiré.
5 Faire fondre sur feu doux la gelée de raisin avec la sauce Worcestershire.
6 Monter au beurre.
7 Servir cette sauce chaude en accompagnement des filets.

Cipâte aux harengs

Préparation : 1 heure $
Cuisson : 2 heures à 2 heures 30

Portions 24	*Ingrédients*	Portions 6
3 kg	**Pâte brisée *(voir recettes complémentaires)***	**750 g**
2 kg	**Pomme de terre en dés**	**1 L**
3,6 kg	**Hareng frais désossé en dés**	**900 g**
850 g	**Oignon haché**	**350 mL**
40 mL	**Sel**	**10 mL**
10 mL	**Poivre**	**2 mL**
1,4 L ou à égalité	**Eau froide**	**350 mL ou à égalité**
3	**Oeuf battu**	**1**

Méthode
1 *Foncer* un chaudron de pâte brisée en laissant dépasser la pâte.
2 Déposer alternativement une rangée de pommes de terre, une rangée de harengs et une rangée d'oignons jusqu'à épuisement des ingrédients.
3 Saler et poivrer.
4 Verser de l'eau à égalité.
5 Couvrir d'une autre *abaisse* et bien refermer la pâte.
6 Faire 3 ou 4 incisions à l'aide d'un couteau sur le dessus de la pâte pour laisser échapper la vapeur.
7 À l'aide d'un pinceau, badigeonner d'oeuf battu le dessus de la cipâte.
8 Cuire au four à 180°C pendant 2 heures à 2 heures 30.

Moule à la truite

Préparation : 40 à 50 minutes $
Cuisson : 25 minutes
Réfrigération : 2 heures

Portions 24	*Ingrédients*	Portions 6
60 mL	**Gélatine neutre**	**15 mL**
350 mL	**Eau froide**	**90 mL**
1,1 L	**Lait**	**275 mL**
110 g	**Beurre**	**25 mL**
12	**Jaune d'oeuf**	**3**
200 mL	**Jus de citron**	**50 mL**
30 mL	**Moutarde sèche**	**7 mL**
10 mL	**Paprika**	**2 mL**
3 kg	**Chair de truite émiettée**	**750 mL**

Méthode
1 Poudrer la gélatine sur l'eau froide et laisser tremper.
2 Chauffer le lait et le beurre (ne pas faire bouillir).
3 Bien mélanger ensemble les jaunes d'oeufs, le jus de citron, la moutarde sèche et le paprika.
4 Verser graduellement le lait chaud sur les jaunes d'oeufs.
5 Cuire au *bain-marie* en remuant constamment à l'aide d'une spatule de bois jusqu'à ce que la sauce épaississe et qu'elle enrobe d'une mince couche la spatule de bois.
6 Verser la sauce graduellement sur la gélatine gonflée.
7 Bien remuer.
8 Réserver au réfrigérateur jusqu'à la consistance d'un blanc d'oeuf.
9 Mélanger la truite et la sauce refroidie.
10 Verser dans un moule de 1 litre.
11 Laisser prendre au réfrigérateur pendant 2 heures.
12 Démouler en plaçant le fond du bol dans l'eau chaude.
13 Renverser sur une assiette.

Pâté aux palourdes

Préparation : 20 minutes $
Cuisson : 20 minutes

Portions 24	*Ingrédients*	Portions 6
60 g	**Oignon haché**	**25 mL**
60 g	**Beurre**	**15 mL**
60 mL	**Farine**	**15 mL**
500 mL	**Eau**	**125 mL**
1 kg	**Pomme de terre en dés**	**500 mL**
600 g	**Palourde avec jus**	**150 g**
8 abaisses	**Pâte brisée *(voir recettes complémentaires)***	***2 abaisses***

Méthode
1 *Faire suer* les oignons dans le beurre.
2 *Singer* avec la farine.
3 *Mouiller* avec l'eau.
4 Ajouter les pommes de terre et les palourdes.
5 Amener à ébullition et laisser cuire pendant 15 à 20 minutes.
6 Verser dans une *abaisse* de pâte brisée de 22 cm de diamètre.
7 Couvrir avec une seconde *abaisse* de pâte.
8 Faire une incision au centre de l'*abaisse* de couverture.
9 Cuire au four à 240°C pendant 20 minutes.

Pâté au saumon

Au début des années 30, les fanatiques du saumon avaient beau jeu alors que, pour la somme de 100 $, ils pouvaient se payer une semaine de pêche dans les meilleures rivières à saumon de l'île d'Anticosti sans aucune restriction quant au nombre de prises ! Au cours des années 70, il n'en coûtait pas moins de 1 600 $ pour un séjour comparable pour quiconque désirait tenter sa chance auprès des saumons de la rivière Jupiter, sans pour autant avoir le droit d'en retirer plus de quatre par jour !

Préparation : 15 minutes $
Cuisson : 40 minutes

Portions 24	*Ingrédients*	Portions 6
	Pâte :	
575 g	**graisse**	**200 mL**
1,6 kg	**farine tout usage**	**625 mL**
12 mL	**sel**	**3 mL**
20 mL	**vinaigre**	**5 mL**
4	**oeuf**	**1**
800 mL	**eau**	**200 mL**
1,8 kg	**Saumon en conserve**	**450 g**
850 g	**Purée de pommes de terre**	**250 mL**
4	**Oeuf**	**1**
125 g	**Oignon haché**	**50 mL**
60 mL	**Beurre**	**15 mL**

Méthode
1 *Sabler* la graisse avec la farine.
2 Ajouter le sel, le vinaigre, l'oeuf et l'eau.
3 Bien mélanger et réfrigérer.
4 Mélanger le saumon avec la purée de pommes de terre et l'oeuf.
5 *Faire suer* les oignons dans le beurre et incorporer au premier mélange.
6 Bien mélanger.
7 *Abaisser* la pâte et la déposer dans une assiette de 22 cm de diamètre.
8 Verser le mélange de saumon.
9 Couvrir d'une seconde *abaisse* de pâte.
10 Faire une incision au centre de la pâte.
11 Cuire au four à 220°C pendant 10 minutes, diminuer ensuite la température à 180°C et cuire pendant 30 minutes.

Bouilli de boeuf salé aux pâtes

Préparation : 25 minutes $
Cuisson : 2 heures 30

Portions 24	*Ingrédients*	Portions 6
300 g	Oignon haché	125 mL
60 mL	Saindoux	15 mL
3,6 kg	Boeuf salé*	900 g
	Eau (pour couvrir)	
800 g	Carotte en bâtonnets	400 mL
400 g	Navet en bâtonnets	200 mL
1,6 kg	Pomme de terre en bâtonnets	600 mL
	Pâte :	
325 g	farine	125 mL
12 mL	sel	3 mL
20 mL	poudre à pâte	5 mL
500 mL	eau	125 mL

Méthode
1 *Faire revenir* l'oignon dans le saindoux.
2 Ajouter le boeuf et couvrir d'eau.
3 Faire mijoter pendant environ 1 heure 30.
4 Ajouter les légumes et laisser mijoter pendant 20 minutes.
5 Tamiser les ingrédients secs ensemble.
6 Incorporer l'eau et former une pâte, ne pas travailler.
7 Vérifier le niveau d'eau dans le bouilli. Il doit couvrir les légumes et la viande.
8 Déposer la pâte par portion de 15 mL sur le boeuf et les légumes.
9 Couvrir et laisser mijoter pendant 20 minutes. Ne pas soulever le couvercle avant la fin de la cuisson.
10 Servir immédiatement.
* Si le boeuf est très salé, il est préférable de le faire dessaler à l'eau froide courante pendant quelques heures.

Capelans persillés

Préparation : 30 minutes $
Cuisson : 30 minutes

Portions 24	*Ingrédients*	Portions 6
8 kg	Capelan frais	2 kg
	Sel (au goût)	
	Poivre (au goût)	
	Farine (q.s.)*	
175 g	Beurre	45 mL
300 g	Saindoux	75 mL
75 g	Échalote ciselée	60 mL
1,5 L	Cidre sec	375 mL
50 g	Persil haché	45 mL

Méthode
1 Vider et nettoyer les poissons.
2 Les éponger et les assaisonner.
3 Poudrer les capelans de farine.
4 Les faire *sauter* dans le beurre et le saindoux fondu.
5 Réserver.
6 *Faire tomber* les échalotes dans le gras de cuisson.
7 Égoutter le surplus de gras.
8 *Déglacer* avec le cidre.
9 Laisser réduire de moitié.
10 *Napper* les capelans avec le jus.
11 Persiller.
12 Servir chaud.
* quantité suffisante

Saumon nord-côtier

La rivière Bersimis a été « concédée » aux Montagnais en 1860. À la période de frai, les captures étaient abondantes. La technique la plus répandue était le harponnage.

Préparation : 10 à 15 minutes $$$
Cuisson : 25 à 30 minutes

Portions 24	*Ingrédients*	Portions 6
3,8 kg	Saumon frais en filet	950 g
4	Demi-citron	1
125 g	Beurre	30 mL
60 mL	Ciboulette hachée	15 mL
85 g	Échalote verte hachée	45 mL
20 mL	Sel	5 mL
5 mL	Poivre	1 mL
60 mL	Cassonade	15 mL

Méthode
1 Frotter le saumon avec les quartiers de citron.
2 Beurrer un plat allant au four avec le tiers du beurre.
3 Parsemer le fond du plat avec la moitié de la ciboulette et la moitié des échalotes.
4 Déposer le poisson dans le plat (du côté de la peau).
5 Poudrer avec le reste des échalotes et de la ciboulette.
6 Parsemer de noisettes de beurre.
7 Assaisonner et poudrer de cassonade.
8 Couvrir et cuire au four à 190°C pendant environ 25 minutes ou jusqu'à ce que le poisson s'effeuille facilement.

Croquettes à la morue

Le frère du célèbre Napoléon-Alexandre Comeau racontait avoir aperçu à plusieurs reprises un monstre marin, au large de Pointe-des-Monts, au cours de l'hiver 1885. À l'en croire, cette créature n'avait rien de l'allure débonnaire d'une morue.

Préparation : 1 heure $
Cuisson : 45 minutes

Portions 24	*Ingrédients*	Portions 6
3 kg	Pomme de terre pelée	750 g
	Eau (q.s.)*	
	Sel (au goût)	
300 g	Oignon haché	125 mL
175 g	Beurre	45 mL
3 kg	Filet de morue	750 g
4 L	*Court-bouillon (voir recettes complémentaires)*	1 L
8	Jaune d'oeuf	2
	Sel (au goût)	
	Poivre (au goût)	
	Farine (q.s.)*	
16	Oeuf battu	4
	Chapelure (q.s.)*	

Méthode
1 Faire cuire les pommes de terre dans l'eau salée.
2 Égoutter et réserver.
3 *Faire tomber* l'oignon au beurre et réserver.
4 Déposer les filets de morue dans le *court-bouillon* et les faire cuire pendant environ 5 à 7 minutes.
5 Égoutter.
6 Effeuiller le poisson et le réserver.
7 Mettre les pommes de terre en purée.
8 Ajouter les oignons et les jaunes d'oeufs.
9 Incorporer le poisson.
10 Assaisonner.
11 Laisser tiédir et former des boulettes.
12 Passer successivement les croquettes dans la farine, les oeufs battus et la chapelure.
13 Faire dorer dans l'huile à 180°C.
14 Servir ces croquettes chaudes.
Accompagnement suggéré : salade verte et/ou sauce tomate.
* quantité suffisante

Quiaude au flétan

Préparation : 20 minutes $
Cuisson : 25 à 30 minutes

Portions 24	*Ingrédients*	Portions 6
500 g	Oignon haché	200 mL
200 mL	Huile	50 mL
125 g	Farine	50 mL
1,8 kg	Pomme de terre émincée	800 mL
	Eau (pour couvrir)	
40 mL	Sel	10 mL
5 mL	Poivre	1 mL
2,8 kg	Flétan en morceaux	700 g
	Pâte :	
325 g	farine	125 mL
30 mL	poudre à pâte	7 mL
5 mL	sel	1 mL
5 mL	bicarbonate de soude	1 mL
300 mL	Eau	75 mL

Méthode
1 *Faire suer* les oignons dans l'huile.
2 *Singer* avec la farine et *faire colorer.*
3 Ajouter les pommes de terre.
4 Couvrir d'eau les pommes de terre.
5 Amener à ébullition.
6 Assaisonner de sel et de poivre.
7 Laisser cuire pendant 10 minutes.
8 Ajouter le flétan et verser la pâte préalablement préparée par cuillerée de 5 mL.
9 Cuire à couvert pendant 10 à 15 minutes.
10 Servir chaud.
Pâte :
11 Mélanger la farine, la poudre à pâte, le sel et le bicarbonate de soude.
12 Incorporer l'eau.
13 Bien mélanger.
14 Verser dans la préparation tel qu'indiqué.
Note : Cette recette peut très bien se préparer avec de la morue (filet ou tête).

Centre des ressources didactiques / Institut de tourisme et d'hôtellerie du Québec

Quiaude au flétan

La Société historique de la Côte-Nord, Album 30, page 38 (*Souvenir donné par H. Rosario Vigneau Victoria, 1912*). Objets d'artisanat : Jacqueline Taschereau-Guérin, Sept-Îles (*assiette*); Thérésa L. Bouchard, Sept-Îles (*napperon*).

Trempette au crabe

Les amateurs de crustacés sont nombreux. Il y a longtemps qu'on reproche, entre autres, aux goélands de s'en prendre aux crabes, aux oursins et aux homards.

Préparation : 10 minutes $$$

Portions 24	*Ingrédients*	Portions 6
650 g	**Chair de crabe**	**250 mL**
300 mL	**Mayonnaise**	**75 mL**
100 mL	**Ketchup**	**25 mL**
30 mL	**Sauce Worcestershire**	**7 mL**
400 mL	**Crème à 15 %**	**100 mL**

Méthode

1 Couper la chair de crabe en petits dés.
2 Ajouter les autres ingrédients et bien mélanger le tout.
3 Servir comme trempette avec des croustilles.
Note : En enlevant la crème à 15 % ou en la diminuant, on obtient une farce servant à garnir des canapés.

Salade de poisson

Préparation : 30 à 35 minutes $$

Portions 24	*Ingrédients*	Portions 6
2 kg	**Poisson cuit (saumon, thon, etc.)**	**500 mL**
450 g	**Céleri haché**	**250 mL**
900 g	**Chou ciselé**	**500 mL**
500 g	**Pomme en brunoise**	**1 unité**
100 g	**Amande effilée et grillée**	**60 mL**
500 mL	**Mayonnaise**	**125 mL**
20 mL	**Sel**	**5 mL**
5 mL	**Poivre**	**1 mL**
2 mL	**Cayenne**	**1 pincée**
24	**Feuille de laitue**	**6**
	Persil en branche (au goût)	

Méthode

1 Enlever la peau et les arêtes du poisson; effeuiller la chair.
2 Mélanger tous les ingrédients ensemble, sauf la laitue et le persil.
3 Réfrigérer pendant 1 heure.
4 Servir sur des feuilles de laitue.
5 Décorer avec le persil.

Salade de crabe et de crevettes nordiques

Charles Moreau, Montagnais des Escoumins, ne savait se satisfaire d'une salade. Il avalait sans peine tout un porc-épic et un jeune castor avant d'attaquer une bonne grosse galette.

Préparation : 20 minutes $$

Portions 24	*Ingrédients*	Portions 6
2,5 kg	**Laitue en feuille**	**1,5 L**
400 g	**Tomate en tranches**	**125 mL**
150 g	**Céleri émincé**	**75 mL**
125 g	**Radis émincé**	**75 mL**
125 g	**Oignon haché**	**50 mL**
175 g	**Champignon cru émincé**	**125 mL**
	Sel (au goût)	
	Poivre (au goût)	
200 g	**Crevette décortiquée**	**75 mL**
200 g	**Crabe en morceaux**	**75 mL**
	Facultatif :	
	ciboulette hachée (au goût)	
	Vinaigrette :	
200 mL	**huile**	**50 mL**
20 mL	**moutarde forte**	**5 mL**
60 mL	**vinaigre de vin**	**15 mL**
	sel (au goût)	
	poivre (au goût)	

Méthode

1 Laver tous les légumes et les mélanger ensemble.
2 Les assaisonner de sel et de poivre.
3 Ajouter juste avant de servir les crevettes et le crabe.
4 Poudrer de ciboulette, si désiré.
5 Mélanger tous les ingrédients ensemble et en arroser la salade juste avant de servir.

Centre des ressources didactiques / Institut de tourisme et d'hôtellerie du Québec

Feuille de navet

Préparation : 20 minutes $
Cuisson : 25 à 30 minutes

Portions 24	Ingrédients	Portions 6
500 g	Lard salé	125 g
8 L	Feuille de navet	2 L
1,2 kg	Navet en tranches	300 g
500 g	Oignon en quartiers	125 g ou 1 unité
	Eau (pour couvrir)	
	Sel (au goût)	
24	Pomme de terre (petite)	6
	Sel (au goût)	
	Poivre (au goût)	
125 g	Beurre	30 mL

Méthode

1 Faire fondre le lard salé dans un chaudron.
2 Ajouter les feuilles de navet et les *faire suer.*
3 Ajouter le navet, les oignons et l'eau.
4 Saler.
5 Faire mijoter pendant 20 minutes.
6 Ajouter les pommes de terre pelées et coupées en deux.
7 Finir de cuire.
8 Vérifier l'assaisonnement.
9 Égoutter. Poivrer.
10 Beurrer.
11 Servir ces légumes chauds.

Biscuits au gingembre

La Société historique de la Côte-Nord, Album 41, page 16 (*Chantier*). Objets d'artisanat : Jacqueline Taschereau-Guérin, Sept-Îles (*assiette et bols à café*); Thérésa L. Bouchard, Sept-Îles (*tissage*).

Pouding au pain au chocolat

Préparation : 30 minutes $
Cuisson : 35 à 40 minutes

Portions 24	Ingrédients	Portions 6
1,5 L	Lait	375 mL
200 g	Mie de pain rassis émiettée	250 mL
15 mL	Vanille	5 mL
60 mL	Beurre	15 mL
60 mL	Cacao en poudre	15 mL
375 g	Sucre	100 mL
12	Jaune d'oeuf	3
12	Blanc d'oeuf	3
600 mL	Crème à 15 %	150 mL

Méthode

1 Chauffer le lait et le pain sans laisser bouillir.
2 Ajouter la vanille, le beurre, le cacao et le sucre.
3 Mélanger le tout et retirer du feu.
4 Battre les jaunes d'oeufs et les mélanger à l'*appareil* légèrement refroidi.
5 Monter les blancs d'oeufs en neige fermes.
6 Les incorporer au mélange.
7 Déposer le tout dans un moule beurré.
8 Cuire au four à 180°C pendant environ 35 à 40 minutes ou jusqu'à ce que la pointe d'un couteau ressorte propre du pouding.
9 Servir avec de la crème à 15 %.

Biscuits au gingembre

Les biscuits au gingembre remportent toujours le même succès auprès des enfants. Rien ne nous empêche de leur dessiner des habits; les yeux de sucre peuvent fort bien être remplacés par de délicieux jujubes et pourquoi ne pas doter vos petits bonhommes d'une belle chevelure à la noix de coco ?

Préparation : 15 minutes $
Cuisson : 12 à 15 minutes

Portions 8 douzaines	Ingrédients	Portions 2 douzaines
85 g	Graisse	30 mL
100 g	Sucre blanc	30 mL
125 mL	Mélasse	30 mL
4	Oeuf	1
450 g	Farine	175 mL
6 mL	Bicarbonate de soude	1,5 mL
5 mL	Sel	1 mL
6 mL	Gingembre	1,5 mL
125 mL	Lait	30 mL

Méthode

1 Crémer la graisse avec le sucre et la mélasse.
2 Ajouter l'oeuf et bien battre.
3 Tamiser les ingrédients secs ensemble et les ajouter au mélange en alternant avec le lait.
4 Bien mélanger le tout.
5 *Abaisser* la pâte sur une épaisseur de 3 mm et découper avec un *emporte-pièce* de 6 cm de diamètre.
6 Déposer sur une tôle graissée.
7 Cuire au four à 180°C pendant 12 à 15 minutes.

Galettes à Mémé

Préparation : 15 minutes $
Cuisson : 15 à 20 minutes

Portions 8 douzaines	Ingrédients	Portions 2 douzaines
575 g	Graisse	200 mL
300 g	Sucre blanc	80 mL
8	Oeuf	2
1,3 kg	Farine	500 mL
5 mL	Sel	1 mL
20 mL	Poudre à pâte	5 mL
500 mL	Confiture	125 mL

Méthode

1 Crémer la graisse avec le sucre.
2 Ajouter les oeufs et bien battre.
3 Tamiser les ingrédients secs ensemble et les ajouter au mélange.
4 Bien mélanger.

5 *Abaisser* la pâte sur une épaisseur de 3 mm.
6 Découper avec un *emporte-pièce* de 6 cm de diamètre.
7 Déposer sur une tôle graissée.
8 Mettre 5 mL de confiture sur chaque galette.
9 Couvrir d'une *abaisse* trouée.
10 Cuire au four à 180°C pendant 15 à 20 minutes.

« Pig-jingot »

Sault-au-Cochon, aujourd'hui Forestville, tire son nom « d'un cochon à deux pattes, le noble sire Jean Cauchon, originaire de Dieppe et arrivé au Canada en 1622, à l'époque de Champlain, il faudrait donc corriger et dire Sault-à-Cauchon » nous dit Eugène Achard, dans son livre **Sur les sentiers de la Côte-Nord.**

Préparation : 5 minutes $
Cuisson : 20 à 25 minutes

Portions 24	Ingrédients	Portions 6
750 g	**Lard salé en cubes**	**250 mL**
100 g	**Beurre**	**25 mL**
200 mL	**Mélasse**	**50 mL**
400 mL	**Eau**	**100 mL**
48	**Tranche de pain frais**	**12**

Méthode
1 *Faire revenir* le lard salé dans le beurre fondu.
2 Ajouter la mélasse diluée dans l'eau et laisser mijoter à découvert pendant 5 à 7 minutes.
3 Garnir les tranches de pain avec les grillades.
4 Servir chaud ou froid.
Notes :
1) On peut dessaler le lard dans l'eau froide pendant 1 heure avant de le faire cuire.
2) La quantité de mélasse peut être augmentée ou diminuée selon le goût.

Pouding au suif

Préparation : 20 minutes $
Cuisson : 1 heure 30

Portions 24	Ingrédients	Portions 6
150 g	**Graisse**	**50 mL**
650 g	**Sucre**	**175 mL**
4	**Oeuf**	**1**
500 mL	**Lait**	**125 mL**
650 g	**Farine**	**250 mL**
40 mL	**Poudre à pâte**	**10 mL**
800 g	**Suif finement haché**	**575 mL**
12 mL	**Graisse**	**3 mL**
	Sauce d'accompagnement du pouding :	
1,9 L	**eau**	**475 mL**
925 g	**sucre**	**250 mL**
60 mL	**fécule de maïs**	**15 mL**
125 mL	**eau froide**	**30 mL**
60 mL	**beurre**	**15 mL**
10 mL	**muscade râpée**	**2 mL**

Méthode
1 Crémer la graisse avec le sucre.
2 Incorporer l'oeuf.
3 Ajouter le lait.
4 Tamiser les ingrédients secs ensemble et les ajouter graduellement au mélange.
5 Bien remuer en ajoutant le suif.
6 Graisser un moule de 1,5 litre.
7 Verser l'*appareil* à pouding dans le moule.
8 Déposer dans un plat contenant de l'eau chaude.
9 Couvrir le plat.
10 Cuire le pouding sur feu doux à la vapeur pendant 1 heure 30.
Sauce :
11 Faire bouillir l'eau avec le sucre.
12 Dissoudre la fécule de maïs dans l'eau.
13 Verser graduellement la fécule de maïs diluée dans le sirop chaud en remuant constamment pour épaissir.
14 Laisser mijoter pendant 1 à 2 minutes.
15 Retirer du feu et incorporer le beurre et la muscade.
16 *Napper* le pouding de cette sauce.
17 Servir chaud.

Tarte aux graines rouges

Préparation : 20 à 25 minutes $$
Cuisson : 30 minutes

Portions 4 tartes	Ingrédients	Portion 1 tarte
2 L	**Airelle vigne d'Ida (Vaccinium vitisidaea = lingonne)**	**500 mL**
250 mL	**Eau**	**60 mL**
1,4 kg	**Sucre**	**375 mL**
1,4 kg	**Pâte brisée *(voir recettes complémentaires)***	**350 g**
3	**Oeuf battu**	**1**

Méthode
1 Trier, équeuter et laver les fruits.
2 Faire cuire les graines rouges avec l'eau et le sucre pendant environ 10 minutes.
3 Laisser refroidir.
4 Diviser la pâte en deux portions et former deux *abaisses* de 23 cm.
5 *Foncer* un moule à tarte d'une *abaisse.*
6 Verser le mélange de fruits et couvrir avec l'autre *abaisse.*
7 Bien sceller les bords à l'oeuf battu.
8 Pratiquer une incision au centre de l'*abaisse* supérieure.
9 *Badigeonner* la surface à l'oeuf.
10 Faire cuire au four à 220°C pendant 10 minutes, puis finir la cuisson à 180°C pendant environ 20 minutes.

Gâteau à la salade de fruits

Préparation : 20 minutes $$
Cuisson : 1 heure 30

Portions 4 gâteaux	Ingrédients	Portion 1 gâteau
1,3 kg	**Farine**	**500 mL**
1,4 kg	**Sucre blanc**	**375 mL**
70 g	**Bicarbonate de soude**	**20 mL**
8 mL	**Sel**	**2 mL**
4	**Oeuf**	**1**
2 L	**Salade de fruits**	**500 mL**
125 g	**Beurre**	**30 mL**
75 g	**Farine**	**30 mL**
	Sauce caramel :	
1 kg	**cassonade**	**250 mL**
800 mL	**lait évaporé**	**200 mL**
260 g	**beurre**	**65 mL**

Méthode
1 Tamiser la farine et la mélanger avec le sucre, le bicarbonate de soude et le sel.
2 Ajouter l'oeuf, puis incorporer la salade de fruits avec son jus.
3 Beurrer un moule et le fariner.
4 Verser le mélange dans le moule et cuire au *bain-marie* au four à 180°C pendant 1 heure 15.
5 Laisser refroidir avant de démouler.
6 Sauce caramel : faire chauffer la cassonade et le lait.
7 Ajouter le beurre et laisser cuire jusqu'à la consistance d'un caramel blond.
8 Servir chaude avec le gâteau.

Gelée aux graines rouges

Ces graines rouges se sont les airelles, ces petites baies sauvages qui poussent en abondance sur la Côte-Nord et que l'on récolte vers la fin de l'automne. Ce sont des fruits délicieux qui se marient fort bien à la saveur des pommes. Leur fleur ressemble à celle du pommier et pour cette raison, les gens de la région les désignent du nom de « pommes de terre » !

Préparation : 35 minutes $$
Cuisson : 30 minutes

Portions 24	Ingrédients	Portions 6
8 kg	**Airelle vigne d'Ida (graines rouges = lingonne)**	**2 kg**
3 kg	**Pomme**	**6 unités**
	Eau (q.s.)*	
	Sucre (q.s.)*	
	Paraffine (q.s.)*	

Méthode
1 Trier, équeuter et laver les fruits.
2 Laver et couper les pommes en quartiers.
3 Mettre les pommes et les graines rouges dans une marmite.
4 Couvrir d'eau à égalité.
5 Faire chauffer lentement et écraser les fruits.
6 Cuire pendant environ 15 à 20 minutes.
7 Filtrer le jus en le laissant égoutter pendant 12 heures à travers un tissu très fin (ne pas presser). Jeter la *pulpe* qui reste.
8 Mesurer le liquide obtenu.
9 Ajouter de 750 g à 1 kg de sucre par litre de jus.
10 Faire cuire le sirop à découvert en *écumant* souvent jusqu'à 104°C.
11 Verser dans des pots stérilisés.
12 Couvrir avec de la paraffine.
* quantité suffisante

Pomme à la neige

Préparation : 30 minutes $

Portions 24	*Ingrédients*	Portions 6
8	**Blanc d'oeuf**	**2**
450 g	**Sucre**	**125 mL**
8	**Pomme**	**2**
80 mL	**Jus de citron**	**20 mL**
	Décor facultatif :	
4	**pomme en quartiers**	**1**

Méthode
1 Battre les blancs d'oeufs en neige.
2 Lorsqu'ils sont presque fermes, ajouter graduellement le sucre et continuer de battre jusqu'à ce qu'ils soient très fermes.
3 Peler et râper les pommes.
4 Ajouter le jus de citron et bien mélanger.
5 Incorporer les pommes citronnées aux blancs d'oeufs.
6 Dresser cette crème dans un plat de service et décorer avec des quartiers de pommes (si désiré). Servir froid.
Note : Cette crème doit être consommée peu de temps après sa préparation.

Hareng mariné

Trempage : 12 heures $
Réfrigération : 72 heures
Dessalage : 24 heures

Portion 6 litres	*Ingrédients*	Portion 1,5 litre
3,3 kg	**Hareng frais en filet**	**825 g**
22 L	**Eau**	**5,5 L**
2,2 kg	**Gros sel**	**475 mL**
6,6 kg	**Gros sel**	**1,4 L**
	1) épices à marinades	**5 mL / pot**
	oignon émincé	**25 mL / pot**
	vinaigre	**60 mL / pot**
	2) sel	**5 mL / pot**
	eau froide	**60 mL / pot**
	oignon	**25 mL / pot**
	3) sel	**5 mL / pot**
	jus de tomate	**60 mL / pot**
	épices à marinades	**5 mL / pot**
	oignon	**25 mL / pot**
	4) sel	**5 mL / pot**
	tomate concassée	**60 mL / pot**
	épices à marinades	**5 mL / pot**
	oignon	**25 mL / pot**

Méthode
1 Bien rincer les filets à l'eau froide courante.
2 Faire tremper le hareng dans l'eau froide salée pendant 12 heures.
3 Égoutter.
4 Faire tremper sous un filet d'eau froide courante pendant 12 heures.
5 Égoutter.
6 Assécher.
7 Disposer alternativement dans une terrine une rangée de gros sel et une rangée de filet de hareng jusqu'à épuisement des ingrédients; finir par une rangée de gros sel.
8 Réserver au réfrigérateur pendant 72 heures.
9 Retirer les filets de hareng du sel.
10 Rincer à l'eau froide courante.
11 Dessaler sous l'eau froide courante pendant 24 heures.
12 Couper en morceaux de 5 cm de largeur.
13 Mettre dans des pots stérilisés.
14 Ajouter l'un ou l'autre des groupes d'ingrédients suivants :
Pour le premier groupe, ajouter les ingrédients dans le pot stérilisé, sans cuisson.
Pour les trois autres groupes, ajouter les ingrédients et faire stériliser les pots pendant 3 heures dans l'eau bouillante.

Pomme confite

Préparation : 20 minutes $$
Cuisson : 12 minutes

Portions 24	*Ingrédients*	Portions 6
24	**Pomme (genre McIntosh)**	**6**
3,7 kg	**Sucre**	**1 L**
2 L	**Eau bouillante**	**500 mL**
150 mL	**Jus de citron**	**40 mL**
	Sucre granulé (q.s.)*	

Méthode
1 Laver, puis peler les pommes.
2 Couper chaque pomme en quatre dans le sens de la longueur.
3 Préparer un sirop avec le sucre et l'eau; laisser cuire pendant environ 5 minutes.
4 Ajouter le jus de citron.
5 Ajouter les pommes et laisser cuire doucement jusqu'à ce que les pommes deviennent claires, soit pendant environ 5 à 7 minutes.
6 Égoutter les pommes et les refroidir, puis les rouler dans le sucre granulé tous les jours jusqu'à ce qu'elles n'absorbent plus de sucre.
7 Servir tel quel avec du thé ou du café.
* quantité suffisante

Mouques en saumure

Préparation : 1 heure 45 $$$
Cuisson : 3 heures

Ingrédients	Portion 1,5 litres
Mouque (moule)	**4,5 kg**
Eau (pour couvrir)	
Sel	**15 mL / L**
1) Vinaigre de vin	**60 mL / pot**
Cassonade	**5 mL / pot**
Épices à marinades	**5 mL / pot**
2) Vinaigre blanc	**60 mL / pot**
Épices à marinades	**5 mL / pot**
3) Vinaigre blanc	**60 mL / pot**
Épices à marinades	**5 mL / pot**
Sucre	**5 mL / pot**
4) Eau	**60 mL / pot**
Sel	**5 mL / pot**
5) Jus de tomate	**60 mL / pot**
Sel	**5 mL / pot**

Méthode
1 Bien brasser les mouques et les rincer à l'eau froide courante.
2 Enlever le byssus.
3 Cuire les mouques dans l'eau salée jusqu'à ce qu'elles soient ouvertes.
4 Prélever les chairs et bien les rincer à l'eau froide.
5 Égoutter et mettre les mouques dans des bocaux stérilisés.
6 Ajouter les ingrédients du premier groupe dans les bocaux; ne pas faire cuire.
7 Ajouter ensuite les ingrédients du deuxième groupe, sans cuire, puis ceux du troisième groupe, du quatrième groupe et enfin du cinquième groupe.
8 Placer les bocaux couverts dans l'eau bouillante et les laisser stériliser pendant 3 heures.

Turbot mariné

Depuis 1981, le flétan du Gröenland et le turbot ne sont en fait qu'« un seul poisson ». En effet, le Bureau de la normalisation du Québec du ministère de l'Industrie, du Commerce et du Tourisme a étudié la terminologie des espèces de poissons d'eau douce et d'eau salée du Québec qui se retrouvent sur nos tables. Voici ce que publie* Le Soleil *du 8 juillet 1981 : « Le turbot est un poisson pêché presqu'exclusivement sur les côtes européennes et que l'on offre que dans les meilleurs restaurants du vieux continent étant donné son prix élevé. Ce poisson est importé au Canada, bien qu'il soit rare et dispendieux, mais ce qui est habituellement vendu ici comme étant du turbot est en réalité du flétan du Gröenland ».

Macération : 3 jours $$
Dessalage : 3 à 4 heures

Portions 24	*Ingrédients*	Portions 6
3 kg	**Filet de turbot**	**750 g**
	Gros sel (q.s.)*	
350 g	**Oignon en dés**	**175 mL**
20 mL	**Épices à marinades**	**5 mL**
	Vinaigre (pour couvrir)	
24	**Feuille de laitue**	**6**
6	**Tomate en quartier**	**1½**
24	**Radis**	**6**
24	**Olive verte**	**6**

Méthode
1 Couper le filet de turbot en dés.
2 Saler le turbot en le frottant avec le gros sel.
3 Laisser saler pendant 3 à 4 jours au frais.
4 Enlever le surplus de sel et faire dessaler le turbot sous l'eau froide courante pendant 3 à 4 heures.
5 Mélanger les dés de turbot avec les oignons et les épices à marinades.
6 Couvrir avec le vinaigre et faire *macérer* au réfrigérateur pendant 3 jours.
7 Égoutter.
8 Servir sur des feuilles de laitue et accompagner de quartiers de tomate, de radis et d'olives vertes.
9 Servir froid.
* quantité suffisante

Nouveau-Québec

Bien avant la découverte de ces terres du Nord par les Blancs, des peuplades inuit et amérindiennes très anciennes étaient établies sur l'ensemble du territoire. Leur alimentation était traditionnellement tributaire des ressources de la région : gibier, poisson, plantes, baies et fruits.

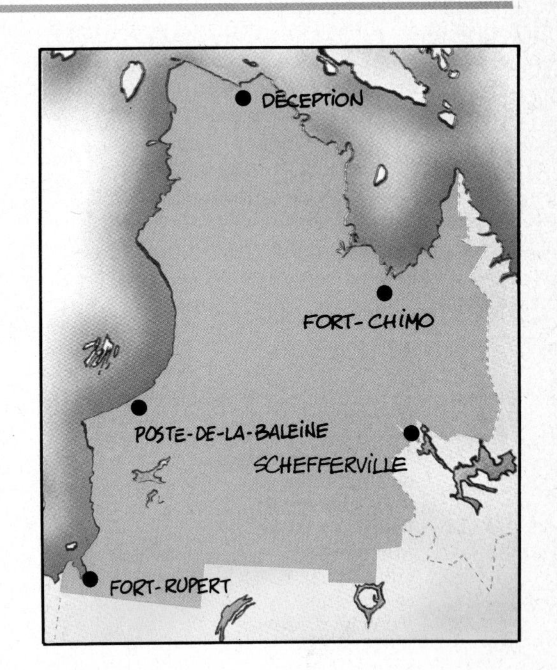

Les variations des ressources naturelles et du climat imposaient des conditions assez rigoureuses à la consommation. Les produits consommés étaient pour la plus grande part fournis par le gibier. Les viandes provenaient surtout des mammifères marins, des caribous et des oiseaux. Les abats, abattis et tripes, morceaux de premier choix pour les Inuit entre autres, étaient avidement consommés. Ils se nourrissaient avec l'*inaluaq* (intestin grêle du phoque), l'*uruniq* (intestin grêle de perdrix), le *tinguk* (foie), l'*uummati* (coeur), le *tartuq* (rognons du phoque), le *mattaq* (épiderme de béluga ou de baleine blanche), et l'*auk* (sang des animaux fraîchement tués).

Les Inuit et Amérindiens mangeaient également beaucoup de poisson. Passant l'hiver à l'intérieur des terres, ils en faisaient alors, avec la viande de caribou, leur denrée principale. Les petits mammifères terrestres, tels que les renards, chiens et lemmings, étaient réservés aux époques de famine ; par contre, le lièvre était apprécié.

L'alimentation des Amérindiens du Nord, tout comme celle des Inuit, a fortement subi l'influence des Blancs, surtout depuis l'ouverture de la maine de Schefferville et le début de l'aménagement hydro-électrique de la baie James. Les Blancs, par leurs apports divers, ont fortement modifié les traditions culinaires des autochtones. Il serait souhaitable que l'inverse se produise également. La diffusion des recettes traditionnelles des habitants du Nord ne peut que constituer un apport important, permettant d'enrichir le vaste domaine du patrimoine culinaire québécois.

Caribou séché Nikku (Inuit)

Préparation : 15 minutes $

Dessiccation : 12 heures

Portions 24	*Ingrédients*	Portions 6
2,4 kg	**Caribou**	600 g
	Sel (au goût)	
	Poivre (au goût)	

Méthode

1 Bien *dénerver* et *dégraisser* la viande de caribou.
2 La couper en fines lanières de 2 mm d'épaisseur dans le sens de la longueur.
3 Assaisonner les lanières et les faire sécher à four doux à 150°C pendant environ 12 heures. La viande doit devenir sèche et cassante.
4 Servir en amuse-gueule avec un apéritif.
Notes : On peut s'en servir, comme les Inuits, comme casse-croûte lors de randonnées pédestres.
On peut faire la même opération avec une autre sorte de viande.
Conserver à la température ambiante dans un sac de toile bien fermé.

Truite séchée « Pissik » (Inuit)

Préparation : 30 minutes $$

Dessiccation : 12 heures

Portions 24	*Ingrédients*	Portions 6
12	**Truite fraîche de 180 g**	3
	Sel (au goût)	
	Poivre (au goût)	

Méthode

1 *Ébarber,* vider et laver les truites.
2 Couper la tête.
3 Fendre les truites par l'intérieur, de façon à pouvoir enlever l'arête centrale, en ayant soin de laisser les 2 filets attachés ensemble par la peau.
4 Enlever les arêtes restantes.
5 Pratiquer des incisions dans les chairs, de façon à former des losanges d'environ 1 cm de côté. Couper la chair jusqu'à la peau en veillant à ne pas couper celle-ci.
6 Assaisonner.
7 Faire sécher au four à 150°C pendant 12 heures environ.
8 Servir en amuse-gueule avec un apéritif.
9 Conserver à la température ambiante dans un sac de toile bien fermé.
10 On peut s'en servir, comme les Inuits, comme casse-croûte lors de randonnées pédestres.

Saumon fumé de l'Arctique

Préparation : 10 minutes $$$

Portions 24	*Ingrédients*	Portions 6
1,2 kg	**Saumon fumé**	300 g
24	**Feuille de laitue frisée**	6
175 mL	**Huile de phoque***	45 mL
60 mL	**Oseille fraîche**	15 mL

Méthode

1 Détailler le saumon en tronçons de 25 g chacun.
2 Les déposer sur les feuilles de laitue.
3 Les *badigeonner* d'huile de phoque.
4 Parfumer avec l'oseille.
5 Servir froid.
* On peut remplacer l'huile de phoque par de l'huile d'olive ou autre.

Médaillons d'omble de l'Arctique

Avant l'établissement des comptoirs de la Compagnie de la baie d'Hudson, les Amérindiens du Nouveau-Québec se nourrissaient essentiellement de gibier, de poisson et des produits de la cueillette. Les mets sont simples et les recettes peu compliquées. Les circonstances décideront si le repas sera composé de viande de caribou, de castor, de loutre, d'ours ou encore de gibier à plumes et, pourquoi pas, de poisson : saumon, truite, baudroie, brochet, corégone ou omble.

Préparation : 15 minutes $$

Portions 24	Ingrédients	Portions 6
24	**Médaillon d'omble de l'Arctique cuit (60 g chacun)**	6
24	**Feuille de laitue**	6
350 mL	**Mayonnaise**	90 mL
24	**Olive farcie en tranche**	6
24	**Tranche de citron**	6
60 mL	**Persil haché**	15 mL

Méthode
1 Placer les médaillons d'omble de l'arctique sur les feuilles de laitue.
2 Déposer 15 mL de mayonnaise sur chaque médaillon.
3 Garnir de tranches d'olives farcies.
4 Ajouter une tranche de citron.
5 Poudrer de persil haché.

Omble de l'Arctique en sauce gratinée

Préparation : 15 minutes $$
Cuisson : 5 à 10 minutes

Portions 24	Ingrédients	Portions 6
600 g	**Oignon haché**	250 mL
650 g	**Champignon émincé**	500 mL
250 g	**Beurre**	60 mL
150 g	**Farine tout usage**	60 mL
2 L	**Lait chaud**	500 mL
	Sel (au goût)	
	Poivre (au goût)	
2,7 kg	**Omble de l'Arctique cuit, en morceaux**	675 g
12	**Oeuf cuit en quartiers**	3
250 g	**Cheddar fort râpé**	150 mL

Méthode
1 *Faire suer* les légumes au beurre.
2 *Singer* avec la farine.
3 *Mouiller* avec le lait chaud.
4 Assaisonner de sel et de poivre.
5 Cuire la sauce pendant 12 à 15 minutes.
6 Incorporer les morceaux de poisson et les quartiers d'oeufs à la sauce.
7 Verser dans un moule de 1,5 litre.
8 Poudrer de fromage râpé.
9 Gratiner au four à 200°C pendant 5 à 10 minutes.
10 Servir.

Salade de saumon

Préparation : 20 minutes $$

Portions 24	Ingrédients	Portions 6
2 kg	**Saumon cuit émietté**	500 mL
250 g	**Céleri en dés**	125 mL
150 g	**Oignon haché**	60 mL
75 g	**Carotte râpée**	45 mL
75 g	**Poivron vert en dés**	30 mL
	Sel (au goût)	
	Poivre (au goût)	
500 mL	**Mayonnaise**	125 mL
24	**Feuille de laitue**	6
4	**Oeuf coupé en cubes**	1
	Persil en bouquet (q.s.)*	

Méthode
1 Bien mélanger tous les ingrédients.
2 Servir sur une feuille de laitue.
3 Décorer avec des morceaux d'oeuf dur et le bouquet de persil.
* quantité suffisante

Riz sauvage

Le riz sauvage fut longtemps à la base de l'alimentation de nombreuses tribus d'Amérique du Nord. Les Amérindiens le cueillaient le long des rivières, dans les marais et au nord des lacs. C'est en canot ou en chaloupe que la cueillette s'opère : une personne dirige l'embarcation à travers la rivière sauvage et une autre attire les tiges vers l'intérieur du bateau au-dessus duquel on secoue et on frappe avec force les épis pour en faire tomber les graines.

Préparation : 15 minutes $$$

Portions 24	Ingrédients	Portions 6
725 g	**Riz sauvage cru**	250 mL
3 L	**Eau**	750 mL
	Sel (au goût)	
24	**Tranche de bacon**	6
24	**Oeuf**	6
125 mL	**Ciboulette hachée**	30 mL

Méthode
1 Laver le riz à l'eau froide.
2 Faire cuire le riz à feu doux dans l'eau salée, jusqu'à évaporation de celle-ci.
3 Cuire les tranches de bacon et conserver la graisse.
4 Hacher le bacon cuit.
5 Battre les oeufs et les faire cuire dans la graisse du bacon.
6 Couper les oeufs en *julienne.*
7 Mélanger le riz cuit, le bacon haché, les oeufs en *julienne* et la ciboulette hachée.
8 Servir.

Croquettes d'omble de l'Arctique

Préparation : 40 minutes $
Cuisson : grande friture

Portions 24	Ingrédients	Portions 6
2,5 kg	**Omble de l'Arctique cuit, en morceaux**	600 g
850 g	**Pomme de terre en purée**	250 mL
200 mL	**Sauce béchamel** *(voir recettes complémentaires)*	50 mL
12	**Oeuf**	3
20 mL	**Sel**	5 mL
5 mL	**Poivre**	1 mL
100 g	**Chapelure**	50 mL
	Sauce béchamel (q.s.)* *(voir recettes complémentaires)*	

Méthode
1 Mélanger bien tous les ingrédients.
2 Former le mélange en boulettes ou en bâtonnets de 50 mL chacun.
3 Passer les boulettes dans la chapelure.
4 Faire refroidir.
5 Cuire à grande friture.
6 Servir avec une sauce Béchamel.
* quantité suffisante

Filet d'omble de l'Arctique à l'américaine

Préparation : 15 minutes $$$
Cuisson : 20 minutes

Portions 24	Ingrédients	Portions 6
3,6 kg	**Filet d'omble de l'Arctique**	900 g
200 g	**Beurre**	50 mL
60 mL	**Jus de citron**	15 mL
12 dz	**Huître**	3 dz
60 mL	**Sauce Worcestershire**	15 mL
4	**Citron en quartiers**	1
60 mL	**Persil haché**	15 mL

Méthode
1 *Faire colorer* les filets de poisson dans le beurre.
2 Arroser de jus de citron.
3 Finir la cuisson au four à 180°C, pendant 20 minutes environ.
4 Faire *pocher* les huîtres dans leur jus avec la sauce Worcestershire.
5 Servir les filets d'omble de l'arctique avec les huîtres *pochées.*
6 Garnir de quartiers de citron et de persil haché.

Bouilli de lagopèdes*

Préparation : 35 minutes $
Cuisson : 2 heures

Portions 24	Ingrédients	Portions 6
3,6 kg	**Lagopède (oiseau)**	900 g
	Eau (à égalité)	

Centre des ressources didactiques / Institut de tourisme et d'hôtellerie du Québec

Foie de caribou aux canneberges

Industrie, Commerce et Tourisme, collection Mia et Klaus (*Sculpteur inuit*).

72	**Pomme de terre lavée (petite)**	18
72	**Champignon entier**	18
24	**Oignon (petit)**	6
800 g	**Haricot vert paré**	300 mL
	Sel (au goût)	
	Poivre (au goût)	

Méthode

1 Plumer, nettoyer et *parer* l'oiseau.
2 Mettre l'oiseau dans un chaudron avec l'eau.
3 Cuire à frémissement pendant 45 minutes.
4 Ajouter les légumes entiers et l'assaisonnement.
5 Finir de cuire à couvert, à feu doux, pendant 1 heure environ.
6 Retirer la chair de l'oiseau, servir avec les légumes dans des bols à potage ou des assiettes creuses.
* À défaut de lagopède, utiliser de la poule.

Ragoût de lièvre (Cris)

Une vieille légende esquimaude, racontée le soir à la veillée, explique l'origine du lièvre : « Le lièvre fut un enfant si maltraité et persécuté à cause de ses longues oreilles qu'il partit vivre à l'écart. Dès qu'il aperçoit quelqu'un, de crainte d'entendre parler de ses oreilles, il les rabat en arrière. Et s'il n'a pas de queue, c'est qu'il n'en avait pas non plus avant sa métamorphose. »

Préparation : 20 minutes $
Cuisson : 1 heure

Portions 24	*Ingrédients*	Portions 6
4	**Lièvre**	1
	Sel (au goût)	
	Poivre (au goût)	
	Eau (q.s.)*	
	Pâte :	
1,3 kg	**farine**	500 mL
60 mL	**poudre à pâte**	15 mL
40 mL	**sel**	10 mL
175 g	**graisse**	60 mL
	eau	

Méthode

1 Nettoyer le lièvre et le découper en morceaux.
2 Assaisonner.
3 Couvrir d'eau.
4 Cuire à couvert pendant 1 heure environ, à feu moyen.
5 Mélanger les ingrédients secs.
6 *Sabler* avec le gras.
7 Ajouter l'eau.
8 Déposer la pâte à la cuillère, par portions de 15 mL, sur le ragoût et finir de cuire à couvert pendant une quinzaine de minutes.

Foie de caribou aux canneberges

Tous n'ont pas le plaisir d'inscrire le caribou et ses abats à leur menu quotidien de l'automne. Tous, par contre, peuvent profiter de la saveur particulière de la canneberge qui, elle aussi, choisit l'automne pour attirer les gourmands. Ce petit fruit rouge désormais bien connu de tous fait partie du patrimoine culinaire amérindien, que nous avons adopté sans réserve. Mûrissant à la veille de la fête de l'Action de Grâce, la canneberge est l'un des derniers fruits que la terre produit avant de s'endormir pour l'hiver.

Préparation : 15 minutes $
Cuisson : 5 minutes

Portions 24	*Ingrédients*	Portions 6
300 g	**Canneberge fraîche**	250 mL
175 g	**Sucre**	50 mL
	Farine (q.s.)*	
3,6 kg	**Foie de caribou en tranches**	900 g
	Sel (au goût)	
	Poivre (au goût)	
125 g	**Beurre noisette**	30 mL

Méthode

1 Chauffer les canneberges avec le sucre à feu doux, jusqu'à l'obtention d'une consistance épaisse.
2 Enfariner les tranches de foie de caribou.
3 Assaisonner.
4 Cuire le foie dans le beurre noisette au degré de cuisson désiré.
5 Servir les canneberges avec le foie.
* quantité suffisante

Truites à l'oseille de montagne

Préparation : 10 minutes $$
Cuisson : 5 minutes

Portions 24	*Ingrédients*	Portions 6
24 unités	**Truite**	6 unités
	Sel (au goût)	
	Poivre (au goût)	
125 mL	**Oseille de montagne***	30 mL
300 g	**Beurre**	75 mL
80 mL	**Jus de citron**	20 mL

Méthode
1 Nettoyer, assécher et assaisonner les truites avec le sel et le poivre.
2 Farcir l'intérieur des poissons avec un peu d'oseille.
3 *Faire revenir* dans le beurre chaud.
4 Ajouter le reste de l'oseille et le jus de citron.
5 Terminer la cuisson au four à 180°C pendant 10 minutes environ.
6 Dresser sur un plat de service et servir.
* À défaut d'oseille de montagne, utiliser du fenouil (20 mL pour 6 portions — 80 mL pour 24 portions).

Rôti de gibier aux herbes

Après la mort de l'ours, par égard pour son esprit, il ne faut pas oublier de lui insuffler de la fumée de tabac dans les narines ! Après ce rite, pénétré de respect, l'ours pardonnera volontiers à ses bourreaux et les esprits de la forêt resteront favorables à ceux qui survivent à l'animal.

Préparation : 50 minutes $
Cuisson : 1 heure

Portions 24	*Ingrédients*	Portions 6
2 mL	**Marjolaine**	1 pincée
2 mL	**Thym**	1 pincée
4	**Gousse d'ail hachée**	1
2 mL	**Origan**	1 pincée
	Sel (au goût)	
	Poivre (au goût)	
175 mL	**Huile**	45 mL
6 kg	**Gibier à rôtir**	1,5 kg

Méthode
1 Bien mélanger les herbes et l'huile ensemble.
2 Laisser macérer le gibier pendant 45 minutes dans ce mélange, en le retournant souvent.
3 Faire rôtir au four à 180°C pendant 1 heure environ.

Bifteck de caribou

Préparation : 20 minutes $
Cuisson : 10 minutes

Portions 24	*Ingrédients*	Portions 6
	Farine (q.s.)*	
	Sel (au goût)	
	Poivre (au goût)	
24	**Tranche de ronde de caribou de 150 g**	6
400 g	**Beurre**	100 mL
900 g	**Oignon haché**	375 mL
50 g	**Farine**	20 mL
1 L	**Consommé de boeuf**	250 mL

Méthode
1 Enfariner et assaisonner les tranches de caribou.
2 Chauffer le beurre et y saisir les tranches de caribou.
3 Cuire à un degré de cuisson désirée et réserver.
4 *Faire revenir* les oignons hachés de façon à les *faire colorer*.
5 *Singer* avec la farine.
6 *Mouiller* avec le consommé.
7 *Napper* les biftecks avec cette sauce et servir.
* quantité suffisante

Caribou en sauce

Préparation : 20 minutes $
Cuisson : 2 heures

Industrie, Commerce et Tourisme, collection Mia et Klaus (*Caribous le long de la rivière Koksoak*).

Rôti de gibier aux herbes

Centre des ressources didactiques / Institut de tourisme et d'hôtellerie du Québec

Portions 24	Ingrédients	Portions 6
6 kg	Caribou à *braiser*	1,5 kg
125 g	Graisse	45 mL
3 L	Bouillon de boeuf chaud	750 mL
125 mL	Jus de citron	30 mL
50 g	Oignon séché	45 mL
	Sel (au goût)	
	Poivre (au goût)	

Méthode

1 *Faire colorer* le caribou dans le gras, sur toutes ses faces.
2 *Mouiller* avec le bouillon.
3 Ajouter le jus de citron et les oignons.
4 Faire mijoter.
5 Couvrir et finir de cuire à 180°C pendant 2 heures environ.
6 Retourner et arroser la pièce de viande de temps en temps.
7 Assaisonner.
8 Servir chaud.

Crêpes au « Ptarmigan » (Inuit)

Le mélange de farine, de poudre à pâte, de sel et d'eau que les Amérindiens utilisaient pour « boulanger » leur pain, devient, si on lui additionne une quantité supplémentaire d'eau, la pâte idéale pour faire les « tekelep ». C'est ainsi que l'on passe de la « banique », c'est-à-dire du pain traditionnel, à la crêpe ou « tekelep ». Par ce dernier mot, qui est d'ailleurs une déformation du mot crêpe, on désigne justement ce mets de dépannage, qui peut être réalisé avec ou sans poudre à pâte. Au cours d'une expédition, Jacques Rousseau et ses compagnons furent contraints de manger des crêpes pendant trente-six repas consécutifs, de quoi faire périr d'ennui le plus indifférent des mangeurs.

Préparation : 20 minutes $
Cuisson : 4 minutes

Portions 4 litres d'*appareil*	Ingrédients	Portion 1 litre d'*appareil*
500 g	Farine	200 mL
	Sel (au goût)	
	Poivre (au goût)	
800 mL	Eau	200 mL
450 g	Ptarmigan cuit en morceaux	200 mL
	Gras de phoque (q.s.)*	

Méthode

1 Mélanger la farine et les assaisonnements.
2 Ajouter l'eau et la volaille.
3 Laisser reposer pendant 1 heure.
4 Chauffer vivement le gras dans un poêlon et y verser l'*appareil* à crêpes.
5 Cuire des deux côtés.
6 Servir chaud.
* quantité suffisante

Omble de l'Arctique aux plaquebières (Cris)

Préparation : 20 minutes $$
Cuisson : 10 minutes

Portions 24	Ingrédients	Portions 6
3,6 kg	Omble	900 g
	Eau (q.s.)*	
	Sel (au goût)	
	Poivre (au goût)	
1,6 L	Plaquebière	400 mL

Méthode

1 *Parer* et nettoyer l'omble.
2 *Pocher* le poisson dans l'eau chaude assaisonnée.
3 Enlever les arêtes et effeuiller le poisson.
4 Mélanger les morceaux de poisson avec les plaquebières.
5 Laisser reposer pendant 2 heures environ.
6 Servir.
* quantité suffisante

Ragoût d'oie sauvage (Cris)

Préparation : 30 minutes $$
Cuisson : 1 heure 30

Portions 24	Ingrédients	Portions 6
4	Oie	1
	Eau (q.s.)*	
	Sel (au goût)	
	Poivre (au goût)	
750 g	Oignon en morceaux	300 mL
750 g	Carotte en morceaux	300 mL
1,7 kg	Pomme de terre en morceaux	600 mL
	Pâte à boulettes :	
650 g	farine	250 mL
10 mL	sel	2 mL
60 mL	poudre à pâte	15 mL
60 mL	graisse	15 mL
600 mL	eau	150 mL

Méthode

1 Nettoyer et *parer* l'oie.
2 Découper en morceaux.
3 Cuire à l'eau assaisonnée pendant une heure.
4 Ajouter les légumes et cuire pendant 30 minutes environ.
5 Tamiser les ingrédients secs.
6 *Sabler* ces derniers avec le gras.
7 Incorporer l'eau.
8 Faire des boulettes de 15 mL environ.
9 Ajouter les boulettes de pâte et finir de cuire à couvert pendant 15 à 20 minutes environ.
* quantité suffisante

Pain de viande de gibier

Préparation : 15 minutes $
Cuisson : 2 heures

Portions 24	Ingrédients	Portions 6
50 g	Mie de pain en cubes	125 mL
1 L	Crème à 15 %	250 mL
150 g	Oignon haché	60 mL
60 g	Beurre	15 mL
3,2 kg	Viande de gibier hachée	800 g
800 g	Panne de porc hachée	200 g
	Sel (au goût)	
	Poivre (au goût)	
8	Oeuf battu	2
	Graisse (q.s.)*	

Méthode

1 Faire tremper la mie de pain dans la crème.
2 *Faire tomber* les oignons dans le beurre.
3 Mélanger le tout.
4 Façonner en pain.
5 Déposer dans un moule à pain graissé.
6 Cuire au four à 180°C pendant 2 heures environ.
* quantité suffisante

Caribou rôti « Puanaasi » (Inuit)

À l'époque des grands troupeaux de caribous, le produit de la chasse livrée à ce mammifère pouvait répondre à presque tous les besoins des Amérindiens. Le caribou fournit, bien sûr sa chair, mais aussi une partie du matériel que le chasseur utilisera pour se prémunir contre les rigueurs de l'hiver. Sa chair peut être apprêtée de différentes façons : on la consomme fumée, bouillie, rôtie et même gelée. Les côtes et la tête servent aux bouillis. Les pattes, les oreilles et la langue sont grignotées après avoir été grillées. Les rognons sont braisés, tandis que la moelle est simplement servie crue ou roulée dans la poêle. La peau du caribou n'a pas son pareil pour la confection des anoraks, mitaines, et culottes, qui sont cousus, la fourrure tournée vers l'intérieur ou vers l'extérieur.

Préparation : 10 minutes $
Cuisson : 1 heure

Portions 24	Ingrédients	Portions 6
6 kg	Caribou à rôtir	1,5 kg
	Sel (au goût)	
	Poivre (au goût)	
	Moutarde sauvage pulvérisée (au goût)	
	Huile de phoque* (q.s.)**	

Méthode

1 Assaisonner le caribou avec le sel, le poivre et la moutarde.
2 Embrocher et faire cuire sur la braise.
3 Arroser avec un peu d'huile en cours de cuisson.
4 Servir chaud.
*À défaut d'huile de phoque, utiliser de l'huile végétale.
** quantité suffisante

Ptarmigan farci

La volaille farcie au riz sauvage et arrosée d'une sauce aux fruits sauvages est presque un plat réservé aux grandes occasions. Les cuisinières inuit ont su, avec le temps, découvrir toutes les façons possibles d'accommoder la viande de gibier. Elles préparent d'ailleurs un excellent pâté de foie, le « krougalouk ». À du foie de morse ou encore de phoque, elles mélangent une quantité égale de graisse, le tout étant ensuite déposé dans une outre de peau fermée, cousue et suspendue dans une caverne loin des « curieux ». Un témoin, Paul-Émile Victor, assure que, six mois plus tard, le « krougalouk » aura la consistance d'une pâte onctueuse, la « couleur d'herbe fraîchement poussée, et un goût, qui pourrait rappeler celui d'un roquefort non salé et très pimenté ». Tirant de ce principe culinaire le maximum d'enseignement, les cuisinières inuit pouvaient apprêter différentes pièces de gibier et accumuler ainsi des provisions pour les retours de chasse moins fructueux.

Préparation : 25 minutes $$$
Cuisson : 1 heure 15

Portions 24	*Ingrédients*	Portions 6
12	**Ptarmigan (oiseau)**	3
	Sel (au goût)	
	Poivre (au goût)	
24	**Portion de farce au riz sauvage** *(voir recette dans la section légumes, p.)*	6
	Barde de lard (q.s.)*	
	Sel (au goût)	
	Poivre (au goût)	
24	**Portion de sauce pour le gibier** *(voir recette ci-après)*	6

Méthode
1 Bien éponger les ptarmigans, en assaisonner l'intérieur.
2 Les farcir.
3 Fermer l'ouverture avec une barde de lard.
4 Assaisonner l'extérieur. Barder et ficeler les ptarmigans.
5 Cuire au four à 230°C pendant 15 minutes et finir de cuire à 170°C pendant 45 minutes environ.
6 Enlever les bardes 15 minutes avant la fin de la cuisson pour dorer.
7 Servir avec la sauce pour le gibier.
* quantité suffisante

Sauce pour le gibier

Préparation : 5 minutes $$
Cuisson : 10 minutes

Portions 24	*Ingrédients*	Portions 6
125 g	**Beurre**	30 mL
800 mL	**Gelée de groseilles***	200 mL
175 mL	**Sauce au chili**	45 mL
10 mL	**Sauce Worcestershire**	2 mL

Méthode
1 Faire fondre le beurre.
2 Ajouter le reste des ingrédients.
3 Amener au point d'ébullition.
4 Servir chaud.
* La gelée de groseilles peut être remplacée par une gelée de fruits sauvages (canneberges, bleuets, camarines noires, etc.).

Fricassée de canard sauvage

Préparation : 30 minutes $$
Cuisson : 1 heure 30

Portions 24	*Ingrédients*	Portions 6
8	**Canard sauvage**	2
	Sel (au goût)	
	Poivre (au goût)	
	Farine (q.s.)*	
125 mL	**Huile**	30 mL
175 g	**Beurre**	45 mL
175 g	**Oignon émincé**	60 mL
350 g	**Champignon émincé**	250 mL
1 L	**Eau**	250 mL
	Poivre (au goût)	
	Sel (au goût)	
3	**Feuille de laurier**	1

Méthode
1 Couper le canard en morceaux.
2 Assaisonner et enfariner.
3 *Faire revenir* dans l'huile et le beurre fondu.
4 Réserver dans une marmite.
5 *Faire revenir* les oignons et les champignons dans le gras de cuisson du canard.
6 Ajouter les oignons et les champignons au canard.
7 *Faire pincer* les sucs de la poêle.
8 *Dégraisser.*
9 *Déglacer* avec l'eau et *mouiller* le canard.
10 Assaisonner.
11 Démarrer la cuisson. Couvrir et cuire au four à 180°C jusqu'à ce que la viande soit tendre.
12 Ajouter de l'eau en cours de cuisson si nécessaire.

Uujjuq (Inuit)

« Il y avait une pointe de terre très avancée dans la mer que les passagers d'un bateau voulaient contourner. À cause de la violence des courants, l'extrémité du cap tombait à pic dans l'eau. Pour alléger l'embarcation on demande à certaines femmes de marcher jusqu'à l'autre côté de la pointe. L'une d'elle accepta de débarquer avec ses enfants. On lui promit de la reprendre à bord de l'autre côté mais les gens du bateau étaient déjà si loin que leurs voix étaient à peine distinctes. Soupçonnant qu'ils voulaient l'abandonner, toute bouleversée, elle n'alla pas plus loin que la falaise, ne cessant de répéter les derniers mots qu'elle avait entendus de ses compagnons. Finalement changée en goéland, elle continue à jacasser quelque chose qui ressemble à — « de l'autre côté, autre côté, côté... »

Préparation : 20 minutes $$
Cuisson : 2 heures

Portions 24	*Ingrédients*	Portions 6
3,6 kg	**Omble de l'Arctique en morceaux (1)**	900 g
	Eau de mer (2) (q.s.)*	
	Algue fraîche (3) (q.s.)*	
2 L	**Oeuf d'omble de l'arctique frais (4)**	500 mL

Méthode
1 Faire *pocher* les morceaux de poisson dans l'eau avec les algues.
2 Réserver le poisson et les algues.
3 Faire *pocher* les oeufs dans le bouillon de cuisson.
4 Servir les oeufs et le bouillon comme potage.
5 Servir ensuite le poisson en plat principal.
(1) Peut être remplacé par un autre poisson frais.
(2) À défaut d'eau de mer, utiliser de l'eau salée.
(3) Peuvent être remplacées par des algues déshydratées. Dans ce cas, diminuer la quantité.
(4) Peuvent être remplacés par d'autres oeufs de poisson.
* quantité suffisante

Caribou à l'étouffée (Cris)

Les Amérindiens font parfois griller la chair de caribou « sur la broche », utilisant une technique particulière où le morceau de viande, fixé à un piquet, est placé verticalement à côté du feu et tourné au besoin. Mais pour le repas quotidien, on préfère le « pastenomitchou », bouilli composé de petit gibier auquel la graisse, le sel et le poivre seront ajoutés.

Préparation : 20 minutes $
Cuisson : 1 heure

Portions 24	*Ingrédients*	Portions 6
800 g	**Lard salé**	200 g
3,6 kg	**Cube de caribou**	900 g
	Eau (q.s.)*	
	Sel (au goût)	
	Poivre (au goût)	
325 mL	**Eau**	80 mL
75 g	**Farine**	30 mL

Méthode
1 Faire fondre le lard dans un chaudron et retirer les grillades lorsqu'elles sont *colorées.*
2 *Faire revenir* les cubes de caribou dans le gras.
3 *Mouiller* le fond du chaudron avec l'eau à 2 cm de hauteur.
4 Assaisonner et cuire à couvert à feu moyen.
5 Mouiller en cours de cuisson si nécessaire.
6 Ajouter l'eau et la farine.
7 Terminer la cuisson.
8 Lors du service, présenter les grillades de lard à part.
* quantité suffisante

Centre des ressources didactiques / Institut de tourisme et d'hôtellerie du Québec

La banique aux bleuets nous vient des Inuit

Industrie, Commerce et Tourisme, collection Mia et Klaus (*Caribous le long de la rivière George*).

Fondue de caribou

Préparation : 20 minutes $$
Cuisson : 20 minutes

Portions 24	*Ingrédients*	Portions 6
3,6 kg	**Ronde de caribou émincée finement**	**900 g**
	Bouillon :	
200 g	**beurre**	**50 mL**
600 g	**oignon haché**	**250 mL**
400 mL	**vin blanc**	**100 mL**
4 L	**consommé de boeuf**	**1 L**

Méthode
1 Trancher la viande lorsqu'elle est mi-gelée, de façon à en faciliter l'émincage.
2 Réserver.
3 Chauffer le beurre et y *faire colorer* l'oignon.
4 *Mouiller* avec le vin blanc.
5 Faire *réduire* du tiers.
6 Ajouter le consommé.
7 Laisser mijoter.
8 Servir.
Sauces d'accompagnement facultatives :
- mayonnaise
- moutarde

Farce au riz sauvage

Préparation : 10 minutes $$$
Cuisson : 20 à 25 minutes

Portions 24	*Ingrédients*	Portions 6
500 g	**Riz sauvage cru**	**175 mL**
6 L	**Eau**	**1,5 L**
	Sel (q.s.)*	
1,3 kg	**Champignon émincé**	**1 L**
250 g	**Beurre**	**65 mL**
12	**Jaune d'oeuf**	**3**
	Sel (au goût)	
	Poivre (au goût)	

Méthode
1 Cuire le riz dans l'eau bouillante salée pendant 20 minutes environ.
2 Égoutter.
3 Rincer à l'eau froide.
4 Faire *sauter* les champignons dans le beurre.
5 Bien mélanger le riz et les champignons.
6 Incorporer les jaunes d'oeufs.
7 Vérifier l'assaisonnement.
8 Farcir une volaille (canard, poulet, etc.).
* quantité suffisante

Banique aux bleuets (Inuit)

Les Amérindiens chasseurs cuisent un pain, la « banique », dont le procédé de réalisation ignore totalement les étapes à suivre indiquées dans les traités de cuisine conventionnelle. La pâte est faite d'un mélange de farine, de poudre à pâte, de sel et d'eau, qu'on enroule autour d'un bâton placé auprès du feu et que l'on tourne et retourne pour obtenir un pain croustillant. Cette même pâte, cuite sur feu doux dans un poêlon, deviendra un pain dense mais délicieux. Pour les réjouissances, on la transformera en friandise en la jetant tout simplement dans la friture. On pourra, bien sûr, lui ajouter du sucre, des raisins secs, des baies sauvages et, pourquoi pas, des bleuets...

Préparation : 20 minutes $
Cuisson : 20 minutes

Portions 24	*Ingrédients*	Portions 6
2,5 kg	**Farine**	**1 L**
30 mL	**Sel**	**8 mL**
725 g	**Graisse**	**250 mL**
1 kg	**ou beurre**	**250 mL**
800 g	**Bleuet**	**300 mL**
2 L	**Eau**	**500 mL**
	Huile (q.s.)*	

Méthode
1 Mélanger les ingrédients secs et incorporer la graisse.
2 Ajouter les bleuets et l'eau et en faire une pâte.
3 Pétrir rapidement; enfariner si nécessaire.
4 Étendre à la main en couche mince.
5 Cuire dans l'huile chaude pendant 20 minutes environ.
* quantité suffisante

Tarte aux bleuets

Préparation : 15 minutes $$
Cuisson : 40 minutes

Portions 24	*Ingrédients*	Portions 6
2,6 kg	**Bleuet frais**	1 L
250 mL	**Eau**	60 mL
125 mL	**Jus de citron**	30 mL
750 g	**Sucre**	200 mL
65 g	**Fécule de maïs**	30 mL
2 kg	**Pâte brisée** *(voir recettes complémentaires)*	500 g
60 g	**Beurre**	15 mL

Méthode
1 Faire mijoter les bleuets dans l'eau pendant 10 minutes.
2 Refroidir.
3 Ajouter le jus de citron, le sucre et la fécule de maïs.
4 Bien mélanger.
5 Verser le mélange dans une *abaisse* de pâte de 22 cm.
6 Ajouter une noix de beurre.
7 Couvrir d'une seconde *abaisse* de pâte de 22 cm.
8 Bien souder les deux *abaisses* ensemble.
9 Faire une incision sur le dessus.
10 Cuire au four à 230°C pendant 10 minutes.
11 Baisser la température à 180°C et cuire pendant 30 minutes.

Banique aux raisins d'ours noir (Inuit)

Préparation : 30 minutes $
Cuisson : 30 minutes
Macération : 12 heures

Portions 24	*Ingrédients*	Portions 6
2 L	**Raisin d'ours noir**	500 mL
1,85 kg	**Sucre**	500 mL
	Banique :	
1,3 kg	**farine**	500 mL
65 g	**poudre à pâte**	15 mL
20 mL	**sel**	5 mL
575 g	**graisse**	200 mL
800 mL	**eau**	200 mL

Méthode
1 Faire *macérer* les raisins d'ours avec le sucre pendant 12 heures.
2 Retirer le jus, le faire bouillir pour obtenir un sirop épais.
3 Ajouter les raisins d'ours et cuire pendant 5 minutes.
4 Refroidir.
5 Mélanger les ingrédients secs.
6 *Sabler* le tout avec la graisse.
7 Ajouter l'eau, pétrir.
8 Façonner la pâte de façon à obtenir une couche mince.
9 *Abaisser* la moitié de la pâte en rond.
10 Y étendre l'*appareil* de raisins d'ours.
11 *Abaisser* l'autre moitié de pâte et recouvrir.
12 Cuire au four à 180°C pendant 30 minutes environ.

Sirop de fruits

Préparation : 5 minutes $
Cuisson : 10 minutes

Portion 4 litres	*Ingrédients*	Portion 1 litre
4 L	**Bleuet sauvage***	1 L
1 L	**Eau**	250 mL
1,85 kg	**Sucre**	500 mL
125 mL	**Jus de citron**	30 mL

Méthode
1 Écraser les fruits.
2 Bien mélanger en ajoutant l'eau, le sucre et le jus de citron.
3 Faire mijoter pendant 10 minutes.
4 *Passer* à travers un tamis fin.
5 Reporter le jus à ébullition.
6 Garder au réfrigérateur ou embouteiller dans des pots stérilisés.
7 S'en servir comme base pour des jus froids, en ajoutant de l'eau.
*On peut remplacer les bleuets sauvages par d'autres fruits:
- raisin d'ours (Kallaq)
- camarine noire (Paurngaq)
- plaquebière (Arpiq)
Dans ce cas, sucrer selon le goût.

Thé du Labrador

Le thé du Labrador est une boisson de plus en plus appréciée des nouveaux explorateurs et voyageurs soucieux de s'autosuffire au cours de leurs expéditions. Aussi connu sous le nom de thé de la baie d'Hudson, le thé du Labrador est surnommé le thé des trappeurs. Substitut sauvage aux thés indiens et chinois, ce thé aurait vraisemblablement été utilisé comme substitut par les employés de la Compagnie de la baie d'Hudson qui seraient à l'origine de la réputation particulièrement bonne de cette plante, à laquelle les Amérindiens accordaient déjà des propriétés curatives.

Préparation : 10 minutes $

Portion 4 litres	*Ingrédients*	Portion 1 litre
4 L	**Eau bouillante**	1 L
250 mL	**Thé du Labrador**	60 mL

Méthode
1 Laisser infuser pendant 10 minutes environ.

Pouding aux camarines noires

Préparation : 40 minutes $
Cuisson : 2 heures 30

Portions 24	*Ingrédients*	Portions 6
250 g	**Graisse**	85 mL
250 g	**Cassonade**	60 mL
5 mL	**Essence de vanille**	1 mL
250 mL	**Mélasse**	60 mL
4	**Oeuf**	1
900 g	**Farine**	environ 350 mL
60 mL	**Poudre à pâte**	15 mL
10 mL	**Sel**	2 mL
500 mL	**Lait**	125 mL
500 mL	**Camarine noire (ou à défaut : canneberge)**	125 mL
	Graisse (q.s.)*	
2 L	**Eau**	500 mL

Méthode
1 Crémer la graisse et la cassonade.
2 Ajouter la vanille et la mélasse.
3 Ajouter l'oeuf.
4 Bien mélanger le tout.
5 Mélanger les ingrédients secs.
6 Ajouter au premier mélange, en alternant avec le lait et les camarines noires.
7 Mélanger pour obtenir une pâte.
8 Mettre la pâte dans un coton à fromage graissé, l'attacher par le haut en ménageant de l'espace, parce que le pouding gonfle en cuisant.
9 Déposer le tout sur une marguerite.
10 Placer la marguerite dans une marmite, ajouter juste assez d'eau pour que le pouding cuise à la vapeur.
11 Couvrir et cuire pendant 2 heures 30 environ à feu doux.
12 Ajouter de l'eau si nécessaire.
13 Laisser refroidir et servir avec une sauce au choix.
* quantité suffisante

Suvallijaq

L'huile de phoque est essentielle à la préparation du « suvalite », un mets que l'ethnologue Jacques Rousseau qualifie de friandise. À base de « graines rouges » ou d'airelles, le « suvalite » original exigeait également la présence d'oeufs de truite. C'est dire à quel point c'était un mets d'été. Pourtant les airelles et la plupart des baies sauvages font partie des provisions que l'Amérindien accumulait pour se prémunir contre les famines toujours possibles en hiver. Advenant le cas où les éléments naturels semblaient vouloir se liguer contre eux, les Amérindiens recouraient aux pouvoirs du chaman afin d'être délivrés du mauvais esprit : « Le chaman sortait nu jusqu'à la ceinture, mais son corps n'en souffrait aucunement. Il allait ainsi boucher un trou situé au nord du firmament, à travers lequel l'esprit de la tempête faisait sortir la poudrerie. »

Préparation : 15 minutes $$

Portion 2 litres	*Ingrédients*	Portion 500 mL
500 mL	**Airelle**	125 mL
500 mL	**Oeuf de truite**	125 mL
1 L	**Huile de phoque**	250 mL

Méthode
1 Écraser les airelles et les oeufs de truites.
2 *Monter* la sauce en ajoutant l'huile petit à petit.
Note : C'est un genre de mayonnaise qui se garde en pots au réfrigérateur.

Recettes complémentaires

Appareil à crêpes

Préparation : 10 minutes
Repos : minimum 1 heure

Portion 1 litre	*Ingrédients*
300 g	**Farine tout usage**
30 mL	**Poudre à pâte**
5 mL	**Sel**
60 mL	**Sucre**
3	**Oeuf**
450 mL	**Lait**
60 mL	**Huile**

Méthode
1 Tamiser ensemble tous les ingrédients secs.
2 Battre les oeufs avec le lait et l'huile.
3 Ajouter les ingrédients secs.
4 Battre pendant 1½ minute (petite vitesse), jusqu'à ce que la pâte soit lisse.
5 À l'aide d'une louche, verser 60 mL de l'*appareil* sur une plaque légèrement graissée et cuire 1½ minute de chaque côté. (Tourner la crêpe lorsque des petites bulles se forment à la surface et que le bord est légèrement doré).

Court-bouillon

Préparation : 10 minutes
Cuisson : 20 minutes

Portions 4 litres	*Ingrédients*	Portion 1 litre
200 g	**Carotte en dés**	**90 mL**
225 g	**Oignon haché**	**90 mL**
175 g	**Céleri en dés**	**90 mL**
150 g	**Poireau ciselé**	**90 mL**
	Sel (au goût)	
2 mL	**Thym**	**1 pincée**
3	**Feuille de laurier**	**1**
4 L	**Eau**	**1 L**
175 mL	**Jus de citron**	**45 mL**
	Poivre (au goût)	

Méthode
1 Mettre tous les ingrédients du *court-bouillon,* sauf le poivre, dans une marmite et faire mijoter pendant 20 minutes.
2 Ajouter le poivre et cuire pendant encore 5 minutes.
3 *Passer* au chinois.
4 Laisser tiédir et réserver le liquide.

Fond blanc (de boeuf, veau, volaille ou lapin)

Préparation : 20 minutes
Cuisson : 4 à 5 heures

Portion 1 litre	*Ingrédients*
	Os ou carcasse concassée
1 kg	***Parures* de viande**
2,5 L	**Eau froide**
400 g	***Mirepoix***
10 g	**Gros sel**
1	***Bouquet garni***

Méthode
1 *Blanchir* les os et les *parures,* puis les rafraîchir à l'eau courante. Déposer tous les ingrédients dans une casserole.
2 Ajouter l'eau froide, la *mirepoix,* le sel et le *bouquet garni.*
3 Porter à ébullition et laisser cuire doucement à petit feu et à découvert pendant 4 à 5 heures, en écumant fréquemment.
4 *Dégraisser.*
5 *Passer* le jus de cuisson à l'*étamine.* Conserver au réfrigérateur jusqu'à utilisation.

Fond brun (de boeuf, veau, volaille, lapin)

Préparation : 20 minutes
Cuisson : 4 à 5 heures

Portion 1 litre	*Ingrédients*
	Os ou carcasse
1 kg	***Parures* de viande**
400 g	***Mirepoix***
100 mL	**Purée de tomates**
2,5 L	**Eau froide**
1	***Bouquet garni***
1	**Gousse d'ail**

Méthode
1 *Faire colorer* au four les os concassés (sans gras) et les *parures.*
2 Ajouter la *mirepoix* et la *faire revenir* avec les os.
3 Ajouter la purée de tomates et cuire le tout pendant quelques minutes.
4 Verser dans une marmite. Couvrir d'eau froide. Ajouter le *bouquet garni* et l'ail.
5 Porter à ébullition et cuire doucement pendant 4 à 5 heures, en écumant fréquemment.
6 *Dégraisser* et *passer* au tamis.
7 Conserver au réfrigérateur jusqu'à utilisation.

Fumet de poisson

Préparation : 20 minutes
Cuisson : 30 à 40 minutes

Portion 1 litre	*Ingrédients*
1 kg	**Arêtes de poissons blancs (sole, turbot, etc.)**
100 g	**Oignon**
100 g	**Blanc de poireau**
100 g	**Céleri**
100 g	**Fenouil frais (facultatif)**
100 g	**Champignon blanc**
45 mL	**Jus de citron**
½	**Bouteille de vin blanc sec de bonne qualité**
1 L	**Eau**

Méthode
1 Faire *dégorger* les arêtes à l'eau froide pendant au moins 3 heures.
2 Couper les légumes en *mirepoix* et les faire *sauter* à sec jusqu'à légère coloration.
3 Ajouter le jus de citron et les arêtes de poissons.
4 *Déglacer* avec le vin blanc.
5 *Mouiller* avec l'eau et cuire à ébullition lente et régulière de 30 à 40 minutes en *écumant* souvent.
6 Laisser reposer 1 heure hors du feu de façon à laisser les impuretés se déposer au fond.
7 Prendre le liquide délicatement, sans le troubler, avec une louche et le filtrer à travers un linge en tissu étamine.
8 Conserver au réfrigérateur.

Gâteau des anges

Préparation : 20 minutes
Cuisson : 50 minutes

Portions 4 gâteaux	*Ingrédients*	Portion 1 gâteau
2 mL	**Sel**	**1 pincée**
1 L	**Blanc d'oeuf**	**250 mL**
20 mL	**Crème de tartre**	**5 mL**
1,4 kg	**Sucre**	**375 mL**
525 g	**Farine à pâtisserie**	**250 mL**
20 mL	**Vanille**	**8 mL**
8 mL	**Essence d'amandes**	**2 mL**

Méthode
1 Ajouter le sel aux blancs d'oeufs ayant atteint la température de la pièce ; les battre en neige.
2 Ajouter la crème de tartre et les battre en neige ferme.
3 Incorporer graduellement le sucre.
4 Incorporer graduellement la farine (par petites quantités) en la tamisant au-dessus du mélange.
5 Ajouter la vanille et l'essence d'amandes.
6 Verser cette préparation dans un *moule tubulaire* non graissé.
7 Cuire au four à 150°C pendant 50 minutes.
8 Renverser sur une grille et laisser refroidir avant de démouler.

Herbes salées

Préparation : 25 minutes

Portion 1 litre	Ingrédients
3	**Poireau haché fin**
6	**Carotte hachée fin**
5	**Bouquet de persil haché fin**
125 mL	**Échalote (partie verte) hachée fin**
125 mL	**Feuille de céleri hachée fin**
50 mL	**Sarriette fraîche hachée fin**
125 mL	**Ciboulette hachée fin**
125 mL	**Gros sel**

Méthode
1 Mélanger les légumes et les herbes avec le gros sel et mettre en pots.

Pâte brisée

Préparation : 20 minutes
Repos : minimum 1 heure

Portion 2 kilogrammes	Ingrédients	Portion 500 grammes
1 kg	**Farine tout usage**	400 mL
650 g	**Graisse végétale**	250 mL
325 mL	**Eau glacée**	85 mL
20 ml	**Sel**	5 mL

Méthode
1 *Sabler* la farine et la graisse végétale. Mettre en *fontaine.* Ajouter au centre l'eau et le sel.
2 Former la pâte, sans trop pétrir. *Fraiser* la pâte par petites quantités. La réunir ensuite en une seule boule lisse, sans la travailler.
3 Laisser reposer pendant quelques heures au réfrigérateur avant utilisation.

Pâte feuilletée rapide

Préparation : environ 2 heures 30

Portion 2 kg	Ingrédients	Portion 500 g
	Détrempe :	
1 kg	**farine**	400 mL
800 g	**beurre ferme**	200 mL
500 mL	**eau à 19°C**	125 mL
15 mL	**sel**	3 mL

Méthode
Détrempe :
1 Faire une couronne avec la farine et y déposer la moitié du beurre en morceaux de la grosseur d'une noisette.
2 Ajouter graduellement l'eau salée au centre avec le beurre et mélanger délicatement avec la farine.
3 Ne pas trop travailler la pâte car les noisettes de beurre doivent rester dans la pâte qui ne doit pas devenir homogène.
4 Former une boule, couvrir et réserver au réfrigérateur pendant environ 1 heure.

Tourage :
1 *Abaisser* la pâte en un rectangle trois (3) fois plus long que large.
2 Répartir le reste du beurre au centre de l'*abaisse.* Plier de façon à bien emprisonner le beurre.
3 Donner un quart de *tour* au *pâton* de sorte que la longueur devienne la largeur.
4 *Abaisser* de nouveau la pâte en rectangle et le plier en quatre.
5 Laisser reposer au réfrigérateur pendant environ 30 minutes.
6 Répéter l'opération du *tourage.*
7 Plier en quatre.
8 Bien envelopper et remettre dans le réfrigérateur pendant environ 30 minutes.
9 *Abaisser* et découper selon le besoin.

Sauce barbecue

Préparation : 20 minutes
Cuisson : 30 minutes

Portions 24	Ingrédients	Portions 6
125 g	**Oignon haché**	45 mL
85 g	**Céleri en dés**	45 mL
½	**Gousse d'ail hachée**	¼
45 mL	**Huile**	10 mL
45 g	**Farine**	20 mL
1,4 L	**Fond blanc de volaille *(voir recettes complémentaires)***	350 mL
375 mL	**Tomato ketchup**	95 mL
30 mL	**Sauce Worcestershire**	8 mL
60 mL	**Vinaigre**	15 mL
150 g	**Cassonade**	40 mL
30 g	**Moutarde sèche**	15 mL
0,5 mL	**Fenouil (grains)**	très peu
½	**Feuille de laurier**	¼
45 g	**Farine**	20 mL
5 mL	**Sel**	1 mL
2 mL	**Chili**	0,5 mL

Méthode
1 *Faire suer* les oignons, le céleri et l'ail dans l'huile.
2 *Singer.*
3 Ajouter lentement le fond de volaille tout en brassant avec un fouet.
4 Ajouter les autres ingrédients et cuire à feu doux pendant environ 30 minutes.
5 *Passer.*

Sauce béchamel

Préparation : 15 minutes
Cuisson : 30 minutes

Portion 1 litre	Ingrédients
75 mL	**Beurre fondu**
150 mL	**Farine**
1 L	**Lait**
1	***Oignon piqué***
5 mL	**Sel**

Méthode
1 Préparer un *roux* avec le beurre fondu et la farine. Laisser refroidir.
2 Faire chauffer le lait jusqu'à ébullition.
3 Verser le lait bouillant graduellement sur le *roux* froid en remuant au fouet. Ajouter l'*oignon piqué* avec le sel.
4 Cuire à feu doux pendant 20 à 25 minutes. *Passer* au tamis. Réserver pour usage ultérieur.
Remarque : La sauce béchamel peut être préparée avec une plus ou moins grande quantité de *roux,* selon l'usage auquel elle est destinée.

Sauce au caramel

Préparation : 15 minutes
Cuisson : 15 à 20 minutes

Portions 24	Ingrédients	Portions 6
1,2 kg	**Cassonade**	300 mL
175 g	**Beurre**	45 mL
350 mL	**Sirop de maïs**	85 mL
40 mL	**Farine**	10 mL
250 mL	**Eau**	60 mL
500 mL	**Crème 35 %**	125 mL

Méthode
1 Faire fondre la cassonade avec le beurre jusqu'à ce que le mélange soit légèrement doré.
2 Ajouter le sirop de maïs.
3 Incorporer la farine.
4 Ajouter l'eau.
5 Bien mélanger et faire cuire à feu doux pendant 3 à 4 minutes.
6 Retirer du feu et ajouter la crème.
7 Bien mélanger.
8 Servir cette sauce tiède sur le gâteau aux épices.

Sauce crème

Préparation : 10 minutes
Cuisson : 30 minutes

Portion 2 L	Ingrédients	Portion 500 mL
140 g	**Beurre**	30 mL
115 g	**Farine**	45 mL
2 L	**Lait**	500 mL
	Sel (au goût)	
	Muscade (au goût)	
1 petit	**Oignon**	¼
	Clou de girofle (au goût)	

Méthode
1 Faire un *roux* avec le beurre fondu et la farine.
2 Chauffer le lait au point d'ébullition et l'incorporer graduellement au *roux.*
3 Saler.
4 Ajouter la muscade.
5 Ajouter l'*oignon piqué* de clou de girofle.
6 Faire mijoter pendant 30 minutes.
7 *Passer* la sauce.

Sauce aux oeufs

Préparation : 10 minutes
Cuisson : 30 minutes

Portions 24	*Ingrédients*	Portions 6
2 L	**Sauce crème** ***(voir recettes complémentaires)***	500 mL
6	**Oeuf dur**	2
75 g	**Piment rouge émincé**	45 mL

Méthode
1 Préparer la sauce crème.
2 Ajouter les oeufs émincés et les piments rouges préalablement cuits au beurre.

Sauce tartare

Préparation : 15 minutes

Portion 375 mL	*Ingrédients*
250 mL	**Mayonnaise**
25 mL	**Câpre hachée**
25 mL	**Cornichon haché**
20 mL	**Persil haché**
20 mL	**Queue d'échalote**

Méthode
1 Mélanger uniformément tous ces ingrédients ensemble.

Sauce à la vanille

Préparation : 5 minutes
Cuisson : 15 minutes

Portion 2 L (4 poudings)	*Ingrédients*	Portion 500 mL (1 pouding)
2 kg	**Cassonade**	500 mL
1 L	**Eau**	250 mL
1 L	**Crème 35 %**	250 mL
15 mL	**Vanille**	5 mL

Méthode
1 Dissoudre la cassonade dans l'eau ; amener à ébullition et faire chauffer jusqu'à 120°C au thermomètre à bonbon.
2 Verser en filet en remuant sur la crème.
3 Parfumer à la vanille.

Tables d'équivalences

Mesures de masse

1 once	30 g
1 livre	454 g
50 g	1¾ once
100 g	3½ onces
150 g	5⅓ onces
200 g	7 onces
250 g	9 onces
300 g	10½ onces
1 kg (1000 g)	2 lb 2 oz

Mesures de volume

1 c. à thé	5 mL
1 c. à table	15 mL
1 once	30 mL
1 tasse	250 mL
50 mL	1¾ once
100 mL	3½ onces
150 mL	5⅓ onces
200 mL	7 onces
250 mL	9 onces
300 mL	10½ onces
1 litre (1000 mL)	35 onces

Température du four

Celcius (C)	Fahrenheit (F)
120°	250°
140°	275°
150°	300°
160°	325°
180°	350°
190°	375°
200°	400°
220°	425°
230°	450°
240°	475°
260°	500°

Liste des abréviations

g	gramme
kg	kilogramme
L	litre
cL	centilitre
mL	millilitre
cm	centimètre
mm	millimètre
C	Celsius

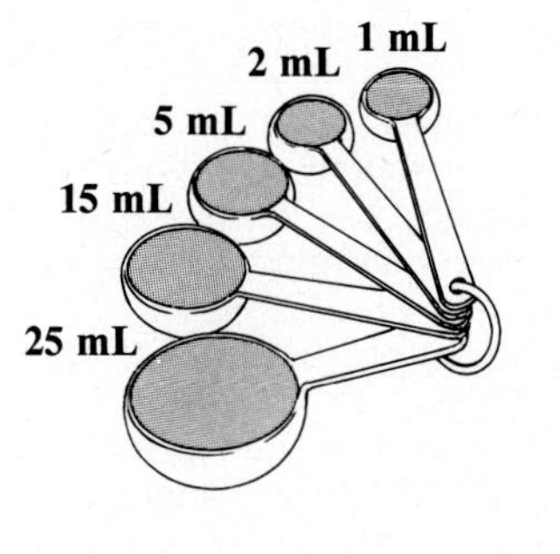

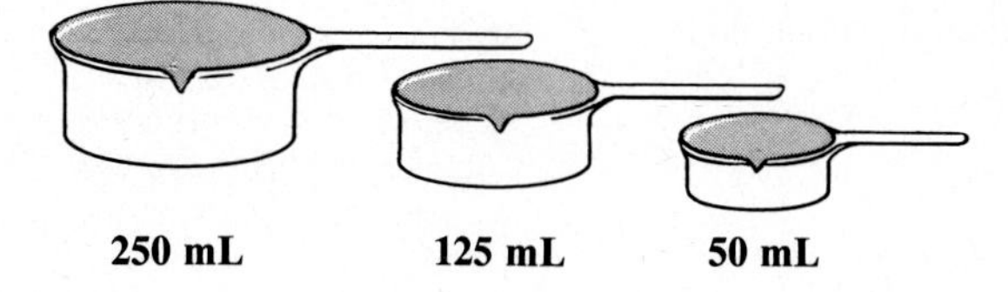

litre

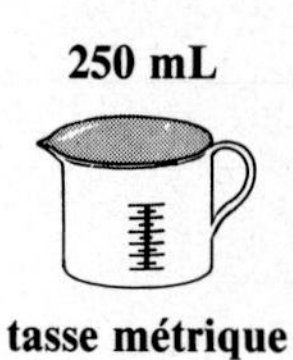

tasse métrique

Liste des denrées de remplacement

— Le **fond blanc**, le **fond brun** ou le **fumet de poisson** peuvent être remplacés, en mélangeant avec de l'eau,

— un bouillon — une base — un consommé

vendus dans le commerce, selon la saveur exigée par la recette (poulet, boeuf, veau, poisson, etc.).

— La **pâte feuilletée,** la **pâte à brioche,** la **pâte danoise** ou la **pâte brisée** peuvent être remplacées par des pâtes toutes prêtes vendues aux comptoirs des produits congelés.

Lexique

Abaisse : Terme de pâtisserie généralement employé pour désigner une partie de pâte aplatie au rouleau, à une épaisseur déterminée suivant l'usage auquel elle est destinée.
Abaisser : Étendre la pâte avec le rouleau à pâtisserie pour lui donner l'épaisseur voulue.
Aiguillette : Tranche de chair mince et longue, découpée dans le blanc de la poitrine d'une volaille ou d'un gibier à plumes. Par extension, ce terme s'emploie pour désigner des tranches minces de pièces de viande de boucherie.
Allonger : Additionner d'un liquide. Ex. : allonger une sauce.
Appareil : Mélange de produits de différente nature devant servir à une préparation culinaire.
Badigeonner : Enduire de beurre fondu ou d'oeuf battu, au moyen d'un pinceau.
Bain-marie (cuire au) : Cuire un mets en plaçant le récipient qui le contient dans une marmite ou une plaque renfermant de l'eau que l'on porte à ébullition.
Barde : Mince tranche de lard gras dont on entoure les viandes ou les volailles avant de les faire cuire, ou dont on se sert pour garnir le fond des casseroles, terrines, etc.
Barder : Entourer une viande à rôtir de minces tranches de lard gras.
Beurre à la meunière : Faire chauffer du beurre à la poêle jusqu'à ce qu'il soit devenu de couleur noisette. Additionner ce beurre, au dernier moment, d'un filet de jus de citron, de sel et de poivre.
Beurre manié : Une certaine quantité de farine bien mélangée à du beurre ou de la graisse, et employée pour la liaison rapide des sauces, coulis et ragoûts.
Beurre noisette : Beurre chauffé à la poêle jusqu'à ce qu'il soit devenu de couleur noisette.
Blanchir : Opération consistant à faire bouillir dans une certaine quantité de liquide, et plus ou moins longtemps, différentes substances alimentaires.
Bouquet garni : Élément aromatique composé de : céleri (branche) ; thym (branche) ; persil (branche) ; laurier (feuille).
Braiser : Faire cuire divers aliments « à court mouillement » dans une braisière ou une casserole couverte et au four.
Brider : Opération qui consiste à attacher les ailes et les pattes d'une volaille avec une ficelle de cuisine afin qu'elle ne se déforme pas pendant la cuisson.
Brunoise : Légumes coupés en petits dés de 1 à 3 mm de côté.
Canneler : Opération consistant à inciser de cannelures peu profondes les légumes, les fruits et certains entremets.
Chemiser : *Masquer* et garnir les parois et le fond d'un moule d'un mélange quelconque (ex. : pâte, biscuits, crème glacée, gelée, etc.).
Cocotte : Ustensile de forme ronde ou ovale, dans lequel on fait cuire les aliments, les viandes, les volailles et les gibiers. Peut être en terre cuite, en porcelaine à feu, en métal (cuivre étamé, nickel, aluminium, acier inoxydable, fonte, argent ou bi-métal), et enfin, en verre trempé.
Couenne : Peau épaisse et dure du porc. S'emploie en charcuterie pour préparer des fromages de tête ; en cuisine, pour *foncer* les braisières.
Court-bouillon : Bouillon composé d'eau salée, de vinaigre ou de jus de citron, de *mirepoix,* d'un *bouquet garni* et de poivre en grains. Tous les ingrédients ont bouilli ensemble pendant 20 à 30 minutes.
Décanter : Retirer les aliments solides d'un liquide.
Décortiquer : Séparer un fruit ou une graine de son enveloppe ; dépouiller un crustacé de sa carapace, un mollusque de sa coquille.
Déglacer : Dissoudre avec un peu de liquide les sucs de viandes qui se sont caramélisés au fond du plat de cuisson.
Dégorger : Faire tremper plus ou moins longtemps une substance dans l'eau courante afin de la débarrasser de ses impuretés : ainsi on dégorge la tête de veau et les ris de veau pour les rendre plus blancs.
Éliminer de certains légumes et herbes (concombre, chou, sarriette, échalote) une partie de leur eau de végétation en les saupoudrant de sel.
Dégraisser : Enlever l'excès de graisse qui s'est formé en nappe à la surface d'un liquide, consommé, sauce ou autre. On dit aussi dégraisser un morceau de viande, c'est-à-dire supprimer une partie de la graisse de couverture d'une viande de boucherie.
Dénerver : Action d'enlever les parties nerveuses ou tendineuses d'une pièce de boucherie.
Détailler : Couper en morceaux.
Détrempe : Désigne expressément le mélange de farine, de graisse et d'eau servant à préparer une pâte.
Détremper : Amollir ou dissoudre une substance dans un liquide.
Ébarber : Enlever, à l'aide de ciseaux ou d'un couteau, les barbes ou les nageoires latérales d'un poisson.
Ébarber des huîtres : leur enlever le muscle et la barbe (cartilages servant de nageoire).
Écumer : Enlever, à l'aide d'une cuiller ou de l'écumoire, la mousse qui se forme sur les liquides soumis à l'action du feu.
Émonder : Trier et enlever les graines.
Emporte-pièce : Instrument servant à découper la pâte (biscuits, beignes, etc.).
En les soutenant : Coller les blancs d'oeufs pour éviter qu'ils retombent.
Épépiner : Enlever les pépins d'un fruit ou d'un légume.
Étuver : Cuire à couvert. Ce mode de cuisson s'applique à toutes sortes de viandes, volailles, poissons, aux légumes, aux fruits.
Les articles mis à *étuver* sont additionnés d'une quantité déterminée de beurre, de graisse ou d'huile.
Faire colorer : Donner de la couleur à une viande ou à un fond de cuisson en le faisant cuire à feu vif pendant quelques minutes.

Faire pincer : Faire colorer légèrement dans un corps gras ou au four, viande, os et légumes avant de les *mouiller.*
Opération culinaire consistant à *colorer* légèrement, au four ou sur le feu, les sucs de viandes qui se sont caramélisés au fond de la casserole, avant de les *mouiller.*
Faire revenir : (avec ou sans coloration) Faire prendre couleur ou non à la viande ou aux légumes en les faisant cuire dans un gras à feu plus ou moins vif.
Faire revenir à brun : Faire revenir à feu vif, dans un corps gras, une substance quelconque (viande, légumes, etc.) jusqu'à ce qu'elle soit d'un brun doré.
Faire suer : Cuire un légume ou une viande dans un corps gras, à couvert, jusqu'à ce que perlent à la surface de l'aliment quelques gouttes de jus.
Faire tomber : Se dit pour une substance quelconque, principalement de l'oignon, de l'échalote ou d'autres aromates, *mouillée* d'un liquide quelconque que l'on fait *réduire* complètement.
Foncer : Couvrir le fond d'un moule avec de la pâte, des bandes de lard.
Fontaine : Terme de pâtisserie par lequel on désigne la farine mise en cercle au milieu duquel sont placés les divers ingrédients entrant dans la composition de la pâte.
Fraiser : Mélanger la pâte en la pressant avec la paume de la main.
Jardinière : Ensemble de plusieurs légumes coupés en bâtonnets (longueur 3 cm, largeur 6 mm).
Julienne : Nom donné à des viandes ou des légumes coupés en fines lanières.
Lardon : Morceau de lard taillé en dés, *blanchis* et que l'on ajoute à certaines préparation telles un ragoût.
Lier : Épaissir une sauce ou un liquide en y ajoutant un *roux,* de la fécule, de la farine, du *beurre manié,* etc.
Macérer : Faire tremper des légumes, des viandes ou des fruits dans un liquide, du vinaigre, du vin ou de l'alcool.
Masquer : Couvrir de sauce ou d'un *appareil,* un mets dressé. Couvrir un gâteau de crème.
Mettre sous presse : Déposer sur une terrine (ou autre) une planche de diamètre inférieur à celle-ci et y déposer un poids de façon à presser la chair pour la rendre plus compacte.
Mirepoix : Légumes coupés grossièrement pour la préparation d'une sauce ou d'un composé (carotte, céleri, oignon, poireau).
Monter (à l'huile) : Ajouter une quantité d'huile à la sauce en fouettant jusqu'à l'obtention d'un mélange homogène.
Mouiller : Ajouter de l'eau, du bouillon ou un autre liquide à un mets pendant la cuisson, pour en augmenter le volume.
Moule tubulaire : Récipient creux de forme circulaire ayant au centre un trou de la forme d'un tube. On l'utilise pour la préparation de certains gâteaux.
Moulinette : Petit moulin à légumes servant à réduire en purée les légumes cuits.
Mousseline : Toile de coton claire, fine, légère et transparente.
Napper : Se dit de l'action de couvrir un mets quelconque, une fois qu'il est dressé sur un plat de service, avec la sauce d'accompagnement.
Oignon piqué : Oignon piqué d'un ou de plusieurs clous de girofle.
Parer : Supprimer les parties (abats, os, arêtes, peau, graisse) non utilisables ou qui nuisent à la présentation des aliments.
Parures : On désigne sous ce nom toutes les parties, nerfs, peaux, etc., que l'on supprime des pièces de boucherie devant être cuites d'une façon quelconque. Les parures des viandes fraîches, celles de veau, de boeuf et de porc, sont utilisées pour préparer des fonds qui servent à la confection des sauces.
Passer (au tamis) : Couler un consommé, une sauce ou tout autre liquide au tamis ou à l'étamine pour le rendre propre et lisse.
Pâton : Morceau de pâte.
Pédoncule : Queue, tige d'un fruit ou d'un légume.
Pocher : Cuire dans un récipient à découvert, sans faire bouillir.
Pulpe : Substance molle, charnue et riche en sucs qui constitue la plus grande partie des fruits et des légumes charnus.
Quatre-épices : Plante herbacée dont les fruits, réduits en poudre, ont le parfum composé de la girofle, du gingembre, du poivre et de la muscade.
Râble : Partie charnue qui s'étend du bas des épaules à la queue des petits animaux domestiques ou sauvages (lapin, lièvre).
Réduire : Faire bouillir une sauce ou un fond, pour provoquer de l'évaporation et rendre ainsi la préparation plus corsée et plus colorée. Par cette opération, on obtient, en outre, des sauces plus brillantes.
Rissoler : Faire *sauter* une viande ou un autre aliment dans une matière grasse très chaude pour lui donner une couleur dorée.
Roux : Mélange de beurre (ou autre corps gras) et de farine cuit plus ou moins longtemps, suivant l'emploi et la couleur désirée (roux blanc, roux brun).
Sabler : Mélanger la farine et le corps gras jusqu'à ce que le mélange prenne l'apparence de la chapelure.
Salpêtre : Sel cristallin, blanc, inodore, d'une saveur fraîche, piquante et légèrement amère, très soluble dans l'eau chaude, moins dans l'eau froide.
Saumure : Solution de sel et d'eau, souvent additionnée de sucre, de *salpêtre* et d'aromates, dans laquelle on immerge des aliments destinés à être conservés par salaison.
Sauter : Faire cuire à feu vif, dans un corps gras, en remuant la casserole ou le sautoir, pour empêcher les aliments d'attacher.
Singer : « Saupoudrer de farine » un ragoût on tout autre apprêt, afin d'obtenir la liaison de la sauce.
Siphonner : Transvaser un liquide d'un contenant placé à un niveau élevé dans un contenant situé à un niveau inférieur à l'aide d'un tube courbé (siphon).
Tour : Le tour consiste à *abaisser* la pâte à environ 1 cm d'épaisseur en lui donnant la forme d'un rectangle plus long que large.
Tourage : Opération qui consiste à donner des *tours* à la pâte avec un rouleau à pâtisserie.

Table des matières

Liste des recettes par région

Îles-de-la-Madeleine

Gaspésie

Bas Saint-Laurent

Québec

Charlevoix

Pays de l'Érable

Mauricie

Estrie

Richelieu — Rive-Sud

Lanaudière

Laurentides

Montréal

Outaouais

Abitibi-Témiscamingue

Saguenay — Lac-Saint-Jean — Chibougamau

Manicouagan

Duplessis

Nouveau-Québec

Recettes complémentaires